O LIVRO DA MATEMÁTICA

O LIVRO DA MATEMÁTICA

DK LONDRES

EDITOR DE ARTE SÊNIOR
Gillian Andrews

EDITORES SENIORES
Camilla Hallinan, Laura Sandford

ILUSTRAÇÕES
James Graham

EDITORA DE CAPA
Emma Dawson

DESIGNER DE CAPA
Surabhi Wadhwa

GERENTE DE DESENVOLVIMENTO DE CAPA
Sophia MTT

PRODUTOR, PRÉ-PRODUÇÃO
Andy Hilliard

PRODUÇÃO
Rachel Ng

GERENTE EDITORIAL
Gareth Jones

GERENTE EDITORIAL DE ARTE SÊNIOR
Lee Griffiths

DIRETORA ASSOCIADA DE PUBLICAÇÕES
Liz Wheeler

DIRETORA DE ARTE
Karen Self

DIRETOR DE DESIGN
Philip Ormerod

DIRETOR DE PUBLICAÇÕES
Jonathan Metcalf

PROJETO ORIGINAL
STUDIO8 DESIGN

GLOBO LIVROS

EDITOR RESPONSÁVEL
Lucas de Sena Lima

ASSISTENTE EDITORIAL
Renan Castro

TRADUÇÃO
Maria da Anunciação Rodrigues

CONSULTORIA
Rodrigo Botelho Ribeiro

PREPARAÇÃO DE TEXTO
Fernando Nuno

REVISÃO DE TEXTO
Marcela Isensee
Vanessa Sawada

EDITORAÇÃO ELETRÔNICA
Equatorium Design

Publicado originalmente na Grã-Bretanha em 2019 por Dorling Kindersley Limited, 80 Strand, London, WC2R 0RL.

Copyright © 2019, Dorling Kindersley Limited, parte da Penguin Random House

Copyright © 2020, Editora Globo S/A

Todos os direitos reservados. Nenhuma parte desta edição pode ser utilizada ou reproduzida – em qualquer meio ou forma, seja mecânico ou eletrônico, fotocópia, gravação etc. – nem apropriada ou estocada em sistema de banco de dados sem a expressa autorização da editora.

1ª edição, 2020 - 5ª reimpressão, 2025

Impressão: COAN

FOR THE CURIOUS
www.dk.com

CIP-BRASIL. CATALOGAÇÃO NA PUBLICAÇÃO
SINDICATO NACIONAL DOS EDITORES DE LIVROS, RJ

L762

    O livro da matemática / editor consultor Karl Warsi ; tradução Maria da Anunciação Rodrigues. - 1. ed. - Rio de Janeiro : Globo Livros, 2020.
    352 p.

    Tradução de : The maths book
    Inclui índice
    ISBN 9786555670233

    1. Matemática. I. Warsi, Karl. II. Rodrigues, Maria da Anunciação. III. Título.

20-65104   CDD: 510
     CDU: 51

Camila Donis Hartmann - Bibliotecária - CRB-7/6472
25/06/2020   29/06/2020

COLABORADORES

KARL WARSI, EDITOR CONSULTOR

Karl Warsi ensinou matemática em escolas e faculdades do Reino Unido por muitos anos. Em 2000, começou a publicar livros de matemática, criando séries de obras didáticas para estudantes do nível secundário que são *best-seller* no Reino Unido e no mundo. Ele defende a inclusão na educação e a ideia de que pessoas de todas as idades aprendem de modos diferentes.

JAN DANGERFIELD

Palestrante e examinadora sênior em cursos de matemática avançada, Jan Dangerfield também integra o Instituto de Avaliadores Educacionais Certificados e a Real Sociedade Estatística do Reino Unido. Ela participou da Sociedade Britânica de História da Matemática por mais de trinta anos.

HEATHER DAVIS

Escritora e educadora britânica, Heather Davis ensinou matemática por trinta anos. Ela escreveu livros didáticos para a Hodder Education e gerenciou publicações da Associação dos Professores de Matemática do Reino Unido. Ministra cursos para comissões examinadoras no Reino Unido e no exterior e escreve e apresenta atividades de aperfeiçoamento para estudantes.

JOHN FARNDON

Escritor amplamente publicado de obras populares sobre ciência e natureza, John Farndon esteve cinco vezes entre os finalistas do Prêmio para Jovens Autores de Livros de Ciência da Real Sociedade, entre outras premiações. Escreveu cerca de mil livros de variados temas, entre eles títulos aclamados internacionalmente como *The Oceans Atlas*, *Do You Think You're Clever?* e *Do Not Open*, e colaborou em obras importantes como *Science* e *Science Year by Year*.

JONNY GRIFFITHS

Após estudar matemática e educação na Universidade de Cambridge, na Open University e na Universidade de East Anglia, Jonny Griffiths ensinou matemática no Paston Sixth Form College, em Norfolk, no Reino Unido, por mais de vinte anos. Em 2005-2006, tornou-se Gatsby Teacher Fellow por criar o Risps, website popular de matemática. Em 2016, fundou a competição Ritangle, para estudantes de matemática.

TOM JACKSON

Escritor há 25 anos, Tom Jackson lançou cerca de duzentos livros de não ficção para adultos e crianças e colaborou em muitos outros de variados temas de ciência e tecnologia. Suas obras incluem: *Numbers: How Counting Changed the World*; *Everything is Mathematical*, uma série de livros com Marcus du Sautoy, e *Help Your Kids with Science*, com Carol Vorderman.

MUKUL PATEL

Mukul Patel estudou matemática no Imperial College, em Londres, e é escritor, com colaborações em muitas disciplinas. É autor de *We've Got Your Number*, livro infantil de matemática, e de roteiros de filmes estrelados por Tilda Swinton. Compôs também muito para coreógrafos contemporâneos e concebeu instalações sonoras para arquitetos. Atualmente investiga questões de ética em inteligência artificial.

SUE POPE

Professora de matemática, Sue Pope é uma antiga integrante da Associação de Professores de Matemática e, em seus congressos, coorganiza oficinas sobre história da matemática na educação. Escreveu um grande número de publicações e recentemente coeditou *Enriching Mathematics in the Primary Curriculum*.

MATT PARKER, APRESENTAÇÃO

Após ser professor de matemática na Austrália, Matt Parker é hoje comediante de stand-up, comunicador em matemática e destacado youtuber nos canais *Numberphile* e *Stand-up Maths*, cujos vídeos já somam milhões de visualizações. Matt apresenta comédia ao vivo no Festival of the Spoken Nerd e certa vez calculou o pi diante de uma plateia lotada no Royal Albert Hall. Ele também faz programas de televisão e rádio para a BBC e para o Discovery Channel e seu livro de 2019 *Humble Pi: A Comedy of Maths Errors* chegou ao topo da lista de mais vendidos do *Sunday Times*.

SUMÁRIO

12 INTRODUÇÃO

IDADE ANTIGA E PERÍODO CLÁSSICO
6000 a. C.–500 d. C.

22 Os numerais ocupam seus lugares
Números posicionais

28 O quadrado como a potência mais alta
Equações quadráticas

32 A proposta exata para apuração de todas as coisas
O Papiro de Rhind

34 A soma é igual em todas as direções
Quadrados mágicos

36 O número é a causa de deuses e demônios
Pitágoras

44 Um número real que não é racional
Números irracionais

46 O corredor mais rápido nunca ultrapassará o mais lento
Os paradoxos de movimento de Zenão

48 Suas combinações criaram complexidades sem fim
Os sólidos platônicos

50 Conhecimento demonstrativo deve repousar em verdades básicas necessárias
Lógica silogística

52 O todo é maior que a parte
Os elementos, de Euclides

58 Contar sem números
O ábaco

60 Explorar pi é como explorar o Universo
O cálculo de pi

66 Separamos os números como numa peneira
A peneira de Eratóstenes

68 Um *tour de force* geométrico
Seções cônicas

70 A arte de medir triângulos
Trigonometria

76 Números podem ser menos que nada
Números negativos

80 A legítima flor da aritmética
Equações diofantinas

82 Uma estrela incomparável no céu da sabedoria
Hipácia

83 A maior aproximação de pi num milênio
Zu Chongzhi

IDADE MÉDIA
500–1500

88 Uma fortuna subtraída de zero é uma dívida
O zero

92 A álgebra é uma arte científica
A álgebra

100 A álgebra livre dos limites da geometria
O teorema binomial

102 Catorze formas com todas as ramificações e casos
Equações cúbicas

106 A música onipresente das esferas
A sequência de Fibonacci

112 O poder da duplicação
Trigo num tabuleiro de xadrez

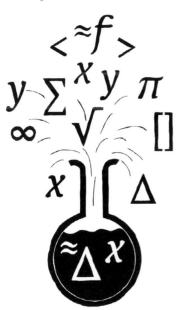

RENASCIMENTO
1500–1680

118 A geometria da arte e da vida
A proporção áurea

124 Como um grande diamante
Primos de Mersenne

125 Navegando numa direção
Linhas de rumo

126 Duas linhas de mesmo comprimento
O sinal de igual e outros símbolos

128 Mais de menos vezes mais de menos dá menos
Números imaginários e complexos

132 A arte dos décimos
Os decimais

138 Transformando multiplicação em adição
Logaritmos

142 A natureza usa o mínimo de tudo
O problema dos máximos

144 A mosca no teto
Coordenadas

152 Um recurso de maravilhosa invenção
A área sob uma cicloide

154 Três dimensões feitas por duas
Geometria projetiva

156 Simetria é o que vemos num relance
O triângulo de Pascal

162 O acaso é restringido e regido pela lei
Probabilidades

166 A soma das distâncias é igual à altura
O teorema do triângulo de Viviani

167 O balanço de um pêndulo
A curva tautocrônica de Huygens

168 **Com cálculo posso prever o futuro**
O cálculo

176 **A perfeição da ciência dos números**
Números binários

ILUMINISMO
1680–1800

182 **Para cada ação há uma reação igual e oposta**
As leis do movimento de Newton

184 **Resultados empíricos e esperados são os mesmos**
A lei dos grandes números

186 **Um desses números estranhos que são criaturas singulares**
O número de Euler

192 **A variação aleatória cria um padrão**
Distribuição normal

194 **As sete pontes de Königsberg**
A teoria dos grafos

196 **Todo inteiro par é a soma de dois primos**
A conjectura de Goldbach

197 **A mais bela equação**
A identidade de Euler

198 **Nenhuma teoria é perfeita**
O teorema de Bayes

200 **Uma simples questão de álgebra**
A solução algébrica de equações

202 **Vamos juntar os fatos**
O experimento da agulha de Buffon

204 **A álgebra muitas vezes dá mais do que lhe pedem**
O teorema fundamental da álgebra

SÉCULO XIX
1800–1900

214 **Números complexos são coordenadas num plano**
O plano complexo

216 **A natureza é a fonte mais fértil de descobertas matemáticas**
Análise de Fourier

218 **O diabrete que conhece a posição de cada partícula do Universo**
O demônio de Laplace

220 **Quais as chances?**
A distribuição de Poisson

221 **Uma ferramenta indispensável em matemática aplicada**
Funções de Bessel

222 **Ele vai guiar o futuro da ciência**
O computador mecânico

226 Um novo tipo de função
Funções elípticas

228 Criei outro mundo a partir do nada
Geometrias não euclidianas

230 Estruturas algébricas têm simetrias
A teoria dos grupos

234 Como um mapa de bolso
Quatérnios

236 Potências de números naturais quase nunca são consecutivas
A conjectura de Catalan

238 A matriz está em todo lugar
Matrizes

242 Uma investigação sobre as leis do pensamento
Álgebra booliana

248 Uma forma com um só lado
A faixa de Moebius

250 A música dos números primos
A hipótese de Riemann

252 Alguns infinitos são maiores que outros
Números transfinitos

254 Representação diagramática do raciocínio
Diagramas de Venn

255 A torre vai cair e o mundo acabará
A Torre de Hanói

256 Tamanho e forma não importam, só as conexões
Topologia

260 Perdido naquele espaço silencioso e medido
O teorema dos números primos

ERA MODERNA
1900–HOJE

266 O véu sob o qual o futuro se esconde
23 problemas para o século xx

268 A estatística é a gramática da ciência
Nascimento da estatística moderna

272 Uma lógica mais livre nos liberta
A lógica da matemática

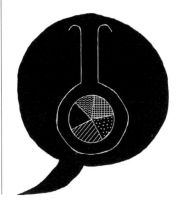

274 O Universo é quadridimensional
O espaço de Minkowski

276 Um número bem sem graça
Números taxicab

278 Um milhão de macacos martelando num milhão de máquinas de escrever
O teorema do macaco infinito

280 Ela mudou a face da álgebra
Emmy Noether e a álgebra abstrata

282 As estruturas são as armas do matemático
O grupo de Bourbaki

284 Uma única máquina para calcular qualquer sequência calculável
A máquina de Turing

290 Coisas pequenas são mais numerosas que as grandes
A lei de Benford

306 Variedade infinita e complicação sem limites
Fractais

312 Quatro cores, não mais
O teorema das quatro cores

314 Segurança de dados com cálculo de mão única
Criptografia

318 Joias ligadas por um fio até então invisível
Grupos simples finitos

320 Uma prova realmente maravilhosa
A prova do último teorema de Fermat

324 Não é preciso outro reconhecimento
A prova da conjectura de Poincaré

291 Um plano para a era digital
A teoria da informação

292 Estamos todos só a seis passos uns dos outros
Seis graus de separação

294 Uma pequena vibração pode mudar todo o cosmos
O efeito borboleta

300 Logicamente as coisas só podem ser verdadeiras em parte
Lógica difusa

302 Uma grande teoria unificadora da matemática
O Programa Langlands

304 Outra casa, outra prova
Matemática social

305 Pentágonos são bonitos de ver
O mosaico de Penrose

326 OUTROS MATEMÁTICOS

336 GLOSSÁRIO

344 ÍNDICE

351 CRÉDITOS DAS CITAÇÕES

352 AGRADECIMENTOS

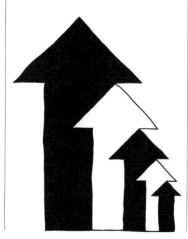

APRESENTAÇÃO

Resumir toda a matemática em um livro é tarefa intimidadora e, na verdade, impossível. A humanidade a vem explorando e descobrindo há milênios. Em termos práticos, temos confiado na matemática para realizar avanços para a espécie: a aritmética e a geometria primitiva forneceram as bases das primeiras cidades e civilizações. E, filosoficamente, usamos a matemática como exercício de puro pensamento para explorar padrões e lógica.

Como tema, é surpreendentemente difícil encerrar a matemática numa definição abrangente. A "matemática" não é só, como as pessoas pensam, "algo que tem a ver com números". Isso excluiria uma ampla gama de tópicos matemáticos, como grande parte da geometria e da topologia abordadas neste livro. É claro que os números ainda são ferramentas muito úteis para entender mesmo as áreas mais intrincadas da matemática, mas não são seu aspecto mais interessante. Focar apenas os números ignora o todo da questão.

Minha própria definição de matemática como "o tipo de coisas que os matemáticos gostam de fazer", apesar de deliciosamente circular, não ajuda muito. A matemática poderia ser mais bem entendida como uma tentativa de achar as explicações mais simples para as maiores ideias. É o empenho de descobrir e sintetizar padrões. Alguns desses padrões envolvem os triângulos práticos necessários para construir pirâmides e dividir terras; outros tentam classificar todos os 26 grupos esporádicos da álgebra abstrata. São problemas bem diversos em termos de utilidade e complexidade, mas ambos os tipos de padrões se tornaram a obsessão de matemáticos ao longo de eras.

Não há um modo definitivo de organizar toda a matemática, mas observá-la em cronologia não é uma má opção. Este livro usa a jornada histórica dos humanos descobrindo a matemática como modo de classificá-la e arranjá-la numa progressão linear. É uma empreitada ousada e difícil. O corpo dos conhecimentos correntes foi construído por várias pessoas de diversas épocas e culturas.

Assim, algo como o breve capítulo sobre quadrados mágicos cobre milhares de anos e o espaço do globo. Os quadrados mágicos – arranjos de números em que a soma de cada linha, coluna e diagonal é sempre igual – são uma das áreas recreativas mais antigas da matemática. Iniciando no século IX a.C., na China, essa história vai quicando por textos indianos de 100 d.C., por eruditos árabes da Idade Média, pela Europa renascentista e finalmente pelos enigmas modernos como o sudoku. Ao longo de poucas páginas, este livro tem de cobrir três mil anos de história, terminando com os quadrados geomágicos em 2001. E mesmo acerca desse pequeno nicho da matemática existirá muito sobre o que falar, mas não houve espaço suficiente. O livro todo deve ser visto como uma viagem guiada pelos pontos altos da matemática.

Estudar mesmo uma amostra da matemática é revelador de quanto os humanos alcançaram. Mas isso também destaca onde os matemáticos poderiam ter feito melhor: a óbvia omissão do papel das mulheres da história da matemática não pode ser ignorada. Muitos talentos foram desperdiçados ao longo dos séculos e muitos créditos não foram devidamente atribuídos. Espero, porém, que estejamos melhorando a diversidade e encorajando todos os humanos a descobrir e aprender sobre a matemática.

Isso porque, ao avançar, o corpo da matemática continuará a crescer. Se este livro fosse escrito um século antes, teria sido mais ou menos o mesmo até por volta da página 280. E terminaria aí. Sem a teoria de anéis de Emmy Noether, a computação de Alan Turing, os seis graus de separação de Kevin Bacon. E sem dúvida isso será verdade de novo daqui a cem anos. A edição impressa daqui a um século continuará além da página 352, cobrindo temas que desconhecemos totalmente. E, como qualquer um pode fazer matemática, não há como dizer quem descobrirá essa nova matemática, onde e quando. Para alcançar o maior avanço da matemática do século XXI precisamos incluir todas as pessoas. Espero que este livro ajude a inspirar cada um a se envolver.

Matt Parker

INTRODU

ÇÃO

14 INTRODUÇÃO

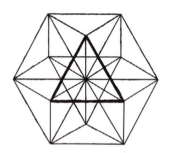

A história da matemática remonta à Pré-História, quando os primeiros humanos encontraram meios de contar e quantificar coisas. Ao fazer isso, eles começaram a identificar padrões e regras nos conceitos dos números, tamanhos e formas. Descobriram os princípios básicos da adição e da subtração – por exemplo, que duas coisas (fossem pedrinhas, frutas ou mamutes) somadas a outras duas invariavelmente resultavam em quatro coisas. Tais ideias podem parecer óbvias hoje, mas foram profundos achados na época. Elas demonstram também que a história da matemática é acima de tudo uma narrativa de descobertas em vez de invenções. Embora a curiosidade e a intuição humanas tenham reconhecido os princípios subjacentes à matemática, e o engenho humano tenha depois fornecido vários meios para registrá-los e anotá-los, esses princípios em si não são uma invenção humana. O fato de que 2 + 2 = 4 é verdadeiro independe da existência humana; as regras da matemática, como as leis da física, são universais, eternas e imutáveis. Quando os matemáticos mostraram pela primeira vez que os ângulos de qualquer triângulo num plano somados resultam em 180°, uma linha reta, isso não foi sua invenção: eles apenas descobriram um fato que sempre foi (e sempre será) verdadeiro.

Primeiras aplicações

O processo da descoberta matemática começou na Pré-História, com o desenvolvimento de meios para contar coisas que as pessoas precisavam quantificar. Da maneira mais simples, isso era feito entalhando marcas num osso ou graveto, um jeito rudimentar mas confiável de registrar números de coisas. Com o tempo, palavras e símbolos foram atribuídos aos números e o primeiro sistema de numerais começou a se desenvolver para expressar operações como a compra de itens adicionais ou o consumo de um estoque, as operações básicas da aritmética.

Conforme os caçadores-coletores se voltaram para o comércio e o cultivo e as sociedades se sofisticaram, as operações aritméticas e um sistema numérico se tornaram ferramentas essenciais em todos os tipos de transações. Para permitir o comércio, formação de estoques e taxação sobre incontáveis bens, como óleo, farinha ou terrenos, elaboraram-se sistemas de medidas, atribuindo valor numérico a dimensões como peso e comprimento. Os cálculos também ficaram mais complexos, desenvolvendo-se os conceitos de multiplicação e divisão a partir da adição e da subtração – permitindo, por exemplo, o cálculo de uma área de terras.

Nas civilizações antigas, essas novas descobertas da matemática, em especial a medida de objetos no espaço, tornaram-se a base da geometria, conhecimento que poderia ser usado na construção e na fabricação de ferramentas. Ao usar essas medidas para fins práticos, as pessoas descobriram certos padrões que poderiam ser úteis. Um esquadro de pedreiro simples mas preciso pode ser feito com um triângulo de lados com

É impossível ser um matemático sem ser um poeta da alma.
Sofya Kovalevskaya
Matemática russa

INTRODUÇÃO 15

  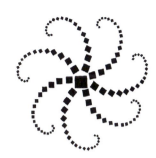

três, quatro e cinco unidades. Sem essa ferramenta e o conhecimento exatos, estradas, canais, zigurates e pirâmides da antiga Mesopotâmia e Egito não poderiam ter sido construídos. Conforme novas aplicações para essas descobertas matemáticas eram encontradas – em astronomia, navegação, engenharia, contabilidade, taxação e assim por diante –, novos padrões e ideias emergiram. Cada uma das civilizações antigas não só estabeleceu as bases da matemática por processos interdependentes de uso e descoberta, mas também desenvolveu um fascínio pela matemática por si mesma, a assim chamada matemática pura. Em meados do primeiro milênio a.C., os primeiros matemáticos puros começaram a aparecer na Grécia, e pouco depois na Índia e na China, partindo do legado dos pioneiros práticos do tema – engenheiros, astrônomos e exploradores das primeiras civilizações.

Embora não se preocupassem tanto com os usos práticos de suas descobertas, esses estudiosos iniciais não se restringiam à matemática. Em sua exploração das propriedades dos números, formas e processos, eles descobriram regras e padrões universais que

A geometria é o conhecimento do que existe eternamente.
Pitágoras
Matemático da Grécia Antiga

suscitaram questões metafísicas sobre a natureza do cosmos e até aventaram que esses padrões tinham propriedades místicas. Muitas vezes a matemática foi vista, assim, como disciplina complementar da filosofia – muitos dos maiores matemáticos ao longo das eras também foram filósofos, e vice-versa – e a ligação entre os dois temas persiste até hoje.

Aritmética e álgebra

Assim começou a história da matemática como a entendemos hoje – as descobertas, conjecturas e *insights* dos matemáticos que formam o grosso deste livro. Além dos pensadores individuais e suas ideias, é uma história de sociedades e culturas, um fio de pensamento

que se desenrolou continuamente das antigas civilizações da Mesopotâmia e Egito, passando por Grécia, China, Índia e Império Islâmico até a Europa renascentista e o mundo moderno. Conforme evoluía, a matemática também passou a compreender vários campos de estudo distintos, mas interconectados.

O primeiro campo a emergir, e em muitos sentidos o mais fundamental, foi o estudo de números e quantidades, que hoje chamamos de aritmética, da palavra grega *arithmos* ("número"). Na forma mais básica, ela se relaciona à contagem e à atribuição de valor numérico a coisas, e também a operações, como adição, subtração, multiplicação e divisão, aplicáveis aos números. A partir do conceito simples de um sistema numérico vem o estudo das propriedades dos números e até o estudo desse próprio conceito. Certos números – como as constantes π, e ou os números primos e irracionais – exercem um fascínio especial e se tornaram tema de considerável estudo.

Outro campo importante da matemática é a álgebra, que é o estudo da estrutura, o modo como a matemática se organiza, e portanto tem alguma relevância em todos os »

 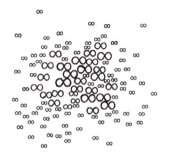 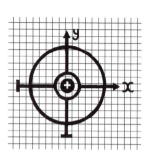

outros campos. O que distingue a álgebra da aritmética é o uso de símbolos, como letras, para representar variáveis (números desconhecidos). Em sua forma básica, a álgebra é o estudo das regras subjacentes ao uso desses símbolos em matemática – em equações, por exemplo. Métodos para resolver equações, mesmo equações quadráticas muito complexas, foram descobertos já na antiga Babilônia, mas foram os matemáticos medievais da era de ouro muçulmana os pioneiros no uso de símbolos para simplificar o processo, legando-nos a palavra "álgebra", do árabe *al-jabr*. Desenvolvimentos mais recentes da álgebra estenderam a ideia de abstração ao estudo da estrutura algébrica, na chamada "álgebra abstrata".

Geometria e cálculo

Um terceiro campo importante da matemática, a geometria, diz respeito ao conceito de espaço e às relações entre objetos no espaço: o estudo de forma, tamanho e posição de figuras. Ela se desenvolveu a partir da tarefa muito prática de descrever dimensões físicas em projetos de engenharia e construção, medir e repartir terrenos, e de observações astronômicas para

Em matemática, a arte de fazer perguntas é mais valiosa que resolver problemas.
Georg Cantor
Matemático alemão

navegação e compilação de calendários. Um ramo particular da geometria, a trigonometria (estudo das propriedades dos triângulos) provou-se especialmente útil nessas atividades. Talvez devido à sua natureza muito concreta, para muitas civilizações antigas a geometria era a pedra angular da matemática, fornecendo comprovações e um meio de resolver problemas em outros campos.

Isso foi verdadeiro em especial na Grécia Antiga, onde geometria e matemática eram virtuais sinônimos. O legado de grandes filósofos matemáticos como Pitágoras, Platão e Aristóteles foi consolidado por Euclides, cujos princípios de matemática baseados numa combinação de geometria e lógica foram aceitos como os fundamentos do tema por 2 mil anos. No século XIX, porém, foram propostas alternativas à geometria euclidiana clássica, abrindo novas áreas de estudo, como a topologia, que examina a natureza e as propriedades não só de objetos no espaço, mas do próprio espaço.

Desde o período clássico, a matemática se ocupou de situações estáticas ou como as coisas estão em dado momento. Ela falhava em oferecer um meio de medir ou calcular a mudança contínua. O cálculo, desenvolvido de modo independente por Gottfried Leibniz e Isaac Newton no século XVII, ofereceu uma resposta ao problema. Os dois ramos do cálculo, integral e diferencial, forneceram um método para analisar coisas como o declive de curvas num gráfico e a área sob elas, descrevendo e calculando a mudança.

A descoberta do cálculo abriu um campo de análise que depois se tornou particularmente relevante para, por exemplo, as teorias da mecânica quântica e a teoria do caos, no século XX.

Revisitando a lógica

O fim do século XIX e o início do XX viram o surgimento de outro campo: os fundamentos da matemática. Isso

reativou a ligação entre filosofia e matemática. Como Euclides tinha feito no século III a.C., Gottlob Frege, Bertrand Russell e outros buscaram descobrir os fundamentos lógicos dos princípios matemáticos. O trabalho inspirou um reexame da natureza da própria matemática, como ela funciona e quais os seus limites. Esse estudo dos conceitos básicos da matemática talvez seja seu campo mais abstrato, um tipo de metamatemática, mas tem papel essencial em todos os outros campos da matemática da era moderna.

Nova tecnologia, novas ideias

Os vários campos da matemática – aritmética, álgebra, geometria, cálculo e fundamentos – merecem ser estudados por seu próprio valor, e a imagem popular da matemática acadêmica é a de uma abstração quase incompreensível. Apesar disso, em geral foram encontradas aplicações para as descobertas matemáticas, e os avanços em ciência e tecnologia impeliram inovações no pensamento matemático.

Um ótimo exemplo é a relação simbiótica entre matemática e computadores. Desenvolvidos de início como meios mecânicos de fazer trabalho enfadonho de cálculo e fornecer tabelas para matemáticos, astrônomos etc., os computadores exigiram em sua construção um novo pensamento matemático. Foram os matemáticos, tanto quanto os engenheiros, que forneceram os meios para criar instrumentos de computação mecânicos e depois eletrônicos que, por sua vez, podiam ser usados como ferramentas na descoberta de novas ideias matemáticas. Sem dúvida, também se encontrarão novas aplicações para teoremas no futuro – e, com numerosos problemas ainda sem solução, parece não haver fim para as descobertas matemáticas a fazer.

A história da matemática é a da exploração desses campos diferentes e da descoberta de novos. Também é a dos exploradores, os matemáticos que decidiram, com um fim definido em mente, achar respostas para questões não resolvidas ou viajar por território desconhecido em busca de novas ideias – e a daqueles que simplesmente tropeçaram numa ideia no curso de sua jornada matemática e resolveram ver aonde ela iria levar. Algumas vezes a descoberta viria como uma revelação revolucionária, abrindo caminho para campos inexplorados; em outras, tratava-se de "apoiar-se nos ombros de gigantes", desenvolvendo ideias de pensadores anteriores ou encontrando usos práticos para elas.

Este livro apresenta muitas das grandes ideias em matemática, das descobertas mais antigas até as de agora, explicando-as, em linguagem leiga, de onde vieram, quem as descobriu e o que as torna significantes. Algumas podem ser familiares, outras menos. Com a compreensão delas e uma visão das pessoas e sociedades em que foram descobertas, podemos apreciar não só a onipresença e a utilidade da matemática, como também a elegância e a beleza que os matemáticos encontram no tema. ■

A matemática, bem-
-considerada, possui não
só a verdade como a
suprema beleza.
Bertrand Russell
Filósofo e matemático britânico

IDADE ANTI
E PERÍODO
6000 a.C.–500 d.C.

GA CLÁSSICO

20 INTRODUÇÃO

Quantidades diferentes **são anotadas** em tabuinhas de argila sumerianas, prefigurando **um sistema numérico**.

c. **6000** a.C.

Os antigos egípcios descrevem **métodos para obter áreas e volumes** e os registram no Papiro de Rhind.

c. **1650** a.C.

Hipaso do Metaponto descobre os **números irracionais**, que não podem ser expressos em frações.

c. **430** a.C.

Um dos compêndios **mais influentes** já escritos, *Os elementos*, de Euclides, inclui **avanços matemáticos** como a prova da infinitude dos números primos.

c. **300** a.C.

---

c. **4000** a.C.

Os babilônios introduzem um sistema **numérico de base 60**, em que um **cone pequeno denota 1** e um **cone grande denota 60**.

c. **530** a.C.

Pitágoras **funda uma escola**, onde ensina suas **crenças metafísicas** e **descobertas matemáticas**, como o teorema que leva seu nome.

c. **387** a.C.

Platão funda a **Academia de Atenas** – o letreiro na entrada diz: "Que nenhum ignorante de geometria entre aqui".

Já 40 mil anos atrás os humanos faziam marcas em madeira e ossos como meio de contagem. Eles sem dúvida tinham uma noção rudimentar de números e aritmética, mas a história da matemática só começou, a bem dizer, com a criação de sistemas numéricos nas civilizações antigas. O primeiro deles surgiu no sexto milênio a.C., na Mesopotâmia, no oeste da Ásia, berço das primeiras plantações e cidades. Ali, os sumérios desenvolveram marcas de contagem, usando símbolos diversos para denotar quantidades diferentes, reelaborados depois pelos babilônios num sistema numérico sofisticado de caracteres cuneiformes (em forma de cunha). Desde cerca de 4000 a.C., os babilônios usaram geometria e álgebra elementares para resolver problemas práticos – em construção, engenharia e cálculo de divisão de terras –, além de habilidades aritméticas para comerciar e arrecadar impostos.

Uma história similar surge na civilização pouco posterior dos antigos egípcios. O comércio e a taxação requeriam um sistema numérico sofisticado, e suas obras de construção e engenharia dependiam de métodos de medida e algum conhecimento de geometria e álgebra. Os egípcios também sabiam usar habilidades matemáticas, a par de observações do céu, para calcular e prever ciclos astronômicos e sazonais e elaborar calendários para o ano religioso e agrícola. Eles estabeleceram o estudo dos princípios da aritmética e da geometria já em 2000 a.C.

O rigor grego

Do século VI em diante evidenciou-se o rápido aumento da influência da Grécia antiga ao longo do Mediterrâneo oriental. Os estudiosos gregos logo assimilaram as ideias matemáticas dos babilônios e egípcios. Eles usavam um sistema numérico de base 10 (com dez símbolos) derivado dos egípcios. A geometria em especial se adequava à cultura grega, que idolatrava a beleza da forma e a simetria. Os matemáticos se tornaram uma pedra angular do pensamento grego clássico, refletido na arte, na arquitetura e mesmo na filosofia. As qualidades quase místicas da geometria e dos números inspiraram Pitágoras e seus seguidores a formar uma comunidade que lembrava um

IDADE ANTIGA E PERÍODO CLÁSSICO 21

 **Avanços** centrais na **geometria** são realizados por Apolônio de Perga, em *Cônicas*.

 Os chineses antigos desenvolvem um **sistema para representar números negativos e positivos** usando varetas de bambu pretas e vermelhas.

 Liu Hui produz um comentário importante sobre ***Os nove capítulos da arte matemática***, compilados por estudiosos chineses já desde o século x a.C.

c. **200** a.C.   *c.* **150** a.C.   **263**

c. **250** a.C.   *c.* **150** a.C.   *c.* **250** d.C.   **470**

 Arquimedes chega a uma **aproximação de pi** usando **polígonos**.

 Hiparco de Niceia **compila as primeiras** tábuas **trigonométricas**.

 Diofanto inventa **símbolos novos** para **substituir as potências desconhecidas** em **equações** e os publica em *Aritmética*.

 Zu Chongzhi aproxima **pi com sete casas decimais**, cálculo que não seria ultrapassado em um milênio.

culto, dedicada ao estudo dos princípios matemáticos que acreditavam ser a base do Universo e tudo nele.

Séculos antes de Pitágoras, os egípcios usavam um triângulo de lados 3, 4 e 5 nos canteiros de obras para garantir ângulos retos nos cantos. Eles chegaram a essa ideia pela observação, e então a aplicaram como regra, enquanto os pitagóricos se determinaram a demonstrar com rigor o princípio, oferecendo a prova de que isso é verdade para todos os triângulos retângulos. Foi essa noção de prova e rigor a maior contribuição dos gregos à matemática.

A Academia de Platão em Atenas se dedicava ao estudo de filosofia e matemática, e o próprio Platão descreveu os cinco sólidos platônicos (tetraedro, cubo, octaedro, dodecaedro e icosaedro). Outros filósofos, em especial Zenão de Eleia, aplicaram a lógica aos fundamentos da matemática, expondo os problemas de infinito e mudança. Eles até exploraram o estranho fenômeno dos números irracionais. Aristóteles, aluno de Platão, identificou com sua análise metódica das formas lógicas a diferença entre raciocínio indutivo (por exemplo, inferir uma regra a partir de observações) e dedutivo (usar etapas lógicas para alcançar certa conclusão a partir de premissas estabelecidas, ou axiomas).

Partindo daí, Euclides ordenou os princípios da prova matemática baseada em verdades axiomáticas em *Os elementos*, um tratado que foi o fundamento da matemática pelos dois milênios seguintes. Com rigor similar, Diofanto deu início ao uso de símbolos para representar números desconhecidos em suas equações; esse foi o primeiro passo para a notação simbólica da álgebra.

Novo alvorecer no Oriente
O domínio grego foi por fim eclipsado com a ascensão do Império Romano. Os romanos viam a matemática mais como ferramenta prática que como algo digno de estudo. Ao mesmo tempo, as antigas civilizações da Índia e da China desenvolveram de modo independente seus sistemas numéricos. Na China, a matemática floresceu entre os séculos II e V d.C., graças muito ao esforço de Liu Hui para revisar e expandir textos clássicos sobre o tema. ■

OS NUMERAIS OCUPAM SEUS LUGARES

NÚMEROS POSICIONAIS

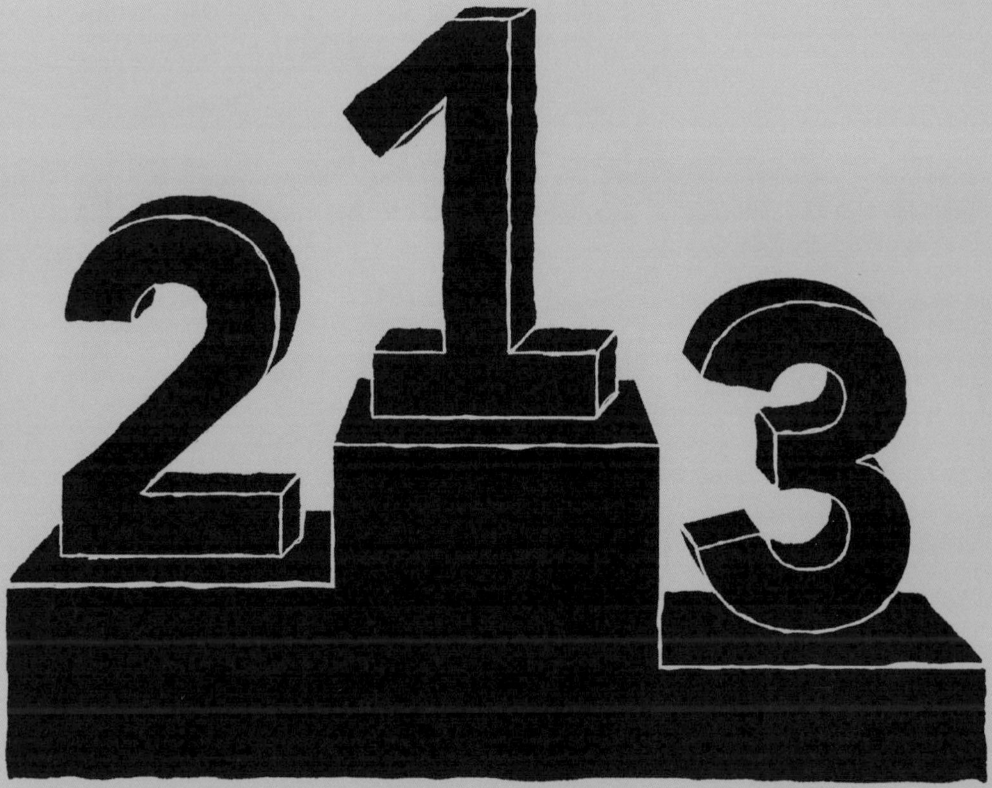

24 NÚMEROS POSICIONAIS

EM CONTEXTO

CIVILIZAÇÃO-CHAVE
Babilônios

CAMPO
Aritmética

ANTES
40 mil anos atrás Na Idade da Pedra, povos da Europa e da África contam usando marcas entalhadas em madeira ou ossos.

6000-5000 a.C. Os sumérios elaboram os primeiros sistemas de cálculo para medir terras e estudar o céu noturno.

4000-3000 a.C. Os babilônios usam um cone pequeno de argila para 1 e um cone grande para 60, além de uma bola para 10, conforme seu sistema de base 60 evolui.

DEPOIS
Século II d.C. Os chineses usam o ábaco, num sistema numérico posicional de base 10.

Século VII Na Índia, Brahmagupta estabelece o zero como número por seu próprio direito e não só como marcador de posição.

É-nos dado calcular, pesar, medir, observar: isso é a filosofia natural.
Voltaire
Filósofo francês

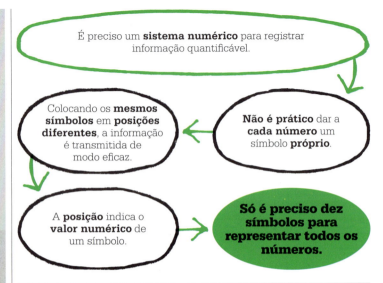

É preciso um **sistema numérico** para registrar informação quantificável.

Não é prático dar a **cada número** um símbolo **próprio**.

Colocando os **mesmos símbolos** em **posições diferentes**, a informação é transmitida de modo eficaz.

A **posição** indica o **valor numérico** de um símbolo.

Só é preciso dez símbolos para representar todos os números.

O primeiro povo conhecido a usar um sistema de numeração avançado foram os sumérios da Mesopotâmia, civilização estabelecida entre os rios Tigre e Eufrates, no que é hoje o Iraque. As tabuinhas de argila sumérias de seis milênios a.C. já incluíam símbolos que denotavam quantidades diferentes. Os sumérios, e depois os babilônios, precisavam de ferramentas matemáticas eficientes para administrar seus impérios.

O que distinguiu os babilônios de vizinhos como os egípcios foi o uso de um sistema de notação posicional. Em tais sistemas, o valor de um número é indicado tanto por seu símbolo quanto por sua posição. Hoje, por exemplo, no sistema decimal, a posição de um dígito num número indica se seu valor é de unidades (menos de dez), dezenas, centenas ou mais. Tais sistemas tornam os cálculos mais eficazes, porque um pequeno conjunto de símbolos pode representar enorme gama de valores. Em contraste, os antigos egípcios, sem um sistema posicional, usavam símbolos separados para unidades, dezenas, centenas, milhares e acima. Representar números grandes poderia exigir cinquenta ou mais hieróglifos.

O uso de bases diversas
A numeração indo-árabe usada hoje é um sistema de base 10 (decimal). Ela requer apenas dez símbolos – nove dígitos (1, 2, 3, 4, 5, 6, 7, 8, 9) e um zero como marcador de posição. Como no sistema babilônio, a posição de um dígito indica seu valor, e o dígito de menor valor fica sempre na direita. Num sistema de base 10, um número de dois dígitos, como 22, indica $(2 \times 10^1) + 2$; o valor do 2 na esquerda é dez vezes o do 2 na direita. Colocando dígitos depois do número 22 criam-se centenas, milhares e potências maiores de 10. Um símbolo depois de um número inteiro (a notação padrão hoje, no Brasil, é uma vírgula) pode também

IDADE ANTIGA E PERÍODO CLÁSSICO

Ver também: O Papiro de Rhind 32-33 ▪ O ábaco 58-59 ▪ Números negativos 76-79 ▪ O zero 88-91 ▪ A sequência de Fibonacci 106-111 ▪ Os decimais 132-137

separá-lo de suas partes fracionárias, cada dígito representando um décimo do valor posicional do precedente. Os babilônios trabalhavam com um sistema numérico mais complexo, sexagesimal (base 60), que deve ter sido herdado dos sumérios, que os antecederam, e ainda é usado hoje em todo o mundo para medir o tempo, graus num círculo (360° = 6 × 60) e coordenadas geográficas. Ainda não se sabe ao certo por que eles usaram o 60 como base. Talvez tenha sido escolhido porque pode ser dividido por muitos outros números – 1, 2, 3, 4, 5, 6, 10, 12, 15, 20 e 30. Os babilônios também basearam seu calendário anual no ano solar (365,24 dias); o número de dias num ano era de 360 (6 × 60), com dias adicionais para as festividades.

No sistema sexagesimal babilônio, o mesmo símbolo era usado sozinho ou repetido até nove vezes para representar de 1 a 9. Para 10, um símbolo diferente era usado, colocado à esquerda do símbolo de unidades e repetido duas a cinco vezes em números até 59. Em 60 (60 × 1), o símbolo original de unidades era reutilizado, mas colocado mais para a esquerda que o símbolo de 1. Como era um sistema de base 60, dois desses símbolos significavam 61, e três indicavam 3.661, ou seja, 60 × 60 (ou 60^2) + 60 + 1.

O sistema de base 60 tinha desvantagens óbvias. Ele exigia »

O deus-sol babilônio Shamash entrega um bastão e uma corda enrolada, antigos instrumentos de medida, a agrimensores recém-treinados, numa tabuinha de argila de aprox. 1000 a.C.

Caracteres cuneiformes

No fim do século XIX, estudiosos decifraram as marcas cuneiformes (em forma de cunha) em tabuinhas de argila descobertas em sítios babilônios no Iraque e cercanias. Essas marcas, que denotavam letras e palavras além de um sistema numérico avançado, eram gravadas em argila úmida com ambas as pontas de um estilo. Como os egípcios, os babilônios precisavam de escribas para administrar sua complexa sociedade, e acredita-se que muitos dos registros matemáticos eram de estudantes de escolas para escribas. Hoje se sabe muito sobre a matemática babilônia, que abarcava multiplicação, divisão, geometria, frações, raízes quadradas, equações e outras formas, porque, à diferença dos rolos de papiro egípcios, as tabuinhas de argila se conservaram bem. Vários milhares, a maioria de 1800 a 1600 a.C., estão em museus por todo o mundo.

A palavra "cuneiforme", do latim *cuneus* ("cunha"), designa a forma dos símbolos inscritos em argila úmida, pedra ou metal.

NÚMEROS POSICIONAIS

1	▼	11		21		31		41		51	
2		12		22		32		42		52	
3		13		23		33		43		53	
4		14		24		34		44		54	
5		15		25		35		45		55	
6		16		26		36		46		56	
7		17		27		37		47		57	
8		18		28		38		48		58	
9		19		29		39		49		59	
10		20		30		40		50		60	

O sistema numérico babilônio de base 60 foi criado a partir de dois símbolos – o símbolo de uma unidade, usado sozinho e combinado para números de 1 a 9, e o símbolo de 10, repetido para 20, 30, 40 e 50.

muito mais símbolos que o de base 10. Durante séculos, o sistema sexagesimal também não teve marcadores de posição e nada para separar números inteiros de partes fracionárias. Por volta de 300 d.C., porém, os babilônios usaram duas cunhas para indicar a ausência de valor, tal como empregamos hoje o marcador de posição zero; esse foi talvez o primeiro uso do zero.

Outros sistemas de contagem

Na América Central, do outro lado do mundo, a civilização maia elaborou seu próprio sistema de numeração avançado no primeiro milênio a.C. – ao que parece em total isolamento. O sistema numérico deles tinha base 20 (vigesimal) e se supõe que evoluiu a partir de um método simples de contagem usando dedos das mãos e dos pés. Na verdade sistemas numéricos de base 20 foram usados ao redor do mundo, na Europa, na África e na Ásia. A linguagem às vezes mostra resquícios desse sistema. Por exemplo, em francês, 80 é expresso como *quatre-vingts* (4 × 20); galeses e irlandeses também designam alguns números como múltiplos de 20, e em inglês um *score* é 20. Assim, na tradução inglesa da Bíblia, no Salmo 90, a duração da vida humana é de "*threescore years and ten*" (3 × 20 anos + 10) ou até "*fourscore years*" (4 × 20 anos).

Por volta de 500 a.C. até o século XVI, quando os números indo-árabes foram oficialmente adotados na China, os chineses usaram numerais de varetas para representar os números. Esse foi o primeiro sistema posicional decimal. Alternando quantidades de varetas verticais e horizontais, seu sistema podia indicar unidades, dezenas, centenas, milhares e mais potências de 10, à semelhança do sistema decimal hoje. Por exemplo, 45 era escrito com quatro varetas horizontais representando 4 × 10^1 (40) e cinco varetas verticais para 5 × 1 (5). Porém, 405 era indicado por quatro varetas verticais seguidas por cinco verticais: 4 × 100 (ou 10^2) + 5 × 1; a ausência de varetas horizontais significa que não havia dezenas no número. Os cálculos eram feitos manipulando as varetas numa prancha de contagem. Números positivos e negativos eram representados por varetas vermelhas e pretas respectivamente ou com diferente perfil transversal (triangular e retangular). Numerais de varetas ainda são usados às vezes na China, como os numerais romanos no Ocidente.

O sistema de notação posicional transparece no ábaco chinês (*suanpan*). Remontando pelo menos a 200 a.C., ele é um dois mais antigos instrumentos de cômputo a usar contas, embora os romanos tivessem algo similar. A versão chinesa, ainda em uso, tem uma barra central e um número variável de fios verticais para separar as unidades das dezenas, centenas e mais. Em cada coluna, há duas contas acima da barra com valor de cinco cada e cinco contas abaixo da barra, com valor um.

> As civilizações babilônia e assíria desapareceram... mas a matemática babilônia se mantém interessante, e sua escala de 60 ainda é usada em astronomia.
> **G. H. Hardy**
> Matemático britânico

IDADE ANTIGA E PERÍODO CLÁSSICO   27

> O fato de trabalharmos com dezenas em vez de com algum outro número é pura consequência de nossa anatomia. Usamos os dez dedos para contar.
> **Marcus du Sautoy**
> Matemático britânico

Os japoneses adotaram o ábaco chinês no século XIV e desenvolveram sua própria versão, o *soroban*, que tem uma conta com valor de cinco sobre a barra central e quatro contas com valor de um sob a barra, em cada coluna. O Japão ainda usa o *soroban* hoje: há até competições em que jovens demonstram sua destreza em fazer cálculos de *soroban* mentalmente, na técnica chamada *anzan*.

Numeração moderna

O sistema decimal indo-árabe usado em todo o mundo hoje teve origem na Índia. Nos séculos I a IV d.C., o uso de nove símbolos e o zero foi desenvolvido para permitir que qualquer número fosse escrito de modo eficiente, com a notação posicional. O sistema foi adotado e refinado pelos matemáticos árabes no século IX. Eles introduziram o separador decimal, de modo que o sistema pudesse também expressar frações de números inteiros.

Três séculos depois, Leonardo de Pisa (Fibonacci) popularizou o uso dos numerais indo-árabes na Europa com sua obra *Liber abaci* [O livro do cálculo], de 1202. Mas a disputa entre o novo sistema e os numerais romanos e os métodos de contagem tradicionais durou séculos, até que sua adoção abriu caminho aos avanços da matemática moderna. Com os computadores eletrônicos, outras bases numéricas ganharam importância – em especial a binária, um sistema numérico de base 2. Diferente do sistema de base 10, com seus dez símbolos, o binário só tem dois: 1 e 0. É um sistema posicional, mas cada coluna é multiplicada por 2, em vez de 10, o que também é expresso como 2^1, 2^2, 2^3 etc. Nele, o número 111 representa $1 \times 2^2 + 1 \times 2^1 + 1 \times 2^0$, ou seja, $4 + 2 + 1$, ou 7, em nosso sistema numérico.

No sistema binário e nos demais modernos, de qualquer base, os princípios da notação posicional são sempre os mesmos. A notação posicional – legado dos babilônios – é um modo poderoso, fácil de entender e eficiente de representar números grandes. ∎

Ebisu, divindade japonesa dos pescadores e um dos sete deuses da fortuna, usa o *soroban* para calcular seus ganhos em *O sonho do pargo-rosa*, de Utagawa Toyohiro.

O Códice de Dresden, mais antigo livro maia que se conservou, datado do século XIII ou XIV, ilustra os glifos e símbolos numéricos maias.

O sistema numérico maia

Os maias, que viveram na América Central a partir de c. 2000 a.C., usaram um sistema numérico de base 20 (vigesimal) desde c. 1000 a.C. para cálculos astronômicos e de calendário. Como os babilônios, eles tinham um calendário de 360 dias mais dias festivos, completando 365,24 dias baseados no ano solar; seus calendários os ajudavam a conhecer os ciclos das colheitas.

O sistema maia empregava símbolos: um ponto representava um e uma barra, cinco. Usando combinações de pontos sobre barras eles podiam gerar numerais até 19. Números maiores que 19 eram escritos na vertical, com os menores embaixo, e há evidências de cálculos maias de até centenas de milhões. Uma inscrição de 36 a.C. mostra que eles tinham um símbolo em forma de concha para denotar o zero, amplamente usado no século IV.

O sistema numérico maia esteve em uso na América Central até a conquista espanhola no século XIV. Sua influência, porém, nunca se espalhou além.

O QUADRADO COMO A POTÊNCIA MAIS ALTA
EQUAÇÕES QUADRÁTICAS

EM CONTEXTO

CIVILIZAÇÕES-CHAVE
Egípcios (c. 2000 a.C.)
Babilônios (c. 1600 a.C.)

CAMPO
Álgebra

ANTES
c. 2000 a.C. O Papiro de Berlim registra uma equação quadrática resolvida no antigo Egito.

DEPOIS
Século VII d.C. O matemático indiano Brahmagupta resolve equações quadráticas usando apenas números inteiros positivos.

Século X d.C. O erudito egípcio Abu Kamil Shuja ibn Aslam usa números negativos e irracionais para resolver equações quadráticas.

1545 Em *Ars magna* [A grande arte], o matemático italiano Gerolamo Cardano apresenta as regras da álgebra.

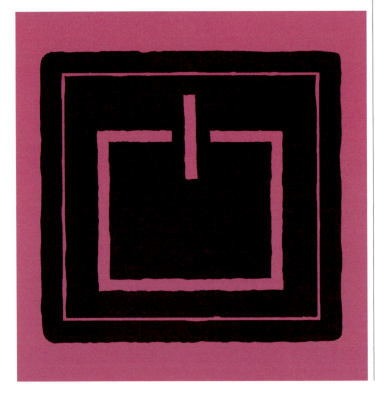

Equações quadráticas são as que envolvem números desconhecidos elevados à potência 2, mas não mais que isso: contêm x^2, mas não x^3, x^4 etc. Um dos principais rudimentos da matemática é a habilidade de usar equações para obter soluções para problemas do mundo real. Quando esses problemas envolvem áreas ou traçados de curvas como parábolas, as equações quadráticas são muito úteis, descrevendo fenômenos físicos como a trajetória de uma bola ou um foguete.

Raízes antigas
A história das equações quadráticas se estende pelo mundo. É possível

IDADE ANTIGA E PERÍODO CLÁSSICO

Ver também: Números irracionais 44-45 ▪ Números negativos 76-79 ▪ Equações diofantinas 80-81 ▪ O zero 88-91 ▪ A álgebra 92-99 ▪ O teorema binomial 100-101 ▪ Equações cúbicas 102-105 ▪ Números imaginários e complexos 128-131

Equações quadráticas contêm a **potência de 2**, então são usadas em cálculos de **duas dimensões**.

O **número de dimensões** é igual ao **número máximo de soluções reais** de uma equação.

Há um máximo de **duas soluções reais** para uma **equação quadrática**, **três** para uma **equação cúbica** e assim por diante.

Se uma equação quadrática, ou qualquer equação, **é igual a zero** (p. ex. $x^2 + 3x + 2 = 0$), as **soluções são chamadas de raízes**.

Numa equação quadrática, essas **duas raízes** são os pontos em que uma curva quadrática **cruza** o **eixo** x num gráfico.

O Papiro de Berlim foi copiado e publicado pelo egiptólogo alemão Hans Schack-Schackenburg em 1900. Ele contém dois problemas matemáticos, um dos quais é uma equação quadrática.

que elas tenham surgido da necessidade de subdividir terras por herança ou para resolver problemas com adição e multiplicação.

Um dos mais antigos exemplos conhecidos de equação quadrática vem de um texto do antigo Egito conhecido como Papiro de Berlim (c. 2000 a.C.), onde há um problema com os seguintes dados: a área de um quadrado de 100 côvados é igual à de dois quadrados menores. O lado de um dos quadrados menores é igual à metade mais um quarto do lado do outro. Em notação moderna, isso se traduz num sistema de equações: $x^2 + y^2 = 100$ e $x = (^1/_2 + {}^1/_4)y = {}^3/_4 y$. Isso pode ser simplificado na equação quadrática $(^3/_4 y)^2 + y^2 =$ 100, para obter o comprimento do lado de cada quadrado.

Os egípcios usaram o método chamado "posição falsa" para determinar a solução. Nele, o matemático seleciona um número conveniente que em geral é fácil de calcular e então verifica que solução a equação teria com esse número. O resultado mostra como ajustar o número para obter a solução correta. Por exemplo, no problema do Papiro de Berlim, o comprimento mais simples a usar para o maior dos dois quadrados pequenos é 4, porque o problema lida com quartos. Para o quadrado menor, é usado 3, porque seu comprimento é de $^3/_4$ do lado do outro quadrado pequeno. Dois quadrados com esses números de posição falsa dariam áreas de 16 e 9 respectivamente, que somados resultam numa área total de 25. Isso é só $^1/_4$ de 100, portanto as áreas devem ser quadruplicadas para corresponder à equação do Papiro de Berlim. Os comprimentos devem assim ser dobrados a partir das falsas posições de 4 e 3 para obter as soluções: 8 e 6.

Outros registros antigos de equações quadráticas foram achados em tabuinhas de argila da Babilônia, onde a diagonal de um quadrado é dada com cinco casas decimais. A tabuinha babilônia YBC 7289 (c. 1800-1600 a.C.) mostra um método para resolver a equação quadrática $x^2 = 2$ desenhando

EQUAÇÕES QUADRÁTICAS

A fórmula quadrática é um modo de resolver equações quadráticas. Na convenção moderna, as equações quadráticas incluem um número, a, multiplicado por x^2; um número, b, multiplicado por x; e um número, c, com seu próprio valor. A ilustração abaixo mostra como a fórmula usa a, b e c para achar o valor de x. As equações quadráticas muitas vezes são iguais a 0, porque isso torna mais fácil trabalhá-las num gráfico; as soluções x são os pontos em que a curva cruza o eixo x.

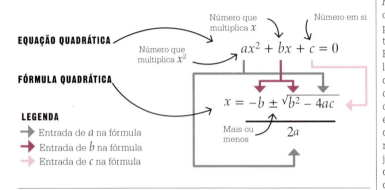

EQUAÇÃO QUADRÁTICA — Número que multiplica x^2 / Número que multiplica x / Número em si
$$ax^2 + bx + c = 0$$

FÓRMULA QUADRÁTICA
$$x = \frac{-b \pm \sqrt{b^2 - 4ac}}{2a}$$
Mais ou menos

LEGENDA
→ Entrada de a na fórmula
→ Entrada de b na fórmula
→ Entrada de c na fórmula

---

retângulos e recortando-os em quadrados. No século VII d.C., o matemático indiano Brahmagupta escreveu uma fórmula para resolver equações quadráticas que podia ser aplicada a equações do tipo $ax^2 + bx = c$. Ele escreveu sua solução em palavras, pois os matemáticos da época não usavam letras ou símbolos, mas ela é similar à fórmula moderna mostrada acima.

No século VIII, o matemático persa Al-Khwarizmi empregou uma solução geométrica para equações quadráticas conhecida como completar o quadrado. Até o século X, métodos geométricos eram muito comuns, já que equações quadráticas eram usadas para resolver problemas do mundo real envolvendo terras e não desafios algébricos abstratos.

Soluções negativas

Estudiosos indianos, persas e árabes só tinham usado números positivos até então. Ao resolver a equação $x^2 + 10x = 39$, eles davam como solução 3. Porém essa é uma das duas soluções corretas do problema; −13 é a outra. Se x é −13, $x^2 = 169$ e $10x = -130$. Somar um número negativo é o mesmo que subtrair o número positivo equivalente, então $169 + -130 = 169 - 130 = 39$.

No século X, o erudito egípcio Abu Kamil Shuja ibn Aslam usou números negativos e números irracionais algébricos (como a raiz quadrada de 2) como soluções e como coeficientes (números que multiplicam uma quantidade desconhecida). No século XVI, a maioria dos matemáticos aceitava soluções negativas e se sentia à vontade com raízes irracionais (aquelas que não podem ser expressas de modo exato como um decimal). Eles também tinham começado a usar números e símbolos, em vez de escrever equações em palavras. Os matemáticos utilizavam agora o sinal de mais ou menos (±) ao resolver equações quadráticas. Na equação $x^2 = 2$, a solução não é só $x = \sqrt{2}$, mas $x = \pm\sqrt{2}$. O sinal de mais ou menos é incluído porque dois números negativos multiplicados dão um número positivo. Se $\sqrt{2} \times \sqrt{2} = 2$, também é verdade que $-\sqrt{2} \times -\sqrt{2} = 2$.

Em 1545, o estudioso italiano Gerolamo Cardano publicou *Ars magna* [A grande arte, ou As regras da álgebra], em que explorou este problema: "Que par de números tem a soma de 10 e produto de 40?". Ele descobriu que o problema levava a uma equação quadrática que, ao ser completado o quadrado, dava $\sqrt{(-15)}$. Nenhum número disponível aos matemáticos na época dava um número negativo quando multiplicado por si mesmo, mas Cardano sugeriu suspender o julgamento e trabalhar com a raiz quadrada de 15 negativo para descobrir as duas soluções da equação. Números como $\sqrt{(-15)}$ seriam depois chamados números "imaginários".

Estrutura das equações

As equações quadráticas modernas em geral se apresentam como $ax^2 + bx + c = 0$. As letras a, b e c representam números conhecidos, e x um número desconhecido. As equações contêm variáveis (símbolos de números desconhecidos), coeficientes, constantes (os que não multiplicam variáveis) e operadores (símbolos como igual ou mais). Os termos são partes separadas por operadores; podem ser um número

A política é para o presente, mas uma equação é para a eternidade.
Albert Einstein

IDADE ANTIGA E PERÍODO CLÁSSICO

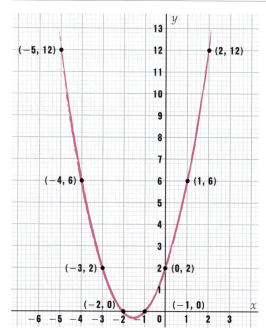

Um gráfico da função quadrática $y = ax^2 + bx + c$ cria uma curva em forma de U chamada parábola. Este gráfico plota os pontos (em preto) da função quadrática em que $a = 1$, $b = 3$ e $c = 2$. Isso expressa a equação quadrática $x^2 + 3x + 2 = 0$. As soluções para x são onde $y = 0$ e a curva cruza o eixo x. Elas são -2 e -1.

ou uma variável, ou uma combinação de ambos. A equação quadrática moderna tem quatro termos: ax^2, bx, c e 0.

Parábolas

Uma função é um grupo de termos que define uma relação entre variáveis (em geral x e y). A função quadrática em geral é escrita como $y = ax^2 + bx + c$, o que num gráfico produz uma curva chamada parábola (ver acima). Quando existem soluções reais (não imaginárias) para $ax^2 + bx + c = 0$, elas serão as raízes – os pontos em que a parábola cruza o eixo x. Nem todas as parábolas cruzam o eixo x em dois lugares. Se a parábola só toca o eixo x uma vez, significa que há raízes coincidentes (as duas soluções são iguais). A equação mais simples dessa forma é $y = x^2$. Se a parábola não toca nem cruza o eixo x, não há raízes reais.

As parábolas são úteis no mundo real devido a suas propriedades de reflexão. As antenas para satélites são parabólicas por essa razão. Os sinais recebidos no disco se refletem na parábola e são dirigidos a um só ponto: o receptor. ■

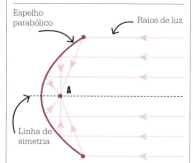

Objetos parabólicos têm propriedades refletoras especiais. Todo raio de luz paralelo à linha de simetria de um espelho parabólico e refletido em sua superfície convergirá para o mesmo ponto fixo (A).

Aplicações práticas

Embora fossem usadas de início para resolver problemas geométricos, hoje as equações quadráticas são importantes em muitos aspectos da matemática, ciência e tecnologia. A trajetória de projéteis, por exemplo, pode ser modelado com equações quadráticas. Um objeto lançado no ar cairá devido à gravidade. A função quadrática prevê o movimento do projétil – sua altura ao longo do tempo. Equações quadráticas são usadas para modelar a relação entre tempo, velocidade e distância, e em cálculos com objetos parabólicos como lentes. Elas também podem ser utilizadas para prever lucros e perdas nos negócios. O lucro se baseia na receita total menos o custo de produção; as empresas criam uma equação quadrática conhecida como função de lucro com essas variáveis para descobrir os melhores preços de venda para maximizar lucros.

As equações quadráticas são usadas pelos militares para modelar a trajetória de projéteis disparados, como este míssil superfície-ar MIM-104 Patriot, de uso comum pelo Exército dos Estados Unidos.

A PROPOSTA EXATA PARA APURAÇÃO DE TODAS AS COISAS
O PAPIRO DE RHIND

EM CONTEXTO

CIVILIZAÇÃO-CHAVE
Egípcios antigos
(c. 1650 a.C.)

CAMPO
Aritmética

ANTES
c. 2480 a.C. Inscrições em pedra registram níveis das cheias do rio Nilo, medidas em côvados (de cerca de 52 cm) e palmos (de cerca de 7,5 cm).

c. 1800 a.C. O Papiro de Moscou fornece soluções a 25 problemas matemáticos, como o cálculo da área da superfície de um hemisfério e do volume de uma pirâmide.

DEPOIS
c. 1300 a.C. O Papiro de Berlim é produzido. Ele mostra que os antigos egípcios usavam equações quadráticas.

Século VI a.C. O cientista grego Tales viaja ao Egito e estuda suas teorias matemáticas.

O Papiro de Rhind, no Museu Britânico, em Londres, mostra uma narrativa intrigante da matemática do antigo Egito. Seu nome deriva do antiquário escocês Alexander Henry Rhind, que o comprou no Egito em 1858. Ele foi copiado de um documento anterior por um escriba, Ahmose, mais de 3.500 anos atrás. Mede 32 cm por 2 m e inclui 84 problemas relacionados a aritmética, álgebra, geometria e medidas. Os problemas desse e de outros artefatos antigos egípcios, como o Papiro de Moscou, anterior a ele, ilustram técnicas para calcular áreas, proporções e volumes.

O olho de Hórus, um deus egípcio, era símbolo de poder e proteção. Partes dele também serviam para denotar frações cujos denominadores eram potências de 2. O globo ocular, por exemplo, representa $1/4$, enquanto a sobrancelha é $1/8$.

Representação de conceitos
O sistema de numeração egípcio foi o primeiro sistema decimal. Ele usava traços para as unidades e um símbolo diferente para cada potência de 10. Os símbolos eram então repetidos para criar outros números. Uma fração é mostrada como um número com um ponto sobre ele. O conceito egípcio de fração era mais próximo de uma fração unitária – ou seja $1/n$, em que n é um número inteiro. Quando uma fração era duplicada, tinha de ser reescrita como uma fração unitária somada a outra; por exemplo, $2/3$ em notação moderna seria $1/2 + 1/6$ na notação egípcia (não $1/3 + 1/3$ porque os egípcios não permitiam repetição da mesma fração).

Os 84 problemas do Papiro de Rhind ilustram os métodos matemáticos usuais no Egito antigo. O problema 24, por exemplo, pergunta que quantidade, somada a sua sétima parte, se torna 1. Isso se traduz em $x + x/7 = 19$. A abordagem aplicada ao problema 24 é conhecida como "posição falsa". Essa técnica – em uso até a Idade Média – se baseia em tentativa e avanço: escolhe-se o valor mais simples, ou "falso", para uma variável e ajusta-se esse valor com

IDADE ANTIGA E PERÍODO CLÁSSICO

Ver também: Números posicionais 22-27 ▪ Pitágoras 36-43 ▪ O cálculo de pi 60-65 ▪ A álgebra 92-99 ▪ Os decimais 132-137

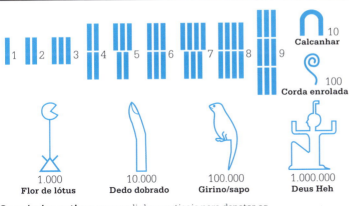

Os egípcios antigos usavam linhas verticais para denotar os números de 1 a 9. Potências de 10, em especial aquelas inscritas em pedra, eram representadas com hieróglifos – símbolos pintados.

Livros de instrução

Os papiros de Rhind e Moscou são os documentos matemáticos mais completos que se conservaram do auge da civilização egípcia. Eles foram cuidadosamente copiados por escribas versados em aritmética, geometria e mensuração (estudo das medidas) e podem ter sido usados para treinar outros escribas. Embora pareçam abarcar o conhecimento matemático mais avançado da época, não eram considerados obras escolares. Eram, em vez disso, manuais de instrução para uso em comércio, contabilidade, construção e outras atividades que envolviam medidas e cálculos.

Os engenheiros egípcios, por exemplo, usaram matemática na construção das pirâmides. O Papiro de Rhind inclui o cálculo do declive de uma pirâmide, usando o *seked* – medida da distância horizontal percorrida por um declive a cada queda de 1 côvado. Quanto mais íngreme o lado de uma pirâmide, menores os *sekeds*.

O escriba do Papiro de Rhind usou um sistema simplificado de grafia de numerais. Esse estilo cursivo era mais compacto e prático que desenhar hieróglifos complexos.

um fator de escala (a quantidade requerida dividida pelo resultado).

Nos procedimentos do problema 24, um sétimo é mais fácil de encontrar para o número 7, então 7 é usado primeiro como valor "falso" para a variável. O resultado do cálculo, 7 mais $7/7$ (ou 1), é 8, não 19, então é preciso um fator de escala. Para saber quão distante o palpite de 7 está da quantidade requerida, 19 é dividido por 8 (a resposta "falsa"). Isso produz o resultado de $2 + 1/4 + 1/8$ (não $2\ 3/8$, já que a multiplicação egípcia se baseava em dobrar e dividir pela metade as frações), que é o fator de escala a aplicar. Assim, 7 (valor "falso" original) é multiplicado por $2 + 1/4 + 1/8$ (fator de escala) resultando na quantidade $16 + 1/2 + 1/8$ (ou $16\ 5/8$).

Muitos problemas do papiro lidam com cálculo de parcelas de mercadorias ou terras. O problema 41 pergunta o volume de um depósito cilíndrico com diâmetro de 9 côvados e altura de 10 côvados. O método encontra a área de um quadrado cujos lados medem $8/9$ do diâmetro e então multiplica pela altura. O número $8/9$ é usado como uma aproximação da proporção da área de um quadrado que seria ocupada por um círculo se ele fosse desenhado dentro do quadrado. Esse método é usado no problema 50 para achar a área de um círculo: subtraia $1/9$ do diâmetro de um círculo e calcule a área do quadrado com lados do valor encontrado.

Nível de precisão

Desde os gregos antigos, encontra-se a área do círculo multiplicando o quadrado de seu raio (r^2) pelo número pi (π), o que é escrito πr^2. Os egípcios antigos não tinham o conceito de pi, mas os cálculos do Papiro de Rhind mostram que estavam perto desse valor. Seu cálculo da área do círculo – com o diâmetro como o dobro do raio ($2r$) – pode ser expresso como $(8/9 \times 2r)^2$, que, simplificado, é $256/81\ r^2$, dando um equivalente para pi de $256/81$. Em decimais, isso é cerca de 0,6% maior que o valor verdadeiro de pi. ∎

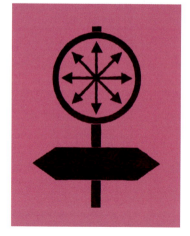

A SOMA É IGUAL EM TODAS AS DIREÇÕES
QUADRADOS MÁGICOS

EM CONTEXTO

CIVILIZAÇÃO-CHAVE
Chineses antigos

CAMPO
Teoria dos números

ANTES
século IX a.C. O *I ching* [Livro das mutações] chinês dispõe trigramas e hexagramas de números para uso em adivinhação.

DEPOIS
1782 Leonhard Euler escreve sobre quadrados latinos em *Recherches sur une nouvelle espèce de carrés magiques* [Investigações sobre um novo tipo de quadrado mágico].

1979 O primeiro jogo do estilo *sudoku* é publicado pela Dell Magazines, em Nova York.

2001 O engenheiro eletrônico britânico Lee Sallows inventa quadrados mágicos chamados "quadrados geomágicos", que contêm formas geométricas em vez de números.

Um **quadrado mágico** é uma **grade quadrada** – de três por três ou mais – em que números inteiros distintos são colocados um em cada célula.

Em cada **linha**, **coluna** e **diagonal**, a soma dos números **é a mesma**.

A **soma** é o **total mágico**.

Há milhares de modos de arranjar os números de 1 a 9 em uma grade de três por três. Só oito deles produzem um quadrado mágico, em que a soma dos números em cada linha, coluna ou diagonal – o total mágico – é igual. A soma dos números de 1 a 9 é 45, assim como a das três linhas ou colunas. O total mágico, portanto, é $1/3$ de 45, ou 15. Na verdade, só há uma combinação de números num quadrado mágico. As outras sete são rotações dessa combinação.

Origens antigas
Os quadrados mágicos talvez sejam o primeiro exemplo de "matemática recreativa". Sua origem exata é desconhecida, mas a primeira referência que se tem, na lenda chinesa de *Lo Shu* [Rolo do rio Lo], data de 650 a.C. Na lenda, uma tartaruga surge diante do grande rei Yu quando ele enfrenta uma inundação devastadora. As marcas no casco da tartaruga formam um quadrado mágico, com os números de 1 a 9 representados por pontos circulares. Devido à lenda, acreditava-se que o arranjo de números pares e ímpares (ímpares sempre nos cantos do quadrado) tinha propriedades mágicas e foi usado como talismã ao longo das eras.

Conforme as ideias da China se espalharam ao longo de rotas como a da seda, outras culturas se interessaram pelos quadrados mágicos. Eles são discutidos em textos indianos de 100 d.C., e um

IDADE ANTIGA E PERÍODO CLÁSSICO

Ver também: Números irracionais 44-45 ▪ A peneira de Eratóstenes 66-67 ▪ Números negativos 76-79 ▪ A sequência de Fibonacci 106-111 ▪ A proporção áurea 118-123 ▪ Primos de Mersenne 124 ▪ O triângulo de Pascal 156-161

livro de adivinhação, *Brihat-Samhita* (c. 550 d.C.), inclui o primeiro quadrado mágico registrado na Índia, usado para medir quantidades de perfume. Estudiosos árabes, que criaram uma ligação vital entre o conhecimento das civilizações antigas e o Renascimento europeu, introduziram quadrados mágicos na Europa no século XIV.

Quadrados de vários tamanhos

O número de linhas e colunas de um quadrado mágico constitui sua ordem. Por exemplo, diz-se que um quadrado mágico três por três tem ordem três. Não existe quadrado mágico de ordem dois porque ele só funcionaria se todos os números fossem idênticos. Conforme cresce a ordem, aumentam as quantidades de quadrados mágicos. A ordem quatro produz 880 quadrados mágicos – com um total mágico de 34. Há centenas de milhões de quadrados mágicos de ordem cinco,

Há um quadrado mágico de ordem quatro sob o sino em *Melancolia I*, do artista alemão Albrecht Dürer, que, de modo engenhoso, inclui a data da gravura, 1514.

e a quantidade dos de ordem seis ainda não foi calculada.

Os quadrados mágicos são uma fonte duradoura de fascínio para os matemáticos. Luca Pacioli, matemático italiano do século XV e autor de *De viribus quantitatis* [Sobre o poder dos números], colecionava quadrados mágicos. Na Suíça do século XVIII, Leonhard Euler também se interessou por eles e criou uma forma que chamou de quadrados latinos. As linhas e colunas de um quadrado latino contêm figuras e símbolos que só aparecem uma vez em cada linha e coluna.

Uma derivação do quadrado latino, o *sudoku*, tornou-se um quebra-cabeça popular. Criado nos anos 1970 nos Estados Unidos (onde se chamava *number place*), o *sudoku* decolou no Japão nos anos 1980, onde ganhou o nome atual, que significa "dígitos únicos". Um *sudoku* é um quadrado latino de nove por nove, com a restrição adicional de que as subdivisões do quadrado também devem conter todos os nove números. ▪

O mais magicamente mágico de todos os quadrados mágicos já feitos por um mágico.
Benjamin Franklin
Falando sobre um quadrado mágico que descobriu

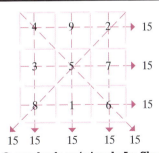

O quadrado mágico de Lo Shu tem um total mágico de 15.

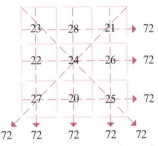

Aqui, acrescenta-se 19 a cada um dos números do quadrado de Lo Shu; o total mágico é 72.

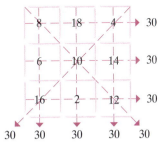

Aqui, todos os números do quadrado de Lo Shu foram duplicados; o total mágico é 30.

Você pode somar a mesma quantidade a todos os números de um quadrado mágico e continuará com um quadrado mágico. De modo similar, se multiplicar todos os números pela mesma quantidade ainda terá um quadrado mágico.

O NÚMERO É A CAUSA DE DEUSES E DEMÔNIOS

PITÁGORAS

PITÁGORAS

EM CONTEXTO

FIGURA CENTRAL
Pitágoras
(c. 570 a.C.-495 a.C.)

CAMPO
Geometria aplicada

ANTES
c. 1800 a.C. As colunas de números cuneiformes da tabuinha de argila Plimpton 322 da Babilônia incluem alguns relacionados às triplas pitagóricas.

Século VI a.C. O filósofo grego Tales de Mileto propõe uma explicação não mitológica do Universo – a ideia de que a razão pode interpretar a natureza.

DEPOIS
c. 380 a.C. No décimo livro de *A República*, Platão adota a teoria de Pitágoras da transmigração das almas.

c. 300 a.C. Euclides cria uma fórmula para encontrar conjuntos de triplas pitagóricas primitivas.

O filósofo grego Pitágoras, do século VI a.C., também é o matemático mais famoso da Antiguidade. Tenha ou não realizado todos os feitos em matemática, ciência, astronomia, música e medicina atribuídos a ele, não há dúvida de que fundou uma comunidade exclusiva que viveu para a investigação da matemática e da filosofia, e via nos números os fundamentos sagrados do Universo.

Ângulos e simetria

Os pitagóricos eram mestres em geometria e sabiam que a soma dos três ângulos de um triângulo (180°) é igual à soma de dois ângulos retos (90° + 90°), um fato que dois séculos depois Euclides descreveu como o postulado do triângulo. Os seguidores de Pitágoras também conheciam alguns dos poliedros regulares – formas tridimensionais de simetria perfeita (como o cubo) que foram depois chamados "sólidos platônicos".

O próprio Pitágoras é antes de tudo associado à fórmula que descreve a relação entre os lados de um triângulo retângulo. Conhecida como teorema de Pitágoras, ela estabelece que $a^2 + b^2 = c^2$, em que

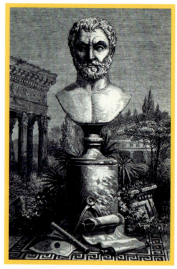

Tales de Mileto, um dos Sete Sábios da Grécia Antiga, talvez tenha inspirado Pitágoras, mais jovem, com suas ideias sobre geometria e ciência. Eles podem ter se conhecido no Egito.

c é o lado mais longo do triângulo (a hipotenusa), e a e b representam os outros dois lados, menores e adjacentes ao ângulo reto. Por exemplo, um triângulo retângulo de lados menores com comprimento de

Triplas pitagóricas

Os conjuntos de três números inteiros que resolvem a equação $a^2 + b^2 = c^2$ são chamados triplas pitagóricas, apesar de se conhecer sua existência bem antes de Pitágoras. Em c. 1800 a.C., os babilônios anotaram conjuntos de números pitagóricos na tabuinha de argila Plimpton 322, mostrando que as triplas se tornam mais espaçadas conforme se avança na reta numérica. Os pitagóricos criaram métodos para achar conjuntos de triplas e também provaram que há um número infinito delas. Após a destruição de muitas escolas pitagóricas no século VI a.C. num expurgo político, os pitagóricos migraram para outras partes do sul da Itália, difundindo o conhecimento sobre triplas pelo mundo antigo. Dois séculos depois, Euclides elaborou uma fórmula para gerar triplas: $a = m^2 - n^2$, $b = 2mn$, $c = m^2 + n^2$. Com certas exceções, m e n podem ser quaisquer dois números inteiros, como 7 e 4, que produzem a tripla 33, 56, 65 ($33^2 + 56^2 = 65^2$). A fórmula acelerou muito o processo de encontrar novas triplas pitagóricas.

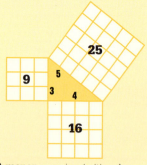

A menor, ou mais primitiva, das triplas pitagóricas é um triângulo de lados com comprimento 3, 4 e 5. Como esta figura mostra, 9 + 16 é igual a 25.

IDADE ANTIGA E PERÍODO CLÁSSICO

Ver também: Números irracionais 44-45 ▪ Os sólidos platônicos 48-49 ▪ Lógica silogística 50-51 ▪ O cálculo de pi 60-65 ▪ Trigonometria 70-75 ▪ A proporção áurea 118-123 ▪ Geometria projetiva 154-155

O gráfico abaixo demonstra por que a equação pitagórica ($a^2 + b^2 = c^2$) funciona. Dentro de um quadrado maior há quatro triângulos retângulos de mesmo tamanho (lados a, b e c). Eles estão arranjados de modo que no meio um quadrado inclinado é formado pela hipotenusa (lados c) dos quatro triângulos.

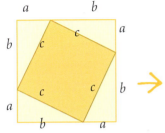

O quadrado maior, de área A, tem lados de comprimento $(a + b)$. Sua área é, assim, $(a + b)^2$. $A = (a + b)(a + b)$.

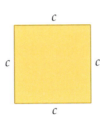

O quadrado menor, inclinado, dentro do maior, tem área de c^2.

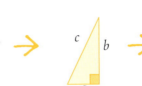

Cada triângulo tem área de $ab/2$ (a base a multiplicada pela altura b, dividida por 2). A área total dos quatro triângulos é $4ab/2 = 2ab$.

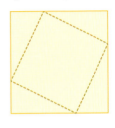

A área total do quadrado inclinado mais os triângulos é igual à área do quadrado maior (A). $A = c^2 + 2ab$

A é igual a $(a + b)(a + b)$: $(a + b)(a + b) = c^2 + 2ab$
Expanda os parênteses (multiplique cada termo do primeiro parêntese por cada termo do segundo). E então faça a soma: $a^2 + b^2 + 2ab = c^2 + 2ab$
Subtraia $2ab$ em cada lado: $a^2 + b^2 = c^2$

---

3 cm e 4 cm terá uma hipotenusa de 5 cm. O comprimento dessa hipotenusa é obtido porque $3^2 + 4^2 = 5^2$ (9 + 16 = 25). Esses conjuntos de soluções com números inteiros para a equação $a^2 + b^2 = c^2$ são conhecidos como triplas pitagóricas. Multiplicar a tripla 3, 4 e 5 por 2 resulta em outra tripla pitagórica: 6, 8 e 10 (36 + 64 = 100). O conjunto 3, 4, 5 se chama tripla pitagórica "primitiva" porque seus componentes não compartilham um divisor maior que 1. O conjunto 6, 8, 10 não é primitivo pois seus componentes compartilham o divisor comum 2.

Há boas evidências de que babilônios e chineses já conhecessem a relação matemática entre os lados de um triângulo retângulo séculos antes de Pitágoras nascer. Acredita-se, porém, que Pitágoras foi o primeiro a provar a verdade da fórmula que explicita essa relação e sua validade para todos os triângulos retângulos, e por isso o teorema leva seu nome.

Jornadas de descoberta

Pitágoras começou a viajar aos vinte anos e passou muitos anos fora; as ideias que absorveu em outras terras sem dúvida alimentaram sua inspiração matemática. Natural de Samos, que não era longe de Mileto, na Anatólia ocidental (atual Turquia), ele pode ter sido aluno do filósofo Anaximandro, na escola de Tales de Mileto. Acredita-se que Pitágoras visitou a Fenícia, a Pérsia, a Babilônia e o Egito, e pode também ter chegado à Índia. Os egípcios sabiam que um triângulo de lados 3, 4 e 5 (a primeira tripla pitagórica) teria um ângulo reto, então seus agrimensores usavam cordas com essas dimensões para criar ângulos retos perfeitos em seus projetos de construção. Observar esse método em primeira mão pode ter estimulado Pitágoras a estudar e provar o teorema matemático subjacente. No Egito, Pitágoras pode também ter conhecido Tales de Mileto, »

A razão é imortal, tudo mais é mortal.
Pitágoras

40 PITÁGORAS

> Provar **cada** instância de uma conjectura (um teorema não provado) levaria tempo **infinito**.

> Em vez disso, os matemáticos tentam provar o **teorema subjacente**.

> Uma vez o teorema provado, **segue-se que cada instância é verdadeira**.

O teorema de Pitágoras é um exemplo claro desse processo, já que prova que todos os lados de um triângulo retângulo seguem a regra $a^2 + b^2 = c^2$.

geômetra perspicaz que calculou a altura das pirâmides e aplicou o raciocínio dedutivo à geometria.

A comunidade pitagórica

Após vinte anos viajando, Pitágoras afinal se fixou em Crotona, no sul da Itália, uma cidade com grande população grega. Lá, criou a irmandade pitagórica – comunidade à qual podia ensinar suas crenças filosóficas e matemáticas. As mulheres eram bem-vindas à irmandade, e formavam parte significativa de seus seiscentos membros. Ao aderir, os membros tinham de doar todas as posses e riquezas à irmandade, além de jurar manter em segredo suas descobertas matemáticas. Sob a liderança de Pitágoras, a comunidade ganhou considerável influência política.

Além de seu teorema, Pitágoras e sua coesa comunidade realizaram muitos outros avanços em matemática, mas guardaram com cuidado esse conhecimento. Entre suas descobertas estavam os números poligonais: estes, quando representados por pontos, podem criar as formas dos polígonos regulares. Por exemplo, 4 é um número poligonal, pois 4 pontos podem formar um quadrado, e 10 é um número poligonal, pois 10 pontos podem formar um triângulo com 4 pontos na base, 3 pontos na linha seguinte, 2 na seguinte e 1 ponto no topo do triângulo (4 + 3 + 2 + 1 = 10).

Dois milênios após Pitágoras, em 1638, Pierre de Fermat estendeu essa ideia ao afirmar que qualquer número poderia ser escrito como a soma de até k números k-gonais; em outras palavras, cada número é a soma de até 3 números triangulares ou até 4 números quadrados ou até 5 números pentagonais etc. Por exemplo, 19 pode ser escrito como a soma de três números triangulares: 1 + 3 + 15 = 19. Fermat não pôde provar sua conjectura; foi só em 1813 que o matemático francês Augustin-Louis Cauchy completou sua prova.

Fascinado por números

Outro tipo de número que empolgava Pitágoras era o número perfeito. Ele era chamado assim porque é a soma exata de todos os seus divisores, à exceção de si próprio. O primeiro número perfeito é 6, pois seus divisores 1, 2 e 3 somam 6. O segundo é 28 (1 + 2 + 4 + 7 + 14 = 28), o terceiro é 496 e o quarto 8.128. Não havia utilidade prática em identificar tais números,

> A força da mente repousa na sobriedade, pois ela mantém a razão livre da paixão.
> **Pitágoras**

> O melhor tipo de homem se dedica à descoberta do sentido e propósito da vida em si [...] esse é o homem que chamo de filósofo.
> **Pitágoras**

IDADE ANTIGA E PERÍODO CLÁSSICO

Sempre admirei o lado místico de Pitágoras e a mágica secreta dos números.
Sir Thomas Browne
Polímata inglês

mas seu caráter peculiar e a beleza de seus padrões fascinaram Pitágoras e sua irmandade.

Por outro lado, diz-se que Pitágoras tinha um medo opressivo dos números irracionais – os que não podem ser expressos como frações de dois números inteiros, cujo exemplo mais famoso é π – e duvidava deles. Tais números não têm lugar entre os bem-ordenados números inteiros e frações pelos quais Pitágoras dizia que o Universo era regido. Conta-se que o medo dos números irracionais levou seus seguidores a afogar um colega pitagórico – Hipaso – por ter revelado sua existência ao tentar encontrar a raiz de 2.

A reputação de crueldade de Pitágoras surge também na história de um membro da irmandade executado por revelar publicamente que os pitagóricos tinham encontrado um novo poliedro regular. A nova forma era constituída por doze pentágonos regulares e conhecida como dodecaedro – um dos cinco sólidos platônicos. Os pitagóricos veneravam o pentágono e seu símbolo era o pentagrama, estrela de cinco pontas com um pentágono no centro. Romper a regra de segredo da irmandade ao revelar seu conhecimento do dodecaedro era, assim, um crime hediondo, punível com a morte.

Uma filosofia integrada

Na Grécia Antiga, a matemática e a filosofia eram consideradas temas complementares e estudadas juntas. Atribui-se a Pitágoras a criação do termo "filósofo", do grego *philos* ("amor") e *sophos* ("sabedoria"). Para Pitágoras e seus seguidores, a tarefa do filósofo era a busca da sabedoria.

A filosofia de Pitágoras integrava ideias espirituais com matemática, ciência e raciocínio. Entre suas crenças estava a ideia de metempsicose, que ele pode ter encontrado nas viagens pelo Egito ou em outros lugares do Oriente Médio. Ela sustentava que as almas são imortais e que com a morte transmigram para ocupar um novo corpo. Em Atenas, dois séculos depois, Platão ficou encantado com a noção e a incluiu em muitos de seus diálogos. Mais tarde o cristianismo também abraçou o conceito de divisão entre corpo e alma, e as ideias de Pitágoras se »

Em *A escola de Atenas*, pintado por Rafael em 1509-1511 para o Vaticano, em Roma, Pitágoras é mostrado com um livro, cercado por estudiosos ansiosos por aprender com ele.

42 PITÁGORAS

> Pitágoras notou que havia **padrões numéricos** na **música** e nas **formas**.

- Algumas famílias de números são **poligonais**: quando representados por pontos, criam **polígonos regulares**.
- As **razões** entre os comprimentos das **cordas da lira** se relacionam à sequência de **notas numa escala musical**.
- **Um martelo com o dobro do peso** de outro produzirá uma nota **uma oitava abaixo**.

> Os números e as razões entre eles **regem as formas e os sons produzidos por instrumentos musicais e ferramentas**.

---

tornariam parte central do pensamento ocidental.

Pitágoras também acreditava – o que era relevante para a matemática – que tudo no Universo se relacionava a números e obedecia a regras matemáticas. Certos números eram dotados de características e significação espirituais, levando a um tipo de culto ao número, e Pitágoras e seus seguidores buscavam padrões matemáticos em tudo ao redor.

Números em harmonia

A música era de grande importância para Pitágoras. Conta-se que ele a via como uma ciência sagrada, em vez de algo a ser usado só para diversão. Era um elemento unificador em seu conceito de Harmonia, o aglutinador do cosmos e da psique. Talvez seja por isso que se credita a ele a descoberta da ligação entre razões matemáticas e harmonia. Diz-se que, ao passar por uma forja de ferreiro, ele observou que notas diferentes eram emitidas quando martelos de pesos diversos eram batidos em metal de igual comprimento. Se os pesos dos martelos estivessem em proporções exatas e específicas, as notas resultantes eram harmônicas.

Os martelos na forja tinham pesos individuais de 6, 8, 9 e 12 unidades. Os que pesavam 6 e 12 unidades produziam o som das mesmas notas em alturas diferentes; na terminologia musical de hoje, estavam separados por uma oitava. A frequência da nota produzida pelo martelo de peso 6 era o dobro da do martelo de peso 12, correspondendo à razão entre seus pesos. Os martelos de peso 12 e 9 produziam um som harmônico – uma quarta perfeita –, pois seus pesos estavam na razão 4:3. As notas criadas pelos martelos de peso 12 e 8 também eram harmoniosas – uma quinta perfeita –, pois seus pesos estavam na razão 3:2. Por outro lado, os martelos de peso 9 e 8 eram dissonantes, pois 9:8 não é uma razão matemática

Consta que Pitágoras era um excelente tocador de lira. Este desenho de músicos da Grécia Antiga mostra dois membros da família da lira: o trígono (esq.) e a cítara.

IDADE ANTIGA E PERÍODO CLÁSSICO

A numerologia da *Divina comédia*, de Dante (1265-1331) – mostrada aqui num afresco do Duomo de Florença, na Itália – reflete a influência de Pitágoras, que Dante menciona várias vezes em seus textos.

Pitágoras

Pitágoras nasceu por volta de 570 a.C. na ilha grega de Samos, no leste do mar Egeu. Suas ideias influenciaram muitos dos maiores estudiosos da história, de Platão a Nicolau Copérnico, Johannes Kepler e Isaac Newton. Acredita-se que Pitágoras viajou muito, assimilando ideias de eruditos no Egito e outros lugares do Oriente Médio antes de fixar uma comunidade de cerca seiscentas pessoas em Crotona, no sul da Itália, em c. 518 a.C. Essa irmandade ascética exigia que seus membros vivessem para buscas intelectuais, seguindo regras estritas de dieta e vestuário. São dessa época em diante seu teorema e outras descobertas, embora não haja registros. Aos sessenta anos, diz-se que Pitágoras se casou com uma jovem da comunidade, Teano, e talvez tenha tido dois ou três filhos. Motins políticos em Crotona levaram a um levante contra os pitagóricos. Pitágoras pode ter sido morto quando sua escola foi incendiada ou pouco depois. Conta-se que morreu por volta de 495 a.C.

simples. Ao verificar que as notas musicais harmoniosas se ligavam a razões numéricas, Pitágoras foi o primeiro a descobrir a relação entre matemática e música.

Criação de uma escala musical

Embora os estudiosos questionem a história da forja, credita-se também amplamente a Pitágoras outra descoberta musical. Diz-se que ele fez experimentos com notas produzidas por cordas de lira de diferentes comprimentos. Ele descobriu que, se uma corda vibrando emite uma nota de frequência *f*, metade do comprimento da corda produz uma nota uma oitava mais alta, com frequência 2*f*. Quando Pitágoras tomou as mesmas razões que faziam os martelos soar de modo harmonioso e as aplicou a cordas vibrando, obteve, de modo similar, notas em harmonia uma com a outra. Pitágoras construiu então uma escala musical, começando com uma nota e a nota uma oitava acima, preenchendo as notas intermediárias com o uso de quintas perfeitas.

Essa escala foi usada até o século XVI, substituída então pela escala bem-temperada, em que as notas entre duas oitavas são espaçadas de modo mais igual.

Embora a escala pitagórica funcionasse bem dentro de uma oitava, não era adequada à música mais moderna, escrita em diferentes tons e estendendo-se por várias oitavas.

Apesar de diferentes culturas terem usado muitos tipos de escalas, a longa tradição da música ocidental remonta aos pitagóricos e sua busca pela compreensão da relação entre música e proporções matemáticas.

O legado de Pitágoras

A condição de Pitágoras como matemático mais famoso da Antiguidade é justificada por suas contribuições à geometria, à teoria dos números e à música. Suas ideias nem sempre eram originais, mas o rigor com que ele e seus seguidores as desenvolveram, usando axiomas e lógica para construir um sistema matemático, foi um brilhante legado aos que o sucederam. ■

Há geometria no murmúrio das cordas, há música no espaçamento das esferas.
Pitágoras

UM NÚMERO REAL QUE NÃO É RACIONAL
NÚMEROS IRRACIONAIS

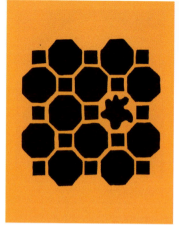

EM CONTEXTO

FIGURA CENTRAL
Hipaso (século v a.C.)

CAMPO
Sistemas numéricos

ANTES
Século XIX a.C. Inscrições cuneiformes mostram que os babilônios construíram triângulos retângulos e entenderam suas propriedades.

Século VI a.C. Na Grécia, a relação entre os comprimentos dos lados de um triângulo retângulo é descoberta e depois atribuída a Pitágoras.

DEPOIS
400 a.C. Teodoro de Cirene prova a irracionalidade das raízes quadradas de números não quadrados entre 3 e 17.

Século IV a.C. O matemático grego Eudoxo de Cnido estabelece uma sólida base matemática para os números irracionais.

Qualquer número que possa ser expresso como razão de dois inteiros – uma fração, um decimal finito ou em dízima periódica, ou um percentual – é chamado número racional. Todos os números inteiros também são racionais pois podem ser apresentados como frações divididas por 1. Os números irracionais, porém, não podem ser expressos como uma razão entre dois números.

Acredita-se ter sido Hipaso, estudioso grego, o primeiro a identificar números irracionais, no século V a.C., ao trabalhar com problemas geométricos. Ele conhecia o teorema de Pitágoras, que afirma que o quadrado da hipotenusa de um triângulo retângulo é igual à soma dos quadrados dos outros dois lados. Ele aplicou o teorema a um triângulo retângulo que tinha ambos os lados menores iguais a 1. Como $1^2 + 1^2 = 2$, o comprimento da hipotenusa é a raiz quadrada de 2.

Hipaso notou, porém, que a raiz quadrada de 2 não podia ser expressa como razão de dois números inteiros – ou seja, não poderia ser escrita como uma fração, já que não há número racional que possa ser multiplicado por si mesmo para produzir exatamente 2. Isso

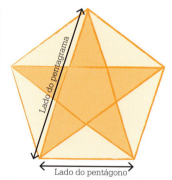

Hipaso pode ter encontrado os números irracionais ao explorar a relação entre o comprimento do lado de um pentágono e de um lado do pentagrama em seu interior. Ele descobriu que era impossível expressá-la como uma razão entre dois números inteiros.

torna a raiz quadrada de 2 um número irracional, e o próprio 2 é chamado de não quadrado ou livre de quadrados. Os números 3, 5 ,7 e muitos outros são igualmente livres de quadrados e a raiz quadrada de cada um é irracional. Por outro lado, números como 4 (2^2), 9 (3^2) e 16 (4^2) são números quadrados, com raízes quadradas que são também números inteiros e portanto racionais.

O conceito de números irracionais não foi logo aceito, mas depois

IDADE ANTIGA E PERÍODO CLÁSSICO

Ver também: Números posicionais 22-27 ▪ Equações quadráticas 28-31 ▪ Pitágoras 36-43 ▪ Números imaginários e complexos 128-131 ▪ O número de Euler 186-191

Um **número real** dá um **resultado positivo** quando elevado **ao quadrado**.

Um **número irracional** tem um **número infinito** de decimais sem **períodos de dízima**.

⬇ ⬇

A **raiz quadrada** de 2 dá um **resultado positivo** (2) quando elevada ao quadrado.

A **raiz quadrada** de 2 é 1,14142135..., em que os decimais se sucedem **sem períodos de dízima**.

⬇ ⬇

A raiz quadrada de 2 é um número real que não é racional.

Hipaso

Os detalhes sobre os primeiros anos de Hipaso são escassos, mas acredita-se que nasceu no Metaponto, na então Magna Grécia (sul da Itália), em 500 a.C. Segundo Jâmblico, filósofo que escreveu uma biografia de Pitágoras, Hipaso foi um dos fundadores da seita pitagórica dos Mathematici, que acreditava com fervor que todos os números são racionais.

Credita-se em geral a Hipaso a descoberta dos números irracionais, uma ideia vista como heresia pela seita. Segundo um relato, ele se afogou quando seus contrariados colegas pitagóricos o jogaram de um barco. Outra história indica que um colega pitagórico descobriu os números irracionais, mas Hipaso foi punido por falar disso ao mundo externo. Não se sabe o ano de sua morte, mas é provável que tenha sido no século V a.C.

Obra principal

século V a.C. *Discurso místico*

---

matemáticos gregos e indianos exploraram suas propriedades. No século IX, estudiosos árabes os usaram em álgebra.

Em termos decimais

O sistema decimal posicional da numeração indo-árabe permitiu estudar mais os números irracionais, que podem ser apresentados como uma sequência infinita de dígitos após o separador decimal sem períodos de dízima. Por exemplo, 0,1010010001..., com um 0 extra entre cada par sucessivo de 1s, continuando indefinidamente, é um número irracional. O pi (π) – a razão entre a circunferência de um círculo e seu diâmetro – é irracional. Isso foi provado em 1761 por Johann Heinrich Lambert – estimativas anteriores de π eram de 3 ou $^{22}/_7$.

Entre quaisquer dois números racionais sempre se pode encontrar outro número racional. A média dos dois números também será racional, assim como a média daquele número e qualquer um dos números originais. Também podem ser encontrados números irracionais entre quaisquer dois números racionais. Um método é mudar um dígito em um período da dízima. Por exemplo, pode-se encontrar um número irracional entre as dízimas periódicas 0,124124... e 0,125125... mudando 1 para 3 no segundo período 124, obtendo 0,124324..., e fazendo isso de novo no quinto e então no nono período, aumentando o intervalo entre a substituição por 3s em um período a cada vez.

Um dos grandes desafios da teoria dos números moderna era estabelecer se havia mais números racionais ou irracionais. Essa dúvida se desfez no século XIX, quando Georg Cantor comprovou que os irracionais constituem um infinito de cardinalidade maior que os racionais. ∎

O CORREDOR MAIS RÁPIDO NUNCA ULTRAPASSARÁ O MAIS LENTO
OS PARADOXOS DE MOVIMENTO DE ZENÃO

EM CONTEXTO

FIGURA CENTRAL
Zenão de Eleia (c. 495-430 a.C.)

CAMPO
Lógica

ANTES
Início do século v a.C. O filósofo grego Parmênides funda a escola eleata de filosofia em Eleia, colônia grega no sul da Itália.

DEPOIS
350 a.C. Aristóteles produz o tratado *Física*, em que usa o conceito de movimento relativo para refutar os paradoxos de Zenão.

1914 O filósofo britânico Bertrand Russell, que descreveu os paradoxos de Zenão como imensuravelmente sutis, declara que o movimento é uma função da posição em relação ao tempo.

Zenão de Eleia pertencia à escola eleata de filosofia, que floresceu na antiga Grécia no século v a.C. Em contraste com os pluralistas, que acreditavam que o Universo podia ser dividido nos átomos que o formam, os eleatas acreditavam na indivisibilidade de todas as coisas.

Zenão escreveu quarenta paradoxos para mostrar o absurdo da visão pluralista. Quatro deles – o paradoxo da dicotomia, o de Aquiles e a tartaruga, o da flecha e o do estádio – se relacionam a movimento. O paradoxo da dicotomia mostra o absurdo da ideia pluralista de que o movimento pode ser dividido. Um corpo que se move por certa distância, diz ele, teria de alcançar metade do trajeto antes de chegar ao fim, e para chegar à metade teria de antes atingir um quarto, e assim até o infinito. Como o corpo tem de passar por um número infinito de pontos, nunca chegaria ao seu objetivo.

No paradoxo de Aquiles e a tartaruga, Aquiles, que é cem vezes mais rápido que a tartaruga, dá à criatura uma vantagem de

---

No **paradoxo da flecha de Zenão**, uma **flecha** é **disparada**.

→ A qualquer tempo dado, essa flecha ocupa um **ponto estático** no espaço.

↓ A flecha é **congelada, parada,** em todos os momentos de seu voo.

← A flecha voando é estática.

IDADE ANTIGA E PERÍODO CLÁSSICO

Ver também: Pitágoras 36-43 ▪ Lógica silogística 50-51 ▪ O cálculo 168-175 ▪ Números transfinitos 252-253 ▪ A lógica da matemática 272-273 ▪ O teorema do macaco infinito 278-279

100 m numa corrida. Ao som da partida, Aquiles corre 100 m para alcançar a tartaruga, enquanto ela corre 1 m, ganhando 1 m de dianteira. Sem se deter, Aquiles corre outro metro; no entanto, ao mesmo tempo, a tartaruga avança 1/100 m, então continua na frente. Isso continua, e Aquiles nunca a alcança.

O paradoxo do estádio diz respeito a três fileiras de igual número de pessoas; um grupo está parado, os outros dois passam um pelo outro em direções opostas à mesma velocidade. Segundo o paradoxo, uma pessoa num grupo em movimento pode passar duas no outro em movimento num dado tempo, mas só uma do grupo parado. A conclusão paradoxal é que metade de um dado tempo é equivalente a dobrar esse tempo.

Ao longo dos séculos, muitos matemáticos refutaram os paradoxos. O desenvolvimento do cálculo permitiu aos matemáticos lidar com quantidades infinitesimais sem resultar em contradição. ▪

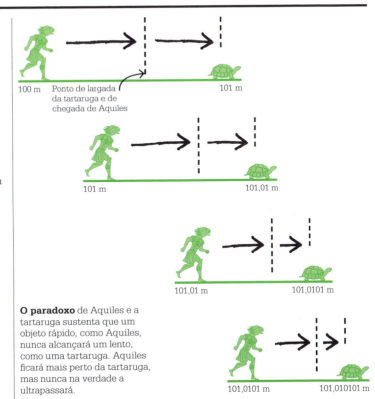

O paradoxo de Aquiles e a tartaruga sustenta que um objeto rápido, como Aquiles, nunca alcançará um lento, como uma tartaruga. Aquiles ficará mais perto da tartaruga, mas nunca na verdade a ultrapassará.

Zenão de Eleia

Zenão de Eleia nasceu por volta de 495 a.C. na cidade grega de Eleia, no sul da atual Itália. Ele foi adotado bem jovem pelo filósofo Parmênides, e dizia-se que era "amado" por ele. Zenão foi iniciado na escola eleata de pensamento, fundada por Parmênides. Aos quarenta anos, viajou para Atenas, onde conheceu Sócrates e introduziu os filósofos socráticos às ideias eleatas.

Zenão foi conhecido por seus paradoxos, que contribuíram para o desenvolvimento do rigor matemático. Aristóteles depois o descreveu como inventor do método dialético de argumentação lógica, que parte de dois pontos de vista opostos. Zenão reuniu seus argumentos num livro, que porém não se conservou. Os paradoxos são conhecidos graças a Aristóteles, que relacionou nove deles no tratado *Física*.

Embora pouco se saiba da vida de Zenão, o biógrafo grego antigo Diógenes afirmou que ele foi espancado até a morte por tentar destronar o tirano Nearco. Num embate com Nearco, consta que Zenão arrancou com uma mordida a orelha do outro.

SUAS COMBINAÇÕES CRIARAM COMPLEXIDADES SEM FIM
OS SÓLIDOS PLATÔNICOS

EM CONTEXTO

FIGURA CENTRAL
Platão (c. 428-348 a.C.)

CAMPO
Geometria

ANTES
Século VI a.C. Pitágoras identifica o tetraedro, o cubo e o dodecaedro.

Século IV a.C. Teeteto, um ateniense contemporâneo de Platão, discute o octaedro e o icosaedro.

DEPOIS
c. 300 a.C. *Os elementos*, de Euclides, descreve totalmente os cinco poliedros convexos regulares.

1596 O astrônomo alemão Johannes Kepler propõe um modelo do Sistema Solar, explicando-o de modo geométrico em termos de sólidos platônicos.

1735 Leonhard Euler cria uma fórmula que relaciona faces, vértices e arestas dos poliedros.

Um **polígono** regular tem **ângulos iguais** e **lados** iguais.

Apenas **cinco sólidos** (formas 3D) têm vértices idênticos e faces que são todas **polígonos regulares** idênticos.

Esses **cinco sólidos** são o **tetraedro**, o **cubo**, o **octaedro**, o **dodecaedro** e o **icosaedro**.

Eles são conhecidos como **sólidos platônicos**.

É provável que a simetria perfeita dos cinco sólidos platônicos já fosse conhecida pelos estudiosos muito antes de o filósofo grego Platão popularizar as formas no diálogo *Timeu*, escrito em c. 360 a.C. Cada um dos cinco poliedros convexos regulares – formas 3D com faces planas e arestas retas – tem seu próprio conjunto de faces poligonais idênticas, o mesmo número de faces se encontrando em cada vértice, além de lados equiláteros e ângulos iguais. Teorizando sobre a natureza do mundo, Platão relacionou quatro das formas aos elementos clássicos: o cubo (também conhecido como um hexaedro regular) foi associado à terra, o icosaedro à água, o octaedro ao ar e o tetraedro ao fogo. O dodecaedro, de doze faces, correspondia aos céus e suas constelações.

Composto por polígonos

Só cinco poliedros regulares são possíveis – cada um criado a partir de triângulos equiláteros, quadrados ou pentágonos regulares idênticos, como Euclides explicou no Livro XIII de *Os elementos*. Para criar um sólido platônico, no mínimo três polígonos idênticos devem se

IDADE ANTIGA E PERÍODO CLÁSSICO 49

Ver também: Pitágoras 36-43 ▪ *Os elementos*, de Euclides 52-57 ▪ Seções cônicas 68-69 ▪ Trigonometria 70-75 ▪ Geometrias não euclidianas 228-229 ▪ Topologia 256-259 ▪ O mosaico de Penrose 305

Os sólidos platônicos

O tetraedro tem quatro faces triangulares.

O cubo tem seis faces quadradas.

O octaedro tem oito faces triangulares.

O dodecaedro tem doze faces pentagonais.

O icosaedro tem vinte faces triangulares.

---

encontrar num vértice. Assim, a forma mais simples é o tetraedro – pirâmide feita de quatro triângulos equiláteros. O octaedro e o icosaedro também são formados de triângulos equiláteros, enquanto os cubos são construídos com quadrados e o dodecaedro com pentágonos regulares. Os sólidos platônicos também têm uma dualidade: os vértices de um poliedro correspondem às faces de outro. Por exemplo, o cubo, com seis faces e oito vértices, e o octaedro, de oito faces e seis vértices, formam um par dual. O dodecaedro (doze faces e vinte vértices) e o icosaedro (20 faces e doze vértices) formam outro. O tetraedro, com quatro faces e quatro vértices, é considerado autodual.

Formas no Universo?

Como Platão, estudiosos posteriores buscaram os sólidos platônicos na natureza e no Universo. Em 1596, Johannes Kepler imaginou que as posições dos seis planetas então conhecidos (Mercúrio, Vênus, Terra, Marte, Júpiter e Saturno) poderiam ser explicadas em termos de sólidos platônicos. Kepler reconheceu depois estar errado, mas seus cálculos o levaram a descobrir que os planetas têm órbitas elípticas.

Em 1735, o matemático suíço Leonhard Euler notou mais uma propriedade dos sólidos platônicos, que depois se mostrou verdadeira para todos os poliedros. A soma dos vértices (V) menos o número de arestas (A) mais o número de faces (F) sempre é igual a 2, ou seja, $V - A + F = 2$. Hoje também se sabe que os sólidos platônicos são mesmo encontrados na natureza – em certos cristais, vírus, gases e no agrupamento das galáxias. ∎

Platão

Nascido de pais ricos em Atenas, em c. 428 a.C., Platão foi discípulo de Sócrates, que era amigo da família. A execução de Sócrates em 399 a.C. afetou profundamente Platão e ele deixou a Grécia para viajar. Foi então que descobriu a obra de Pitágoras, que lhe inspirou o amor pela matemática. Voltando a Atenas, em 387 a.C. fundou a Academia, colocando em sua entrada as palavras "Que nenhum ignorante de geometria entre aqui". Ensinando a matemática como um ramo da filosofia, Platão enfatizou a importância da geometria, acreditando que suas formas – em especial os cinco poliedros convexos regulares – podiam explicar as propriedades do Universo. Platão encontrava a perfeição em objetos matemáticos e pensava que eram a chave para entender as diferenças entre o real e o abstrato. Ele morreu em Atenas, em c. 348 a.C.

Obras principais

c. 375 a.C. *A república*
c. 360 a.C. *Filebo*
c. 360 a.C. *Timeu*

CONHECIMENTO DEMONSTRATIVO DEVE REPOUSAR EM VERDADES BÁSICAS NECESSÁRIAS
LÓGICA SILOGÍSTICA

EM CONTEXTO

FIGURA CENTRAL
Aristóteles

CAMPO
Lógica

ANTES
século VI a.C. Pitágoras e seus seguidores desenvolvem um método sistemático para provar teoremas geométricos.

DEPOIS
c. 300 a.C. *Os elementos*, de Euclides, descreve a geometria em termos de dedução lógica a partir de axiomas.

1677 Gottfried Leibniz sugere uma forma de notação simbólica para a lógica, antecipando a lógica matemática.

1854 George Boole publica *The laws of thought* [As leis do pensamento], sua segunda obra de lógica algébrica.

1884 *Os fundamentos da aritmética*, do matemático alemão Gottlob Frege, examina os princípios lógicos que sustentam a matemática.

Na Grécia Clássica, não havia distinção clara entre matemática e filosofia; ambas eram consideradas interdependentes. Para os filósofos, um princípio importante era a formulação de argumentos convincentes que seguissem uma progressão lógica de ideias. O princípio se baseava no método dialético de Sócrates de questionar hipóteses expondo incoerências e contradições. Aristóteles, porém, não achava esse modelo totalmente satisfatório e resolveu determinar uma estrutura sistemática de argumentação lógica. Primeiro, identificou os diversos tipos de proposição usados em argumentos lógicos e como podem se combinar para alcançar uma conclusão lógica. Em *Analíticos anteriores*, ele afirma que as proposições são basicamente de quatro tipos, na forma de "todo S é P", "nenhum S é P", "alguns S são P" e "alguns S não são P", em que S é

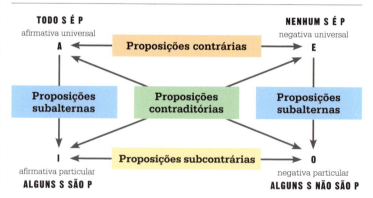

No Quadrado de Oposição, S é um sujeito, como "açúcar", e P um predicado, como "doce". A e O são contraditórios, assim como E e I (se um é verdadeiro, o outro é falso, e vice-versa). A e E são contrários (ambos não podem ser verdadeiros mas podem ser falsos); I e O são subcontrários: ambos podem ser verdadeiros mas não podem ser falsos. I é um subalterno de A e O é um subalterno de E. Na lógica silogística, se A é verdadeiro, I deve ser verdadeiro, mas, se I for falso, A deve ser também falso.

IDADE ANTIGA E PERÍODO CLÁSSICO

Ver também: Pitágoras 36-43 ▪ Os paradoxos de movimento de Zenão 46-47 ▪ *Os elementos*, de Euclides 52-57 ▪ Álgebra booliana 242-247 ▪ A lógica da matemática 272-273

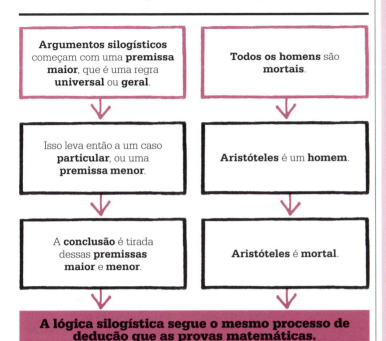

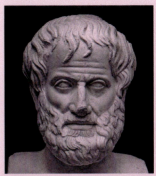

Aristóteles

Filho de um médico da corte macedônia, Aristóteles nasceu em 384 a.C., em Estagira, na Calcídica. Quando tinha cerca de dezessete anos, foi estudar em Atenas, na Academia de Platão, onde se destacou. Logo após a morte de Platão, preconceitos antimacedônios o forçaram a deixar Atenas. Ele continuou o trabalho acadêmico em Assos (hoje na Turquia). Em 343 a.C., Filipe II o chamou de volta à Macedônia para dirigir a escola da corte; um de seus alunos foi o filho de Filipe, depois chamado Alexandre, o Grande. Em 335 a.C., Aristóteles voltou a Atenas e fundou o Liceu, instituição rival da Academia. Em 323 a.C., após a morte de Alexandre, Atenas se tornou de novo ferozmente antimacedônia, e Aristóteles se retirou para uma propriedade familiar em Cálcis, na Eubeia, onde morreu em 322 a.C.

Obras principais

c. 350 a.C. *Analíticos anteriores*
c. 350 a.C. *Analíticos posteriores*
c. 350 a.C. *Da interpretação*
335-323 a.C. *Ética a Nicômaco*
335-323 a.C. *Política*

um sujeito, como "açúcar", e P um predicado – uma qualidade, como "doce". Com apenas duas dessas proposições pode-se construir um argumento e deduzir uma conclusão. Essa é, em essência, a forma lógica conhecida como silogismo: duas premissas levando a uma conclusão. Aristóteles identificou a estrutura dos silogismos que são logicamente válidos, em que a conclusão se segue às premissas, e a daqueles que não são e em que a conclusão não se segue às premissas, fornecendo um método para construir e analisar argumentos lógicos.

Busca de uma prova rigorosa

Em sua discussão da lógica silogística válida está implícito o processo da dedução, que trabalha a partir de uma regra geral na premissa maior, como "Todos os homens são mortais", e um caso particular na premissa menor, como "Aristóteles é um homem", para alcançar uma conclusão que necessariamente se segue – nesse caso, "Aristóteles é mortal". Essa forma de raciocínio dedutivo é a base das provas matemáticas.

Aristóteles nota, em *Analíticos posteriores*, que mesmo num argumento silogístico válido uma conclusão não pode ser verdadeira a menos que se baseie em premissas aceitas como verdadeiras, tais como verdades autoevidentes ou axiomas. Com essa ideia, ele estabeleceu o princípio das verdades axiomáticas como base de uma progressão lógica de ideias – o modelo dos teoremas matemáticos de Euclides em diante. ∎

O TODO É MAIOR QUE A PARTE

OS ELEMENTOS, DE EUCLIDES

OS ELEMENTOS, DE EUCLIDES

EM CONTEXTO

FIGURA CENTRAL
Euclides (c. 300 a.C.)

CAMPO
Geometria

ANTES
c. 600 a.C. O filósofo, matemático e astrônomo grego Tales de Mileto deduz que o ângulo inscrito num semicírculo é um ângulo reto. Isso se torna a Proposição 31 de *Os elementos*, de Euclides.

c. 440 a.C. O matemático grego Hipócrates de Quios escreve o primeiro compêndio de geometria sistematicamente organizado, *Os elementos*.

DEPOIS
c. 1820 Matemáticos como Carl Friedrich Gauss, János Bolyai e Nikolai Ivanovitch Lobatchevski começam a se aproximar da geometria não euclidiana hiperbólica.

Os elementos, de Euclides, é forte candidato à obra matemática mais influente de todos os tempos. Ela dominou as ideias humanas de espaço e número por mais de 2 mil anos e foi o compêndio de geometria padrão até o início do século XX. Euclides viveu em Alexandria, no Egito, por volta de 300 a.C., quando a cidade era parte do culturalmente rico mundo helenístico, de fala grega, que floresceu ao redor do mar Mediterrâneo. Ele escreveu em papiro, pouco durável, e tudo o que se conservou de sua obra são cópias, traduções e comentários de estudiosos posteriores.

Coleção de obras

Os elementos é uma coleção de treze livros sobre vários temas. Os livros I a IV tratam de geometria plana – o estudo das superfícies planas. O Livro V, sobre a ideia de razão e proporção, inspira-se no pensamento do matemático e astrônomo grego Eudoxo de Cnido. O Livro VI contém geometria plana mais avançada. Os livros VII a IX são dedicados à teoria dos números e discutem as propriedades e relações de números. O longo e difícil Livro X trata dos incomensuráveis. Hoje chamados de números irracionais, esses números não podem ser expressos como razões de números inteiros. Os livros XI a XIII examinam a geometria sólida tridimensional. O Livro XIII de *Os elementos* é na verdade atribuído a outro autor, discípulo de Platão: o matemático ateniense Teeteto, que morreu em 369 a.C. Ele aborda os cinco sólidos convexos regulares – tetraedro, cubo, octaedro, dodecaedro e icosaedro, muitas vezes chamados sólidos platônicos – e é o primeiro exemplo registrado de um teorema de classificação (o que enumera todas as figuras possíveis, dadas certas limitações).

Sabe-se que Euclides escreveu uma explanação sobre as seções

> Não há estrada real para a geometria.
> **Euclides**

Euclides

Não se conhecem detalhes sobre data e local de nascimento de Euclides e os dados sobre sua vida são escassos. Acredita-se que ele estudou na Academia de Atenas, fundada por Platão. No século V a.C., o filósofo grego Proclo escreveu em sua história dos matemáticos que Euclides ensinou em Alexandria no reinado de Ptolomeu I Sóter (323-285 a.C.).

A obra de Euclides cobre duas áreas: geometria elementar e matemática geral. Além de *Os elementos*, ele escreveu sobre perspectiva, seções cônicas, geometria esférica, astronomia matemática, teoria dos números e a importância do rigor matemático. Várias das obras atribuídas a Euclides se perderam, mas pelo menos cinco se conservaram até o século XXI. Acredita-se que Euclides morreu entre meados do século IV e meados do século III a.C.

Obras principais

Os elementos
Cônicas
Catóptrica
Fenômenos
Óptica

IDADE ANTIGA E PERÍODO CLÁSSICO

Ver também: Pitágoras 36-43 ▪ Os sólidos platônicos 48-49 ▪ Lógica silogística 50-51 ▪ Seções cônicas 68-69 ▪ O problema dos máximos 142-143 ▪ Geometrias não euclidianas 228-229

cônicas, mas essa obra não sobreviveu. As seções cônicas são figuras formadas pela interseção de um plano e um cone e podem ter forma circular, elíptica ou parabólica.

O mundo da prova

O título da obra de Euclides tem um significado particular, que reflete sua abordagem matemática. No século XX, o matemático britânico John Fauvel sustentou que o sentido da palavra grega *stoicheia* (elemento) mudou com o tempo, de "um constituinte de uma linha", como uma oliveira numa fileira de oliveiras, para "uma proposição usada para provar outra" e, por fim, para "ponto de partida para muitos outros teoremas". Esse foi o sentido em que Euclides a usou. No século V a.C., o filósofo Proclo falava em elemento como "uma letra de um alfabeto", com combinações de letras criando palavras do mesmo modo que combinações de axiomas – declarações verdadeiras por autoevidência – criam proposições.

Deduções lógicas

Euclides não escrevia no vazio: ele construiu sobre bases lançadas por vários matemáticos gregos influentes que vieram antes. Tales de Mileto, Hipócrates e Platão (entre outros) começaram todos a se aproximar da mentalidade matemática que Euclides formalizou com tanto brilho: o mundo da prova. É isso que torna Euclides único; seus textos são o exemplo mais antigo que se conservou de matemática totalmente axiomatizada. Ele identificou certos fatos básicos e avançou a partir daí para declarações que são deduções lógicas sólidas (proposições). Euclides também conseguiu juntar todo o conhecimento matemático da época e organizá-lo numa estrutura em que as relações lógicas entre as várias proposições são cuidadosamente explicadas.

Euclides enfrentou uma tarefa hercúlea quando tentou sistematizar a matemática que havia antes. Ao criar o sistema axiomático, começou com 23

Esta página de rosto de *Elementos*, de Euclides, é da primeira edição impressa, produzida em Veneza em 1482, e mostra o texto latino com iluminuras e diagramas.

definições de termos, como ponto, linha, superfície, círculo e diâmetro. Ele propôs então cinco postulados: quaisquer dois pontos podem ser ligados por um segmento de reta; qualquer segmento de reta pode se estender ao infinito; dado um segmento de reta, um círculo pode ser desenhado com o segmento como raio e uma ponta como centro; todos os ângulos retos são iguais; e um postulado sobre linhas paralelas (ver p. 56).

Ele prosseguiu então, acrescentando cinco axiomas, ou noções comuns: se $A = B$ e $B = C$, então $A = C$; se $A = B$ e $C = D$, então $A + C = B + D$; se $A = B$ e $C = D$, então $A - C = B - D$; se A coincide com B, então A e B são iguais, e o todo de A é maior que parte de A.

Para provar a Proposição 1 (ver ao lado), Euclides desenhou uma linha com pontas rotuladas como »

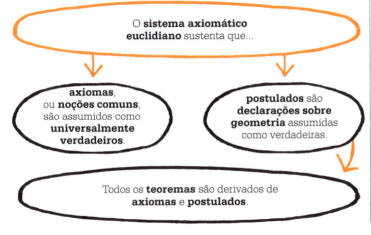

Os cinco postulados de Euclides

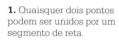

1. Quaisquer dois pontos podem ser unidos por um segmento de reta.

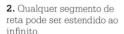

2. Qualquer segmento de reta pode ser estendido ao infinito.

3. Dado um centro e um raio, sempre é possível desenhar um círculo com esse centro e esse raio.

4. Todos os ângulos retos são iguais entre si.

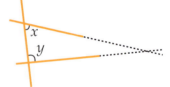

5. Se $x + y$ é menos que dois ângulos retos, então as linhas devem por fim se encontrar num lado.

A e B (ver abaixo). Tomando cada ponta como centro, ele desenhou então dois círculos que se cortam, de modo que ambos tenham raio AB. Isso usou seu terceiro postulado. Onde os círculos se encontram, chamou o ponto de C, e pôde desenhar mais duas linhas AC e BC, recorrendo a seu primeiro postulado. O raio dos dois círculos é o mesmo, então $AC = AB$ e $BC = AB$, o que significa que $AC = BC$, o primeiro axioma de Euclides (coisas que são iguais à mesma coisa são também iguais entre si). Segue-se que $AB = BC = CA$, o que significa que ele desenhou um triângulo equilátero sobre AB.

Nas traduções latinas de *Os elementos*, as deduções terminam com as letras QEF (*quod erat faciendum*, ou seja, "como deveria ser [e foi] feito". Provas lógicas terminam com QED (*quod erat demonstrandum*, ou seja, "como queríamos demonstrar [e foi demonstrado]").

A construção do triângulo equilátero é um bom exemplo do método de Euclides. Cada etapa tem de ser justificada por referência às definições, os postulados e os axiomas. Nada mais pode ser tomado como óbvio, e a intuição é vista como potencialmente suspeita.

A própria primeira proposição de Euclides foi criticada por autores posteriores. Eles notaram, por exemplo, que Euclides não justificou ou explicou a existência de C, o ponto de interseção dos dois círculos. Embora óbvio, isso não é mencionado em suas hipóteses preliminares. O postulado 5 fala de um ponto de interseção, mas entre duas linhas, não dois círculos. De modo similar, uma das definições descreve um triângulo como figura plana limitada por três linhas, todas dentro desse plano. Porém parece que Euclides não mostra explicitamente que as linhas AB, BC e CA estão no mesmo plano.

O postulado 5 também é conhecido como "postulado das paralelas" porque pode ser usado para provar propriedades de linhas paralelas. Ele diz que, se uma reta que cruza duas retas (A, B) cria ângulos interiores em um lado que totalizam menos que dois ângulos retos (180°), as retas A e B acabarão se cruzando daquele lado, se estendidas indefinidamente. Euclides não usou isso até a Proposição 29, em que declarou que uma condição para uma reta cruzar duas linhas paralelas era que os ângulos interiores do mesmo lado fossem iguais a dois ângulos retos. O quinto postulado é mais elaborado que os outros quatro, e o próprio Euclides parecia saber disso.

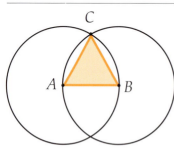

Para construir um triângulo equilátero, na Proposição 1 Euclides desenhou uma linha e centrou um círculo em cada uma das duas pontas, aqui A e B. Desenhando uma linha a partir de cada ponta até C, onde os dois círculos se cruzam, ele criou um triângulo de lados AB, AC e BC de igual comprimento.

Geometria é o conhecimento do que existe para sempre.
Platão

Uma parte vital de qualquer sistema axiomático é ter axiomas suficientes, e postulados no caso de Euclides, para derivar cada proposição verdadeira, mas evitar axiomas supérfluos que possam ser derivados de outros. Alguns perguntaram se o postulado das paralelas poderia ser provado como uma proposição usando as noções comuns, definições e os outros quatro postulados de Euclides; se sim, o quinto seria desnecessário. Os contemporâneos de Euclides e estudiosos posteriores fizeram tentativas malogradas de construir tal prova. Por fim, no século XIX o quinto postulado foi declarado necessário para a geometria de Euclides e independente de seus outros quatro postulados.

Além da geometria euclidiana

Os elementos também examina a geometria esférica, área explorada por dois sucessores de Euclides, Teodósio da Bitínia e Menelau de Alexandria. Embora a definição de Euclides de "ponto" se refira a um ponto no plano, ele também pode ser entendido como um ponto numa esfera.

Isso levanta uma questão sobre como os cinco postulados de Euclides podem ser aplicados à esfera. Na geometria esférica, quase todos os axiomas parecem diferentes dos postulados definidos em *Os elementos*, de Euclides. *Os elementos* deu origem ao que é conhecido como geometria euclidiana; a geometria esférica é o primeiro exemplo de geometria não euclidiana. O postulado das paralelas não é verdadeiro na geometria esférica, em que todos os pares de linhas têm pontos em comum, nem na geometria hiperbólica, em que elas podem se encontrar números infinitos de vezes. ∎

As 16 primeiras proposições do Livro I

Proposição 1	Sobre uma reta finita dada, construir um triângulo equilátero.
Proposição 2	Colocar num ponto dado (como uma ponta) uma reta igual a uma reta dada.
Proposição 3	Dadas duas retas diferentes, cortar na maior uma reta igual à menor.
Proposição 4	Se dois lados de um triângulo forem iguais em comprimento a dois lados de outro triângulo e se os ângulos contidos por cada par de lados iguais forem iguais, então a base de um triângulo será igual à do outro, os dois triângulos terão a mesma área e os demais ângulos de um triângulo serão iguais aos do outro triângulo.
Proposição 5	Num triângulo isósceles, os ângulos da base são iguais um ao outro, e se retas iguais forem estendidas para baixo da base os ângulos sob a base também serão iguais um ao outro.
Proposição 6	Se num triângulo dois ângulos forem iguais um ao outro, os lados separados do terceiro lado por esses ângulos também serão iguais.
Proposição 7	Dadas duas retas construídas sobre uma reta (a partir de suas pontas) e que se encontram num ponto, não podem ser construídas sobre a mesma reta (a partir de suas pontas) e no mesmo lado dela outras duas retas que se encontrem em outro ponto e iguais respectivamente às duas anteriores, isto é, cada uma à que começa na mesma ponta.
Proposição 8	Se dois lados de um triângulo forem iguais em comprimento aos dois lados de outro triângulo, e a base de um triângulo for igual à base do outro, os ângulos dos dois triângulos também serão iguais.
Proposição 9	Bissectar um ângulo formado por duas retas dado.
Proposição 10	Bissectar uma reta finita dada.
Proposição 11	Desenhar uma reta em ângulo reto a uma reta dada a partir de um ponto dado sobre essa reta.
Proposição 12	A partir de um ponto dado que não esteja numa reta infinita dada, desenhar uma reta perpendicular a ela.
Proposição 13	Se uma reta sobre outra reta criar ângulos, serão dois ângulos retos ou que somados serão iguais a dois ângulos retos.
Proposição 14	Se em um ponto de uma reta qualquer duas retas que não estejam do mesmo lado se encontrarem e fizerem ângulos adjacentes iguais a dois ângulos retos, as duas retas estarão em uma linha reta uma com a outra.
Proposição 15	Se duas retas cortam uma à outra, criam ângulos verticais iguais um ao outro.
Proposição 16	Em todo triângulo, se um dos lados é prolongado, então o ângulo entre o triângulo e o lado estendido é maior que qualquer um dos ângulos interiores e opostos.

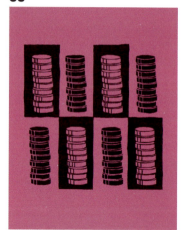

CONTAR SEM NÚMEROS
O ÁBACO

EM CONTEXTO

CIVILIZAÇÃO-CHAVE
Gregos antigos (c. 300 a.C.)

CAMPO
Sistemas numéricos

ANTES
c. 18000 a.C. Na África Central, números são registrados em ossos como marcas entalhadas.

c. 3000 a.C. Os índios sul-americanos registram números fazendo nós num cordão.

c. 2000 a.C. Os babilônios desenvolvem os números posicionais.

DEPOIS
1202 Leonardo de Pisa (Fibonacci) recomenda o sistema numérico indo-árabe em *Liber abaci* [O livro do cálculo].

1621 Na Inglaterra, William Oughtred cria a régua de cálculo, simplificando o uso de logaritmos.

1972 Hewlett Packard cria uma calculadora científica eletrônica de uso pessoal.

O ábaco é um instrumento de contagem e cálculo usado desde os tempos antigos. Existe sob muitas formas, mas todas trabalham com os mesmos princípios: valores de diferentes tamanhos são representados por "contas" dispostas em colunas ou linhas.

Os primeiros ábacos

A palavra "ábaco" pode dar uma ideia de sua origem. É um termo latino derivado do grego antigo *abax*, que significa "laje" ou "prancha" – superfície que, coberta de areia, era usada para desenhar. O ábaco mais antigo remanescente é a Tábua de Salamina, placa de mármore de c. 300 a.C. gravada com linhas horizontais. Seixos eram colocados nessas linhas para contar valores. A linha de baixo representava de 0 a 4; a linha acima dela 5s e as mais acima 10s, 50s e assim por diante. A tábua foi descoberta na ilha grega de Salamina em 1846.

Alguns estudiosos acreditam que a Tábua de Salamina era na verdade babilônia. O grego *abax* pode ter vindo da palavra fenícia ou hebraica para "pó" (*abaq*) e se referir

O campeonato de *soroban*

No Japão, as crianças ainda usam o *soroban* (ábaco japonês) em aulas de matemática como meio de desenvolver habilidades aritméticas mentais. Ele também é utilizado para cálculos bem mais complexos. Usuários avançados em geral fazem tais cálculos mais rápido que alguém digitando os valores numa calculadora eletrônica. Todo ano, os melhores abacistas de todo o Japão participam do campeonato. São testadas a velocidade e a precisão em um sistema de eliminação que lembra os concursos de soletração. Um dos destaques do evento é o Flash Anzan™, uma façanha de aritmética mental em que os jogadores imaginam operar um ábaco somando quinze números de três dígitos – nenhum ábaco físico é permitido. Os números aparecem numa grande tela, piscando cada vez mais rápido a cada rodada. O recorde mundial de 2017 no Flash Anzan foi de quinze números somados em 1,68 segundo.

IDADE ANTIGA E PERÍODO CLÁSSICO 59

Ver também: Números posicionais 22-27 ▪ Pitágoras 36-43 ▪ O zero 88-91 ▪ Os decimais 132-137 ▪ O cálculo 168-175

O *suanpan* mostrado aqui está ajustado para o número 917.470.346. O *suanpan* é tradicionalmente um ábaco 2:5 – cada coluna tem duas contas "do céu", cada uma com valor de 5, e cinco contas "da terra", cada uma com valor 1, dando um valor potencial de 15 unidades. Isso permite cálculos que envolvem o sistema de base 16 chinês, que usa 15 unidades em vez das 9 do sistema decimal. Os números podem ser somados colocando as unidades de um número, a partir da direita, e então ajustando as contas conforme mais números são introduzidos. Para a subtração, as unidades do primeiro número são colocadas e então os valores das contas são ajustados para baixo em cada coluna conforme mais números subtraídos são introduzidos.

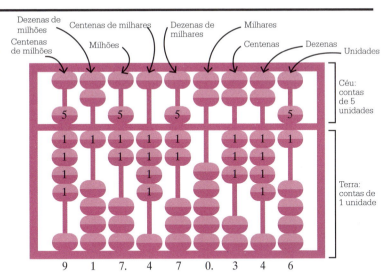

a tábuas de contagem mais antigas das civilizações mesopotâmicas, onde as contas eram dispostas em grades desenhadas na areia. O sistema numérico posicional babilônio, desenvolvido em c. 2000 a.C., pode ter se inspirado no ábaco.

Os romanos aperfeiçoaram a tábua de contagem grega num instrumento que simplificava muito os cálculos. As linhas horizontais do ábaco grego se tornaram colunas verticais no ábaco romano, em que eram colocadas pedrinhas – ou *calculi*, em latim, de onde veio a palavra "cálculo".

Um tipo de ábaco também esteve em uso nas civilizações pré-colombianas da América Central. Baseado num sistema de contagem vigesimal, ou de base 20, de cinco dígitos, ele usava grãos de milho enfiados em cordões para representar os números. Nenhum instrumento se conservou, mas estudiosos pensam que o antigo povo olmeca o inventou 3 mil anos atrás. Em c. 1000 d.C., o povo asteca o conhecia como *nepohualtzintzin* – o "contador de contas pessoal" – e o usava no pulso como bracelete.

Base dupla
Por volta do século II d.C., os ábacos se tornaram ferramenta comum na China. O desenho do ábaco chinês, ou *suanpan*, era similar ao romano, mas em vez de usar pedrinhas numa estrutura de metal tinha contas de madeira em varetas – o modelo do ábaco moderno. Não é claro se veio antes o ábaco romano ou o chinês, mas suas similaridades podem ser uma coincidência, inspirada no modo como as pessoas contavam usando os cinco dedos da mão. Ambos tinham duas partes – a de baixo até 5, a de cima com os 5.

Uma personificação feminina da aritmética julga uma disputa entre o matemático romano Boécio, que usa números, e o grego Pitágoras, que usa uma prancha de contagem.

No segundo milênio d.C., o *suanpan* e seus métodos de contagem se espalharam pela Ásia. No século XIV foi levado ao Japão, onde foi chamado *soroban*. Este foi aos poucos aperfeiçoado e no século XX era um ábaco 1:4 (com uma conta em cima em cada vareta e quatro contas embaixo). ■

EXPLORAR PI É COMO EXPLORAR O UNIVERSO

O CÁLCULO DE PI

O CÁLCULO DE PI

EM CONTEXTO

FIGURA CENTRAL
Arquimedes
(c. 287-c. 212 a.C.)

CAMPO
Teoria dos números

ANTES
c. 1650 a.C. O Papiro de Rhind, escrito por escribas egípcios do Médio Império como guia matemático, inclui estimativas do valor de π.

DEPOIS
Século v d. C. Na China, Zu Chongzhi calcula π até a sétima casa decimal.

1671 O matemático escocês James Gregory desenvolve o método do arco tangente para calcular π. Gottfried Leibnitz faz a mesma descoberta na Alemanha três anos depois.

2019 No Japão, Emma Haruka Iwao usa serviço de computação na nuvem para calcular π com mais de 31 trilhões de casas decimais.

O fato de que pi (π) – a razão entre a circunferência de um círculo e seu diâmetro, de aproximadamente 3,141 – não possa ser expresso de modo exato como um decimal por mais casas que sejam calculadas fascina os matemáticos há séculos. O matemático galês William Jones foi o primeiro a usar a letra grega π para representar o número em 1706, mas sua importância para o cálculo da circunferência e área de um círculo e do volume de uma esfera foi compreendido há milênios.

Textos antigos

Determinar o valor exato de pi não é algo direto e a busca por sua representação decimal com quantas casas quanto possível continua. Duas das primeiras estimativas de π aparecem em antigos documentos egípcios conhecidos como papiros de Rhind e de Moscou. O Papiro de Rhind, que se imagina ser destinado ao treinamento de escribas, descreve como calcular o volume de cilindros e pirâmides e também a área de um círculo. O método usado para encontrar essa área era calcular a área de um quadrado com lados iguais a $8/9$ do diâmetro do círculo. Isso implica um valor de π de aproximadamente 3,1605, com quatro casas decimais, o que é só 0,6% maior que a medida mais exata conhecida.

Na Babilônia antiga, a área de um círculo era calculada multiplicando o quadrado da circunferência, onde π era 3, por $1/12$. Esse valor de π aparece na Bíblia (1 Reis 7:23): "E ele fez o mar de bronze fundido, dez côvados de uma borda à outra. Sua altura é cinco côvados, e uma linha de trinta côvados media sua circunferência".

Em c. 250 a.C., o estudioso grego Arquimedes desenvolveu um algoritmo para determinar o valor de π baseado na construção de polígonos regulares que se ajustavam de modo exato dentro

> Pi não é só um fator onipresente em problemas de geometria escolares; ele está entrelaçado a todo o tecido da matemática.
> **Robert Kanigel**
> **Escritor científico americano**

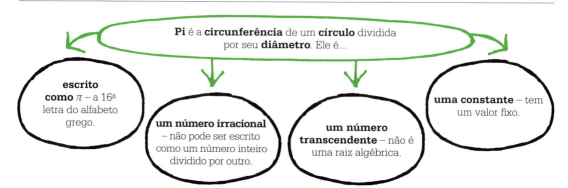

Pi é a **circunferência** de um **círculo** dividida por seu **diâmetro**. Ele é...

- **escrito como** π – a 16ª letra do alfabeto grego.
- **um número irracional** – não pode ser escrito como um número inteiro dividido por outro.
- **um número transcendente** – não é uma raiz algébrica.
- **uma constante** – tem um valor fixo.

IDADE ANTIGA E PERÍODO CLÁSSICO

Ver também: O Papiro de Rhind 32-33 ▪ Números irracionais 44-45 ▪ *Os elementos*, de Euclides 52-57 ▪ A peneira de Eratóstenes 66-67 ▪ Zu Chongzhi 83 ▪ O cálculo 168-175 ▪ O número de Euler 186-191 ▪ O experimento da agulha de Buffon 202-203

(inscritos) ou fora (circunscritos) de um círculo. Ele calculou limites superiores e inferiores para π usando o teorema de Pitágoras – a área do quadrado da hipotenusa (o lado oposto ao ângulo reto) num triângulo retângulo é igual à soma das áreas dos quadrados dos outros dois lados – para estabelecer a relação entre os comprimentos dos lados de polígonos regulares quando o número de lados era duplicado. Isso lhe permitiu estender seu algoritmo a polígonos de 96 lados. Determinar a área de um círculo usando um polígono com muitos lados foi proposto pelo menos duzentos anos antes de Arquimedes, mas ele foi o primeiro a considerar polígonos tanto inscritos quanto circunscritos.

Quadratura do círculo

Outro método de estimativa de π, a "quadratura do círculo", foi um desafio popular para matemáticos na Grécia Antiga. Ele envolvia construir um quadrado com a mesma área de um círculo dado. Usando só um compasso e uma régua não graduada, os gregos

Embora os polígonos tenham sido usados por muito tempo para estimar a circunferência de círculos, Arquimedes foi o primeiro a empregar polígonos regulares inscritos (dentro do círculo) e circunscritos (fora do círculo) para encontrar limites superiores e inferiores para π.

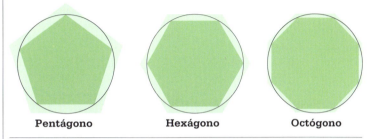

Pentágono   Hexágono   Octógono

sobrepunham um quadrado a um círculo e então usavam o conhecimento da área do quadrado para aproximar a área do círculo. Eles não foram bem-sucedidos com esse método, e no século XIX provou-se que a quadratura do círculo era impossível, dada a natureza irracional de π. É por isso que tentativas de fazer algo impossível são às vezes comparadas a "buscar a quadratura do círculo". Outro modo com que os matemáticos tentaram achar a quadratura do círculo foi fatiá-lo em »

As obras de Arquimedes são, sem exceção, trabalhos de exposição matemática.
Thomas L. Heath
Historiador e matemático

Arquimedes

Nascido em c. 287 a.C. em Siracusa, na Sicília, o polímata grego Arquimedes se destacou como matemático e engenheiro, além de ser lembrado por seu momento "eureca", quando percebeu que o volume de água deslocado por um objeto é igual ao seu próprio volume. Entre suas alegadas invenções estão o parafuso de Arquimedes, lâmina em forma de parafuso que ao girar dentro de um cilindro leva água para cima. Em matemática, ele usou abordagens práticas para estabelecer a razão entre os volumes de um cilindro, uma esfera e um cone de mesmos raios e alturas máximos como 3:2:1. Muitos consideram Arquimedes um pioneiro do cálculo, que só seria desenvolvido no século XVII. Ele foi morto por um soldado romano no cerco de Siracusa, em 212 a.C., apesar de ordens para que sua vida fosse poupada.

Obras principais

c. 250 a.C. *Sobre a medida de um círculo*
c. 225 a.C. *Sobre a esfera e o cilindro*
c. 225 a.C. *Sobre espirais*

seções e rearranjá-las num forma retangular (ver abaixo). A área do retângulo é $r \times 1/2\ (2\pi r) = r \times \pi r = \pi r^2$ (onde r é o raio do círculo e $2\pi r$ é o comprimento de sua circunferência). A área de um círculo é também πr^2. Quanto menores os segmentos usados, mais próxima a forma é de um retângulo.

A busca se espalha

Mais de trezentos anos após a morte de Arquimedes, Ptolomeu (c. 100-170 d.C.) determinou π como 3:8:30 (base 60), ou seja, $3 + 8/60 = 30/3600 = 3,1416$, o que é só 0,007% maior que o valor conhecido mais próximo de π. Na China, 3 era muitas vezes usado como valor de π, até que $\sqrt{10}$ se tornou comum a partir do século II d.C. Este valor é 2,1% maior que π. No século III, Wang Fau declarou que um círculo com circunferência de 142 tinha diâmetro de 45 – ou seja $142/45 = 3,15$, só 1,4% maior que π –, enquanto Liu Hui usou um polígono de 3.072 lados para estimar π como 3,1416. No século V, Zu Chonzhi e seu filho usaram um polígono de 24.576 lados para calcular π como $355/113 = 3,14159292$, um nível de precisão (com sete casas decimais) só atingido na Europa no século XVI.

Na Índia, o matemático-astrônomo Aryabhata incluiu um

> Não há fim para pi. Eu adoraria tentar conseguir mais dígitos.
> **Emma Haruka Iwao**
> Cientista da computação japonesa

método para obter π em seu tratado astronômico *Aryabhatiyam*, de 499 d.C: "Some 4 a 100, multiplique por 8 e então some 62.000. Com essa regra o cálculo da circunferência de um círculo de diâmetro 20.000 pode ser aproximado". Isso resulta em $[8(100 + 4) + 62.000] \div 20.000 = 62.832 \div 20.000 = 3,1416$.

Brahmagupta (c. 598-668 d.C.) derivou raízes quadradas aproximadas de π usando polígonos regulares com 12, 24, 48 e 96 lados: $\sqrt{9,65}$, $\sqrt{9,81}$, $\sqrt{9,86}$ e $\sqrt{9,87}$ respectivamente. Tendo estabelecido que $\pi^2 = 9,8696$, com quatro casas decimais, ele simplificou esses cálculos para $\pi = \sqrt{10}$.

Durante o século IX, o matemático árabe Al-Khwarizmi usou $3\ 1/7$, $\sqrt{10}$ e $62.832/20.000$ como valores de π, atribuindo o primeiro valor à Grécia e os outros dois à Índia. O sacerdote inglês Adelardo de Bath traduziu a obra de Al-Khwarizmi no século XII, renovando o interesse pela busca de π na Europa. Em 1220, Leonardo de Pisa (Fibonacci), que popularizou os numerais indo-árabes com sua obra *Liber abaci* [O livro do cálculo], em 1202, calculou π como $864/275 = 3,141$, uma pequena melhora à aproximação de Arquimedes, mas não tão preciso quanto os cálculos de Ptolomeu, Zu Chongzhi ou Aryabhata. Dois séculos depois, o polímata italiano Leonardo da Vinci (1452-1519) propôs fazer um retângulo cujo comprimento era igual à circunferência de um círculo e cuja altura era metade de seu raio para determinar a área do círculo.

O método para calcular π de Arquimedes, da Grécia Antiga, ainda era usado no fim do século XVI. Em 1579, o matemático francês François Viète tomou 393 polígonos regulares de 216 lados cada para obter π com dez casas decimais. Em 1593, o matemático flamengo Adriaan van Roomen (Romanus) usou um polígono de 230 lados para calcular π com dezessete casas

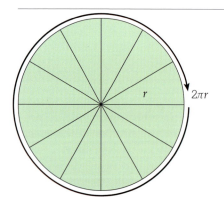

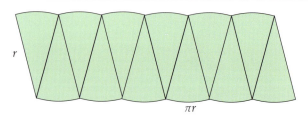

Rearranjando os segmentos de um círculo em forma quase retangular, pode-se mostrar que a área de um círculo é πr^2. A altura do "retângulo" é aproximadamente igual ao raio r do círculo, e a largura é metade da circunferência (metade de $2\pi r$, que é πr).

IDADE ANTIGA E PERÍODO CLÁSSICO

A razão entre o perímetro e a altura da Grande Pirâmide de Gizé, no Egito, é quase exatamente π, o que pode indicar que os arquitetos egípcios antigos conheciam esse número.

decimais; três anos depois, o professor de matemática germano-holandês Ludolph van Ceulen obteve π com 35 casas decimais.

O desenvolvimento da série do arco tangente pelo astrônomo-matemático escocês James Gregory em 1671, e de modo independente por Gottfried Leibniz em 1674, forneceu uma nova abordagem para encontrar π. Uma série do arco tangente (arctan) é um modo de determinar os ângulos de um triângulo a partir do comprimento de seus lados, e envolve medidas em radianos, onde a volta completa é 2π radianos (equivalente a 360°).

Infelizmente, é preciso centenas de termos para calcular π mesmo com algumas casas decimais usando essa série. Muitos matemáticos, como Leonhard Euler no século XVIII, tentaram achar métodos mais eficientes de calcular π usando arctan. Então, em 1841, o matemático britânico William Rutherford obteve 208 dígitos de π usando a série do arctan.

O surgimento de calculadoras e computadores eletrônicos no século XX facilitou muito encontrar os dígitos de π. Em 1949, 2.037 dígitos de π foram calculados em setenta horas. Quatro anos depois, foram só treze minutos para obter 3.089 dígitos. Em 1961, os matemáticos norte-americanos Daniel Shanks e John Wrench usaram a série do arctan para computar 100.625 dígitos em menos de oito horas. Em 1973, os matemáticos franceses Jean Guillaud e Martin Bouyer chegaram a um milhão de casas decimais, e em 1989 um bilhão de casas decimais foram alcançadas pelos irmãos ucraniano-americanos David e Gregory Chudnovsky.

Em 2016, Peter Trueb, um físico de partículas suíço, usou o software y-cruncher para calcular π com 22,4 trilhões de dígitos. Um novo recorde mundial foi batido quando a cientista de computação Emma Haruka Iwao obteve mais de 31 trilhões de casas decimais para π em março de 2019. ∎

Aplicações de pi

Os cientistas espaciais usam π o tempo todo em seus cálculos. Por exemplo, o comprimento das órbitas a diferentes altitudes acima da superfície do planeta pode ser obtido usando o princípio básico de que, se o diâmetro de um círculo é conhecido, calcula-se sua circunferência multiplicando por π. Em 2015, cientistas da Nasa aplicaram esse método para computar o tempo que levou para a espaçonave *Dawn* orbitar Ceres, planeta anão no cinturão de asteroides entre Marte e Júpiter. Quando cientistas do Laboratório de Propulsão a Jato da Nasa, na Califórnia, quiseram saber quanto hidrogênio poderia estar disponível sob a superfície de Europa, uma das luas de Júpiter, fizeram a estimativa para uma unidade de área dada calculando primeiro a área da superfície de Europa, que é $4\pi r^2$, como para qualquer esfera. Como sabiam o raio de Europa, determinar sua área de superfície era fácil. Também é possível descobrir a distância viajada durante uma rotação da Terra por uma pessoa parada num ponto de sua superfície usando π, desde que a latitude da posição da pessoa seja conhecida.

Os astrofísicos usam π em seus cálculos para determinar características e trajetos orbitais de corpos planetários como Saturno.

SEPARAMOS OS NÚMEROS COMO NUMA PENEIRA
A PENEIRA DE ERATÓSTENES

EM CONTEXTO

FIGURA CENTRAL
Eratóstenes (c. 276-c. 194 a.C.)

CAMPO
Teoria dos números

ANTES
c. 1500 a.C. Os babilônios distinguem entre os números primos e compostos.

c. 300 a.C. Em *Elementos* (Livro IX, Proposição 20), Euclides prova que há infinitos números primos.

DEPOIS
Início do século XIX Carl Friedrich Gauss e o matemático francês Adrien-Marie Legendre produzem de modo independente uma conjectura sobre a densidade dos números primos.

1859 Bernhard Riemann cria uma hipótese sobre a distribuição dos números primos. Ela serviu para provar muitas outras teorias sobre esses números, mas ela mesma ainda não foi provada.

Além de calcular a circunferência da Terra e a distância da Terra à Lua e ao Sol, o polímata grego Eratóstenes criou um método para descobrir números primos. Tais números, divisíveis apenas por 1 e por si mesmos, intrigaram os matemáticos por séculos. Ao inventar uma "peneira" para eliminar não primos – usando uma grade de números e anulando os múltiplos de 2, 3, 5 e acima –, Eratóstenes tornou os números primos bem mais acessíveis.

Os números primos têm exatos dois fatores: 1 e o próprio número. Os gregos perceberam a importância dos primos como constituintes de todos os números inteiros positivos. Em *Os elementos*, Euclides expôs muitas propriedades tanto dos números compostos (inteiros acima de 1 que possam ser obtidos multiplicando outros inteiros) como dos primos. Uma delas era que todo número inteiro pode ser escrito como um produto de números primos ou ser ele mesmo um primo. Algumas décadas depois,

> **Eratóstenes** desenvolveu sua "**peneira**" como **método** para **acelerar** o processo de **descobrir números primos**.

> Os números são escritos numa tabela.

> O **método** fornece uma **grade** onde os **números primos** são identificados **com clareza**.

> Os **múltiplos** de números primos são **sistematicamente** riscados.

IDADE ANTIGA E PERÍODO CLÁSSICO

Ver também: Primos de Mersenne 124 ▪ A hipótese de Riemann 250-251 ▪ O teorema dos números primos 260-261 ▪ Grupos simples finitos 318-319

O método de Eratóstenes começa com uma tabela de números consecutivos. Primeiro, o 1 é riscado. Em seguida, todos os múltiplos de 2 são cortados, exceto o próprio 2. O mesmo é feito com os múltiplos de 3, 5 e 7. Múltiplos de qualquer número maior que 7 já estão riscados, uma vez que 8, 9 e 10 são compostos por 2, 3 e 5.

- Números primos
- 1 e números compostos

1	2	3	4	5	6	7	8	9	10
11	12	13	14	15	16	17	18	19	20
21	22	23	24	25	26	27	28	29	30
31	32	33	34	35	36	37	38	39	40
41	42	43	44	45	46	47	48	49	50
51	52	53	54	55	56	57	58	59	60
61	62	63	64	65	66	67	68	69	70
71	72	73	74	75	76	77	78	79	80
81	82	83	84	85	86	87	88	89	90
91	92	93	94	95	96	97	98	99	100

Eratóstenes

Nascido por volta de 276 a.C. em Cirene, cidade grega na Líbia, Eratóstenes estudou em Atenas e se tornou matemático, astrônomo, geógrafo, teórico de música, crítico literário e poeta. Bibliotecário-chefe da Biblioteca de Alexandria, a maior instituição acadêmica do mundo antigo, ele é considerado o pai da geografia por ter instituído e nomeado o tema como disciplina acadêmica e desenvolvido muito da linguagem geográfica usada hoje.

Eratóstenes também reconheceu que a Terra é uma esfera e calculou a circunferência comparando os ângulos de altura do Sol ao meio-dia em Assuã, no sul do Egito, e em Alexandria, no norte. Além disso, produziu o primeiro mapa-múndi com linhas meridianas, o equador e até as zonas polares. Ele morreu por volta de 194 a.C.

Obras principais

Mensuram orae ad terram [Sobre a medida da Terra]
Geographika [Geografia]

Eratóstenes elaborou seu método, que pode ser estendido para descobrir todos os primos. Usando uma grade de números para 1 a 100 (ver acima), fica claro que 1 não é um número primo pois seu único fator é 1. O primeiro número primo – e também o único primo par – é 2. Como todos os outros números pares são divisíveis por 2, não podem ser primos, e todos os outros primos são ímpares. O primo seguinte, 3, só tem dois fatores, então todos os outros múltiplos de 3 não podem ser primos. O número 4 (2 x 2) já teve seus múltiplos cortados, já que são todos pares. O próximo primo é 5, então todos os outros múltiplos de 5 não podem ser primos. O número 6 e todos os seus múltiplos foram tirados da lista de primos potenciais porque são múltiplos pares de 3. O próximo primo é 7, e cortar seus múltiplos elimina 49, 77 e 91. Todos os múltiplos de 9 já se foram, por serem múltiplos de 3, e todos os múltiplos de 10 também, pois são os múltiplos pares de 5. Os múltiplos de 11 até 100 já foram tirados, assim como todos os números sucessivos. Só há 25 números primos até 100 – iniciando com 2, 3, 5, 7 e 11 e acabando com 97 –, identificados apenas removendo todos os múltiplos de 2, 3, 5 e 7.

A busca continua

Os números primos atraíram a atenção dos matemáticos desde o século XVII, quando figuras como Pierre de Fermat, Marin Mersenne, Leonhard Euler e Carl Friedrich Gauss sondaram mais a fundo suas propriedades.

Mesmo na era dos computadores, determinar se um número grande é primo continua a ser muito desafiador. A criptografia de chave pública – o uso de dois primos grandes para cifrar uma mensagem – é a base de toda a segurança na internet. Se os hackers descobrirem um modo simples de determinar a fatoração de todos os números muito grandes, um novo sistema terá de ser criado. ∎

UM *TOUR DE FORCE* GEOMÉTRICO
SEÇÕES CÔNICAS

EM CONTEXTO

FIGURA CENTRAL
Apolônio de Perga
(c. 262-190 a.C.)

CAMPO
Geometria

ANTES
c. 300 a.C. Os treze volumes de *Os elementos*, de Euclides, apresentam as proposições que formam a base da geometria plana.

c. 250 a.C. Em *Sobre conoides e esferoides*, Arquimedes trata dos sólidos criados pela revolução de seções cônicas ao redor de seus eixos.

DEPOIS
c. 1079 d.C. O polímata persa Omar Khayyam usa cônicas em interseção para resolver equações algébricas.

1639 Na França, Blaise Pascal, aos dezesseis anos, afirma que, se um hexágono é inscrito num círculo, os lados opostos do hexágono se encontram em três pontos de uma reta.

Dentre os muitos matemáticos pioneiros da Grécia Antiga, Apolônio de Perga foi um dos mais brilhantes. Ele começou a estudar matemática após o aparecimento da grande obra *Os elementos*, de Euclides, e usou o método euclidiano, tomando axiomas – declarações assumidas como verdadeiras – como pontos de partida para outros raciocínios e provas.

Apolônio escreveu sobre muitos temas, entre outros a óptica (como os raios de luz viajam) e a astronomia, além da geometria. Só há fragmentos de grande parte de sua obra, porém a mais influente,

Mandei meu filho [...] levar-lhe [...] o segundo livro de minha obra *Cônicas*. Leia com cuidado e passe-o a outros que sejam dignos dele.
Apolônio de Perga

Cônicas, ficou relativamente intacta. Ela foi escrita em oito volumes, dos quais sete se conservaram: os livros de 1 a 4 em grego e os de 5 a 7 em árabe. A obra foi concebida para ser lida por matemáticos já bem versados em geometria.

Uma nova geometria
Os matemáticos gregos antigos como Euclides se concentraram na linha e no círculo como as formas geométricas mais puras. Apolônio os via em termos tridimensionais: se um círculo é combinado com todas as linhas que emanam dele, acima ou abaixo de seu plano, e essas linhas passam pelo mesmo ponto fixo (o vértice), cria-se um cone. Fatiando o cone de modos diferentes, uma série de curvas – as seções cônicas – pode ser produzida.

Em *Cônicas*, Apolônio expôs em detalhes minuciosos esse novo mundo da construção geométrica, estudando e definindo as propriedades das seções cônicas. Ele baseou seu trabalho no pressuposto de dois cones unidos no mesmo vértice, com a área de suas bases circulares potencialmente se estendendo até o infinito. A três dessas seções cônicas ele deu os nomes de elipse, parábola e

IDADE ANTIGA E PERÍODO CLÁSSICO

Ver também: *Os elementos*, de Euclides 52-57 ▪ Coordenadas 144-151 ▪ A área sob uma cicloide 152-153 ▪ Geometria projetiva 154-155 ▪ O plano complexo 214-215 ▪ Geometrias não euclidianas 228-229 ▪ A prova do último teorema de Fermat 320-323

hipérbole. Uma elipse ocorre quando um plano atravessa um cone em posição inclinada. Se o corte é paralelo à borda do cone, surge uma parábola, e a hipérbole resulta de quando o plano é vertical. Embora ele visse o círculo como uma das quatro seções cônicas, na verdade ele é uma elipse com o plano perpendicular ao eixo do cone.

Abrindo caminho para outros

Em sua descrição desses quatro objetos geométricos, Apolônio não usou fórmulas algébricas nem números. Porém sua visão de uma curva cônica como um conjunto de linhas paralelas ordenadas emanando de um eixo antecipou a criação posterior da geometria de sistema de coordenadas. Ele não atingiu o tipo de precisão que viria 1.800 anos depois com o trabalho dos matemáticos franceses René Descartes e Pierre de Fermat, mas chegou perto das representações em coordenadas de suas curvas cônicas. Algumas coisas restringiram Apolônio: ele não usava números negativos nem operou explicitamente com o zero. Então, enquanto a geometria

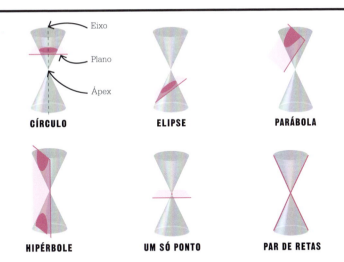

Quando um plano corta um cone, cria uma seção cônica. Além das seções descritas por Apolônio, elas podem ser de um só ponto, quando o plano corta o ápex (vértice superior), ou de retas que cortam o ápex num ângulo.

cartesiana bidimensional desenvolvida por Descartes trabalhava os quatro quadrantes – com coordenadas positivas e negativas –, Apolônio, na verdade, só se ocupou de um. Seus estudos inspiraram avanços em geometria vistos no mundo islâmico da Idade Média. Sua obra foi redescoberta na Europa do Renascimento, levando os matemáticos a desenvolver a geometria analítica que ajudou a impulsionar a revolução científica. ▪

[As seções cônicas são] a chave necessária para alcançar o conhecimento das leis mais importantes da natureza.
Alfred North Whitehead
Matemático britânico

Apolônio de Perga

Pouco se sabe sobre a vida de Apolônio. Ele nasceu em c. 262 a.C., em Perga, centro de culto à deusa Ártemis, no sul da Anatólia (hoje parte da Turquia). Chegando ao Egito após cruzar o Mediterrâneo, ele aprendeu com os estudiosos euclidianos no grande centro cultural de Alexandria.

Acredita-se que os oito volumes de *Cônicas* foram compilados enquanto Apolônio estava no Egito. Os primeiros volumes apresentaram pouco que não fosse conhecido por Euclides, mas os últimos constituíram um avanço significativo em geometria.

Além de sua obra com seções cônicas, atribui-se a Apolônio uma estimativa do valor de pi mais precisa que a de seu contemporâneo Arquimedes, e o pioneirismo ao declarar que um espelho esférico não faz convergir num foco os raios do sol, mas um espelho parabólico sim.

Obra principal

c. 200 a.C. *Cônicas*

A ARTE DE MEDIR TRIÂNGULOS

TRIGONOMETRIA

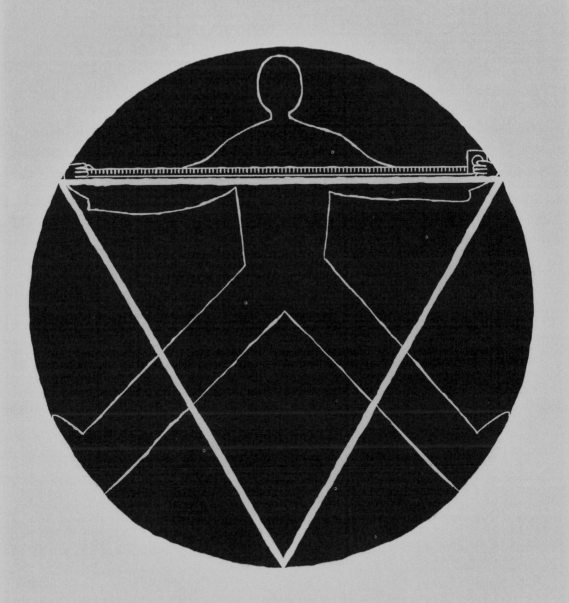

72 TRIGONOMETRIA

EM CONTEXTO

FIGURA CENTRAL
Hiparco (c. 190-120 a.C.)

CAMPO
Geometria

ANTES
c. 1800 a.C. A tabuinha babilônia Plimpton 322 contém uma lista de triplas pitagóricas, muito antes de Pitágoras criar a fórmula $a^2 + b^2 = c^2$.

c. 1650 a.C. O papiro egípcio de Rhind inclui um método para calcular o declive de uma pirâmide.

Século VI a.C. Na Grécia Antiga, Pitágoras descobre seu teorema sobre a geometria de triângulos.

DEPOIS
500 d.C. Na Índia, as primeiras tábuas trigonométricas são usadas.

1000 d.C. No mundo islâmico, os matemáticos usam todas as várias razões entre os lados e ângulos dos triângulos.

A **trigonometria** é o estudo da **relação** entre **lados e ângulos dos triângulos**.

↓ ↓

Os **três ângulos** de qualquer triângulo **somam 180°**.

Se dois ângulos são conhecidos, o **terceiro ângulo** pode ser determinado.

↓

As razões entre os lados de um triângulo retângulo são chamadas **razões trigonométricas**.

↓

Se o comprimento de **um lado** de um triângulo é **conhecido**, assim como seus **ângulos**, o **comprimento dos outros lados** pode ser **determinado**.

A trigonometria, termo baseado nas palavras gregas para "triângulo" e "medida", é de enorme importância tanto no desenvolvimento histórico da matemática como no mundo moderno. Trata-se de uma das mais úteis disciplinas matemáticas, permitindo às pessoas navegar pelos mares, entender a eletricidade e medir a altura de montanhas.

Desde a Antiguidade, as civilizações perceberam a utilidade de ângulos retos em arquitetura. Isso levou os matemáticos a analisar as propriedades dos triângulos retângulos: todos os triângulos retângulos contêm dois lados menores (que podem ou não ter a mesma dimensão) e uma diagonal, a hipotenusa, que é maior que os outros dois; todos os triângulos contêm três ângulos, e triângulos retângulos têm um ângulo de 90°.

A tabuinha de Plimpton

No início do século XX, descobriu-se numa tabuinha de argila de c. 1800 a.C., da antiga Babilônia, uma análise dos triângulos. A tabuinha, comprada pelo editor americano George Plimpton em 1923 (e chamada Plimpton 322), é entalhada com dados numéricos relativos a triângulos retângulos. Seu significado exato é discutido, mas os dados parecem incluir triplas pitagóricas (três números positivos que representam os comprimentos dos lados de um triângulo retângulo), além de outro conjunto de números que lembram as razões dos quadrados dos lados. O objetivo original da tabuinha não é conhecido, mas ela pode ter sido usada como manual prático para medida de dimensões.

Por volta da mesma época que os antigos babilônios, os matemáticos

Mesmo que não a tenha inventado, temos evidência documental de que Hiparco foi a primeira pessoa a fazer uso sistemático da trigonometria.
Sir Thomas Heath
Historiador da matemática britânico

IDADE ANTIGA E PERÍODO CLÁSSICO 73

Ver também: O Papiro de Rhind 32-33 ▪ Pitágoras 36-43 ▪ *Os elementos*, de Euclides 52-57 ▪ Números imaginários e complexos 128-131 ▪ Logaritmos 138-141 ▪ O triângulo de Pascal 156-161 ▪ O teorema do triângulo de Viviani 166 ▪ Análise de Fourier 216-217

egípcios desenvolveram um interesse por geometria, motivados não só por seu programa monumental de construção como também devido às cheias anuais do rio Nilo, que exigiam a demarcação das áreas dos campos cada vez que a água descia. O interesse egípcio é evidente no Papiro de Rhind, um rolo que contém um conjunto de tabelas relacionadas a frações e que numa passagem propõe a questão: "Se uma pirâmide tem 250 côvados de altura e o comprimento da base é de 360 côvados, qual o seu *seked*?". A palavra *seked* significa declive, então o problema é puramente trigonométrico.

Hiparco estabelece regras
Influenciado pelas teorias babilônias sobre ângulos, os gregos antigos desenvolveram a trigonometria como um ramo da matemática regido por leis definidas, em vez das tabelas de números em que os matemáticos anteriores se baseavam. No século II a.C., o astrônomo e matemático Hiparco, considerado o fundador da trigonometria, interessou-se em especial por triângulos inscritos em círculos e esferas e pela relação entre ângulos e comprimento de cordas (retas desenhadas entre dois pontos de um círculo – ou de qualquer curva). Hiparco compilou o que efetivamente foi a primeira tábua verdadeira de valores trigonométricos.

A contribuição de Ptolomeu
Por volta de trezentos anos depois, na cidade egípcia de Alexandria, o talentoso polímata greco-romano Cláudio Ptolomeu escreveu o tratado matemático *Syntaxis mathematikos* [A Coleção matemática] (mais tarde renomeado *Almagesto* por estudiosos islâmicos). Nessa obra, Ptolomeu desenvolveu ainda mais as ideias de Hiparco sobre triângulos e cordas de círculos, elaborando fórmulas que permitiriam prever a posição do Sol e outros "corpos celestes" com base na hipótese de órbitas circulares ao redor da Terra. Ptolomeu, como os matemáticos antes dele, usou o sistema numérico babilônio conhecido como sistema sexagesimal, baseado no número 60.

Na época medieval, princípios trigonométricos eram aplicados para medir a posição de corpos celestes com astrolábios. Atribui-se a Hiparco a invenção do instrumento.

A obra de Ptolomeu foi levada ainda mais adiante na Índia, onde a disciplina em crescimento da trigonometria era vista como parte da astronomia. O matemático indiano Aryabhata (474-550 d.C.) aprofundou o estudo das cordas, produzindo a primeira tábua do »

Hiparco

Hiparco nasceu em Niceia (hoje Iznik, na Turquia) em 190 a.C. Embora pouco se saiba sobre sua vida, ele ficou famoso como astrônomo com os estudos feitos na ilha de Rodes. Suas descobertas foram imortalizadas no *Almagesto*, de Ptolomeu, onde é descrito como "amante da verdade".

A única obra remanescente de Hiparco foi um comentário em que critica a imprecisão das descrições das constelações em *Phaenomena* [Aparências], do poeta Arato e do matemático e astrônomo Eudoxo. A contribuição mais notável de Hiparco à astronomia foi a obra *Tamanhos e distâncias* (hoje perdida, mas usada por Ptolomeu), sobre as órbitas do Sol e da Lua, que lhe permitiu calcular as datas dos equinócios e solstícios. Ele também compilou um catálogo de estrelas, que talvez seja o que Ptolomeu usou no *Almagesto*. Hiparco morreu em 120 a.C.

Obra principal

século II a.C. *Tamanhos e distâncias*

Tipos de trigonometria

a = oposto
b = adjacente
c = hipotenusa

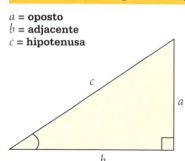

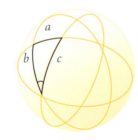

Trigonometria plana é o estudo de triângulos num plano (uma superfície 2D). A trigonometria plana é usada por arquitetos, por exemplo, para garantir a estabilidade das construções, e por físicos para modelar o movimento.

Trigonometria esférica é o estudo de triângulos sobre uma esfera (uma superfície curva, 3D). É usada por astrônomos para calcular as posições de corpos celestes, e na navegação para calcular latitude e longitude.

que hoje se chama função de seno (todos os valores possíveis de razões seno/cosseno para determinar o comprimento desconhecido de um lado de um triângulo quando os comprimentos da hipotenusa – o lado maior do triângulo – e do lado aposto ao ângulo são conhecidos).

No século VII d.C., outro grande matemático e astrônomo indiano, Brahmagupta, deu contribuições à geometria e à trigonometria, no que é hoje chamado fórmula de Brahmagupta. Esta é usada para obter a área de quadriláteros cíclicos, que são formas de quatro lados inscritas num círculo. Essa área também pode ser encontrada com um método trigonométrico se o quadrilátero for dividido em dois triângulos.

Trigonometria islâmica

Brahmagupta já tinha criado uma tábua de valores de seno, mas no século IX d.C. o astrônomo e matemático persa Habach al-Hasib (Habach, "o Calculador") produziu algumas das primeiras tábuas de seno, cosseno e tangente para calcular os ângulos e lados de triângulos. Na mesma época, Al-Battani (Albatenius) desenvolveu a obra de Ptolomeu sobre a função de seno e a aplicou a cálculos astronômicos. Ele registrou observações muito precisas de objetos celestes em Raqqa, na Síria. A motivação dos estudiosos árabes para desenvolver a trigonometria não estava só na astronomia, mas também na religião, já que era importante que os muçulmanos em qualquer parte do mundo soubessem a direção da cidade sagrada de Meca. No século XII d.C., o matemático e astrônomo indiano Bhaskara II criou o estudo da trigonometria esférica, que explora triângulos e outras formas na superfície de uma esfera em vez de um plano.

Em séculos posteriores, a trigonometria se tornou inestimável à navegação, assim como à astronomia. Os estudiosos muçulmanos do mundo medieval, que tinham começado a estudar trigonometria bem antes de Bhaskara II, valorizaram sua obra, além das ideias de Ptolomeu expostas no *Almagesto*.

Ajuda à astronomia

Com os avanços na trigonometria, houve uma mudança gradual no modo como as pessoas viam o céu. Até ali os estudiosos observavam e registravam de modo passivo os padrões de movimento dos corpos celestes, mas então começaram a modelar esse movimento matematicamente, de maneira a predizer eventos astronômicos futuros com precisão cada vez maior. O estudo da trigonometria apenas

A trigonometria, como outros ramos da matemática, não foi obra só de um homem ou povo.
Carl Benjamin Boyer
Historiador da matemática americano

A tábua de logaritmos é uma pequena tabela com a qual se pode descobrir todas as dimensões geométricas e movimentos no espaço.
John Napier

como apoio à astronomia persistiu durante o século XVI, quando novos desenvolvimentos na Europa começaram a ganhar força. Em 1533, o matemático alemão Johannes Müller von Königsberg, conhecido como Regiomontanus, publicou *De triangulis omnimodis* [Sobre triângulos de todos os tipos], compêndio de todos os teoremas conhecidos para obter lados e ângulos de triângulos planos (2D) ou esféricos (formados na superfície de uma esfera 3D). Foi um ponto de virada na trigonometria; ela não era mais mero ramo da astronomia, mas componente-chave da geometria.

A trigonometria se desenvolveria ainda mais; embora a geometria fosse seu nicho natural, ela também foi aplicada cada vez mais para resolver equações algébricas. O matemático francês François Viète mostrou como equações algébricas poderiam ser resolvidas usando funções trigonométricas, em conjunção com o novo sistema de números imaginários inventado pelo matemático italiano Rafael Bombelli em 1572.

No fim do século XVI, o físico e astrônomo italiano Galileu Galilei usou a trigonometria para modelar as trajetórias de projéteis sob a ação da gravidade. As mesmas equações são usadas ainda hoje para calcular o movimento de foguetes e mísseis na atmosfera. Também no século XVI, o cartógrafo e matemático holandês Gemma Frisius usou a trigonometria para determinar distâncias, permitindo assim pela primeira vez elaborar mapas precisos.

Novos desenvolvimentos

Os avanços em trigonometria ganharam impulso no século XVII. A descoberta dos logaritmos pelo matemático escocês John Napier em 1614 permitiu a compilação de tábuas precisas de seno, cosseno e tangente. Em 1722, Abraham de Moivre, matemático francês, deu um passo além de Vietè ao mostrar

Uma rede de postos de triangulação, como este marco geodésico de pedras no País de Gales, foi lançada em 1936 pelo Serviço Nacional de Cartografia para mapear com precisão a Grã-Bretanha.

como as funções trigonométricas podiam ser usadas na análise de números complexos. Estes compreendem uma parte real e uma parte imaginária e seriam de grande importância no desenvolvimento da engenharia mecânica e elétrica. Leonhard Euler usou as descobertas de Moivre para derivar a "equação mais elegante da matemática": $e^{i\pi} + 1 = 0$, conhecida como identidade de Euler.

No século XVIII, Joseph Fourier aplicou a trigonometria à pesquisa sobre formas diferentes de ondas e vibrações. A "série trigonométrica de Fourier" é amplamente usada em campos científicos como óptica, eletromagnetismo e, em dias mais recentes, mecânica quântica. Desde seu início, quando babilônios e egípcios antigos ponderavam sobre a dimensão das sombras lançadas por uma vareta no chão, passando pela arquitetura e pela astronomia, até as aplicações modernas, a trigonometria constitui parte integrante da linguagem da matemática para modelar o Universo. ■

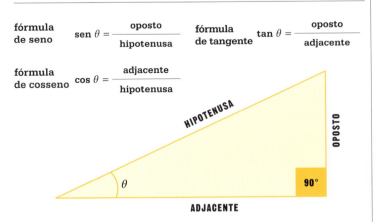

fórmula de seno $\quad \sen \theta = \dfrac{\text{oposto}}{\text{hipotenusa}}$

fórmula de tangente $\quad \tan \theta = \dfrac{\text{oposto}}{\text{adjacente}}$

fórmula de cosseno $\quad \cos \theta = \dfrac{\text{adjacente}}{\text{hipotenusa}}$

Para obter o ângulo desconhecido (θ) num triângulo retângulo, usa-se a fórmula de seno quando os comprimentos do lado oposto (oposto a θ) e da hipotenusa são conhecidos; a fórmula de cosseno é usada quando os comprimentos do lado adjacente e da hipotenusa são conhecidos; e a fórmula de tangente é usada quando os comprimentos do lado oposto e do adjacente são conhecidos.

NÚMEROS PODEM SER MENOS QUE NADA
NÚMEROS NEGATIVOS

EM CONTEXTO

CIVILIZAÇÃO-CHAVE
Chineses antigos (c. 1700 a.C.-c. 600 d.C.)

CAMPO
Sistemas numéricos

ANTES
c. 1000 a.C. Na China, de início se usaram varetas de bambu para denotar números, inclusive negativos.

DEPOIS
628 d.C. O matemático indiano Brahmagupta apresenta regras aritméticas com números negativos.

1631 Em *Practice of the Art of Analysis* [Prática da arte da análise], publicado dez anos após sua morte, o matemático britânico Thomas Harriot aceita os números negativos na notação algébrica.

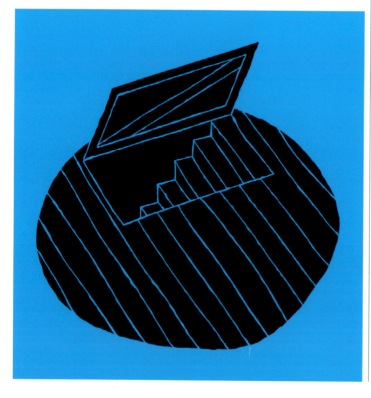

Embora noções práticas de quantidades negativas estivessem em uso desde tempos remotos, em especial na China, os números negativos levaram bem mais tempo para serem aceitos na matemática. Os pensadores gregos antigos e muitos matemáticos europeus posteriores viam esses números – e o conceito de algo ser menos que nada – como absurdo. Só no século XVII os matemáticos europeus começaram a aceitá-los totalmente.

O sistema de varetas chinês

As primeiras ideias de quantidades negativas parecem ter surgido com a contabilidade comercial: o vendedor recebia dinheiro pelo que vendera (uma quantidade positiva) e o comprador gastava a mesma quantia,

IDADE ANTIGA E PERÍODO CLÁSSICO

Ver também: Números posicionais 22-27 ▪ Equações diofantinas 80-81 ▪ O zero 88-91 ▪ A álgebra 92-99 ▪ Números imaginários e complexos 128-131

No sistema chinês de numerais de varetas, o vermelho indica números positivos; o preto, números negativos. Para que um número seja representado da forma mais clara, símbolos horizontais e verticais são usados de modo alternado – por exemplo, o número 752 usa um 7 vertical, depois um 5 horizontal, seguido de um 2 vertical. Espaços em branco representam zero.

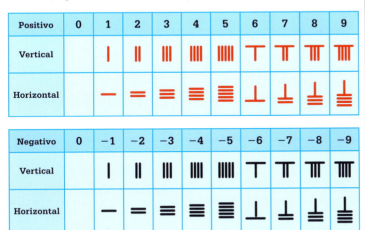

A matemática na China antiga

Jiuzhang suanshu, ou *Os nove capítulos sobre a arte da matemática*, revela os métodos matemáticos conhecidos pelos chineses antigos. É uma coletânea de 246 problemas práticos e suas soluções. Os primeiros cinco capítulos são na maior parte sobre geometria (áreas, comprimentos e volumes) e aritmética (razões e raízes quadradas e cúbicas). O capítulo 6 trata de impostos e inclui as ideias de proporções direta, inversa e composta, a maior parte das quais só surgiriam na Europa por volta do século XVI. Os capítulos 7 e 8 falam sobre soluções de equações lineares, como a regra da "posição falsa dupla", em que dois valores de teste (ou "falsos") para a solução de uma equação linear são usados em etapas seguidas para chegar à solução real. O capítulo final aborda aplicações do "Gougu" (equivalente ao teorema de Pitágoras) e a solução de equações quadráticas.

resultando num déficit (uma quantidade negativa). Para sua aritmética comercial, os chineses antigos usavam varetas de bambu, dispostas numa grande prancha. As quantidades positivas e negativas eram representadas por varetas de cores diferentes e podiam ser somadas. O estrategista militar chinês Sun Tzu, que viveu por volta de 500 a.C., usava essas varetas para fazer cálculos antes das batalhas.

Em 150 a.C., o sistema de varetas evoluíra com a alternância de varetas horizontais e verticais em conjuntos de até cinco. Mais tarde, durante a dinastia Sui (581-618 d.C.), os chineses também usaram varetas triangulares para quantidades positivas e retangulares para negativas. O sistema era empregado no comércio e no cálculo de impostos: as quantias recebidas eram representadas por varetas vermelhas, e as dívidas por varetas pretas. Ao somar varetas de cores diferentes, elas se cancelavam uma à outra – como uma receita apagando uma dívida. A natureza polarizada dos números positivos (varetas vermelhas) e negativos (varetas pretas) também estava em sintonia com o conceito chinês de que forças opostas mas complementares – *yin* e *yang* – regiam o Universo.

Fortunas flutuantes

Num período de vários séculos, a partir de c. 200 a.C., os chineses antigos produziram um livro de estudos coligidos chamado *Os nove capítulos da arte matemática* (ver box). Essa obra, que sintetizava a essência de seu conhecimento matemático, incluía algoritmos em que se assumia que quantidades negativas eram possíveis – por »

A escala Celsius de temperatura usa números negativos para mostrar quando algo está mais frio que 0 °C – o ponto em que a água congela –, como um cristal de gelo.

78 NÚMEROS NEGATIVOS

×	−4	−3	−2	−1	0	1	2	3	4
−4	16	12	8	4	0	−4	−8	−12	−16
−3	12	9	6	3	0	−3	−6	−9	−12
−2	8	6	4	2	0	−2	−4	−6	−8
−1	4	3	2	1	0	−1	−2	−3	−4
0	0	0	0	0	0	0	0	0	0
1	−4	−3	−2	−1	0	1	2	3	4
2	−8	−6	−4	−2	0	2	4	6	8
3	−12	−9	−6	−3	0	3	6	9	12
4	−16	−12	−8	−4	0	4	8	12	16

Um negativo multiplicado por um negativo resulta num positivo. É por isso que todos os números positivos têm duas raízes quadradas (uma positiva e uma negativa) e os números negativos não têm raízes quadradas reais – porque um número positivo ao quadrado é positivo e um número negativo ao quadrado também é positivo.

■ Número positivo
■ Número negativo

exemplo, como soluções de problemas sobre lucros e perdas.

Em contraste, a matemática da Grécia Antiga se baseava em geometria e magnitudes geométricas ou suas razões. Como essas quantidades – comprimentos, áreas e volumes reais – só podem ser positivas, a ideia de número negativo não fazia sentido para os matemáticos gregos.

Na época de Diofanto, por volta de 250 d.C., equações lineares e quadráticas eram usadas para resolver problemas, mas qualquer quantidade desconhecida ainda era representada geometricamente – por um comprimento. Assim, a ideia de números negativos como soluções dessas equações ainda era vista como um absurdo. Um avanço importante no uso aritmético de números negativos veio da Índia, cerca de quatrocentos anos depois, com a obra do matemático Brahmagupta (c. 598-668). Ele estabeleceu regras aritméticas para quantidades negativas e até usou um símbolo para indicar números negativos. Como os chineses antigos, Brahmagupta via os números em termos financeiros, como "fortunas" (positivos) e "dívidas" (negativos), e apresentou as seguintes regras para multiplicação de quantidades positivas e negativas:

O produto de duas fortunas é uma fortuna. O produto de duas dívidas é uma fortuna. O produto de uma dívida e uma fortuna é uma dívida. O produto de uma fortuna e uma dívida é uma dívida.

Não faz sentido buscar o produto de duas pilhas de moedas, já que só quantidades podem ser multiplicadas, não o próprio dinheiro (assim como não se pode multiplicar maçãs por maçãs). Brahmagupta estava assim praticando aritmética com quantidades positivas e negativas, embora usasse fortunas e dívidas como modo de tentar entender o que os números negativos representavam.

O matemático e poeta persa Al-Khwarizmi (c. 780-c. 850) – cujas teorias, em especial sobre álgebra, influenciaram matemáticos europeus – conhecia as regras de Brahmagupta e entendia o uso de números negativos para lidar com dívidas. Porém considerava sem sentido sua utilização em álgebra e não conseguia aceitá-la. Em vez disso, Al-Khwarizmi seguia métodos geométricos para resolver equações lineares ou quadráticas.

Aceitação do negativo

Por toda a Idade Média, os matemáticos europeus continuaram inseguros em relação a quantidades negativas como números. Foi assim em 1545, quando o polímata italiano Gerolamo Cardano publicou *Ars magna* [A grande arte], em que explicava como resolver equações lineares, quadráticas e cúbicas. Ele não pôde excluir as soluções negativas e até usou um sinal, "m", para denotar um número negativo. Apesar disso, não aceitava o valor de números negativos e chamou-os de "fictícios". René Descartes (1596-1650) também admitia quantidades negativas como soluções de

Números negativos são evidência de inconsistência ou absurdo.
Augustus De Morgan
Matemático britânico

IDADE ANTIGA E PERÍODO CLÁSSICO

equações mas se referia a elas como "raízes falsas" em vez de números verdadeiros.

O inglês John Wallis (1616-1703) deu algum sentido aos números negativos ao estender a reta numérica abaixo de zero. Ver os números como pontos numa linha levou à aceitação dos números negativos em igualdade com os positivos, e no fim do século XIX eles tinham uma posição dentro da matemática, separados das noções de quantidades. Hoje, os negativos são usados em muitas áreas, de negócios bancários a escalas de temperatura e cargas de partículas subatômicas. Hoje já não há dúvida sobre sua posição na matemática. ∎

Investidores correm para sacar seu dinheiro do Seamen's Savings Bank, em Nova York, em 1857. O pânico foi causado pelos bancos americanos emprestarem muitos milhões de dólares (uma quantidade negativa) sem reservas (uma quantidade positiva) para garantir isso.

Na **Europa do século XV**, as letras **p** e **m** são usadas para **mais** e **menos**.

Os sinais + e − são introduzidos no **século XVI**.

Mas os **números negativos** são considerados absurdos e vistos com **hostilidade** e **suspeita**.

Só no **século XVII** os números negativos são **aceitos na Europa**, quando são colocados numa **reta numérica** pela primeira vez.

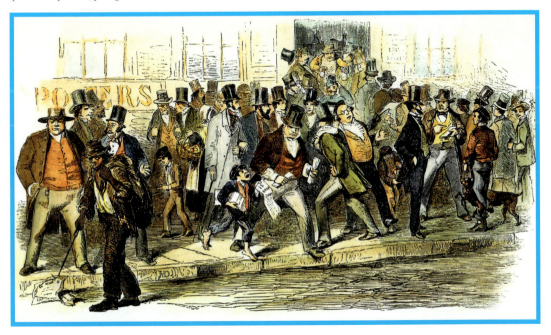

A LEGÍTIMA FLOR DA ARITMÉTICA
EQUAÇÕES DIOFANTINAS

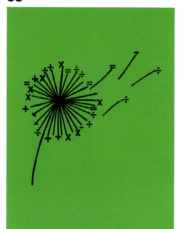

EM CONTEXTO

FIGURA CENTRAL
Diofanto (c. 200-c. 284 d.C.)

CAMPO
Álgebra

ANTES
c. 800 a.C. O estudioso indiano Baudhayana obtém soluções para algumas equações "diofantinas".

DEPOIS
c. 1600 François Viète estabelece as bases para soluções de equações diofantinas.

1657 Pierre de Fermat escreve *O Último Teorema* (sobre uma equação diofantina) em seu exemplar de *Aritmética*.

1900 O décimo problema na lista de David Hilbert de problemas de pesquisa não resolvidos é a busca de um algoritmo para resolver todas as equações diofantinas.

1970 Matemáticos da Rússia mostram que não há algoritmo que possa resolver todas as equações diofantinas.

Diofanto tentou resolver equações com **mais de duas quantidades desconhecidas** e apenas com soluções com **números inteiros** ou **racionais**.

Equações como essas são hoje chamadas **equações diofantinas**.

Enquanto algumas tinham uma solução simples, **a maioria tinha muitas soluções** – ou nenhuma.

As equações diofantinas se revelaram **infinitamente fascinantes para os matemáticos**.

No século III d.C., o matemático grego Diofanto, pioneiro da teoria dos números e da aritmética, criou uma obra prodigiosa chamada *Aritmética*. Em treze volumes, dos quais só seis se conservaram, ele explorou 130 problemas com equações e foi o primeiro a usar o símbolo para uma quantidade desconhecida – uma pedra angular da álgebra. Só nos últimos cem anos os matemáticos exploraram de modo completo o que é conhecido como equações diofantinas. Hoje, elas são consideradas uma das áreas mais interessantes da teoria dos números.

As equações diofantinas são um tipo de polinômio – equação em que as potências das variáveis (quantidades desconhecidas) são números inteiros, como $x^3 + x^4 = z^5$. O objetivo das equações diofantinas é descobrir todas as variáveis, mas as soluções devem ser números inteiros ou racionais (os que podem

IDADE ANTIGA E PERÍODO CLÁSSICO

Ver também: O Papiro de Rhind 32-33 ▪ Pitágoras 36-43 ▪ Hipácia 82 ▪ O sinal de igual e outros símbolos 126-127 ▪ 23 problemas para o século XX 266-267 ▪ A máquina de Turing 284-289 ▪ A prova do último teorema de Fermat 320-323

Os símbolos que Diofanto introduziu [...] forneceram um modo breve e de fácil compreensão para expressar uma equação.
Kurt Vogel
Historiador da matemática alemão

ser escritos como um inteiro dividido por outro, como $^8/_3$). Nas equações diofantinas, os coeficientes – números inteiros que multiplicam uma variável, como o 4 em $4x$ – são também números racionais. Diofanto só usava números positivos, mas os matemáticos hoje objetivam também soluções negativas.

A busca de soluções

Muitos dos problemas hoje chamados equações diofantinas eram conhecidos bem antes da época de Diofanto. Na Índia, os matemáticos exploraram alguns deles desde c. 800 a.C., como revelam os antigos textos *Shulba sutras*. No século VI a.C., Pitágoras criou uma equação quadrática para calcular os lados de um triângulo retângulo; sua forma $x^2 + y^2 = z^2$ é uma equação diofantina.

As equações diofantinas do tipo $x^n + y^n = z^n$ podem parecer simples de calcular, mas só as quadráticas são solúveis. Se a potência (n na equação) for maior que 2, a equação não tem soluções inteiras para x, y e z – como Fermat afirmou numa nota marginal em 1657 e o matemático britânico Andrew Wiles provou por fim em 1994.

Fonte de fascínio

As equações diofantinas são infindáveis em número e forma, e na maior parte muito difíceis de resolver. Em 1900, David Hilbert aventou que a questão de se todas poderiam ou não ser resolvidas era um dos maiores desafios colocados aos matemáticos.

As equações são agora agrupadas em três classes: sem solução, com um número finito de soluções e com um número infinito de soluções. Em vez de buscar soluções, porém, os matemáticos muitas vezes estão mais interessados em descobrir se realmente elas existem. Em 1970, o matemático russo Iuri Matiiasevitch respondeu à questão de Hilbert, que ele e outros três tinham estudado por anos, concluindo que não existe um algoritmo geral para resolver equações diofantinas. Os estudos porém continuam, já que o fascínio de tais equações é em grande parte teórico. Os matemáticos, movidos pela curiosidade, pensam que ainda há muito a descobrir. ▪

A *Aritmética*, de Diofanto, influenciou muito os matemáticos do século XVII, conforme o estudo da álgebra moderna evoluía. Este volume do livro foi publicado em latim em 1621.

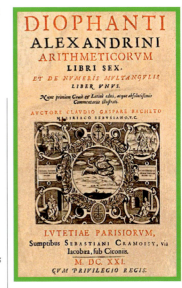

Diofanto

Pouco se sabe sobre a vida do matemático e filósofo grego Diofanto, mas é provável que tenha nascido em Alexandria, no Egito, em c. 200 d.C. Sua obra *Aritmética*, de treze volumes, foi bem-recebida – a matemática alexandrina Hipácia escreveu sobre os primeiros seis volumes –, mas caiu em relativa obscuridade até o século XVI, quando o interesse por suas ideias renasceu.

A *Antologia grega*, compilação de versos e jogos matemáticos de c. 500 d.C., contém um problema numérico que se alega ter sido o epitáfio na lápide de Diofanto. Escrita como um enigma, dá a entender que ele se casou aos 35 anos e cinco anos depois teve um filho, que morreu aos quarenta, com metade da idade do pai. Diz-se então que Diofanto viveu mais quatro anos, morrendo aos 84.

Obra principal

c. 250 d.C. *Aritmética*

UMA ESTRELA INCOMPARÁVEL NO CÉU DA SABEDORIA
HIPÁCIA

EM CONTEXTO

FIGURA CENTRAL
Hipácia de Alexandria
(c. 355-415 d.C.)

CAMPOS
Aritmética, geometria

ANTES
Século VI a.C. A esposa de Pitágoras, Teano, e outras mulheres participam ativamente da comunidade pitagórica.

c. 100 a.C. A matemática e astrônoma Aglaonice da Tessália ganha renome por predizer eclipses lunares.

DEPOIS
1748 A matemática italiana Maria Agnesi escreve o primeiro compêndio a explicar o cálculo diferencial e integral.

1874 A matemática russa Sofia Kovalevskaia é a primeira mulher a obter o doutorado em matemática.

2014 A matemática iraniana Maryam Mirzakhani é a primeira mulher a ganhar a Medalha Fields.

A história só menciona algumas matemáticas pioneiras no mundo antigo, entre elas Hipácia de Alexandria. Mestra inspiradora, ela foi nomeada chefe da escola platônica da cidade em 400 d.C. Não se conhece nenhuma pesquisa original de Hipácia, mas credita-se a ela a edição e a autoria de comentários sobre vários textos clássicos matemáticos, astronômicos e filosóficos. É provável que tenha ajudado o pai, Téon, respeitado estudioso alexandrino, a produzir a edição definitiva de *Os elementos*, de Euclides, e do *Almagesto* e das *Tábuas úteis* de Ptolomeu. Ela também continuou o projeto dele de preservar e expandir os textos clássicos, em especial fazendo observações sobre a *Aritmética*, de Diofanto, e a obra de Apolônio sobre seções cônicas. Hipácia talvez pretendesse que essas edições servissem como manuais para estudantes, pois seus comentários ofereciam esclarecimentos e desenvolviam mais alguns dos conceitos. Ela conquistou grande reconhecimento como professora e por seu conhecimento científico e sabedoria, mas em 415 foi morta por cristãos zelotes por sua filosofia "pagã". Como as atitudes para com as mulheres na academia se tornaram menos tolerantes, a matemática e a astronomia se tornaram reservas quase exclusivas dos homens até o Iluminismo abrir novas oportunidades para elas no século XVIII. ∎

A estudiosa alexandrina Hipácia, representada aqui em pintura de 1889 de Julius Kronberg, foi reverenciada como mártir heroica após seu assassinato. Mais tarde ela se tornou um símbolo para as feministas.

Ver também: *Os elementos*, de Euclides 52-57 ▪ Seções cônicas 68-69 ▪ Equações diofantinas 80-81 ▪ Emmy Noether e a álgebra abstrata 280-281

IDADE ANTIGA E PERÍODO CLÁSSICO

A MAIOR APROXIMAÇÃO DE PI NUM MILÊNIO
ZU CHONGZHI

EM CONTEXTO

FIGURA CENTRAL
Zu Chongzhi (429-501 d.C.)

CAMPO
Geometria

ANTES
c. 1650 a.C. A área do círculo é calculada no Papiro de Rhind usando π como $(16/9)^2 \approx 3{,}1605$.

c. 250 a.C. Arquimedes obtém um valor aproximado de π usando polígonos em seu método algorítmico.

DEPOIS
c. 1500 O astrônomo indiano Nilakantha Somayaji usa uma série infinita (a soma de termos de uma sequência infinita, como $1/2 + 1/4 + 1/8 + 1/16$) para calcular π.

1665-1666 Isaac Newton calcula π com quinze dígitos.

1975-1976 Algoritmos iterativos permitem cálculos de π em computador com milhões de dígitos.

Como seus colegas da Grécia, os matemáticos da China antiga perceberam a importância de π (pi) – a razão entre a circunferência do círculo e seu diâmetro – na geometria e em outros cálculos. Vários valores de π foram aventados desde o século I d.C. Alguns eram precisos o bastante para fins práticos, mas vários matemáticos chineses buscaram métodos mais exatos para determiná-lo. No século III, Liu Hui abordou a tarefa usando o mesmo método de Arquimedes – desenhar polígonos regulares com número cada vez maior de lados dentro e fora do círculo. Ele descobriu que um polígono de 96 lados permitia o cálculo de π como 3,14, mas dobrando repetidamente o número de lados até 3.072 chegou ao valor de 3,1416.

Mais precisão

No século V, o astrônomo e matemático Zu Chongzhi, famoso pelos cálculos meticulosos, decidiu obter um valor ainda mais preciso de π. Usando um polígono de 12.288 lados, ele calculou que π estava entre 3,1415926 e 3,1415927, e sugeriu duas frações para expressar essa razão: a *Yuelü*, ou razão aproximada, de $22/7$, que estava em uso há algum tempo, e seu próprio cálculo, a *Milü*, ou razão próxima, de $355/113$. Esta última ficou conhecida como "razão de Zu". Os cálculos de π de Zu não foram melhorados até que os matemáticos europeus se dedicaram à tarefa no Renascimento, quase um milênio depois. ■

Não posso deixar de pensar que Zu Chongzhi foi um gênio da Antiguidade.
Takebe Katahiro
Matemático japonês

Ver também: O Papiro de Rhind 32-33 ▪ Números irracionais 44-45 ▪ O cálculo de pi 60-65 ▪ Identidade de Euler 197 ▪ O experimento da agulha de Buffon 202-203

IDADE M
500–1500

ÉDIA

INTRODUÇÃO

O matemático indiano Brahmagupta **estabelece o papel e o uso do zero**, designando quantidades negativas como "dívidas".

c. **628** d. C.

A **Casa da Sabedoria** é fundada em Bagdá, facilitando a **troca e desenvolvimento de ideias** no mundo árabe/muçulmano.

FIM DO SÉCULO VIII

Al-Khwarizmi e Al-Kindi explicam o **uso dos numerais indianos**, precursores de nossos **numerais "arábicos" modernos**.

c. **825–830**

SÉCULO VIII

c. **820**

c. **930**

A difusão do islamismo em algumas partes da Índia leva os **matemáticos indianos a partilhar seu conhecimento** com estudiosos árabes.

Al-Khwarizmi escreve seu **livro sobre álgebra**, introduzindo muitos métodos para resolver equações que ainda hoje são importantes.

Morte de Abu Kamil, autor do *Livro de álgebra*, **influência decisiva sobre Fibonacci** três séculos depois.

Conforme o Império Romano ruía e a Europa entrava na Idade Média, o centro de estudos científicos e matemáticos passou do Mediterrâneo oriental para a China e a Índia. Do século v d.C. em diante, a Índia iniciou uma era de ouro da matemática, valendo-se de sua própria longa tradição de estudos e também de ideias trazidas pelos gregos. Os matemáticos indianos obtiveram avanços significativos nos campos de geometria e trigonometria, com aplicações práticas em astronomia, navegação e engenharia, mas a inovação de maior alcance foi o desenvolvimento de um caractere para representar o número zero.

O uso de um símbolo específico – um simples círculo, em vez de um espaço em branco ou marcador de posição – para denotar zero é atribuído ao brilhante matemático Brahmagupta, que descreveu as regras do seu uso em cálculo. Na verdade, o caractere talvez já fosse utilizado havia algum tempo. Ele se ajustava bem ao sistema numérico da Índia, que é o protótipo de nossos numerais indo-árabes modernos. No entanto, foi com o islamismo que essas e outras ideias da era de ouro da Índia (que continuou até o século XII) vieram a influenciar a história da matemática.

Usina de energia persa

Após a morte do profeta Maomé em 632, o islamismo logo se tornou um poder político além de religioso no Oriente Médio e além, espalhando-se na Ásia desde a Arábia através da Pérsia até o subcontinente indiano. A nova religião tinha grande consideração pela filosofia e pela investigação científica; a Casa da Sabedoria, centro de aprendizado e pesquisa de Bagdá, atraía estudiosos de todo o florescente império muçulmano.

A sede de conhecimento instigou o estudo de textos antigos, em especial os dos grandes filósofos e matemáticos gregos. Os estudiosos islâmicos não só preservaram e traduziram os textos gregos como fizeram comentários a eles e desenvolveram conceitos próprios. Abertos a novas ideias, eles também adotaram muitas inovações indianas, em especial seu sistema numérico. O mundo muçulmano, incluindo na época o norte da Índia, entrou numa era de ouro do saber que durou até o século XIV e produziu matemáticos

IDADE MÉDIA

influentes – como Al-Khwarizmi, figura central no avanço da álgebra (palavra derivada do termo árabe para "reunir"), e outros estudiosos, com contribuições revolucionárias ao teorema binomial e ao tratamento das equações quadráticas e cúbicas.

Do leste ao oeste
Na Europa, o estudo matemático estava sob o controle da Igreja e restrito a umas poucas traduções antigas de obras de Euclides. O progresso era impedido pelo uso contínuo do inconveniente sistema de numerais romanos, requerendo o uso do ábaco para o cálculo. Porém, do século XII em diante, durante as Cruzadas, o contato com os muçulmanos aumentou, e se percebeu a riqueza do conhecimento científico que eles haviam reunido. Os eruditos cristãos ganharam acesso aos textos filosóficos e matemáticos gregos e indianos e à obra dos estudiosos islâmicos. O tratado sobre álgebra de Al-Khwarizmi foi traduzido para o latim por Robert de Chester no século XII, e pouco depois traduções completas de *Os elementos*, de Euclides, e de outros textos importantes começaram a aparecer na Europa.

Renascimento matemático
As cidades-Estado italianas não demoraram a comerciar com o império muçulmano, e foi um italiano, Leonardo de Pisa, apelidado Fibonacci, que liderou o renascer da matemática no Ocidente. Ele adotou o sistema de numerais indo-árabe e o uso de símbolos na álgebra, e contribuiu com muitas ideias originais, como a da sequência aritmética Fibonacci.

Com o crescimento do comércio no fim da Idade Média, a matemática – em especial os campos da aritmética e da álgebra – ficou cada vez mais importante. Avanços na astronomia também exigiram cálculos sofisticados. A educação matemática passou a ser levada mais a sério. Com a invenção da prensa de tipos móveis no século XV, livros de todos os tipos, como a *Aritmética de Treviso*, tornaram-se amplamente disponíveis, espalhando pela Europa os conhecimentos recém-descobertos. Essas obras inspiraram uma "revolução científica" que acompanharia a retomada cultural conhecida como Renascimento. ■

UMA FORTUNA SUBTRAÍDA DE ZERO É UMA DÍVIDA

O ZERO

EM CONTEXTO

FIGURA CENTRAL
Brahmagupta (c. 598-668 d.C.)

CAMPO
Teoria dos números

ANTES
c. 700 a.C. Um escriba babilônio indica com três ganchos, numa plaquinha de argila, um zero marcador de posição; mais tarde ele é escrito como duas marcas de cunha inclinadas.

36 a.C. Um zero em forma de concha é registrado numa estela (placa de pedra) maia na América Central.

c. 300 d.C. Partes do texto indiano *Bakshali* revelam muitos zeros marcadores de posição circulares.

DEPOIS
1202 Na obra *Liber abaci* [O livro do cálculo], Leonardo de Pisa (Fibonacci) apresenta o zero aos europeus.

Século XVII O zero é afinal estabelecido como um número e tem uso generalizado.

Um número que representa a ausência de algo é um conceito difícil, e talvez por isso o zero tenha demorado tanto tempo para ser aceito. Várias civilizações antigas, como a babilônia e a suméria, poderiam alegar ter inventado o zero, mas seu uso como número foi iniciado no século VII d.C. por Brahmagupta, matemático indiano.

O desenvolvimento do zero

Qualquer sistema de registro de números chega a um ponto em que

IDADE MÉDIA 89

Ver também: Números posicionais 22-27 ▪ Números negativos 76-79 ▪ Números binários 176-177 ▪ A lei dos grandes números 184-185 ▪ O plano complexo 214-215

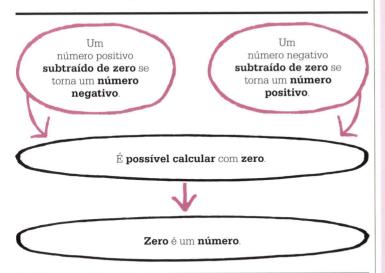

Um número positivo **subtraído de zero** se torna um **número negativo**.

Um número negativo **subtraído de zero** se torna um **número positivo**.

É **possível calcular** com **zero**.

Zero é um **número**.

Brahmagupta

Nascido em 598 d.C., o astrônomo e matemático Brahmagupta viveu em Bhillamala, centro de estudo dessas áreas, no noroeste da Índia. Ele se tornou chefe de um importante observatório astronômico em Ujjain e incorporou novos conhecimentos sobre teoria dos números e álgebra em seus estudos de astronomia. O uso por Brahmagupta do sistema numérico decimal e os algoritmos que criou se espalharam pelo mundo e deram base à obra de outros matemáticos. Suas regras para o cálculo com números positivos e negativos, que chamou de "fortunas" e "dívidas", ainda são citadas hoje. Brahmagupta morreu em 668, poucos anos após completar seu segundo livro.

Obras principais

628 *Brahmasphutasiddhanta* [A doutrina corretamente estabelecida de Brahma]
665 *Khandakhadyaka* [Pedaço de comida]

---

se torna posicional – ou seja, em que os dígitos são ordenados conforme seu valor para dar conta de números grandes. Todos os sistemas de notação posicional exigem um modo de denotar que "não há nada aqui". Os babilônios (1894-539 a.C.), por exemplo, que de início se apoiavam no contexto para distinguir, digamos, 35 de 305, acabaram usando uma marca de cunha dupla parecida com aspas para indicar o valor de vazio. Desse modo, o zero nasceu como uma forma de pontuação.

Para os historiadores o problema é encontrar evidências de civilizações antigas que usassem o zero e o reconhecessem como tal, o que é dificultado por ele ter surgido e desaparecido ao longo do tempo. Em c. 300 a.C., por exemplo, os gregos estavam começando a desenvolver uma forma de matemática mais sofisticada baseada na geometria, com quantidades representadas pelo tamanho de linhas. Não havia necessidade de zero nem de números negativos, já que os gregos não tinham um sistema numérico posicional (tamanhos não podem ser negativos ou não existentes).

Conforme desenvolveram o uso da matemática na astronomia, os gregos começaram a usar um "O" para representar zero, embora não seja claro o motivo. Em seu manual

O *abax* – mesa ou prancha coberta de areia – era usado pelos gregos para contagem. Alguns eruditos aventaram que o "O" foi usado porque era a forma deixada quando uma conta era removida.

astronômico *Almagesto*, escrito no século II d.C., o estudioso greco-romano Ptolomeu usou um símbolo circular entre dígitos e no final de um número, mas não o considerou como um número em si.

Na América Central, no primeiro milênio d.C., os maias usaram um sistema de notação posicional que incluía o zero como numeral, denotado por uma forma de concha. Esse foi um de seus três símbolos aritméticos; os outros dois eram um ponto para representar 1 e uma barra para 5. Embora os maias pudessem calcular até centenas de milhões, o isolamento geográfico »

O ZERO

Os numerais indianos do século I não incluem o zero. No século IX, o zero de Brahmagupta (destacado em rosa) era largamente usado na Índia, de onde se espalhou através do mundo árabe para a Europa. Lá, teve alguma oposição inicial de líderes religiosos cristãos, que consideravam satânico o conceito de zero porque associavam o nada com o demônio.

Índia, século I d.C.

↓

Índia, século IX

↓ ↓ ↓

Espanha muçulmana, c. século XI

Arábia, c. século XI

Índia, c. século XI

↓

Europa, século XV → Europa, século XVI → Reta numérica de John Wallis, Inglaterra, século XVII

O iantra Nadi Yali faz parte de um observatório do século XVIII em Ujjain, na Índia. Centro de matemática e astronomia desde que Brahmagupta trabalhou lá no século VII, ele fica na interseção de um antigo meridiano zero de longitude com o trópico de Câncer.

impediu que sua matemática se espalhasse para outras culturas.

Na Índia, a matemática avançou rápido nos primeiros séculos do primeiro milênio d.C. Nos séculos III e IV, um sistema de notação posicional era comum, e, no século VII – época de Brahmagupta –, o uso de um símbolo circular como marcador de posição já estava bem-estabelecido.

O zero como número

Brahmagupta estabeleceu regras para calcular com zero. Ele começou definindo-o como o resultado de subtrair um número de si mesmo, por exemplo, 3 – 3 = 0. Isso consagrou o zero como um número em si, oposto a uma simples notação figurativa ou como marcador de posição. Brahmagupta explorou então o efeito de calcular com zero. Ele mostrou que, se somasse zero a um número negativo, o resultado seria igual a esse número negativo. Do mesmo modo, somar zero a um número positivo produzia o mesmo

número positivo. Brahmagupta expôs também que, ao subtrair zero de um número negativo e de um positivo, de novo os números ficavam inalterados.

Depois, Brahmagupta descreveu o efeito de subtrair os números de zero. Ele calculou que um número positivo subtraído de zero se tornava um número negativo e que um número negativo subtraído de zero se tornava positivo. Esse

Os buracos negros são onde Deus dividiu por zero.
Steven Wright
Comediante americano

IDADE MÉDIA

cálculo levou os números negativos para o mesmo sistema numérico dos positivos. Como o zero, os números negativos eram um conceito abstrato, em contraste com valores positivos como comprimentos e quantidades.

Multiplicação e divisão

Brahmagupta seguiu examinando o zero em relação à multiplicação e descreveu como o produto de multiplicar qualquer número por zero é zero, inclusive zero multiplicado por zero. O passo seguinte foi explicar a divisão por zero, que era mais problemática. Registrando o resultado de dividir um número, n, por zero como $n/0$, Brahmagupta aventou que um número fica inalterado ao ser dividido por zero. Porém descobriu-se depois que isso é impossível, como é demonstrado multiplicando qualquer número por zero (sendo a divisão definida como encontrar o número faltante numa multiplicação). O resultado não pode ser o número original, já que qualquer número multiplicado por zero é zero.

Os matemáticos hoje descrevem a divisão por zero como "indefinida".

O zero é o número mais mágico que conhecemos. É com ele que nos digladiamos todos os dias.
Bill Gates

Alguns propuseram que a resposta a $n/0$ é "infinito", mas infinito não é um número e não pode ser usado em cálculos. Dividir o próprio zero por zero se provou ainda mais capcioso. O resultado poderia ser zero, se se pensar que zero dividido por qualquer número é zero. Também poderia ser 1, já que qualquer número dividido por si mesmo é 1.

A difusão do islamismo por partes da Índia no século VIII levou os matemáticos indianos a partilhar seus conhecimentos, como o conceito de zero, com estudiosos do mundo árabe. No século IX, o matemático muçulmano Al-Khwarizmi redigiu um tratado sobre números indo-árabes que descrevia o sistema de notação posicional com o zero. No entanto, trezentos anos depois, quando Leonardo de Pisa (conhecido como Fibonacci) introduziu os numerais indo-árabes na Europa, ainda estava cauteloso com o zero e o tratava como um operador como + e − em vez de um número. Mesmo no século XVI, o polímata italiano Gerolamo Cardano resolveu equações quadráticas e cúbicas sem o zero. Os europeus o aceitaram por fim no século XVII, quando o matemático inglês John Wallis incorporou-o em sua reta numérica.

Um conceito vital

Sem o zero na matemática, muitos dos capítulos deste livro poderiam não ter sido escritos: não haveria números negativos, sistemas de coordenadas, sistemas binários (e portanto computadores), decimais e cálculo, porque não seria possível descrever quantidades infinitesimalmente pequenas. Os avanços na engenharia teriam se limitado severamente. Zero talvez seja, afinal, o mais importante de todos os números. ■

A *Aritmética de Treviso*

O algarismo zero foi introduzido na Itália com o livro *Arte dell'abbaco* [Arte do cálculo], também chamado *Aritmética de Treviso*, publicado anonimamente em 1478. Foi o primeiro compêndio de matemática impresso na Europa. A obra era revolucionária porque foi escrita em veneziano do dia a dia para mercadores e qualquer pessoa interessada em cálculos. Ele delineava o sistema de notação posicional decimal indo-árabe e descrevia como o sistema numérico funcionava. O autor desconhecido faz do 0 o décimo número e o chama de "cifra" ou *"nulla"* – algo sem valor a menos que seja escrito à direita de outros números para aumentar o valor deles.

Na descrição dessa obra, o zero só é um marcador de posição, o que em si já era uma noção nova. A ideia de zero como número não foi aceita por séculos. Também era de pouco interesse para os leitores de *Arte dell'abbaco*, a maioria dos quais queria aprender a usar números em cálculos práticos do comércio diário.

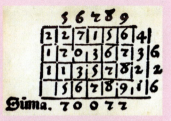

Este método de grade de multiplicação da *Aritmética de Treviso* multiplica o número 56.789 por 1.234. O zero é usado como marcador de posição no cálculo e na solução final – 70.077.626. O livro também ilustra outros métodos de multiplicação.

A ÁLGEBRA É UMA ARTE CIENTÍFICA

A ÁLGEBRA

94 A ÁLGEBRA

EM CONTEXTO

FIGURA CENTRAL
Al-Khwarizmi (c. 780-c.850)

CAMPO
Álgebra

ANTES
1650 a.C. O papiro egípcio de Rhind inclui soluções para equações lineares.

300 a.C. *Os elementos*, de Euclides, lança as bases da geometria.

Século III d.C. O matemático grego Diofanto usa símbolos para representar quantidades desconhecidas.

Século VII d.C. Brahmagupta resolve a equação quadrática.

DEPOIS
1202 *Liber abaci* [O livro do cálculo], de Leonardo de Pisa, usa o sistema numérico indo-árabe.

1591 François Viète introduz a álgebra simbólica, em que letras são usadas para abreviar termos em equações.

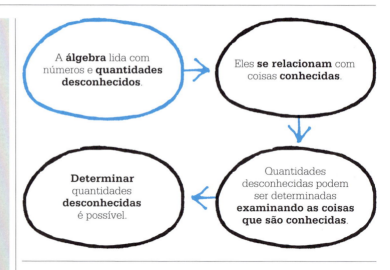

A **álgebra** lida com números e **quantidades desconhecidos**.

Eles **se relacionam** com coisas **conhecidas**.

Quantidades desconhecidas podem ser determinadas **examinando as coisas que são conhecidas**.

Determinar quantidades **desconhecidas** é possível.

As origens da álgebra – método matemático para calcular quantidades desconhecidas – podem ser retraçadas até os antigos babilônios e egípcios, como revelam as equações em tabuinhas com caracteres cuneiformes e em papiros. A álgebra evoluiu da necessidade de resolver problemas práticos, em geral de natureza geométrica, que exigiam determinar um comprimento, área ou volume. Os matemáticos aos poucos elaboraram regras para lidar com uma gama maior de problemas gerais. Para obter comprimentos e áreas, criaram-se equações com variáveis (quantidades desconhecidas) e termos ao quadrado. Usando tabelas, os babilônios podiam também calcular volumes, como o espaço dentro de um depósito de grãos.

A busca por novos métodos
Ao longo dos séculos, conforme a

Al-Khwarizmi

Nascido em c. 780, perto da atual Khiva, no Usbequistão, Muhammad ibn Musa al-Khwarizmi mudou-se para Bagdá, onde integrou a Casa da Sabedoria. Al-Khwarizmi é considerado o "pai da álgebra" por suas regras sistemáticas para solução de equações lineares e quadráticas, delineadas em sua obra principal sobre cálculo por "restauração e balanceamento" – métodos que criou e ainda são usados. Outras realizações incluem seu texto sobre numerais indianos, que, na tradução latina, apresentaram os numerais indo-árabes à Europa. Ele escreveu um livro sobre geografia, ajudou a construir um mapa-múndi, participou de um projeto para determinar a circunferência da Terra, desenvolveu o astrolábio (antigo instrumento de navegação grego) e compilou um conjunto de tábuas astronômicas. Al-Khwarizmi morreu por volta de 850.

Obras principais

c. 820 *Sobre o cálculo com numerais indianos*
c. 830 *Compêndio sobre cálculo por restauração e balanceamento*

IDADE MÉDIA

Ver também: Equações quadráticas 28-31 ▪ O Papiro de Rhind 32-33 ▪ Equações diofantinas 80-81 ▪ Equações cúbicas 102-105 ▪ A solução algébrica de equações 200-201 ▪ O teorema fundamental da álgebra 204-209

matemática evoluía, os problemas ficaram mais longos e complexos, e os estudiosos procuraram novos meios de encurtá-los e simplificá-los. Embora os primeiros matemáticos gregos se baseassem em grande parte na geometria, Diofanto desenvolveu novos métodos algébricos no século III d.C. e foi o primeiro a usar símbolos para quantidades desconhecidas. Porém só mais de mil anos depois uma notação algébrica padrão seria aceita.

Após a queda do Império Romano, a matemática no Mediterrâneo declinou, mas a difusão do islamismo a partir do século VII teve impacto revolucionário na álgebra. Em 762 d.C., o califa Al-Mansur fundou Bagdá para ser sua capital, e ela logo se tornou importante centro cultural, de estudo e comércio, destacando-se pela compra e tradução de manuscritos de culturas anteriores, como as obras dos matemáticos gregos Euclides, Apolônio e Diofanto, e de estudiosos indianos como Brahmagupta. As obras foram guardadas numa grande biblioteca, a Casa da Sabedoria, que se tornou centro de pesquisa e divulgação do conhecimento.

Os primeiros algebristas

Os estudiosos da Casa da Sabedoria faziam suas próprias pesquisas e, em 830, Muhammad Ibn Musa al-Khwarizmi apresentou sua obra à biblioteca – o *Compêndio sobre cálculo por restauração e balanceamento*. Ele revolucionou os modos de calcular problemas algébricos, introduzindo princípios que são a base da álgebra moderna. Como em épocas anteriores, os problemas discutidos eram em grande parte geométricos. O estudo da geometria era importante no mundo muçulmano, em parte porque a forma humana era proibida na arte e, assim, muitos desenhos islâmicos se baseavam em padrões geométricos.

Al-Khwarizmi introduziu algumas operações algébricas fundamentais, que descreveu como redução, restauração e balanceamento. O processo de redução (simplificar uma equação) podia ser feito pela restauração (*al-jabr*) – mover termos subtraídos para o outro lado da equação – e então balancear os dois lados da equação. A palavra "álgebra" vem de *al-jabr*.

Al-Khwarizmi não trabalhou a partir do nada, pois tinha traduzido »

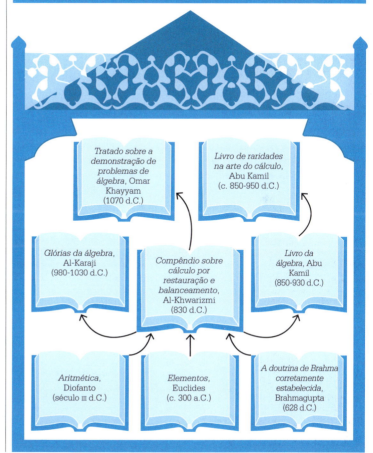

Textos fundamentais da Casa da Sabedoria

- *Tratado sobre a demonstração de problemas de álgebra*, Omar Khayyam (1070 d.C.)
- *Livro de raridades na arte do cálculo*, Abu Kamil (c. 850-950 d.C.)
- *Glórias da álgebra*, Al-Karaji (980-1030 d.C.)
- *Compêndio sobre cálculo por restauração e balanceamento*, Al-Khwarizmi (830 d.C.)
- *Livro da álgebra*, Abu Kamil (850-930 d.C.)
- *Aritmética*, Diofanto (século III d.C.)
- *Elementos*, Euclides (c. 300 a.C.)
- *A doutrina de Brahma corretamente estabelecida*, Brahmagupta (628 d.C.)

A ÁLGEBRA

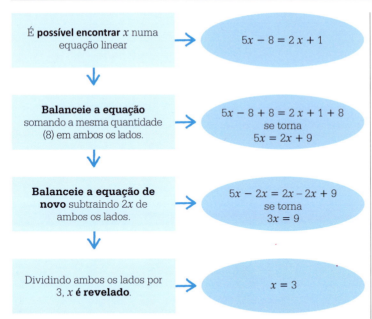

É **possível encontrar** x numa equação linear
→ $5x - 8 = 2x + 1$

Balanceie a equação somando a mesma quantidade (8) em ambos os lados.
→ $5x - 8 + 8 = 2x + 1 + 8$
se torna
$5x = 2x + 9$

Balanceie a equação de novo subtraindo $2x$ de ambos os lados.
→ $5x - 2x = 2x - 2x + 9$
se torna
$3x = 9$

Dividindo ambos os lados por 3, x **é revelado**.
→ $x = 3$

obras de matemáticos gregos e indianos anteriores. Ele apresentou o sistema de notação posicional decimal indiano ao mundo islâmico, que depois levou à adoção do sistema numérico indo-árabe de amplo uso hoje.

Al-Khwarizmi começou estudando equações lineares, assim chamadas porque criam uma reta quando plotadas num gráfico. As equações lineares só envolvem uma variável, expressa apenas com potência 1, e não quadradas ou de outra potência mais alta.

Equações quadráticas

Al-Khwarizmi não usava símbolos; escreveu suas equações com palavras, com ajuda de diagramas. Por exemplo, escreveu a equação $(x/3 + 1)(x/4 + 1) = 20$ como: "Uma quantidade: multipliquei um terço dela e um *dirham* por um quarto dela e um *dirham*; ela se torna 20", sendo *dirham* uma moeda, usada por Al-Khwarizmi para designar uma unidade. Segundo Al-Khwarizmi, ao empregar os métodos de restauração e balanceamento, todas as equações quadráticas – em que a potência mais alta de x é x^2 – podem ser simplificadas em uma de seis formas básicas. Em notação moderna, elas seriam: $ax^2 = bx$; $ax^2 = c$; $ax^2 + bx = c$; $ax^2 + c = bx$; $ax^2 = bx + c$; e $bx = c$. Nesses seis tipos, as letras a, b e c representam todas números conhecidos, e x a quantidade desconhecida.

Al-Khwarizmi também abordou problemas mais complexos, criando um método geométrico para resolver equações quadráticas que usava a técnica conhecida como "completar o quadrado" (à direita). E prosseguiu, buscando uma solução geral para equações cúbicas – em que a maior potência de x é x^3 –, mas não conseguiu encontrá-la. Sua pesquisa, porém, mostrou como a matemática evoluíra desde os gregos antigos.

Durante séculos, a álgebra foi só uma ferramenta para resolver problemas geométricos, mas agora se tornava uma disciplina por direito próprio, em que calcular equações cada vez mais difíceis era o objetivo final.

Respostas racionais

Muitas das equações com que Al-Khwarizmi lidou tinham soluções que não podiam ser expressas de modo completo e racional usando o sistema decimal indo-árabe. Embora números como $\sqrt{2}$ – a raiz quadrada de 2 – estivessem presentes já na antiga Grécia e até em tabuinhas de argila babilônias, Al-Khwarizmi foi o primeiro, em 825 d.C., a fazer a distinção entre números racionais – que podem ser expressos em frações – e irracionais, que têm uma sucessão indefinida de casas decimais sem padrão recorrente. Al-Khwarizmi descreveu os números racionais como "audíveis" e os irracionais como "inaudíveis".

A obra de Al-Khwarizmi foi desenvolvida pelo egípcio Abu

O principal objetivo da álgebra [...] é determinar o valor de quantidades antes desconhecidas [...] considerando com cuidado as condições dadas [...] expressas em números conhecidos.
Leonhard Euler

IDADE MÉDIA 97

A álgebra é apenas geometria escrita e a geometria só é álgebra figurada.
Sophie Germain
Matemática francesa

Kamil Shuja ibn Aslam (c. 850-930 d.C.), cujo *Livro de álgebra* foi concebido como um tratado acadêmico para outros matemáticos e não para pessoas cultas com interesse mais amador. Abu Kamil adotou os números irracionais como soluções possíveis para equações quadráticas, em vez de rejeitá-los como anomalias estranhas. No *Livro de coisas raras na arte do cálculo*, Abu Kamil tentou resolver equações indeterminadas (as que têm mais de uma solução). Ele explorou ainda mais esse tópico no *Livro dos pássaros*, em que apresentou uma miscelânea de problemas de álgebra ligados a pássaros, como: "De quantos modos se podem comprar, com 100 dirhams, 100 pássaros num mercado?".

Soluções geométricas

Até a era dos "algebristas" árabes – de Al-Khwarizmi, no século IX, à morte do matemático mouro Al-Qalasadi em 1486 –, os principais avanços em álgebra se escoraram em representações geométricas. Por exemplo, o método de Al-Khwarizmi de "completar o quadrado" para resolver equações quadráticas repousa nas propriedades de um quadrado real; »

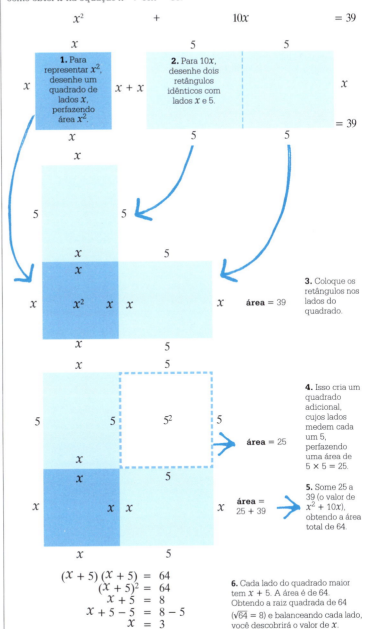

Al-Khwarizmi expôs como resolver equações quadráticas por um método conhecido como "completar o quadrado". Este exemplo mostra como obter x na equação $x^2 + 10x = 39$.

Matemáticos muçulmanos se reúnem na biblioteca de uma mesquita nesta ilustração de um manuscrito do poeta e estudioso do século XII Al-Hariri de Basra.

estudiosos posteriores trabalharam de modo similar.

O matemático e poeta Omar Khayyam, por exemplo, se interessava por resolver problemas usando a disciplina um tanto recente da álgebra, mas recorria a métodos tanto geométricos quanto algébricos. Seu *Tratado sobre a demonstração de problemas de álgebra* (1070) inclui com destaque um novo ponto de vista sobre as dificuldades nos postulados de Euclides, um conjunto de regras geométricas que se assume serem verdadeiras sem exigência de prova. Continuando o trabalho anterior de Al-Karaji, Khayyam também desenvolveu ideias sobre coeficientes binomiais, que determinam quantos modos existem de selecionar uma quantidade de itens de um conjunto maior. Ele resolveu também equações cúbicas, inspirado pelo uso que Al-Khwarizmi fez das construções geométricas de Euclides ao solucionar equações quadráticas.

Polinômios

Durante o século X e o início do XI foi desenvolvida uma teoria de álgebra mais abstrata, que não dependia da geometria – um fator importante para estabelecer seu status acadêmico. Al-Karaji foi fundamental nisso. Ele determinou um conjunto de procedimentos para realizar aritmética com polinômios – expressões que contêm uma mistura de termos algébricos. Ele criou regras para calcular com polinômios que lembram muito as de adição, subtração ou multiplicação de números. Isso permitiu aos matemáticos operar de modo mais uniforme com expressões algébricas cada vez mais complexas e reforçou as ligações essenciais da álgebra com a aritmética.

A prova matemática é uma parte vital da álgebra moderna e uma das ferramentas de prova é chamada indução matemática. Al-Karaji usou uma forma básica desse princípio, em que mostraria que uma declaração algébrica é verdadeira para o caso mais simples (digamos $n = 1$), então usaria esse fato para mostrar que deveria ser verdadeira para $n = 2$ e assim por diante, com a conclusão inevitável de que a declaração deve ser verdadeira para todos os valores possíveis de n.

Um dos sucessores de Al-Karaji foi Ibn Yahya al-Maghribi al-Samaw'al, estudioso do século XII. Ele notou que

Uma libra de álgebra vale uma tonelada de argumentos verbais.
John B. S. Haldane
Biólogo matemático britânico

IDADE MÉDIA

Assim como o sol ofusca as estrelas com seu brilho, o homem de conhecimento ofuscará a fama de outros em assembleias de pessoas se propuser problemas algébricos, e ainda mais se os resolver.
Brahmagupta

o novo modo de pensar a álgebra como um tipo de aritmética com regras gerais envolvia a operação algebrista "do desconhecido usando todas as ferramentas aritméticas, do mesmo modo que os aritméticos operam o conhecido". Al-Samaw'al não só continuou o trabalho de Al-Karaji sobre polinômios, mas também desenvolveu as leis dos expoentes, que levaram a muitos trabalhos posteriores sobre logaritmos e exponenciais, e foram um significativo passo adiante na matemática.

Plotagem de equações

As equações cúbicas desafiaram os matemáticos desde a época de Diofanto de Alexandria. Al-Khwarizmi e Khayyam fizeram progressos importantes para seu entendimento – trabalho levado adiante por Sharaf al-Din al-Tusi, estudioso do século XII, nascido provavelmente no Irã, cuja matemática parece ter se inspirado na obra de estudiosos gregos anteriores, em especial Arquimedes. Al-Tusi se interessava mais que Al-Khwarizmi e Khayyam por determinar tipos de equações cúbicas. Ele também desenvolveu cedo a compreensão das curvas gráficas, articulando o significado de valores máximos e mínimos. Sua obra fortaleceu a conexão entre equações algébricas e gráficos – entre símbolos matemáticos e representações visuais.

Uma nova álgebra

As descobertas e as regras dos estudiosos árabes medievais formam a base da álgebra ainda hoje. O trabalho de Al-Khwarizmi e seus sucessores foi crucial para estabelecer a álgebra como disciplina independente. Só no século XVI, porém, os matemáticos começaram a abreviar as equações usando letras para representar variáveis conhecidas e desconhecidas. O francês François Viète foi central nesse desenvolvimento, sendo pioneiro ao se distanciar, em suas obras, dos procedimentos da álgebra árabe em direção ao que é conhecido como álgebra simbólica.

Em *Introdução à arte analítica* (1591), Viète sugeriu que os matemáticos usassem letras para representar as variáveis de uma equação: vogais para quantidades desconhecidas e consoantes para as conhecidas. Embora esse sistema tenha por fim sido substituído pelo de René Descartes – em que letras do começo do alfabeto representam números conhecidos e as do fim representam os desconhecidos –, Viète mesmo assim foi responsável por simplificar a linguagem algébrica muito além do que os estudiosos árabes imaginavam. A inovação permitiu aos matemáticos escrever equações abstratas cada vez mais complexas e detalhadas sem usar geometria. Sem a álgebra simbólica, seria difícil imaginar como a matemática da era moderna poderia ter se desenvolvido. ∎

Os algebristas muçulmanos escreviam equações como texto com diagramas, como no *Tratado sobre a questão do código aritmético*, do mestre Ala-el-Din Muhammed el Ferjumedhi, do século XIV.

A ÁLGEBRA LIVRE DOS LIMITES DA GEOMETRIA
O TEOREMA BINOMIAL

EM CONTEXTO

FIGURA CENTRAL
Al-Karaji (c. 980-c. 1030)

CAMPO
Teoria dos números

ANTES
c. 250 d.C. Em *Aritmética*, Diofanto apresenta ideias sobre álgebra adotadas depois por Al-Karaji.

c. 825 d.C. O astrônomo e matemático persa Al-Khwarizmi desenvolve a álgebra.

DEPOIS
1653 Em *Traité du triangle arithmétique* [Tratado sobre o triângulo aritmético], Blaise Pascal revela o padrão triangular de coeficientes no teorema binomial, no que depois será chamado triângulo de Pascal.

1665 Isaac Newton desenvolve a série binomial geral a partir do teorema binomial, que em parte baseará sua obra sobre cálculo.

Na Grécia Antiga, os matemáticos quase só se baseavam em argumentos **geométricos**.

↓

Al-Karaji **rompeu** com essa **tradição** e tratou a solução de equações em termos puramente **numéricos**.

↓

Ele criou um conjunto de **regras algébricas**, como o teorema binomial.

↓

As soluções algébricas não precisaram mais se basear em diagramas geométricos.

No cerne de muitas operações matemáticas há um importante teorema básico: o teorema binomial. Ele fornece uma síntese taquigráfica do que ocorre quando se multiplica um binômio, que é uma expressão algébrica simples que consiste em dois termos conhecidos ou desconhecidos somados ou subtraídos. Sem o teorema binomial, seria quase impossível resolver muitas das operações matemáticas. O teorema mostra que, quando binômios são multiplicados, o resultado segue um padrão previsível que pode ser escrito como uma expressão algébrica ou apresentado numa grade triangular (chamada triângulo de Pascal, nome derivado de Blaise Pascal, que explorou o padrão no século XVII).

O sentido dos binômios

O padrão binomial foi observado primeiro pelos matemáticos da Grécia Antiga e da Índia, mas sua descoberta é creditada ao matemático persa Al-Karaji, um dos muitos estudiosos que se destacaram em Bagdá, do século VIII ao XIV. Al-Karaji explorou a multiplicação de termos algébricos. Ele definiu termos simples, os

IDADE MÉDIA

Ver também: Números posicionais 22-27 ▪ Equações diofantinas 80-81 ▪ O zero 88-91 ▪ A álgebra 92-99 ▪ O triângulo de Pascal 156-161 ▪ Probabilidades 162-165 ▪ O cálculo 168-175 ▪ O teorema fundamental da álgebra 204-209

Al-Karaji criou uma tabela para obter os coeficientes de equações binomiais. As primeiras cinco linhas são mostradas aqui. A linha de cima contém as potências, com os coeficientes de cada potência listados na coluna abaixo. O primeiro número e o último são sempre 1. Todos os outros números são a soma do número adjacente na coluna anterior com o número acima desse número adjacente.

A expansão de $(a + b)^3$ pode ser encontrada buscando a coluna encabeçada por 3.

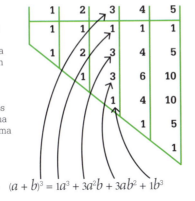

$(a + b)^3 = 1a^3 + 3a^2b + 3ab^2 + 1b^3$

O teorema binomial e uma fuga de Bach são, em longo prazo, mais importantes que todas as batalhas da história.
James Hilton
Romancista britânico

"monômios" – x, x^2, x^3 etc. –, e mostrou como podem ser multiplicados e divididos. Além disso, examinou os "polinômios" (expressões com múltiplos termos), como $6y^2 + x^3 - x + 17$. Mas foi sua descoberta da fórmula de multiplicação de binômios que teve mais impacto.

O teorema binomial se ocupa das potências de binômios. Por exemplo, multiplicar o binômio $(a + b)^2$, convertendo-o em $(a + b)(a + b)$, e multiplicando cada termo do primeiro parêntese por cada termo do segundo, resulta em $(a + b)^2 = a^2 + 2ab + b^2$. O cálculo para a potência 2 é simples, mas para potências maiores a expressão resultante fica cada vez mais complicada. O teorema binomial simplifica o problema revelando o padrão de seus coeficientes – números, como 2 em $2ab$, pelos quais os termos desconhecidos são multiplicados. Como Al-Karaji descobriu, os coeficientes podem ser dispostos numa grade em que as colunas mostram os coeficientes que é preciso multiplicar por cada potência. Os coeficientes de uma coluna são calculados somando pares de números da coluna anterior. Para determinar as potências na expansão, toma-se o grau do binômio como n. Em $(a + b)^2$, $n = 2$.

A álgebra se liberta

A descoberta de Al-Karaji do teorema binomial ajudou a abrir caminho para todo o desenvolvimento da álgebra, permitindo aos matemáticos manipular expressões algébricas complicadas. A álgebra desenvolvida por Al-Khwarizmi cerca de 150 anos antes tinha usado diagramas para descobrir quantidades desconhecidas e tinha abrangência restrita. Ela era limitada pelas leis da geometria, e as soluções eram dimensões geométricas, como ângulos e comprimento de lados. A obra de Al-Karaji mostrou como a álgebra poderia em vez disso basear-se só em números, liberando-a da geometria. ▪

Al-Karaji

Nascido em c. 980 d.C., Abu Bakr ibn Muhammad ibn al-Husayn al-Karaji provavelmente deve o nome à cidade de Karaj, perto de Teerã, mas passou quase toda a vida em Bagdá, na corte do califa, onde, por volta de 1015, pode ter escrito seus três textos matemáticos principais. A obra em que Al-Karaji desenvolveu o teorema binomial se perdeu, mas comentadores posteriores preservaram suas ideias. Al-Karaji também foi engenheiro, e seu livro *Extração de águas ocultas* é o primeiro manual conhecido de hidrologia.

Mais tarde, Al-Karaji se mudou para "terras de montanhas" (talvez a cordilheira de Elbruz, perto de Karaj), onde trabalhou em projetos práticos para furar poços e construir aquedutos. Ele morreu em c. 1030 d.C.

Obras principais

Glórias da álgebra
Maravilhas do cálculo
O suficiente de cálculo

CATORZE FORMAS COM TODAS AS RAMIFICAÇÕES E CASOS

EQUAÇÕES CÚBICAS

EM CONTEXTO

FIGURA CENTRAL
Omar Khayyam (1048-1131)

CAMPO
Álgebra

ANTES
Século III a.C. Arquimedes resolve equações cúbicas usando a interseção de duas cônicas.

Século VII d.C. O estudioso chinês Wang Xiaotong resolve uma gama de equações cúbicas numericamente.

DEPOIS
Século XVI Matemáticos na Itália criam métodos bem-guardados para resolver equações cúbicas mais rápido.

1799-1824 O estudioso italiano Paolo Ruffini e o matemático norueguês Niels Henrik Abel mostram que não existe nenhuma fórmula algébrica para equações que envolvam termos de potência 5 ou maior.

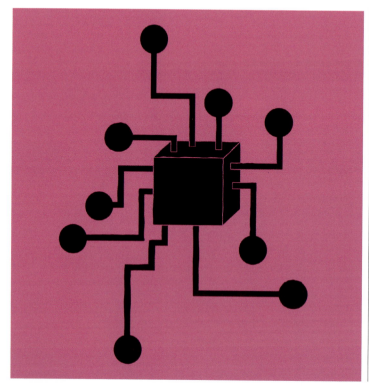

No mundo antigo, os estudiosos tratavam os problemas de modo geométrico. Equações lineares simples (que descrevem uma linha), como $4x + 8 = 12$, em que x está elevado à potência 1, podiam ser usadas para obter um comprimento, enquanto uma variável ao quadrado (x^2), numa equação quadrática, podia representar uma área desconhecida – um espaço bidimensional. O próximo passo acima é a equação cúbica, em que o termo x^3 é um volume desconhecido – um espaço tridimensional.

Os babilônios resolviam equações quadráticas em 2000 a.C., mas levou 3 mil anos até o poeta e cientista

Ver também: Equações quadráticas 28-31 ▪ *Os elementos*, de Euclides 52-57 ▪ Seções cônicas 68-69 ▪ Números imaginários e complexos 128-131 ▪ O plano complexo 214-215

Equações cúbicas envolvem uma **variável elevada à potência 3** (x^3).

⬇

Os gregos antigos tentaram **resolver equações cúbicas** usando apenas **régua** e **compasso**.

⬇

Omar Khayyam criou **métodos mais precisos** para resolver equações cúbicas das seguintes maneiras:

⬇ ⬇

quebrando a equação em uma equação mais simples com **quadrados** (potências de 2) e **comprimentos** (potências de 1).

desenhando diagramas geométricos para examinar onde as **formas se cortam**.

Omar Khayyam

Nascido em Nishapur, na Pérsia (atual Irã), em 1048, Omar Khayyam estudou filosofia e ciências. Embora tenha se tornado astrônomo e matemático famoso, foi obrigado a se esconder quando seu mecenas, o sultão Malik Shah, morreu em 1092. Reabilitado por fim vinte anos depois, viveu com discrição e morreu em 1131. Em matemática, Khayyam é mais lembrado por seu trabalho com equações cúbicas, mas também produziu um importante comentário sobre o quinto postulado de Euclides, o postulado das paralelas. Como astrônomo, ajudou a construir um calendário muito preciso, usado até o século xx. Ironicamente, Khayyam hoje é mais conhecido por uma obra de poesia da qual talvez não tenha sido o único autor – o *Rubaiyat*, traduzido para o inglês por Edward Fitzgerald em 1859.

Obras principais

c. 1070 *Tratado sobre a demonstração de problemas de álgebra*
1077 *Comentários sobre os postulados difíceis do livro de Euclides*

---

persa Omar Khayyam descobrir um método preciso para obter a solução de equações cúbicas, usando curvas chamadas seções cônicas – como círculos, elipses, hipérboles ou parábolas –, formadas pela interseção de um plano e um cone.

Problemas com cubos

Os gregos antigos, que usavam a geometria para resolver problemas complexos, se confundiam com os cubos. Um enigma clássico era como produzir um cubo com o dobro do volume de outro. Por exemplo, se os lados de um cubo tinham todos comprimento igual a 1, que comprimento teriam os lados de um cubo com o dobro de volume? Em termos modernos, se um cubo de lado 1 tem volume de 1^3, qual o comprimento ao cubo (x^3) que resultaria no dobro do volume; em outras palavras, se $1^3 = 1$, qual seria x, se $x^3 = 2$? Os gregos antigos usavam régua e compasso para tentar construir a solução dessa equação cúbica, mas nunca conseguiram. Khayyam percebeu que essas ferramentas não eram suficientes e propôs o uso de seções cônicas e outros métodos em seu tratado de álgebra.

Usando convenções modernas, as equações cúbicas podem ser expressas de modo simples, como $x^3 + bx = c$. Sem a economia da notação moderna, Khayyam expressava suas equações em palavras, descrevendo x^3 como "cubos", x^2 como "quadrados", x como "comprimentos" e números »

EQUAÇÕES CÚBICAS

como "quantidades". Por exemplo, ele descrevia $x^3 + 200x = 20x^2 + 2.000$ como o problema de achar um cubo que "com duas centenas de vezes seu lado" é igual a "vinte quadrados de seu lado e 2 mil". Para uma equação mais simples, como $x^3 + 36x = 144$, o método de Khayyam era desenhar um diagrama geométrico. Ele descobriu que podia quebrar a equação cúbica em duas equações mais simples: uma para um círculo e outra para uma parábola. Descobrindo o valor de x para o qual ambas equações mais simples são ao mesmo tempo verdadeiras, ele poderia resolver a equação cúbica original. Isso é mostrado no gráfico abaixo. Na época, os matemáticos não tinham esses métodos gráficos e Khayyam construía o círculo e a parábola geometricamente.

Khayyam também havia estudado as propriedades das seções cônicas e deduzido que uma solução para a equação cúbica podia ser achada dando ao círculo do diagrama o diâmetro 4. Essa medida era obtida dividindo c por b, ou $144/36$ no exemplo abaixo. O círculo passava pela origem (0,0) e seu centro estava no eixo x em (2,0). Usando esse diagrama, Khayyam desenhou uma linha perpendicular a partir do ponto em que o círculo e a parábola se cortam até o eixo x. O ponto onde a linha cruzava o eixo x (onde $y = 0$) dá o valor de x na equação cúbica. No caso de $x^3 + 36x = 144$, a resposta é $x = 3,14$ (até duas casas decimais).

Khayyam não usava coordenadas e eixos (só inventados seiscentos anos depois). Em vez disso, desenhava as formas com a maior precisão possível e media com cuidado os comprimentos em seus diagramas. Ele obtinha então uma solução numérica aproximada com a ajuda de tábuas trigonométricas, muito usadas em astronomia. Para Khayyam, a solução seria sempre um número positivo. Há uma resposta negativa igualmente válida, como mostram os números com o sinal de menos no gráfico abaixo, mas embora o conceito de números negativos fosse reconhecido na matemática indiana, só teve aceitação geral no século XVII.

A contribuição de Khayyam

Embora Arquimedes, no século III a.C., possa ter examinado a interseção de seções cônicas ao tentar resolver equações cúbicas, o que destaca Khayyam é a abordagem sistemática, que lhe permitiu produzir uma teoria geral. Ele estendeu sua mistura de geometria e álgebra para a solução de equações cúbicas, usando círculos, hipérboles e elipses, mas nunca explicou como os construía, dizendo apenas que "usava instrumentos".

Khayyam foi um dos primeiros a perceber que uma equação cúbica podia ter mais de uma raiz e, portanto, mais de uma solução. Como pode ser mostrado num gráfico moderno que plota uma equação cúbica como uma curva serpenteando acima e abaixo do eixo x, uma equação cúbica tem até

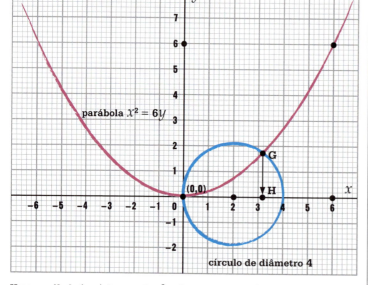

Uma parábola (rosa) da equação $x^2 = 6y$ corta o círculo (azul) $(x - 2)^2 + y^2 = 4$. Uma linha de G (ponto de interseção) até H (no eixo x), dá o valor de x (3,14) na equação cúbica $x^3 + 36x = 144$.

Mostrei como obter os lados de um quadrado-quadrado, quadra-cubo, cubo-cubo [...] de qualquer comprimento, o que não tinha sido [feito] antes.
Omar Khayyam

IDADE MÉDIA

Álgebras são fatos geométricos que se provam com proposições.
Omar Khayyam

A paixão por formas geométricas é evidente na arquitetura islâmica, vista aqui nos padrões dos azulejos, arcos e domos da Masjid-i Kabud, a "Mesquita Azul", em Tabriz, no Irã.

três raízes. Khayyam desconfiou que havia duas, mas não considerava valores negativos. Ele não gostava de ter de usar geometria além de álgebra para obter uma solução, e esperava que seus esforços geométricos fossem um dia substituídos por aritmética.

Khayyam antecipou a obra de matemáticos italianos do século XVI que resolveram equações cúbicas sem o recurso direto à geometria. Scipione del Ferro produziu a primeira solução algébrica para equações cúbicas, descoberta num caderno após sua morte. Ele e seus sucessores Niccolò Tartaglia, Lodovico Ferrari e Gerolamo Cardano trabalharam todos com fórmulas algébricas para resolver equações cúbicas. Cardano publicou a solução de Ferro em seu livro *Ars magna* [A grande arte], em 1545. As soluções deles eram algébricas mas diferiam das atuais, em parte porque o zero e os números negativos eram pouco usados então.

Rumo à álgebra moderna

Entre os matemáticos que continuaram a busca por soluções de equações cúbicas estava Rafael Bombelli. Ele foi um dos primeiros a declarar que uma raiz cúbica poderia ser um número complexo, ou seja, um número que usa uma unidade "imaginária" derivada da raiz quadrada de um número negativo, algo não possível com os números "reais". No fim do século XVI, o francês François Viète criou uma notação algébrica mais moderna, com substituição e simplificação para solucionar. Em 1637, René Descartes publicou uma solução para a equação de quarto grau (com x^4), reduzindo-a a uma equação cúbica e depois a duas quadráticas. Hoje, uma equação cúbica pode ser escrita como $ax^3 + bx^2 + cx + d = 0$, desde que o próprio a não seja 0. Se os coeficientes (a, b e c, que multiplicam a variável x) forem números reais, e não complexos, a equação terá pelo menos uma raiz real e até três raízes no total.

O método de Khayyam ainda é ensinado hoje. Seu trabalho impulsionou a álgebra inicial, e matemáticos posteriores o continuaram, refinando sua expressão e abrangência. ∎

A duração do ano

Em 1074, o sultão regente da Pérsia, Jalal al-Din Malik Shah I, encarregou Omar Khayyam de trocar o calendário lunar usado desde o século VII por um calendário solar. Um novo observatório foi construído na capital, Isfahan, e Khayyam reuniu uma equipe de oito astrônomos para ajudá-lo no trabalho. O ano – computado com grande precisão em 325,24 dias – começava no equinócio vernal, em março, quando o centro do Sol visível está diretamente sobre a linha do Equador. Cada mês era determinado pela passagem do Sol na região correspondente do zodíaco, o que exigia cálculos e observações reais. Como os momentos de trânsito solar podiam variar em 24 horas, os meses tinham entre 29 e 32 dias, mas sua duração podia mudar a cada ano. O novo calendário jalali, nomeado em homenagem ao califa, foi adotado em 15 de março de 1079 e só foi modificado em 1925.

A MÚSICA ONIPRESENTE DAS ESFERAS

A SEQUÊNCIA DE FIBONACCI

108 A SEQUÊNCIA DE FIBONACCI

EM CONTEXTO

FIGURA CENTRAL
Leonardo de Pisa, conhecido como Fibonacci
(1170-c. 1250)

CAMPO
Teoria dos números

ANTES
200 a.C. A sequência de números conhecida depois pelo nome de Fibonacci é citada pelo matemático indiano Pingala em relação à métrica poética do sânscrito.

700 d.C. O poeta e matemático indiano Virahanka escreve sobre essa sequência.

DEPOIS
Século XVII Na Alemanha, Johannes Kepler percebe que a razão entre termos sucessivos dessa sequência converge.

1891 Édouard Lucas cunha o nome sequência de Fibonacci em *Théorie des nombres* [Teoria dos números].

> **Sequências de números** são listas de números **relacionados por uma regra**.

> **Na sequência de Fibonacci, começando com 0 e 1, o próximo número é a soma dos dois anteriores.**

> A **sequência continua infinitamente**.

> 0 + 1 = 1; 1 + 1 = 2;
> 1 + 2 = 3; 2 + 3 = 5;
> 3 + 5 = 8; 8 + 5 = 13…

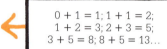

Há uma sequência de números que ocorre várias vezes no mundo natural. Nela, cada número é a soma dos dois anteriores (0, 1, 1, 2, 3, 5, 8, 13, 21, 34 etc.). Referida pelo estudioso indiano Pingala já em c. 200 a.C., ela foi depois chamada sequência de Fibonacci, em homenagem a Leonardo Pisano (Leonardo de Pisa), matemático italiano conhecido como Fibonacci. Fibonacci explorou a sequência em *Liber abaci* [O livro do cálculo], de 1202. A sequência tem importantes aplicações prognósticas na natureza, em geometria e nos negócios.

O problema dos coelhos

Um dos problemas que Fibonacci aborda em *Liber abaci* se relaciona ao crescimento da população de coelhos. Começando com um só casal de coelhos, ele perguntava aos leitores quantos casais mais haveria a cada mês. Fibonacci colocou várias premissas: nenhum

Fibonacci

Nascido Leonardo Pisano, provavelmente em Pisa, na Itália, em 1170, Fibonacci só se tornou conhecido como Fibonacci (filho de Bonacci) muito após sua morte. Leonardo viajou muito com o pai, diplomata, e estudou contabilidade em Bugia, no norte da África. Lá, conheceu os símbolos indo-árabes dos números 1 a 9. Impressionado com a simplicidade desses numerais em comparação com os morosos numerais romanos usados na Europa, ele os discutiu em *Liber abaci* [O livro do cálculo], que escreveu em 1202.

Leonardo também viajou para o Egito, Síria, Grécia, Sicília e Provença, estudando diferentes sistemas numéricos. Sua obra foi muito lida e chamou a atenção do imperador romano-germânico Frederico II. Fibonacci morreu em c. 1240-1250.

Obras principais

1202 *Liber abaci* [O livro do cálculo]
1220 *Practica geometriae* [Geometria prática]
1225 *Liber quadratorum* [O livro dos quadrados]

IDADE MÉDIA 109

Ver também: Números posicionais 22-27 ▪ Pitágoras 36-43 ▪ Trigonometria 70-75 ▪ A álgebra 92-99 ▪ A proporção áurea 118-123 ▪ O triângulo de Pascal 156-161 ▪ A lei de Benford 290

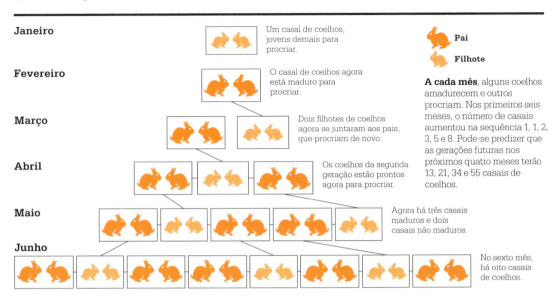

Janeiro — Um casal de coelhos, jovens demais para procriar.

Fevereiro — O casal de coelhos agora está maduro para procriar.

Março — Dois filhotes de coelhos agora se juntaram aos pais, que procriam de novo.

Abril — Os coelhos da segunda geração estão prontos agora para procriar.

Maio — Agora há três casais maduros e dois casais não maduros.

Junho — No sexto mês, há oito casais de coelhos.

Pai / Filhote

A cada mês, alguns coelhos amadurecem e outros procriam. Nos primeiros seis meses, o número de casais aumentou na sequência 1, 1, 2, 3, 5 e 8. Pode-se predizer que as gerações futuras nos próximos quatro meses terão 13, 21, 34 e 55 casais de coelhos.

---

coelho morria, os pares de coelhos acasalavam todos os meses, mas só a partir de dois meses (a idade da maturidade), e cada casal produzia um macho e uma fêmea a cada mês. Nos primeiros dois meses, ele dizia, só haveria o par original; no fim de três meses, um total de dois pares, e no fim de quatro meses, três pares; já que só o par original seria velho o bastante para procriar.

Daí em diante, a população cresce mais rápido. No quinto mês, tanto o par original como seus primeiros filhos produzem coelhos bebês, mas o segundo par gerado ainda é muito jovem. Isso leva a um total de cinco pares de coelhos. O processo continua nos meses seguintes, resultando numa sequência numérica em que cada número é a soma dos dois anteriores, 1, 1, 2, 3, 5, 8, 13, 21, 34, 55, 89, 144 etc., e que ficou conhecida como sequência de Fibonacci. Como muitos problemas matemáticos, este se baseia numa situação hipotética: as premissas de Fibonacci sobre o comportamento dos coelhos não são realistas.

Gerações de abelhas

Um exemplo da sequência de Fibonacci que aflora na natureza se relaciona a abelhas numa colmeia. Uma abelha macho, ou zangão, se desenvolve de um ovo não fertilizado de uma abelha-rainha. Como o ovo não foi fertilizado, o zangão não tem pai, só "mãe". Os zangões têm papéis diferentes na colmeia, um dos quais é acasalar com a rainha e fertilizar seus ovos. Os ovos fertilizados dão origem a abelhas fêmeas, que podem ser rainhas ou trabalhadoras. Isso significa que uma geração atrás o zangão só tem um ancestral, sua mãe; duas gerações atrás ele tem dois ancestrais, ou "avós" – a mãe e o pai de sua mãe; e três gerações atrás, três "bisavós" – os pais de sua avó e a mãe de seu avô. Voltando mais, há cinco membros na geração anterior, oito uma antes dessa etc. O padrão é claro: o número de membros em cada geração dos ancestrais forma a sequência de Fibonacci. A soma »

>
> A sequência de Fibonacci acaba sendo a chave para compreender como a natureza cria.
> **Guy Murchie**
> **Escritor americano**
>

110 A SEQUÊNCIA DE FIBONACCI

Se um **número** de uma sequência for **dividido** pelo **anterior**, cria **uma razão**.

As razões de quaisquer dois **números** consecutivos de **Fibonacci** se aproximam cada vez mais de **1,618**.

1,618 é uma aproximação da **proporção áurea**, que na verdade é $(1 + \sqrt{5}) \div 2$.

Como a sequência de Fibonacci, a **proporção áurea** ocorre muitas vezes no **mundo natural**.

e assim, apesar de os números da sequência serem comuns, também há outros padrões.

Cada número de Fibonacci é a soma dos dois anteriores, então os dois primeiros têm de ser informados antes que o terceiro seja calculado. A sequência de Fibonacci pode ser definida por uma relação de recorrência – uma equação que define um número numa sequência em termos dos anteriores. O primeiro número de Fibonacci é representado por f_1, o segundo por f_2 etc. A equação é $f_n = f_{(n-1)} + f_{(n-2)}$, onde n é maior que 1. Se você quiser saber o quinto número de Fibonacci (f_5), por exemplo, deve somar f_4 e f_3.

As razões de Fibonacci
Calcular as razões entre termos sucessivos da sequência de Fibonacci

do número de pais de um macho e uma fêmea da mesma geração de abelhas é três. Os pais deles totalizam cinco avós, cujos próprios pais são oito bisavós. Recuando para gerações anteriores, a sequência de Fibonacci continua, com 13, 21, 34, 55 ancestrais etc.

A vida vegetal
A sequência de Fibonacci também pode ser vista no arranjo de folhas e sementes de algumas plantas. Pinhas e abacaxis, por exemplo, mostram números de Fibonacci na formação em espiral das seções externas. Muitas flores têm três,

cinco ou oito pétalas – números da sequência de Fibonacci. As flores da erva-de-santiago têm 13 pétalas, as de chicória com frequência 21 e diferentes tipos de margaridas têm 34 ou 55. Muitas outras flores, porém, têm quatro ou seis pétalas,

[Se] uma aranha subir um tanto numa parede a cada dia e escorregar de volta um número fixo a cada noite, quantos dias levará para subir a parede toda?
Fibonacci

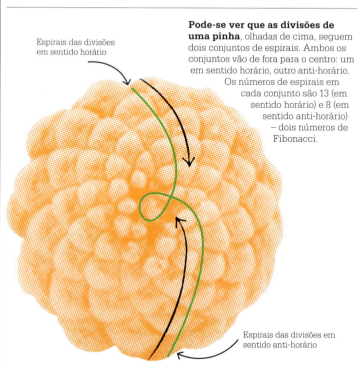

Espirais das divisões em sentido horário

Pode-se ver que as divisões de uma pinha, olhadas de cima, seguem dois conjuntos de espirais. Ambos os conjuntos vão de fora para o centro: um em sentido horário, outro anti-horário. Os números de espirais em cada conjunto são 13 (em sentido horário) e 8 (em sentido anti-horário) – dois números de Fibonacci.

Espirais das divisões em sentido anti-horário

IDADE MÉDIA

A escala do teclado do piano, de dó a dó, abrange 13 teclas, oito brancas e cinco pretas. As teclas pretas estão em grupos de dois e três. Todos esses números fazem parte da sequência de Fibonacci.

Fibonacci é especialmente interessante. Dividir cada número pelo anterior na sequência produz o seguinte: $1/1 = 1$; $2/1 = 2$; $3/2 = 1,5$; $5/3 = 1,666...$; $8/5 = 1,6$; $13/8 = 1,625$; $21/13 = 1,61538...$; $34/21 = 1,61904...$ Continuando o processo indefinidamente, pode-se mostrar que os números convergem para 1,618, aproximadamente. Isso é referido como razão áurea ou média áurea. O mesmo número também é significativo numa curva chamada espiral áurea, que fica mais larga por um fator de 1,618 a cada quarto de volta. Essa espiral é comum na natureza: por exemplo, as sementes nas pinhas e em girassóis tendem a crescer em espirais áureas.

Arte e análise

A sequência de Fibonacci também surge na poesia, na arte e na música. Um ritmo agradável em poesia, por exemplo, é criado quando versos sucessivos têm 1, 1, 2, 3, 5 e 8 sílabas, e há uma longa tradição de poesia de seis versos e vinte sílabas assim estruturada. Por volta de 200 a.C., Pingala estava ciente desse padrão na poesia sânscrita, e o poeta romano Virgílio usou-o no século I a.C.

A sequência também aflorou na música. O compositor francês Claude Debussy (1862-1918) usou números de Fibonacci em várias obras. Em *Cloches à travers les feuilles* [Sinos através das folhas], a razão entre todos os compassos da peça e os do clímax dramático é de cerca de 1,618.

Embora seja com frequência associada às artes, a sequência de Fibonacci também se mostrou instrumento útil em finanças. Hoje, as razões derivadas da sequência são usadas como ferramenta analítica para prever o ponto em que preços de ações vão parar de subir ou descer. ∎

Uma página do manuscrito original de *Liber abaci* mostra, no lado direito, a sequência de Fibonacci.

Soluções práticas

O trabalho de Fibonacci se destinava a um fim prático. Em *Liber abaci*, de 1202, por exemplo, ele resolveu muitos dos problemas comuns no comércio, como calcular margens de lucro e converter moedas. Em *Practica geometriae*, de 1220, solucionou problemas de topografia, como obter a altura de um elemento alto usando triângulos semelhantes (aqueles que têm ângulos iguais, mas tamanhos diferentes). Em *Liber quadratorum* [O livro dos quadrados], de 1225, abordou vários tópicos da teoria dos números, como a busca de triplas pitagóricas – grupos de três números inteiros que representem os comprimentos dos lados de triângulos retângulos. Nesses triângulos, o quadrado do comprimento do lado mais longo (a hipotenusa) é igual à soma dos quadrados dos comprimentos dos lados menores. Fibonacci descobriu que, começando com 5, cada segundo número de sua sequência (13, 34, 89, 233, 610 etc.) é o comprimento da hipotenusa de um triângulo retângulo quando os comprimentos dos dois lados menores são números inteiros.

O PODER DA DUPLICAÇÃO
TRIGO NUM TABULEIRO DE XADREZ

EM CONTEXTO

FIGURA CENTRAL
Sissa ben Dahir (século III ou IV d.C.)

CAMPO
Teoria dos números

ANTES
c. 300 a.C. Euclides introduz o conceito de potência para descrever quadrados.

c. 250 a.C. Arquimedes usa a lei dos expoentes, segundo a qual, para multiplicar potências de mesma base, podem-se somar os expoentes.

DEPOIS
1798 O economista britânico Thomas Malthus prevê que a população humana crescerá exponencialmente, enquanto o suprimento de comida aumentará de forma mais lenta, causando uma catástrofe.

1965 Gordon Moore, americano cofundador da Intel, observa que o número de transistores de um microchip duplica mais ou menos a cada ano e meio.

O primeiro registro escrito do problema do trigo num tabuleiro de xadrez é de 1256, do historiador muçulmano Ibn Khallikan, mas é provável que reconte uma versão anterior que surgiu na Índia no século V. Segundo a história, o inventor do xadrez, Sissa ben Dahir, foi chamado a uma audiência com o regente. O rei Sharim estava tão deliciado com o jogo que ofereceu a Sissa qualquer recompensa que desejasse. Sissa pediu alguns grãos e explicou a quantidade que queria usando os quadrados de um tabuleiro de xadrez de 8 × 8. Um grão de trigo (ou arroz, em algumas versões da história) seria colocado no quadrado esquerdo de baixo do tabuleiro. Indo para a direita, o número de grãos devia ser dobrado, então o segundo quadrado teria dois grãos, o terceiro, quatro e assim por diante, movendo-se da esquerda para a direita ao longo de cada fileira até o 64º quadrado, em cima, na direita.

Perplexo ante o que parecia ser uma magra recompensa, o rei ordenou que os grãos fossem contados. O oitavo quadrado tinha 128 grãos; o 24º, mais de 8 milhões; e o 32º, o último da primeira metade do tabuleiro, mais de 2 bilhões. Então, o celeiro do rei começou a baixar e ele percebeu que só no próximo quadrado, número 33, precisaria de 4 bilhões de grãos, o equivalente a um grande campo. Seus conselheiros calcularam que o quadrado final exigiria 9,2

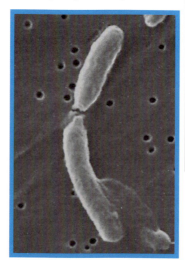

Bactérias se dividindo são um exemplo de crescimento exponencial: quando uma só célula se divide, cria duas células que, ao se dividirem, produzem quatro, e assim por diante. Isso permite às bactérias se propagar muito rápido.

IDADE MÉDIA

Ver também: Os paradoxos de movimento de Zenão 46-47 ▪ Lógica silogística 50-51 ▪ Logaritmos 138-141 ▪ O número de Euler 186-191 ▪ A conjectura de Catalan 236-237

A ideia de Sissa dos grãos de trigo num tabuleiro de xadrez é um exemplo antigo da rapidez com que os números aumentam com o crescimento exponencial. (Números de 1 milhão em diante foram arredondados.) O trigo neste tabuleiro de xadrez totalizaria mais de 18 quintilhões de grãos.

72 quatrilhões	144 quatrilhões	288 quatrilhões	600 quatrilhões	1,2 quintilhão	2,3 quintilhões	4,6 quintilhões	9,2 quintilhões
281 trilhões	562 trilhões	1,1 quatrilhão	2,3 quatrilhões	4,5 quatrilhões	9 quatrilhões	18 quatrilhões	36 quatrilhões
1 trilhão	2 trilhões	4 trilhões	8 trilhões	17 trilhões	35 trilhões	70 trilhões	140 trilhões
4 bilhões	8 bilhões	16 bilhões	33 bilhões	66 bilhões	131 bilhões	262 bilhões	524 bilhões
16 milhões	32 milhões	64 milhões	128 milhões	256 milhões	512 milhões	1 bilhão	2 bilhões
65.536	131.072	262.144	524.288	1 milhão	2 milhões	4 milhões	8 milhões
256	512	1.024	2.048	4.096	8.192	16.384	32.768
1	2	4	8	16	32	64	128

quintilhões de grãos, e que o número total de grãos no tabuleiro seria de 18.446.744.073.709.551.615 (ou $2^{64} - 1$). A história tem dois finais alternativos: num, o rei torna Sissa seu conselheiro-mor; no outro, Sissa é executado por fazer o rei parecer tolo. A ideia de Sissa é um exemplo do que é conhecido como série geométrica, em que cada termo sucessivo é o anterior multiplicado por dois: $1 + 2 + 4 + 8 + 16$ etc. De 2 em diante, esses números são todos potências de 2: $1 + 2 + 2^2 + 2^3 + 2^4$ etc. O número sobrescrito, o expoente, mostra quantas vezes o outro número, neste caso 2, é multiplicado por si mesmo. O último termo da série, 2^{63}, é 2 multiplicado por si mesmo 63 vezes.

Potência de expoentes

O crescimento dos valores dessa série é descrito como exponencial. Os expoentes podem ser vistos como instruções sobre quantas vezes 1 deve ser multiplicado por um dado número. Por exemplo, 2^3 significa que 1 será multiplicado por 2 três vezes: $1 \times 2 \times 2 \times 2 = 8$, enquanto 2^1 significa que 1 será multiplicado por 2 só uma vez: $1 \times 2 = 2$. O primeiro quadrado do tabuleiro contém 1 grão, então 1 é o primeiro termo desta série. O número 1 pode ser escrito como 2^0, porque esse é o equivalente de 1 multiplicado por 2 zero vez, o que deixa 1 inalterado. Por essa razão, qualquer número elevado à potência 0 é igual a 1. O crescimento e o decaimento exponenciais se relacionam a muitos aspectos da vida diária. Por exemplo, um isótopo radiativo decai em outra forma atômica a uma taxa exponencial e isso resulta numa meia-vida, em que metade do material leva sempre o mesmo tempo para decair, a despeito da quantidade inicial. ∎

A segunda metade do tabuleiro de xadrez

Pensadores recentes usaram o problema do tabuleiro de xadrez como metáfora da taxa de mudança em tecnologia nos últimos anos. Em 2001, o cientista da computação Ray Kurzweil escreveu um ensaio influente sobre o crescimento exponencial da tecnologia nos anos anteriores. Ele previu que, como o trigo na segunda metade do tabuleiro de xadrez, a taxa de desenvolvimento tecnológico logo aumentaria de modo descontrolado, seguindo o modelo da duplicação do crescimento anterior a cada passo adiante.

Kurzweil afirmou que essa taxa de crescimento levaria por fim à singularidade, que é definida em física como o ponto em que uma função assume um valor infinito. Quando aplicada à tecnologia, a singularidade marca o ponto em que a habilidade cognitiva da inteligência artificial ultrapassará a dos seres humanos.

RENASC
1500–1680

MENTO

INTRODUÇÃO

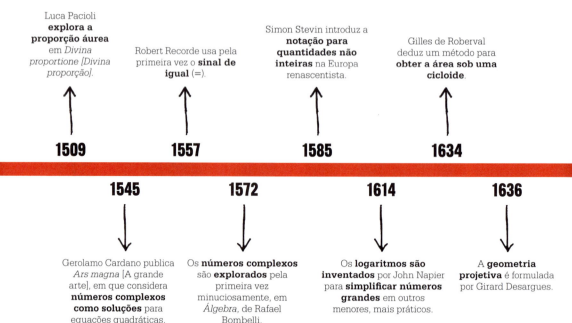

Ao longo da Idade Média, a Igreja Católica exerceu considerável poder político na Europa, detendo um virtual monopólio sobre o conhecimento, mas no século XV sua autoridade estava sendo desafiada. Um novo movimento cultural, o Renascimento, foi inspirado por um interesse renovado pelas artes e pela filosofia do período greco-romano clássico.

A sede do Renascimento por descobertas também acelerou uma "revolução científica" – textos clássicos de matemática, filosofia e ciência tornaram-se amplamente disponíveis e inspiraram uma nova geração de pensadores. O mesmo aconteceu com a Reforma Protestante, que desafiou a hegemonia da Igreja Católica no século XVI.

A arte renascentista também influenciou a matemática. No início do Renascimento, Luca Pacioli estudou a matemática da proporção áurea, tão importante na arte clássica, e o uso inovador da perspectiva em pintura inspirou Girard Desargues a investigar a matemática implícita e a desenvolver o campo da geometria projetiva. Considerações práticas também instigaram avanços: o comércio exigia métodos mais sofisticados de contabilidade e os negócios internacionais levaram a progressos na navegação, demandando uma compreensão mais profunda da trigonometria.

Inovação matemática

Um avanço importante ao calcular veio com a adoção do sistema indo-árabe de numerais e o aumento no uso de símbolos para representar funções como igual, multiplicação e divisão. Outro progresso significativo foi a formalização de um sistema numérico de base 10 e a introdução do separador decimal por Simon Stevin na Europa, em 1585.

Para satisfazer as necessidades práticas, os matemáticos criaram tábuas de cálculos relevantes, e no século XVII John Napier desenvolveu um método para calcular logaritmos. Os primeiros recursos mecânicos para cálculo foram inventados então, como a régua de cálculo de William Oughtred e o dispositivo mecânico de cálculo de Gottfried Leibniz, que foi o primeiro passo rumo a verdadeiros instrumentos de computação.

Outros matemáticos tomaram uma via mais teórica, inspirados pelas ideias de textos recentes. No

RENASCIMENTO

O sistema cartesiano de **coordenadas e eixos**, usado ainda hoje, é formalizado por René Descartes.

Blaise Pascal publica o **estudo sobre o triângulo**, que leva seu nome.

A **solução** de Christiaan Huygens para o **problema da tautocrônica** leva a relógios mais precisos.

Leibniz propõe uma **máquina que calcula usando princípios binários**, lançando as bases do futuro código dos computadores.

1637   **1653**   **1656**   **1679**

1644   **1654**   **1665–1675**

O monge Marin Mersenne descreve o **método para encontrar números primos**, que recebe seu nome.

A correspondência entre Pascal e Pierre de Fermat estabelece as **bases da teoria das probabilidades**.

O **cálculo é desenvolvido** por Gottfried Leibniz e Isaac Newton, **provavelmente de forma independente** um do outro.

século XVI, a solução das equações cúbicas e do quarto grau ocuparam matemáticos italianos, como Gerolamo Cardano, enquanto Marin Mersenne criava um método para encontrar números primos e Rafael Bombelli lançava regras para uso de números imaginários. No século XVII, o ritmo das descobertas matemáticas se acelerou como nunca e surgiram vários matemáticos modernos pioneiros. Entre eles estava o filósofo, cientista e matemático René Descartes, cuja abordagem metódica à solução de problemas preparou o cenário para a era científica moderna. Sua principal contribuição à matemática foi a invenção de um sistema de coordenadas para especificar a posição de um ponto em relação a eixos, estabelecendo o campo novo da geometria analítica, em que linhas e formas são descritas em termos de equações algébricas.

Outro matemático do fim do Renascimento que se tornaria conhecido é Pierre de Fermat, cuja fama repousa em grande parte em seu enigmático último teorema, que permaneceu sem solução até 1994. Menos familiares são suas contribuições ao desenvolvimento do cálculo, da teoria dos números e da geometria analítica. Ele e seu colega matemático Blaise Pascal se corresponderam a respeito de apostas e jogos de azar, lançando as bases do campo das probabilidades.

O nascimento do cálculo

Um dos conceitos matemáticos centrais do século XVII foi desenvolvido de modo independente por dois gigantes científicos da época, Gottfried Leibniz e Isaac Newton. Continuando o trabalho de Gilles de Roberval sobre a área sob uma cicloide, Leibniz e Newton se dedicaram aos problemas de cálculo de tópicos como a mudança contínua e a aceleração, que intrigavam os matemáticos desde os famosos paradoxos de movimento do grego antigo Zenão de Eleia. A solução que apresentaram foi o teorema do cálculo, conjunto de regras para calcular usando infinitesimais. Para Newton, o cálculo era uma ferramenta prática para seu trabalho com física, em especial com o movimento dos planetas, mas Leibniz reconheceu sua importância teórica e refinou as regras de diferenciação e integração. ■

A GEOMETRIA DA ARTE E DA VIDA

A PROPORÇÃO ÁUREA

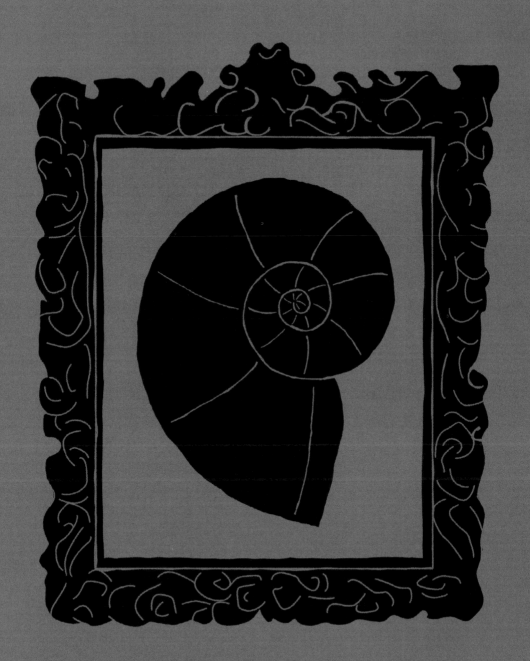

A PROPORÇÃO ÁUREA

EM CONTEXTO

FIGURA CENTRAL
Luca Pacioli (1445-1517)

CAMPO
Geometria aplicada

ANTES
447-432 a.C. Projetado pelo escultor grego Fídias, tempos depois se diria que o Partenon se aproxima da proporção áurea.

c. 300 a.C. Euclides faz, em *Os elementos*, a primeira menção escrita à proporção áurea.

1202 d.C. Fibonacci apresenta sua famosa sequência.

DEPOIS
1619 Johannes Kepler prova que os números da sequência de Fibonacci se aproximam da proporção áurea.

1914 Credita-se ao matemático americano Mark Barr o uso da letra grega fi (ϕ) para a proporção áurea.

> [A proporção áurea] é uma escala de proporções que torna o ruim difícil [de produzir] e o bom fácil.
> **Albert Einstein**

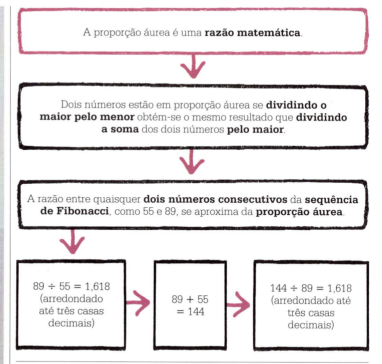

A proporção áurea é uma **razão matemática**.

Dois números estão em proporção áurea se **dividindo o maior pelo menor** obtém-se o mesmo resultado que **dividindo a soma** dos dois números **pelo maior**.

A razão entre quaisquer **dois números consecutivos** da **sequência de Fibonacci**, como 55 e 89, se aproxima da **proporção áurea**.

89 ÷ 55 = 1,618 (arredondado até três casas decimais) → 89 + 55 = 144 → 144 ÷ 89 = 1,618 (arredondado até três casas decimais)

O Renascimento foi uma era de grande criatividade intelectual em que disciplinas como arte, filosofia, religião, ciência e matemática foram consideradas muito mais próximas entre si do que hoje. Um tema de interesse era a relação entre matemática, proporção e beleza. Em 1509, o sacerdote e matemático italiano Luca Pacioli escreveu *Divina proportione* [Divina proporção], que discutia as bases matemáticas e geométricas da perspectiva em arquitetura e artes visuais. O livro foi ilustrado por seu amigo e colega Leonardo da Vinci, importante artista e polímata renascentista.

Desde o Renascimento, a análise matemática da arte por meio da "proporção áurea", "média áurea", ou, como Pacioli a chamava, "divina proporção" –, veio a simbolizar a perfeição geométrica. Essa proporção é encontrada dividindo uma reta em duas, de modo que a razão entre a parte maior (a) e a menor (b) seja a mesma que a razão entre a reta inteira ($a + b$) e a parte maior (a). Assim: $(a + b) \div a = a \div b$. O valor dessa razão é uma constante matemática denotada pela letra grega ϕ (fi). O nome ϕ veio do escultor da Grécia Antiga Fídias (500-432 a.C.), que se acredita ter sido o primeiro a reconhecer as possibilidades estéticas da proporção áurea. Diz-se que ele a teria usado no projeto do Partenon, em Atenas.

Como π (3,1415...), ϕ é um número irracional (que não pode ser expresso como fração) e pode assim ser expandido para um

RENASCIMENTO

Ver também: Pitágoras 36-43 ▪ Números irracionais 44-45 ▪ Os sólidos platônicos 48-49 ▪ *Os elementos*, de Euclides 52-57 ▪ O cálculo de pi 60-65 ▪ A sequência de Fibonacci 106-111 ▪ Logaritmos 138-141 ▪ O mosaico de Penrose 305

número infinito de casas decimais num padrão aleatório sem repetição. Seu valor aproximado é 1,618. É uma das maravilhas da matemática que esse número de aparência pouco notável produza proporções estéticas tão agradáveis na arte, na arquitetura e na natureza.

A descoberta de fi

Alguns acreditam que as proporções relacionadas a ϕ surgem na arquitetura grega antiga – e até antes, na cultura egípcia antiga, na Grande Pirâmide construída em Gizé, em c. 2560 a.C., em que a razão entre base e altura é de 1,5717. Apesar disso, não há evidência de que os arquitetos antigos estivessem cientes dessa razão ideal. Aproximações à proporção áurea podem ter resultado mais de tendência inconsciente que de intenção matemática deliberada.

Os pitagóricos, grupo semimístico de matemáticos e filósofos associado a Pitágoras de Samos (570-495 a.C.), tinham como símbolo o pentagrama, ou estrela de cinco pontas, em que um lado cruza o outro, dividindo cada lado em duas partes, cuja razão é ϕ. Os pitagóricos tinham a convicção de que o Universo se baseava em números; eles também acreditavam que todos os números podiam ser descritos como a razão de dois números inteiros. Segundo a doutrina pitagórica, quaisquer dois comprimentos são ambos múltiplos inteiros de algum comprimento menor fixo. Em outras palavras, a razão entre eles é um número racional e, assim, pode ser expresso como razão entre inteiros. Consta que, quando Hipaso, um seguidor de Pitágoras, descobriu que isso não era verdade, seus contrariados colegas pitagóricos o afogaram.

Registros escritos

As referências escritas mais antigas à proporção áurea aparecem em *Os elementos* (c. 300 a.C.), do matemático alexandrino Euclides. Na obra, ele discute os sólidos platônicos, descritos antes por Platão (como o tetraedro), e demonstra a proporção áurea (que

> *O bom, é claro, sempre é belo, e ao belo nunca falta proporção.*
> **Platão**

Euclides chamou de "razão média e extrema") de suas medidas. Euclides mostrou como construir a proporção áurea usando régua e compasso.

Fi e Fibonacci

A proporção áurea também se relaciona a outro famoso fenômeno matemático – o conjunto de números conhecido como sequência de Fibonacci. Ela foi apresentada por Leonardo de Pisa, ou Fibonacci, em *Liber abaci* [O livro do cálculo], de 1202. Os números seguintes na sequência »

Luca Pacioli

Luca Pacioli nasceu em 1445, na Toscana. Depois de se mudar para Roma na juventude, estudou com o artista-matemático Piero della Francesca e com o famoso arquiteto Leon Battista Alberti, aprendendo geometria, perspectiva artística e arquitetura. Tornou-se professor e viajou pela Itália. Também professou votos como frade franciscano, combinando a atividade monástica e o ensino. Em 1496, foi para Milão trabalhar como escriturário de pagamentos. Lá, como tutor matemático, deu aulas a Leonardo da Vinci, que ilustrou a *Divina proportione* [Divina proporção], de Pacioli. Também criou um método contábil que se usa ainda hoje. Morreu em 1517, em Sansepolcro, na Toscana.

Obras principais

1494 *Summa de arithmetica, geometria, proportioni et proportionalita* [Síntese de aritmética, geometria, proporções e proporcionalidade]
1509 *Divina proportione* [Divina proporção]

122 A PROPORÇÃO ÁUREA

Supõe-se que Leonardo da Vinci tenha usado retângulos áureos ao compor *A Última Ceia* (1494-1498). Outros artistas renascentistas – como Rafael e Michelangelo – também adotaram essa proporção.

de Fibonacci são obtidos somando os dois anteriores: 1, 1, 2, 3, 5, 8, 13, 21, 34, 55, 89...

Foi só em 1619 que o matemático e astrônomo alemão Johannes Kepler mostrou que a proporção áurea é revelada se um número da sequência de Fibonacci for dividido pelo que o precede. Quanto mais adiante na sequência se tenta o cálculo, mais perto a resposta chega de ϕ. Por exemplo, 6.765 ÷ 4.181 = 1,61803. Tanto a sequência de Fibonacci quanto a proporção áurea parecem bastante presentes na natureza. Por exemplo, muitas espécies de flores têm um número Fibonacci de pétalas, e as divisões de uma pinha, vistas de baixo, se distribuem em oito espirais no sentido horário e treze no sentido anti-horário.

Outra proporção áurea aproximada na natureza é a espiral áurea, que fica mais larga por um fator de ϕ a cada quarto de volta. Pode-se desenhar a espiral áurea dividindo um retângulo áureo (retângulo com lados na proporção áurea) em quadrados e retângulos áureos sucessivamente menores e inscrevendo quartos de círculo dentro dos quadrados (ver ao lado). Formas espirais naturais, como a concha do náutilo, lembram a espiral áurea, mas não têm as proporções exatas. A espiral áurea foi primeiro descrita pelo filósofo, matemático e polímata francês René Descartes, em 1638, e estudada pelo matemático suíço Jacob Bernoulli. Foi classificada como um tipo de "espiral logarítmica" pelo matemático francês Pierre Varignon, porque a espiral pode ser gerada por uma curva logarítmica.

Arte e arquitetura
Embora encontrada na música e na poesia, a proporção áurea é mais associada à arte renascentista dos séculos XV e XVI. Consta que a pintura *A Última Ceia* (1494-1498), de Leonardo da Vinci, incorpora a proporção áurea. Diz-se também que o famoso desenho do *Homem Vitruviano* – homem de "proporções perfeitas" inscrito num círculo e num quadrado – para o livro *Divina proportione* [Divina proporção] contém muitas ocorrências da proporção áurea na estrutura do

O problema de usar a proporção áurea para definir a beleza humana é que se você procurar muito algum padrão quase com certeza vai encontrá-lo.
Hannah Fry
Matemática britânica

RENASCIMENTO

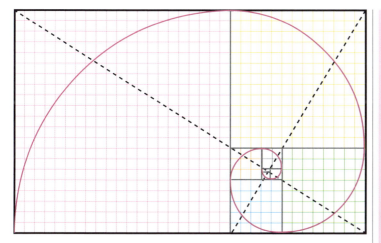

Uma espiral áurea pode ser inscrita num retângulo áureo. Ela é criada dividindo o retângulo em quadrados e em um retângulo áureo menor. Depois repete-se o processo no retângulo menor. Se quartos de círculo forem inscritos então nos quadrados, criarão uma espiral áurea.

A razão da beleza

Estudos indicam que a simetria facial tem importância na atratividade de uma pessoa. Porém as medidas definidas pela proporção áurea parecem desempenhar papel ainda maior. As pessoas cujo rosto têm proporções que se aproximam da áurea (a razão entre o comprimento da cabeça e sua largura, por exemplo) são muitas vezes citadas como mais atraentes. As pesquisas até hoje, porém, são inconclusivas e muitas vezes contraditórias. Há pouca base científica para acreditar que a proporção áurea torne um rosto mais atraente.

Stephen Marquardt, cirurgião plástico americano, criou uma máscara (ver abaixo) baseada na aplicação da proporção áurea à face humana. Quanto mais um rosto se ajusta à máscara, mais belo supostamente é. Alguns, porém, veem a máscara – usada como modelo para cirurgia plástica – como um uso antiético e infundado da matemática.

corpo humano ideal. Na verdade, o *Homem Vitruviano*, que ilustra as teorias do antigo arquiteto romano Vitrúvio, não se ajusta bem à proporção áurea. Apesar disso, muitos tentaram depois relacioná-la à noção de atratividade nas pessoas (ver texto à direita).

Contra a proporção áurea

No século XIX, o psicólogo alemão Adolf Zeising afirmou que o corpo humano perfeito se ajustava à proporção áurea; ela poderia ser achada medindo a altura total da pessoa e dividindo-a pela altura dos pés ao umbigo. Em 2015, o professor de matemática Keith Devlin, de Stanford, declarou que a proporção áurea é uma "fraude de 150 anos". Ele culpou a obra de Zeising pela noção de que a proporção áurea tem relação histórica com a estética. Devlin diz que as ideias de Zeising levaram as pessoas a aplicar retroativamente a proporção áurea à arte e à arquitetura do passado.

De modo similar, o matemático americano George Markowsky aventou em 1992 que as supostas descobertas da proporção áurea no corpo humano eram resultado de medidas imprecisas.

Usos modernos

Embora o uso histórico de ϕ seja discutível, a proporção áurea ainda pode ser detectada em obras modernas, como *O sacramento da Última Ceia* (1955), de Salvador Dalí, em que a forma da própria pintura é um retângulo áureo. Além das artes, a proporção áurea também apareceu na geometria moderna, em especial na obra do matemático britânico Roger Penrose, cujos ladrilhos de Fibonacci a incorporam em sua estrutura. As proporções padrão de monitores de TV e computador, como 16:9, também se aproximam de ϕ, assim como os cartões de banco modernos, que são retângulos áureos quase perfeitos. ∎

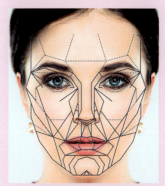

A máscara criada por Stephen Marquardt foi criticada por definir a beleza com base em modelos ocidentais brancos.

COMO UM GRANDE DIAMANTE
PRIMOS DE MERSENNE

EM CONTEXTO

FIGURAS CENTRAIS
Hudalrichus Regius (início do século XVI), **Marin Mersenne** (1588-1648)

CAMPO
Teoria dos números

ANTES
c. 300 a.C. Euclides prova o teorema fundamental da aritmética de que todo número inteiro maior que 1 só pode ser expresso de um modo como o produto de números primos.

c. 200 a.C. Eratóstenes cria um método para calcular números primos.

DEPOIS
1750 Leonhard Euler confirma que o número de Mersenne $2^{31} - 1$ é primo.

1876 O matemático francês Édouard Lucas verifica que $2^{127} - 1$ é um primo de Mersenne.

2018 O maior número primo conhecido até hoje é $2^{82.589.933} - 1$.

Os números primos – os que só podem ser divididos por si mesmos e por 1 – fascinam os estudiosos desde que os gregos antigos da escola de Pitágoras primeiro os estudaram, sobretudo porque podem ser vistos como os "tijolos" de todos os números naturais (inteiros positivos). Até 1536, os matemáticos acreditavam que todos os números primos para n, na equação $2^n - 1$, levariam a outro número primo como solução. Porém, em *Utriusque arithmetices epitome* [Epítome de ambas as aritméticas], publicado naquele ano, um erudito que só conhecemos como Hudalrichus Regius assinalou que $2^{11} - 1 = 2.047$. Esse não é um número primo, já que $2.047 = 23 \times 89$.

A influência de Mersenne

Outros continuaram a obra de Regius sobre números primos, propondo novas hipóteses com $2n - 1$. A principal foi a do monge francês Marin Mersenne, que, em 1644, afirmou que $2n - 1$ era válido quando $n = 2, 3, 5, 7, 13, 17, 19, 31, 67, 127$ e 257. Seu trabalho reavivou o interesse pelo tema, e os números primos gerados por $2^n - 1$ são hoje chamados de primos de Mersenne (M_n).

O uso de computadores permitiu achar mais primos de Mersenne. Dois valores de n de Mersenne (67 e 257) se revelaram errados, mas em 1947 três novos números primos foram achados: $n = 61, 89$ e 107. (M_{61}, M_{89}, M_{107}), e em 2018 a Great Internet Mersenne Prime Search (Grande Busca de Primos de Mersenne por Internet) descobriu o 51º primo de Mersenne conhecido. ∎

A beleza da teoria dos números [está] relacionada à contradição entre a simplicidade dos números inteiros e a complicada estrutura dos números primos.
Andreas Knauf
Matemático alemão

Ver também: *Os elementos*, de Euclides 52-57 ▪ A peneira de Eratóstenes 66-67 ▪ A hipótese de Riemann 250-251 ▪ O teorema dos números primos 260-261

RENASCIMENTO

NAVEGANDO NUMA DIREÇÃO
LINHAS DE RUMO

EM CONTEXTO

FIGURA CENTRAL
Pedro Nunes

CAMPO
Teoria dos grafos

ANTES
150 d.C. O matemático greco-romano Ptolomeu estabelece os conceitos de latitude e longitude.

c. 1200 A bússola magnética é usada por navegadores na China, na Europa e no mundo árabe.

1522 O barco do navegador português Fernão de Magalhães completa a primeira volta ao mundo.

DEPOIS
1569 A projeção do mapa do cartógrafo flamengo Gerardus Mercator permite aos navegantes plotar trajetos de linhas de rumo como retas.

1617 Uma linha de rumo espiral é chamada "loxodromia" pelo matemático holandês Willebrord Snell.

Desde c. 1500, quando os barcos começaram a cruzar os oceanos, os navegantes enfrentaram uma dificuldade: plotar um trajeto pelo globo que levasse em conta a superfície curva da Terra. O problema foi resolvido em *Tratado da esfera* (1537), do matemático português Pedro Nunes, com a introdução das linhas de rumo.

O rumo espiral

A linha de rumo corta todos os meridianos (linhas de longitude) no mesmo ângulo. Como os meridianos ficam mais próximos em direção aos polos, as linhas de rumo se inclinam em uma espiral. Tais espirais foram chamadas loxodromias pelo matemático holandês Willebrord Snell, em 1617, e se tornaram um conceito-chave na geometria do espaço. Elas ajudam os navegantes porque implicam em uma única direção na bússola. Em 1569, surgiram os mapas de Mercator, em que as linhas de longitude são desenhadas como paralelas, e assim as linhas de rumo são retas. Isso permitiu plotar um trajeto desenhando apenas uma reta no mapa. A distância mais curta ao redor do globo, porém, não é um rumo, mas está num círculo máximo – qualquer círculo cujo centro coincida com o da Terra. Após a invenção do GPS, tornou-se mais prático seguir um círculo máximo. ■

Uma loxodromia, ou linha de rumo

Um círculo máximo

Um meridiano, ou linha de longitude

O ângulo entre a linha de rumo e cada linha de longitude é o mesmo.

Uma loxodromia começa no polo Sul ou Norte e espirala ao redor do globo, cruzando os meridianos sempre no mesmo ângulo. Uma linha de rumo é o todo ou parte dessa espiral.

Ver também: Coordenadas 144-151 ■ A curva tautocrônica de Huygens 167 ■ Teoria dos grafos 194-195 ■ Geometrias não euclidianas 228-229

DUAS LINHAS DE MESMO COMPRIMENTO
O SINAL DE IGUAL E OUTROS SÍMBOLOS

EM CONTEXTO

FIGURA CENTRAL
Robert Recorde (c. 1510-1558)

CAMPO
Sistemas numéricos

ANTES
250 d.C. Em *Aritmética*, o matemático grego Diofanto usa símbolos para representar variáveis (quantidades desconhecidas).

1478 A *Aritmética de Treviso* explica em linguagem simples como fazer adição, subtração, multiplicação e divisão.

DEPOIS
1665 Na Inglaterra, Isaac Newton desenvolve o cálculo infinitesimal, que introduz ideias como limites, funções e derivadas. Esses processos exigem novos símbolos para abreviação.

1801 Carl Friedrich Gauss introduz o símbolo para congruência – tamanho e forma iguais.

No século XVI, quando o médico e matemático galês Robert Recorde iniciou seu trabalho, havia pouco consenso sobre a notação aritmética. Os numerais indo-árabes, incluindo o zero, já estavam estabelecidos, mas havia poucos sinais para representar cálculos.

Em 1543, *The grounde of artes* [No terreno das artes], de Recorde, introduziu na Inglaterra os símbolos para adição (+) e subtração (−) na matemática. Esses sinais apareceram primeiro impressos em *Aritmética mercantil* (1489), do matemático alemão Johannes Widman, mas é provável que já fossem usados pelos mercadores alemães antes da publicação desse livro. Os símbolos substituíram aos poucos as letras "p" (para mais) e "m" (para menos), que foram usadas pelos estudiosos, primeiro na Itália, depois na Inglaterra.

Em 1557, Recorde foi além, recomendando um novo símbolo seu. Em *The whetstone of witte* [A pedra de amolar de Witte], usou um par de linhas paralelas idênticas (=) para representar "igual", afirmando que "outras duas coisas não seriam mais iguais". Recorde afirmou que os símbolos evitariam que os matemáticos tivessem de escrever os cálculos em palavras. O sinal de igual foi amplamente adotado, e o século XVII viu ainda a criação de muitos outros símbolos usados hoje, como os de multiplicação (✕) e divisão (÷).

A notação da álgebra

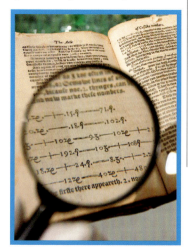

Robert Recorde experimentou o sinal de igual (=) em seus próprios cálculos, como se vê aqui num de seus livros de exercícios. O sinal de Recorde era bem mais longo que o moderno.

RENASCIMENTO 127

Ver também: Números posicionais 22-27 ▪ Números negativos 76-79 ▪ A álgebra 92-99 ▪ Os decimais 132-137 ▪ Logaritmos 138-141 ▪ O cálculo 168-175

A criação dos símbolos

Símbolo	Significado	Inventor	Data
−	Subtração	Johannes Widman	1489
+	Adição	Johannes Widman	1489
=	Igual	Robert Recorde	1557
×	Multiplicação	William Oughtred	1631
<	Menor que	Thomas Harriot	1631
>	Maior que	Thomas Harriot	1631
÷	Divisão	Johann Rahn	1659

Robert Recorde

Nascido em Tenby, no País de Gales, em c. 1510, Recorde fez medicina na Universidade de Oxford e depois em Cambridge, onde se formou em 1545. Ensinou matemática nas duas universidades e escreveu o primeiro livro inglês de álgebra, em 1543. Em 1549, após praticar medicina em Londres um tempo, foi nomeado controlador da casa da moeda de Bristol. Porém, quando recusou a enviar dinheiro a William Herbert, futuro conde de Pembroke, e seu exército, a casa da moeda foi fechada. Em 1551, Recorde foi encarregado da casa da moeda de Dublin, que incluía minas de prata na Alemanha, mas não teve lucros, e as minas também foram fechadas. Tentou processar Pembroke por improbidade, mas em vez disso foi acionado por difamação. Preso em Londres, em 1557, por não conseguir pagar a multa, Recorde morreu ali em 1558.

Obras principais

1543 *Arithmetic: or the grounde of Artes* [Aritmética: ou o terreno das artes]
1551 *The pathway to knowledge* [Caminho para o conhecimento]
1557 *The whetstone of witte* [A pedra de amolar de Witte]

Embora as primeiras técnicas algébricas datem de mais de dois milênios antes dos babilônios, a maioria dos cálculos antes do século XVI eram registrados com palavras – às vezes abreviadas, mas não de modo uniforme. O matemático inglês Thomas Harriot e o francês François Viète, que deram importantes contribuições ao desenvolvimento da álgebra, usaram letras para produzir uma notação simbólica consistente. Em seu sistema, a diferença mais notável da notação atual era o uso de uma letra repetida para indicar uma potência. Por exemplo, a^3 era aaa e x^4 era $xxxx$.

Um sistema moderno

O francês Nicholas Chuquet usou sobrescritos em 1484 para representar expoentes ("à potência de"), mas não os registrava como tal; por exemplo, $6x^2$ era 6.2. Foi preciso mais de 150 anos para os sobrescritos se tornarem comuns; René Descartes usou exemplos reconhecíveis em 1637, ao escrever $3x + 5x^3$, embora continuasse a grafar x^2 como xx. Só no início do século XIX, quando o matemático alemão Carl Gauss favoreceu o uso de x^2, a notação sobrescrita começou a se fixar. Descartes também contribuiu com o uso de x, y e z para as incógnitas em equações, e a, b e c para números conhecidos. A notação algébrica pode ter levado tempo para se consolidar, mas quando um símbolo fazia sentido e ajudava os matemáticos a resolver problemas, tornava-se a norma. O aumento do contato entre matemáticos de diversas partes do mundo no século XVII também fez com que essas notações fossem adotadas mais rápido. ▪

Para evitar a repetição entediante das palavras 'é igual a', vou colocar, como faço muitas vezes ao trabalhar, um par de paralelas.
Robert Recorde

MAIS DE MENOS VEZES MAIS DE MENOS DÁ MENOS

NÚMEROS IMAGINÁRIOS E COMPLEXOS

EM CONTEXTO

FIGURA CENTRAL
Rafael Bombelli (1526-1572)

CAMPO
Álgebra

ANTES
Século XVI Na Itália, Scipione del Ferro, Tartaglia, Antonio Fior e Ludovico Ferrari competem publicamente resolvendo equações cúbicas.

1545 *Ars magna* [A grande arte], livro de álgebra de Gerolamo Cardano, inclui o primeiro cálculo publicado a envolver números complexos.

DEPOIS
1777 Leonhard Euler introduz a notação i para $\sqrt{-1}$.

1806 Jean-Robert Argand publica uma interpretação geométrica dos números complexos, levando ao diagrama de Argand.

No fim do século XVI, o matemático italiano Rafael Bombelli abriu novos caminhos ao lançar regras de uso dos números imaginários e complexos no livro *Álgebra*. Um número imaginário elevado ao quadrado produz um resultado negativo, desafiando as regras usuais de que qualquer número (positivo ou negativo) resulta em um número positivo ao ser elevado ao quadrado. Um número complexo é a soma de qualquer número real (da reta numérica) e um número imaginário. Números complexos tomam a forma $a + bi$, onde a e b são reais e $i = \sqrt{-1}$.

Ao longo dos séculos, os

RENASCIMENTO 129

Ver também: Equações quadráticas 28-31 ▪ Números irracionais 44-45 ▪ Números negativos 76-79 ▪ Equações cúbicas 102-105 ▪ A solução algébrica de equações 200-201 ▪ O teorema fundamental da álgebra 204-209 ▪ O plano complexo 214-215

Um **número real** dá um **resultado positivo** quando elevado ao quadrado.

Um **número imaginário** dá um **resultado negativo** quando elevado ao quadrado.

Um número complexo é a soma de um número real e um número imaginário.

Números complexos permitem resolver equações polinomiais (aquelas em que uma soma de potências de x é igual a zero, como $3x^3 - 2x^2 + x - 5 = 0$).

Algumas pessoas acreditam em amigos imaginários. Eu acredito em números imaginários.
R. M. ArceJaeger
Escritor americano

---

estudiosos tiveram de estender o conceito de número para resolver diferentes problemas. Os números imaginários e complexos eram ferramentas novas para isso, e a *Álgebra*, de Bombelli, aumentou a compreensão de como esses e outros números funcionam. Para resolver as equações mais simples, como $x + 1 = 2$, só é preciso números naturais. Já em $x + 2 = 1$, x deve ser um número inteiro negativo, enquanto a solução de $x^2 + 2 = 1$ exige a raiz quadrada de um número negativo. Isso não existia nos números à disposição de Bombelli, e assim teve de ser inventado – levando-o ao conceito da unidade imaginária ($\sqrt{-1}$). Os números negativos ainda eram vistos com suspeita no século XVI, e os números imaginários e complexos não tiveram aceitação geral por muitas décadas.

Rivalidade ferrenha

A ideia de números complexos surgiu cedo na vida de Bombelli, quando matemáticos italianos buscavam obter soluções para equações cúbicas de modo tão eficaz quanto possível, sem depender dos métodos geométricos criados pelo polímata persa Omar Khayyam no século XII. Como a maioria das equações quadráticas podia ser resolvida com uma fórmula algébrica, buscava-se uma outra similar que funcionasse com equações cúbicas. Scipione del Ferro, professor de matemática da Universidade de Bolonha, deu um grande passo adiante ao descobrir um método algébrico para resolver algumas equações cúbicas, mas a busca de uma fórmula abrangente continuou.

Os matemáticos italianos dessa época desafiavam uns aos outros publicamente para resolver

equações cúbicas e outros problemas no menor tempo possível. Alcançar fama em tais competições era essencial para qualquer estudioso que quisesse se tornar professor de matemática numa universidade de prestígio. Com isso, muitos matemáticos mantinham seus métodos em segredo em vez de partilhá-los para o bem comum. Del Ferro abordou as equações do tipo $x^3 + cx = d$ e só passou sua técnica a duas pessoas, Antonio Fior e Annibale della Nave, exigindo sigilo. Del Ferro logo teve uma disputa com Niccolò Fontana (conhecido como »

Chamarei [a unidade imaginária] de "mais de menos" quando somada e, quando subtraída, de "menos de menos".
Rafael Bombelli

As regras de Bombelli para a combinação de números imaginários

Rafael Bombelli apresentou as regras de operação com números complexos. Ele usou o termo "mais de menos" para se referir a uma unidade imaginária positiva e "menos de menos" para designar uma unidade imaginária negativa. Multiplicar uma unidade imaginária positiva por uma unidade imaginária negativa, por exemplo, resulta num número inteiro positivo, ao passo que multiplicar uma unidade imaginária negativa por uma unidade imaginária negativa é igual a um inteiro negativo.

Mais de menos	×	Mais de menos	=	Menos
Mais de menos	×	Menos de menos	=	Mais
Menos de menos	×	Menos de menos	=	Menos
Menos de menos	×	Mais de menos	=	Mais

Tartaglia, ou "o Gago"). Professor itinerante de considerável habilidade matemática, mas com poucos recursos financeiros, Tartaglia descobriu um método geral para resolver equações cúbicas de forma independente de Del Ferro. Quando Del Ferro morreu, em 1526, Fior decidiu que chegara a hora de revelar sua fórmula ao mundo. Ele desafiou Tartaglia para um duelo cúbico, mas foi batido pelos métodos superiores do adversário. Gerolamo Cardano soube disso e convenceu Tartaglia a dividir seus métodos com ele. Assim como com Del Ferro, a condição era que nunca fossem publicados.

Rafael Bombelli

Nascido em Bolonha, na Itália, em 1526, Rafael Bombelli era o mais velho dos seis filhos de um mercador de lã. Embora não tenha recebido educação superior formal, estudou com um engenheiro-arquiteto e tornou-se engenheiro especializado em hidráulica. Também se interessou pela matemática, examinando a obra de autores antigos e contemporâneos. Enquanto esperava o reinício de um projeto de drenagem, começou sua obra principal, *Álgebra*, em que

Além dos números positivos

Na época, todas as equações eram resolvidas com números positivos. Trabalhando com o método de Tartaglia, Cardano teve de se defrontar com a noção de que usar raízes quadradas de números negativos poderia ajudar a resolver equações cúbicas. Ele estava evidentemente preparado para testar o método, mas pareceu não ter se convencido. Chamou tais soluções negativas de fictícias e falsas e descreveu o esforço intelectual envolvido em encontrá-las como "tortura mental". Seu *Ars magna* [A grande arte] mostra o uso da raiz quadrada negativa. Ele escreveu:

explicou pela primeira vez, de modo rudimentar mas abrangente, a aritmética dos números complexos. Muito impressionado com um exemplar da *Aritmética*, de Diofanto, que viu na biblioteca do Vaticano, Bombelli ajudou a traduzi-la para o italiano – trabalho que o levou a revisar a *Álgebra*. Três volumes foram publicados em 1572, ano em que morreu. Os dois últimos, incompletos, saíram em 1929.

Obra principal

1572 *Álgebra*

"Multiplique $5 + \sqrt{-15}$ por $5 - \sqrt{-15}$, o que dá $25 - (-15)$, que é $+15$. Portanto, esse produto é 40". Esse é o primeiro cálculo registrado a envolver números complexos, mas o significado dessa façanha escapou a Cardano; ele qualificou seu trabalho como sutil e inútil.

Explicação dos números

Rafael Bombelli assimilou as disputas entre os vários matemáticos resolvendo equações cúbicas. Leu *Ars magna*, de Cardano, com grande admiração. Sua própria obra, *Álgebra*, era uma pesquisa abrangente e inovadora, uma versão mais acessível do tema. Ela investigava a aritmética dos números negativos, incluindo algumas notações econômicas que representaram importante avanço sobre o que viera antes. A obra delineia as regras básicas para calcular com quantidades positivas e negativas, como: "mais vezes mais dá mais; menos vezes menos dá mais". Em seguida apresenta novas regras de adição, subtração e multiplicação de números imaginários em terminologia que difere da usada pelos matemáticos hoje. Por exemplo, ele declarou que "mais de menos multiplicado por mais de menos dá menos" – com o sentido de que um número imaginário positivo multiplicado por

O caminho mais curto entre duas verdades no domínio real passa pelo domínio complexo.
Jacques Hadamard
Matemático francês

um número imaginário positivo é igual a um número negativo: $\sqrt{-n} \times \sqrt{-n} = -n$. Bombelli também deu exemplos práticos de como aplicar suas regras para números complexos a equações cúbicas, em que as soluções exijam achar a raiz quadrada de algum número negativo. Embora a notação de Bombelli fosse avançada para a época, o uso de símbolos algébricos estava na infância. Dois séculos depois, o matemático suíço Leonhard Euler introduziu o símbolo i para denotar a unidade imaginária.

Uso de números complexos

Os números imaginários e complexos se juntaram às fileiras dos outros conjuntos, como os números naturais, reais, racionais e irracionais, usados para resolver equações e realizar uma série de outras tarefas matemáticas cada vez mais sofisticadas. Ao longo das décadas, esses conjuntos ganharam símbolos próprios universais que podiam ser usados em fórmulas. Por exemplo, a maiúscula em negrito **N** é usada para números naturais do conjunto {0, 1, 2, 3, 4...}, entre chaves para denotar um conjunto. Em 1939, o matemático americano Nathan Jacobson estabeleceu a maiúscula em negrito **C** para o conjunto dos números complexos, $\{a + bi\}$, em que a e b são reais e $i = \sqrt{-1}$.

Além de permitir a solução total de todas as equações polinomiais, os números complexos se provaram imensamente úteis em muitos outros ramos da matemática – mesmo na teoria dos números (o estudo dos números inteiros, em especial os positivos). Tratando os números inteiros como complexos (a soma de um valor real e um valor imaginário), os teóricos dos números podem usar técnicas poderosas de análise complexa (um estudo de funções com números complexos) para investigar os números inteiros.

Há uma noção antiga e inata nas pessoas de que os números não devem se comportar mal.
Douglas Hofstadter
Cientista da cognição

A função zeta de Riemann, por exemplo, é uma função de números complexos que fornece informação sobre números primos. Em outras áreas práticas, os físicos usam números complexos no estudo do eletromagnetismo, dinâmica dos fluidos e mecânica quântica, enquanto os engenheiros precisam deles para projetar circuitos eletrônicos e analisar sinais de áudio. ∎

Uma série de copos mostra um pigmento azul gotejado sobre um cubo de gelo. Conforme o cubo derrete, o pigmento, mais pesado, afunda. Números complexos são usados para modelar o movimento (velocidade e direção) de tais fluidos.

A ARTE DOS DÉCIMOS

OS DECIMAIS

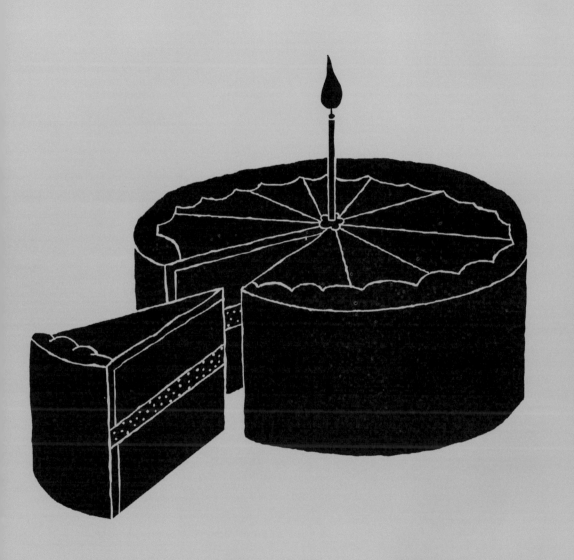

134 OS DECIMAIS

EM CONTEXTO

FIGURA CENTRAL
Simon Stevin (1548-1620)

CAMPO
Sistemas numéricos

ANTES
830 d.C. *Ketab fi Isti'mal al-'Adad al-Hindi* [Sobre o uso dos numerais indianos], de Al-Kindi, em quatro volumes, difunde o sistema de notação posicional dos numerais indianos por todo o mundo árabe.

1202 *Liber abaci* [O livro do cálculo], de Leonardo de Pisa, leva o sistema numérico arábico para a Europa.

DEPOIS
1799 Na França, o sistema métrico é introduzido na moeda e nas medidas durante a Revolução Francesa.

1971 A Grã-Bretanha adota a decimalização, dispensando a libra, o xelim e o pêni, derivados do sistema latino.

As frações foram usadas desde c. 1800 a.C. no Egito para expressar partes de um todo. De início limitavam-se a frações unitárias, ou seja, as que têm 1 como numerador (o número de cima). Os egípcios antigos tinham símbolos para $2/3$ e $3/4$, mas outras frações eram expressas como a soma de frações unitárias, por exemplo $1/3 + 1/3 + 1/17$. O sistema funcionava bem para registrar quantidades, mas não para fazer contas. Só em 1585, quando foi publicado *De thiende* [A arte dos décimos], de Simon Stevin, um sistema decimal se tornou comum.

A importância de 10

Simon Stevin, engenheiro e matemático flamengo do fim do século XVI e do início do XVII, fazia muitos cálculos em seu trabalho. Ele os simplificou usando frações com um sistema básico de potências de 10. Stevin previu com acerto que o sistema decimal acabaria sendo universal.

As culturas ao longo da história usaram muitas bases diferentes para expressar partes de um todo. Na Roma Antiga, as frações se baseavam num sistema

Aliviando o cérebro de todo trabalho desnecessário, uma boa notação o deixa livre para se concentrar em problemas mais avançados.
Alfred North Whitehead
Matemático britânico

de dúzias e eram escritas com palavras: $1/12$ era *uncia*, $6/12$, *semis* e $1/24$, *semiuncia*. Mas esse método incômodo tornava difícil fazer contas. Na Babilônia, as frações eram expressas no sistema numérico de base 60, mas era complicado distinguir, na escrita, que números representavam inteiros e quais eram partes de um todo.

Os europeus usaram por muitos séculos os algarismos romanos para registrar números e fazer cálculos. O matemático italiano medieval

Simon Stevin

Nascido em 1548, em Bruges, hoje na Bélgica, Simon Stevin trabalhou como contador, caixa e atendente antes de entrar na Universidade de Leiden, em 1583. Lá, fez amizade com o príncipe Maurício, herdeiro de Guilherme de Orange. Stevin foi tutor do príncipe em matemática e também lhe deu conselhos sobre estratégia militar, levando a algumas vitórias importantes sobre os espanhóis. O príncipe Maurício encarregou então Stevin, que era também notável engenheiro, de fundar a escola de engenharia da universidade, em 1600. General intendente a partir de 1604, Stevin desenvolveu ideias inovadoras militares e de engenharia, adotadas em toda a Europa. Ele escreveu muitos livros sobre vários temas, inclusive a matemática. Morreu em 1620.

Obras principais

1583 *Problemata geometrica* [Problemas geométricos]
1585 *De thiende* [A arte dos décimos]
1585 *De Beghinselen der Weeghconst* [Princípios da arte de pesar]

RENASCIMENTO 135

Ver também: Números posicionais 22-27 ▪ Números irracionais 44-45 ▪ Números negativos 76-79 ▪ A sequência de Fibonacci 106-111 ▪ Números binários 176-177

Leonardo de Pisa (Fibonacci) conheceu o sistema numérico de notação posicional indiano ao viajar pelo mundo árabe. Ele logo notou sua utilidade e eficiência para registro e cálculo com números inteiros. Seu *Liber abaci* [O livro do cálculo], de 1202, que trouxe muitas ideias árabes úteis para o Ocidente, também introduziu na Europa uma nova notação de frações que seria a base da atual. Fibonacci usava uma barra horizontal para dividir o numerador do denominador (o número de baixo), mas seguia a prática árabe de escrever a fração à esquerda do número inteiro em vez de à direita.

A introdução dos decimais

Notando que as frações convencionais consumiam tempo e induziam ao erro, Stevin começou a utilizar um sistema decimal. As frações decimais – que têm potências de 10 como denominador – tinham sido usadas cinco séculos antes de Stevin no Oriente Médio, mas foi ele quem as tornou comuns na Europa, como registro e para fazer cálculos com partes de um todo. Ele propôs um sistema de notação para frações decimais que reproduzia as vantagens do sistema de notação posicional indiano dos números inteiros.

Na nova notação de Stevin, os números que antes eram escritos como soma de frações – por exemplo, 32 + ⁵/₁₀ + ⁶/₁₀₀ + ⁷/₁.₀₀₀ – poderiam agora ser registrados como um só número. Stevin dispôs círculos após cada número como uma "abreviatura" do denominador da fração decimal original. Ao número inteiro 32 seguia-se 0, porque 32 é um inteiro, enquanto ⁶/₁₀₀, por exemplo, era expresso como 6 e um 2 dentro de um círculo. Esse 2 denotava a potência de 10 do denominador original, já que 100 é 10². Do mesmo modo, ⁷/₁.₀₀₀ tornava-se 7 seguido de um 3 dentro de um círculo. A soma total podia ser escrita seguindo esse padrão (ver abaixo). O símbolo »

Para **decimalizar**, as frações são convertidas em **frações decimais**, em que o **denominador** (número de baixo) é uma **potência de 10**.

⬇

O **numerador** (número de cima) da fração convertida é usado para escrever a fração como um **decimal** – por exemplo, ²⁵/₁₀₀ se torna 0,25.

⬇

O numerador é colocado depois de um **separador decimal**, como a **vírgula decimal**, para mostrar que **não é um número inteiro**.

⬇

O **sistema decimal** torna fácil **somar** e **subtrair** quantidades que não são números inteiros.

Os decimais [são] um tipo de aritmética inventada com a progressão de décimos, consistindo em caracteres com cifras.
Simon Stevin

A notação de Stevin usava círculos para indicar a potência de dez do denominador de uma fração convertida. Vê-se abaixo como Stevin escreveria o número hoje expresso como 32,567.

3 2 ⓪ 5 ① 6 ② 7 ③

136 OS DECIMAIS

O sistema decimal torna mais fácil dividir e multiplicar frações, em especial por 10. Abaixo, o exemplo de 32,567 (ou 32 + ⁵/₁₀ + ⁶/₁₀₀ + ⁷/₁.₀₀₀) mostra como os números mudam de uma coluna para a esquerda ou para a direita, cruzando o separador decimal.

	Centenas 100	Dezenas 10	Unidades 1	Décimos $\frac{1}{10}$	Centésimos $\frac{1}{100}$	Milésimos $\frac{1}{1.000}$	Décimos de milésimos $\frac{1}{10.000}$
× 1		3	2	5	6	7	
× 10	3	2	5	6	7		
÷ 10			3	2	5	6	7

colocado entre a parte inteira e a parte fracionária de um número se chama separador decimal. O zero de Stevin dentro de um círculo evoluiu depois para um ponto, hoje chamado ponto decimal. O ponto ficava a meia altura da linha na notação de Stevin, mas hoje foi movido para a linha de base para evitar confusão com o ponto usado às vezes como notação de multiplicação. Os números circulados de Stevin para as potências de dez também foram removidos, de modo que 32 + ⁵/₁₀ + ⁶/₁₀₀ + ⁷/₁.₀₀₀ pode hoje ser escrito, nos países de língua inglesa, entre outros, como 32.567 (no Brasil e em países onde se usa vírgula como separador decimal é 32,567).

Sistemas diferentes

O ponto decimal nunca foi universalmente aceito. Não haveria problema na coexistência de duas notações para separador decimal (ponto ou vírgula), não fosse o uso dos delimitadores – símbolos que separam grupos de três dígitos na parte inteira de um número muito grande ou até às vezes em números muito pequenos. Por exemplo, no Reino Unido, as vírgulas do número 2,500,000 são delimitadores que facilitam a leitura e o reconhecimento de seu tamanho. Lá, usa-se ponto como separador decimal e vírgula como delimitador. Em outros países, como o Brasil, a vírgula é usada como separador decimal e ponto como delimitador. No Vietnã, por exemplo, um preço de 200 mil dongs vietnamitas é escrito como 200.000.

Em geral, o contexto é suficiente para interpretar a notação de modo correto, mas também pode levar a erros. Na tentativa de resolver o problema, a 22ª Conferência Geral de Pesos e Medidas – encontro de representantes de sessenta nações do Bureau Internacional de Pesos e Medidas – decidiu em 2003 que, embora o ponto ou a vírgula pudessem ser usados como separador decimal, o delimitador teria de ser um espaço em vez de qualquer um dos dois símbolos. Essa notação ainda não se tornou universal.

Na Espanha, o separador decimal é uma vírgula, como se vê nos preços desta barraca num mercado da Catalunha. Em espanhol manuscrito, uma vírgula sobrescrita (parecida com um apóstrofo) também é comum.

RENASCIMENTO 137

Esta placa de mármore na Rue de Vaugirard, em Paris, é um dos marcadores de metro originais instalados em 1791, depois que a Academia Francesa de Ciências definiu o metro pela primeira vez.

Benefícios dos decimais

Os mesmos processos de adição, subtração, multiplicação e divisão de números inteiros podem ser usados com números decimais, resultando num modo muito mais simples de fazer aritmética básica que o método anterior, que se baseava no conhecimento de um conjunto de diferentes regras para cálculos com frações. Ao multiplicar frações, por exemplo, os numeradores são multiplicados separados dos denominadores, e a fração resultante é então simplificada. Multiplicar ou dividir frações decimais por potências de 10 é algo direto – no exemplo de 32,567 (ver acima, à esq.), o separador decimal pode simplesmente ser movido para a direita ou para a esquerda.

Stevin acreditava que a adoção universal de moedas, pesos e medidas decimais seria apenas questão de tempo. A introdução de medidas decimais para comprimento e peso (usando metros e quilos) aconteceu na Europa cerca de duzentos anos depois, na Revolução Francesa. Quando adotou o sistema métrico, a França também tentou instaurar um sistema decimal para tempo: haveria 10 horas num dia, 100 minutos em uma hora e 100 segundos em um minuto. Muito impopular, a tentativa foi abandonada apenas um ano depois. Os chineses introduziram várias formas de tempo decimal ao longo de 3 mil anos, mas por fim desistiram delas em 1645 d.C.

Nos Estados Unidos, o uso de um sistema decimal para medidas e moeda foi defendido por Thomas Jefferson. Seu artigo de 1784 convenceu o Congresso a adotar o sistema decimal de moeda usando dólares, *dimes* (dez centavos) e centavos. O nome *"dime"* tem origem em *Disme*, do título francês de *De thiende* [A arte dos décimos]. No entanto, as ideias de Jefferson sobre medidas não dominaram, e polegadas, pés e jardas são usados ainda hoje. Enquanto o dinheiro de muitos países europeus foi decimalizado no século XIX, só em 1971 o Reino Unido adotou uma moeda decimal. ∎

Dízimas finitas e periódicas

As frações são convertidas em decimais dividindo o numerador pelo denominador. Se o denominador só for divisível por 2 ou por 5 e por nenhum outro número primo – como no caso de 10 –, o decimal será finito. Por exemplo, $3/40$ pode ser expresso como 0,075, e esse valor é exato porque 40 é divisível pelos números primos 2 e 5.

Outras frações se tornam dízimas periódicas – o que significa que não têm fim. Por exemplo, $2/11$ é decimalizado como 0,18181818..., denotado como $0,\overline{18}$ para mostrar que tanto o 1 como o 8 se repetem. O tamanho do período que se repete (dois números, no caso de $0,\overline{18}$) pode ser previsto, pois é um fator do denominador menos 1 (assim, se o denominador da fração for 11, o número de dígitos no período é um fator de 10). Essas frações diferem dos números irracionais, que não terminam e não têm um período repetido. Os números irracionais não podem ser expressos como uma fração de dois números inteiros.

Talvez o evento mais importante da história da ciência [...] [seja] a invenção do sistema decimal.
Henri Lebesgue
Matemático francês

TRANSFORMANDO MULTIPLICAÇÃO EM ADIÇÃO
LOGARITMOS

EM CONTEXTO

FIGURA CENTRAL
John Napier (1550-1617)

CAMPO
Sistemas numéricos

ANTES
Século XIV O matemático indiano Madhava de Kerala elabora uma tábua precisa de senos trigonométricos para ajudar a calcular ângulos de triângulos retângulos.

1484 Na França, Nicolas Chuquet escreve um artigo sobre cálculo usando séries geométricas.

DEPOIS
1622 O matemático e clérigo inglês William Oughtred inventa a régua de cálculo usando escalas logarítmicas.

1668 Em *Logarithmo-technia* [A tecnologia dos logaritmos], o matemático alemão Nicholas Mercator usa pela primeira vez o termo "logaritmos naturais".

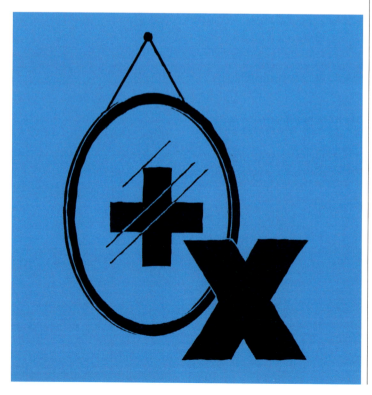

Durante milhares de anos a maioria dos cálculos foi feita à mão, usando recursos como pranchas para contagem ou o ábaco. A multiplicação era especialmente laboriosa e muito mais difícil que a adição. Na revolução científica dos séculos XVI e XVII, a falta de uma ferramenta de cálculo confiável tolhia o progresso em áreas como a navegação e a astronomia, onde o potencial de erro era maior devido aos longos cálculos envolvidos.

Solução por séries
No século XV, o matemático francês Nicolas Chuquet estudou como as relações entre sequências

RENASCIMENTO 139

Ver também: Trigo num tabuleiro de xadrez 112-113 ▪ O problema dos máximos 142-143 ▪ O número de Euler 186-191 ▪ O teorema dos números primos 260-261

> No século XVI, **multiplicar números grandes** era um processo **longo e trabalhoso**.

John Napier **simplificou** o processo desenvolvendo **tábuas de números**.

Nessas tábuas, cada número tinha um "**número artificial**" equivalente, ou **logaritmo**.

Dois números podiam ser multiplicados **somando os logaritmos** e **convertendo** o resultado de novo a um número comum.

Os logaritmos permitem aos matemáticos realizar **multiplicações complexas por meio da adição**.

John Napier

Nascido em família rica em 1550, no Castelo de Merchiston, perto de Edimburgo, John Napier se tornou depois o oitavo lorde de Merchiston. Já aos treze anos, entrou na Universidade St. Andrews e se interessou com paixão por teologia. Antes de se graduar, porém, foi estudar na Europa continental, mas poucos detalhes se conhecem dessa época. Napier voltou à Escócia em 1571 e dedicou a maior parte do tempo a suas propriedades, onde criou novos métodos agrícolas para melhorar a terra e os rebanhos. Protestante fervoroso, escreveu um livro candente de ataque ao catolicismo. Seu interesse por astronomia e o desejo de simplificar os cálculos que ela exigia levaram-no a inventar os logaritmos. Ele também criou os ossos de Napier, um dispositivo de cálculo com varetas numeradas. Napier morreu no Castelo de Merchiston em 1617.

Obras principais

1614 *Mirifici logarithmorum canonis descriptio* [Descrição da maravilhosa regra dos logaritmos]
1617 *Rabdologiae* [Coleção de hastes]

---

aritméticas e geométricas poderiam ajudar o cálculo. Numa sequência aritmética, cada número difere do anterior por uma quantidade constante, como 1, 2, 3, 4, 5, 6... (subindo de 1 em 1), ou 3, 6, 9, 12... (subindo de 3 em 3). Numa sequência geométrica, cada número após o primeiro termo é determinado multiplicando o anterior por uma quantidade fixa, chamada "razão comum". Por exemplo, a sequência 1, 2, 4, 8, 16 tem como razão comum 2. Escrevendo uma sequência geométrica (como 1, 2, 4, 8...) e acima dela uma sequência aritmética (como 1, 2, 3, 4...) pode se ver que os números de cima são os expoentes a que 2 é elevado para chegar à série de baixo. Uma versão bem mais sofisticada desse esquema está no cerne das tábuas de logaritmos desenvolvidas pelo proprietário rural escocês John Napier.

A geração de logaritmos

Napier era fascinado pelos números e passou muito tempo buscando modos de tornar os cálculos mais fáceis. Em 1614, ele publicou a primeira descrição e tábua de »

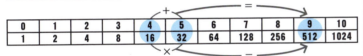

0	1	2	3	4	5	6	7	8	9	10
1	2	4	8	16	32	64	128	256	512	1024

A linha de baixo desta tabela é uma sequência geométrica (potências de 2 progressivas), enquanto a de cima é uma sequência aritmética que revela os expoentes (potências) aos quais 2 é elevado para obter os números da linha de baixo. (Qualquer coisa elevada a 0 é 1.) Para multiplicar os números 16 e 32 na linha de baixo, podem-se somar seus expoentes (4 + 5), resultando em 2^9 (= 512).

140 LOGARITMOS

logaritmos; um logaritmo de um número dado é o expoente ou potência ao qual outro número fixo (a base) é elevado para produzir aquele número dado. O uso de tais tábuas facilitava cálculos complexos e ajudou a trigonometria a avançar. Napier percebeu que o princípio básico do cálculo era bem simples: ele podia substituir o trabalho entediante da multiplicação pela operação simples da adição. Cada número teria seu "número artificial" equivalente, como ele o chamou. (Napier mudou depois o nome para "logaritmo", combinando as palavras gregas *logos*, "razão", e *arithmos*, "número".) Somando os dois logaritmos e convertendo a resposta a um número comum, produz-se o resultado da multiplicação dos números originais. Para a divisão, um logaritmo é subtraído do outro e o resultado é então convertido.

Para gerar logaritmos, Napier imaginou duas partículas viajando ao longo de linhas paralelas. A primeira linha tem comprimento infinito e a segunda, um comprimento fixo. Cada partícula parte da mesma posição de saída ao mesmo tempo, à mesma velocidade. A partícula da linha infinita viaja com movimento uniforme, logo cobre distâncias iguais em tempos iguais. A velocidade da segunda partícula é proporcional à distância que falta para o fim da linha. Na metade do caminho entre o ponto de partida e o fim da linha, a segunda partícula avança com metade da velocidade inicial; a três quartos do trajeto, viaja com um quarto da velocidade inicial e assim por diante. Isso significa que a segunda partícula nunca alcança o fim da linha e, igualmente, a primeira partícula, em sua linha infinita, nunca chega ao fim de sua viagem. Em todos os instantes há uma correspondência única entre as posições das duas partículas. A distância que a primeira partícula viajou será o logaritmo da distância que a segunda ainda tem de percorrer. O avanço da primeira partícula pode ser visto como uma progressão aritmética, o da segunda é geométrica.

O método aperfeiçoado

Napier levou vinte anos para completar seus cálculos e publicar as primeiras tábuas de logaritmos, como *Mirifici logarithmorum canonis descriptio* [Descrição da maravilhosa regra dos logaritmos]. Henry Briggs, professor de matemática da Universidade de Oxford, reconheceu a importância das tábuas de Napier, mas as considerou pouco práticas.

Briggs visitou Napier em 1616 e 1617. Discutindo o tema, os dois concordaram que o logaritmo de 1 fosse redefinido como 0 e o logaritmo de 10 como 1. Essa abordagem tornou os logaritmos muito mais fáceis de usar. Briggs também ajudou a calcular os logaritmos de números comuns adotando 1 como logaritmo de 10, e passou vários anos recalculando as tábuas. Os

> Descobri afinal algumas regras curtas excelentes.
> **John Napier**

A escala logarítmica de pH mede alcalinidade e acidez. Um pH 2 é 10 vezes mais ácido que um pH 3 e 100 vezes mais ácido que um pH 4.

Escalas logarítmicas

Ao medir variáveis físicas, como som, fluxo ou pressão, em que valores podem mudar exponencialmente, e não por incrementos regulares, é frequente adotar uma escala logarítmica. Tais escalas usam o logaritmo de um valor em vez de um valor real de algo que está sendo medido. Cada nível de uma escala logarítmica é um múltiplo do nível anterior. Por exemplo, numa escala de $\log_{10}$, cada unidade subindo na escala representa um aumento de 10 vezes no que é medido.

Em acústica, a intensidade do som é medida em decibéis. A escala de decibéis toma o limiar da audição, definido como 0 dB, como seu nível de referência. Um som 10 vezes mais alto é assinalado com o valor de 10 decibéis; um som 100 vezes mais alto, com o valor de 20; um som 1.000 vezes mais alto, com o valor de 30 etc. Essa escala logarítmica corresponde a nossa audição, já que o som tem de ser 10 vezes mais intenso para soar duas vezes mais alto ao ouvido humano.

RENASCIMENTO

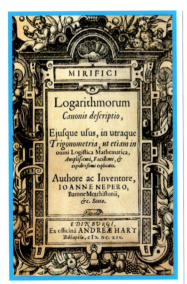

O livro de Napier que descreve os logaritmos é de 1614, como mostra a página de rosto. Os princípios subjacentes às tábuas de logaritmos foram publicados em 1619, dois anos após sua morte.

resultados foram publicados em 1624 com logaritmos calculados até catorze casas decimais. Os logaritmos de base 10 calculados por Briggs são conhecidos como $\log_{10}$ ou logaritmos comuns. A tábua anterior, de potências de 2 (ver p. 139) pode ser pensada como uma simples tábua de $\log_2$, ou base 2.

O impacto dos logaritmos

Os logaritmos tiveram impacto imediato na ciência, em especial na astronomia. O alemão Johannes Kepler publicou as duas primeiras leis do movimento planetário em 1605, mas só após a invenção das tábuas de logaritmos chegou a sua revolucionária terceira lei. Esta descreve como o tempo que um planeta leva para completar uma órbita ao redor do Sol se relaciona a sua distância orbital média.

Quando publicou sua descoberta em 1620, no livro *Ephemerides novae motuum coelestium*, Kepler o dedicou a Napier.

A função exponencial

Mais tarde, no século XVII, os logaritmos se revelaram algo de importância ainda maior. Ao estudar séries numéricas, o matemático italiano Pietro Mengoli mostrou que a série alternada $1 - 1/2 + 1/3 - 1/4 + 1/5 - ...$ tinha um valor ao redor de 0,693147, que ele demonstrou ser o logaritmo natural de 2. Um logaritmo natural (ln) – assim chamado porque ocorre naturalmente, revelando o tempo necessário para atingir certo nível de crescimento – tem uma base especial, chamada depois de e, com valor aproximado de 2,71828. Esse número tem enorme significado em matemática devido a suas ligações com o crescimento e o decaimento naturais.

Foi devido a pesquisas como a de Mengoli que o importante conceito de função exponencial veio à luz. Essa função é usada para representar o crescimento exponencial – em que a taxa de crescimento de uma quantidade é proporcional a seu tamanho num dado momento; assim, quanto maior for, mais rápido cresce – o que é relevante para campos como

> Abreviando os trabalhos, [Napier] dobrou a vida do astrônomo.
> **Pierre-Simon Laplace**

finanças, estatística e a maioria das áreas da ciência. A função exponencial é dada na forma $f(x) = b^x$, onde b é maior que 0, mas não igual a 1, e x pode ser qualquer número real. Em termos matemáticos, os logaritmos são o inverso dos exponenciais (potências de um número) e podem ter qualquer base.

Uma base para o trabalho de Euler

A pressão por tábuas de logaritmos precisas estimulou matemáticos como Nicholas Mercator a pesquisar mais. Em *Logarithmo-technica*, publicado em 1668, ele apresentou uma fórmula de série para os logaritmos naturais $ln(1 + x) = x - x^2/2 + x^3/3 - x^4/4 + ...$ Isso era uma extensão da formulação de Mengoli, em que o valor de x era 1. Em 1744, mais de 130 anos após Napier produzir sua primeira tábua de logaritmos, o matemático suíço Leonhard Euler publicou um tratamento completo de e^x e sua relação com o logaritmo natural. ■

A régua de cálculo, usada aqui em 1941 por uma integrante da Força Aérea Auxiliar Feminina, é marcada com escalas logarítmicas que facilitam a multiplicação, a divisão e outras funções. Inventada em 1622, foi uma ferramenta matemática vital antes do advento das calculadoras de bolso.

A NATUREZA USA O MÍNIMO DE TUDO
O PROBLEMA DOS MÁXIMOS

EM CONTEXTO

FIGURA CENTRAL
Johannes Kepler (1571-1630)

CAMPO
Geometria

ANTES
c. 240 a.C. Em *Método dos teoremas mecânicos*, Arquimedes usa indivisíveis para estimar áreas e volumes de formas curvilíneas.

DEPOIS
1638 Pierre de Fermat põe em circulação seu *Método para determinar máximos e mínimos e tangentes para linhas curvas*.

1671 No *Tratado sobre o método de séries e fluxions*, Isaac Newton apresenta novos métodos analíticos para resolver problemas como os máximos e mínimos de funções.

1684 Gottfried Leibniz publica *Novo método para máximos e mínimos*, sua primeira obra sobre cálculo.

O astrônomo Johannes Kepler é mais conhecido pela descoberta da forma elíptica das órbitas dos planetas e pelas três leis de movimento planetário, mas também deu uma contribuição importante à matemática. Em 1615, ele criou um modo de obter os volumes máximos de sólidos com formas curvas, como barris.

O interesse de Kepler por esse campo começou em 1613, quando se casou com a segunda mulher. Ele ficou intrigado quando um mercador de vinho na festa de casamento mediu o vinho no barril colocando uma vareta na diagonal por um buraco no topo e verificando até que altura da vareta o vinho ia. Kepler pensou se isso funcionaria bem para todas as formas de barril e, preocupado em não ser enganado, decidiu analisar a questão dos volumes. Em 1615, ele publicou os resultados em *Nova stereometria doliorum vinariorum* [Nova geometria sólida de barris de vinho].

Kepler buscou modos de calcular as áreas e os volumes de formas curvas. Desde tempos antigos, os matemáticos discutiram o uso de "indivisíveis" – elementos tão pequenos que não podiam ser

> Kepler se sentiu **enganado por mercadores de vinho** e queria um modo preciso de **medir o conteúdo de um barril**.

> **Inspirado por Arquimedes**, ele usou o **método dos infinitesimais** para dividir o barril em seções finas e descobrir o **volume exato de vinho**.

> O método que Kepler usou foi um passo crucial no **desenvolvimento do cálculo**.

divididos. Em teoria eles poderiam ser ajustados a qualquer forma e somados. A área de um círculo poderia ser determinada, por exemplo, usando fatias de pizza triangulares finas. Para obter o volume de um barril ou qualquer

RENASCIMENTO 143

Ver também: *Os elementos*, de Euclides 52-57 ▪ O cálculo de pi 60-65 ▪ Trigonometria 70-75 ▪ Coordenadas 144-151 ▪ O cálculo 168-175 ▪ As leis do movimento de Newton 182-183

A vareta do mercador é mergulhada em igual extensão quando colocada numa diagonal nestes dois barris, e assim ele cobra o mesmo preço por ambos. Porém, a forma alongada do segundo barril resulta em um volume menor, e portanto menos vinho, mas com o mesmo preço do primeiro.

Barril 1

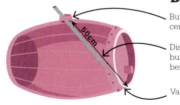

Buraco da rolha no centro do barril

Distância entre o buraco da rolha e a beirada oposta

Vareta do mercador

Barril 2

Buraco da rolha no centro do barril

Distância entre o buraco da rolha e a beirada oposta

Vareta do mercador

Johannes Kepler

Nascido perto de Stuttgart, na Alemanha, em 1571, Johannes Kepler viu o Grande Cometa de 1577 e um eclipse lunar, e se interessou para sempre por astronomia. Foi professor no seminário protestante de Graz, na Áustria. Em 1600, os não católicos foram expulsos de Graz e Kepler foi para Praga, onde vivia seu amigo Tycho Brahe. Após a morte da primeira mulher e do filho, mudou-se para Linz, na Áustria, onde seu trabalho principal como matemático imperial era fazer tábuas astronômicas. Kepler acreditava que Deus fez o Universo segundo um plano matemático. É conhecido pelo trabalho em astronomia, como as leis do movimento planetário e suas tábuas astronômicas. Um ano após sua morte, em 1630, o trânsito de Mercúrio foi observado como ele previu.

Obras principais

1609 *Astronomia nova*
1615 *Nova stereometria doliorum vinariorum* [Nova geometria sólida de barris de vinho]
1619 *Harmonices mundi* (Harmonia do mundo)
1621 *Epitome astronomiae Copernicanae* [Epítome da astronomia de Copérnico]

---

outra forma 3D, Kepler imaginou-o como uma pilha de camadas finas. O volume total é a soma dos volumes das camadas. Num barril, por exemplo, cada camada é um cilindro raso.

Infinitesimais

O problema dos cilindros é que, se tiverem espessura, suas linhas retas não se ajustarão à curva de um barril, e cilindros sem espessura não têm volume. A solução de Kepler foi aceitar a noção de infinitesimais – as fatias mais finas que possam existir sem desaparecer. Os gregos antigos, como Arquimedes, já haviam discutido a ideia. Os infinitesimais fazem a ponte entre as coisas contínuas e coisas partidas em unidades distintas.

Kepler usou então seu método do cilindro para obter as formas de barris com o volume máximo. Ele trabalhou com triângulos definidos pela altura, diâmetro e diagonal do topo ao fundo dos cilindros. Ele investigou como, se a diagonal era fixa, a exemplo da vareta do mercador, mudar a altura do barril alteraria seu volume. O resultado foi que o volume máximo se mantinha em barris pequenos e baixos, com altura de até 1,5 vezes o diâmetro – como nos barris de seu casamento. Em contraste, os barris altos da terra natal de Kepler, perto do rio Reno, tinham muito menos vinho.

Kepler também notou que, quanto mais perto do máximo uma forma chega, menor a taxa com que o volume cresce. Essa observação contribuiu para o nascimento do cálculo, abrindo o estudo de máximos e mínimos. O cálculo é a matemática da mudança contínua, e os máximos e mínimos são os pontos de virada ou limites de qualquer mudança – o pico e o fundo da linha em qualquer gráfico.

A análise de Pierre de Fermat dos máximos e mínimos, que logo se seguiu à de Kepler, abriu caminho para o desenvolvimento do cálculo por Isaac Newton e Gottfried Leibniz depois, no século XVII. ■

A MOSCA NO TETO

COORDENADAS

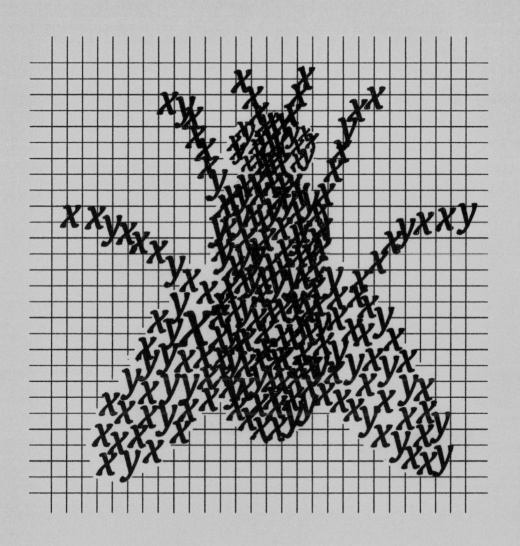

EM CONTEXTO

FIGURA CENTRAL
René Descartes (1596-1650)

CAMPO
Geometria

ANTES
século II a.C. Apolônio de Perga estuda posições de pontos em linhas e curvas.

c. 1370 O filósofo francês Nicole d'Oresme representa qualidades e quantidades como linhas definidas por coordenadas.

1591 O matemático francês François Viète introduz símbolos para variáveis em notação algébrica.

DEPOIS
1806 Jean-Robert Argand usa um plano de coordenadas para representar números complexos.

1843 O matemático irlandês William Hamilton acrescenta duas novas unidades imaginárias, criando quatérnios, plotados em espaço quadridimensional.

Em geometria (o estudo de formas e medidas), usam-se coordenadas para definir um ponto único – uma posição exata – por meio de números. Há vários sistemas de coordenadas, mas o predominante é o sistema cartesiano, denominado a partir de Renatus Cartesius, nome latinizado do filósofo francês René Descartes. Ele apresentou sua geometria de coordenadas em A geometria, de 1637, um dos três apêndices da obra filosófica *Discurso do método*, em que propôs métodos para chegar à verdade nas ciências. Os outros dois apêndices tratavam de luz e meteoros.

Elementos básicos

As coordenadas geométricas transformaram o estudo da geometria, que mal tinha evoluído desde que Euclides escrevera *Os elementos* na Grécia Antiga, cerca de 2 mil anos antes. Elas também revolucionaram a álgebra, transformando equações em linhas (e linhas em equações). Usando-as, os estudiosos podiam visualizar relações matemáticas. Linhas, superfícies e formas também podiam ser interpretadas como uma série de pontos definidos, que mudaram o modo de ver os fenômenos naturais. No caso de eventos como erupções vulcânicas ou secas, plotar elementos como intensidade, duração e frequência podia ajudar a identificar tendências.

Descoberta de um novo método

Há duas versões da história da elaboração do sistema de coordenadas. Uma alega que Descartes teve a ideia ao ver uma mosca se movendo no teto de seu quarto. Ele percebeu que poderia plotar sua posição usando números para descrever onde estava em

> Problemas que podem ser construídos por meio de círculos e retas apenas.
> **René Descartes**
> descrevendo a geometria

René Descartes

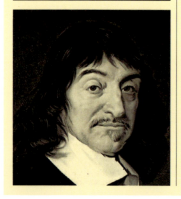

Natural da Touraine, na França, René Descartes nasceu em 1596, em família da pequena nobreza. Sua mãe morreu pouco depois do parto e ele foi levado para viver com a avó. Mais tarde, frequentou um colégio jesuíta e depois estudou direito em Poitiers. Em 1618, foi para os Países Baixos e alistou-se no exército dos estados holandeses como mercenário. Nessa época, Descartes começou a formular ideias filosóficas e teoremas matemáticos. Voltando à França em 1623, vendeu sua propriedade para obter uma renda vitalícia e mudou-se de volta para os Países Baixos a fim de estudar. Em 1649, a rainha da Suécia, Cristina, convidou-o a ser seu tutor e fundar uma academia. Sua saúde fraca, porém, não resistiu ao inverno rigoroso e em fevereiro de 1650 Descartes contraiu pneumonia e morreu.

Obras principais

1630-1633 *O mundo*
1630-1633 *O homem*
1637 *Discurso do método*
1637 *A geometria*
1644 *Princípios de filosofia*

RENASCIMENTO 147

Ver também: Pitágoras 36-43 ▪ Seções cônicas 68-69 ▪ Trigonometria 70-75 ▪ Linhas de rumo 125 ▪ O teorema do triângulo de Viviani 166 ▪ O plano complexo 214-215 ▪ Quatérnios 234-235

Um **teto retangular** tem um **comprimento** e uma **largura**.

⬇

Coordenadas bidimensionais são determinadas usando medidas **horizontal** (x) e **vertical** (y).

⬇

A localização de uma mosca no teto pode assim ser expressa em termos matemáticos.

---

relação a duas paredes adjacentes. Outro relato narra que a ideia lhe veio em sonhos em 1619, quando servia como mercenário no sul da Alemanha. Foi nessa época, também, que se acredita que concebeu a relação entre geometria e álgebra que é a base do sistema de coordenadas.

O sistema cartesiano mais simples é unidimensional; ele indica posições ao longo de uma reta. Uma ponta da reta é ajustada como ponto zero e todos os outros pontos da linha são contados a partir dali em comprimentos iguais, ou frações de um comprimento. Só é preciso um número de coordenada para descrever um ponto exato na linha – como ao medir uma distância com uma régua do zero até uma unidade de distância. Mais comumente, usam-se coordenadas para definir pontos em superfícies bidimensionais, com comprimento e largura, ou num espaço tridimensional, que também tem profundidade. Para isso, é preciso mais de uma reta numérica – todas começando no mesmo ponto zero, ou origem. Para um ponto num plano (uma superfície bidimensional), é preciso dois números. A linha horizontal, o eixo x, e a vertical, o eixo y, são sempre perpendiculares entre si; a origem é o único lugar onde se encontram. O nome do eixo x é abscissa, o do eixo y é ordenada. Dois números, um de cada eixo, se "coordenam" para localizar uma posição exata.

Ao interpretar um gráfico, esses dois números são apresentados como uma n-upla – uma sequência numa ordem estrita dentro de parênteses. A abscissa (valor de x) sempre vem antes da ordenada (valor de y) ao criar a n-upla (x,y). Embora tenham sido concebidas antes da total aceitação dos números negativos, as coordenadas hoje incluem muitas vezes valores tanto negativos quanto positivos – valores negativos abaixo e à esquerda da origem, valores positivos acima e à direita da origem. Juntos, os dois eixos criam um campo de pontos, o plano das coordenadas, que se estende para » fora em duas dimensões com a »

Percebi que era necessário [...] começar de novo a partir dos fundamentos se eu queria estabelecer em ciências algo estável e que pudesse durar.
René Descartes

Esta edição de *A geometria* (em latim, pois era a língua dos estudiosos) foi impressa em 1639. De início, Descartes publicou o livro em francês para que pessoas menos cultas pudessem lê-lo.

origem (0,0) no centro. Qualquer ponto desse plano, que pode se expandir ao infinito, pode ser descrito com precisão usando um par de números.

Plotar um espaço 3D

Para um espaço tridimensional, as coordenadas requerem um terceiro número ordenado na n-upla (x,y,z). O z se relaciona ao terceiro eixo, perpendicular ao plano formado pelos eixos x e y (ver p. 151). Cada par de eixos cria seu próprio plano coordenado; estes se cortam em ângulos retos um em relação ao outro, dividindo assim o espaço em oito zonas chamadas octantes. As coordenadas dentro de cada octante seguem uma das oito sequências de valores para x, y e z, indo de valores todos negativos a todos positivos, com seis combinações de negativos e positivos possíveis entre os dois.

Linhas curvas

A geometria apresenta o que logo se tornou a base do sistema de coordenadas. Descartes, porém, estava mais interessado em descobrir como as coordenadas podiam ajudá-lo a usar a álgebra para entender melhor as linhas, em especial curvas. Ao fazer isso ele criou um novo campo da matemática, a geometria analítica, em que as formas são descritas em termos de suas coordenadas e as relações entre um par de variáveis, x e y. Isso era muito diferente da "geometria sintética" de Euclides, em que as formas eram definidas pelo modo como eram construídas

Cada problema que resolvi tornou-se uma regra que serviu depois para resolver outros problemas.
René Descartes

com régua e compasso. O método antigo era limitante; o novo método de Descartes abria todo tipo de novas possibilidades.

A geometria contém muita discussão sobre curvas, que foram objeto de interesse renovado no século XVII – em parte porque tratados de matemáticos da Grécia Antiga tinham sido recentemente traduzidos, mas também porque as curvas apareciam com destaque em campos de estudo científico como a astronomia e a mecânica.

As coordenadas permitem converter curvas e formas em equações algébricas, que podem ser mostradas visualmente. Uma reta que corre diagonalmente a partir da origem, equidistante dos dois eixos, pode ser descrita em álgebra como $y = x$ e tem coordenadas (0,0); (1,1); (2,2) etc.

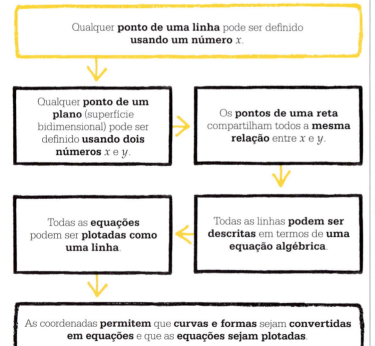

Comigo, tudo se torna matemática.
René Descartes

Uma forma geométrica como a curva de uma montanha-russa pode ser mapeada num gráfico e descrita em relação aos eixos x e y. A parte reta da linha tem a equação $y = x$.

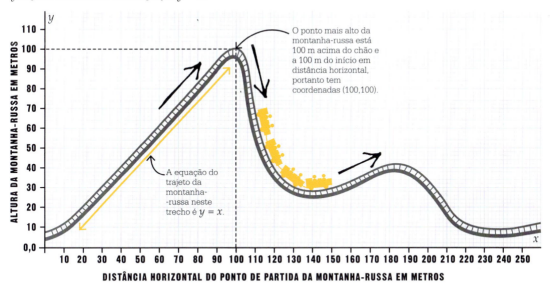

O ponto mais alto da montanha-russa está 100 m acima do chão e a 100 m do início em distância horizontal, portanto tem coordenadas (100,100).

A equação do trajeto da montanha-russa neste trecho é $y = x$.

ALTURA DA MONTANHA-RUSSA EM METROS

DISTÂNCIA HORIZONTAL DO PONTO DE PARTIDA DA MONTANHA-RUSSA EM METROS

A linha $y = 2x$ seguirá um caminho mais íngreme, incluindo as coordenadas (0,0); (1,2); (2,4), por exemplo. Uma linha que corra paralela a $y = 2x$ passará pelo eixo y num ponto diferente da origem, como em (0,2). A fórmula para essa linha em especial é $y = 2x + 2$ e ela inclui os pontos (0,2); (1,4); (2,6).

As coordenadas cartesianas ajudam a revelar o grande poder da álgebra em generalizar relações. Todas as retas descritas acima têm a mesma equação geral: $y = mx + c$, em que o coeficiente m é o gradiente da linha, que indica quanto y é maior (ou menor) comparado a x. A constante c, enquanto isso, mostra onde a linha encontra o eixo y quando x é igual a zero.

A equação do círculo

Em geometria analítica, todos os círculos centrados na origem podem ser definidos como $r = \sqrt{(x^2 + y^2)}$, o que é conhecido como equação do círculo. Isso ocorre porque um círculo pode ser visto como todos os pontos que estão a igual distância de um ponto central (sendo essa distância o raio do círculo). Se esse ponto central for (0,0) num gráfico x,y, a equação do círculo resulta do teorema de Pitágoras. O raio do círculo pode ser encarado como a hipotenusa de um triângulo retângulo com lados menores x e y, então $r^2 = x^2 + y^2$, que pode ser reescrito como $\sqrt{(x^2 + y^2)}$. O círculo pode então ser plotado em eixos usando valores diferentes de x e y que dão o mesmo valor de r. Por exemplo, se r é 2, então o círculo cruza o eixo x em (2,0) e (−2,0) e o eixo y em (0,2) e (0,−2). Todos os outros pontos do círculo podem ser vistos como um canto de um triângulo retângulo rodando dentro dele. Conforme o canto se move ao redor do círculo, os lados menores do triângulo variam em comprimento, »

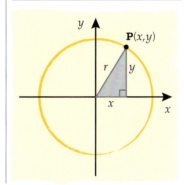

Qualquer ponto P, com coordenadas (x,y) na circunferência de um círculo, pode ser ligado ao centro do círculo (0,0) por uma reta (o raio do círculo) que forma a hipotenusa de um triângulo retângulo com lados de comprimento x e y. A equação do círculo é $r^2 = x^2 + y^2$.

Coordenadas polares

Em matemática, as coordenadas polares, que definem pontos num plano usando dois números, são as rivais mais próximas do sistema de Descartes. O primeiro número, a coordenada radial r, é a distância do ponto central – chamado polo, não origem. O segundo número, a coordenada angular (θ), é o ângulo definido como 0° a partir de um único eixo polar. Para compará-lo com o sistema cartesiano, o eixo polar seria o eixo x cartesiano e as coordenadas polares (1,0°) substituiriam as coordenadas cartesianas (1,0). A versão polar do ponto cartesiano (0,1) é (1,90°). As coordenadas polares são usadas para ajudar a manipular números complexos plotados num plano, em especial para multiplicação. Multiplicar números complexos é simplificado quando são tratados como coordenadas polares, processo que envolve multiplicar as coordenadas radiais e somar as angulares.

As coordenadas de A são (r, θ)

O sistema de coordenadas polares é muito usado para calcular o movimento de objetos ao redor de um ponto central ou em relação a ele.

mas a hipotenusa não, porque é sempre o raio do círculo. A linha formada por um ponto se movendo desse modo definido é chamada lugar geométrico. Essa ideia foi desenvolvida pelo geômetra grego Apolônio de Perga cerca de 1.750 anos antes do nascimento de Descartes.

Troca de ideias

Além de recorrer a teoremas formulados pelos gregos antigos, Descartes trocou ideias com outros matemáticos franceses, entre eles Pierre de Fermat, com quem se correspondeu com frequência. Descartes e Fermat fizeram ambos uso da notação algébrica, o sistema de x e y que François Viète introduzira no fim do século XVI. Fermat também desenvolveu de modo independente um sistema de coordenadas, mas não o publicou. Descartes conhecia as ideias de Fermat e sem dúvida as usou para aperfeiçoar as suas. Fermat também ajudou o matemático holandês Frans van Schooten a entender as ideias de Descartes. Van Schooten traduziu A geometria para o latim e também popularizou o uso das coordenadas como técnica matemática.

Uma forma modificada de coordenadas polares que apresenta o destino de um avião em termos de ângulo e distância pode ser usada como alternativa ao GPS.

Novas dimensões

Van Schooten e Fermat sugeriram estender as coordenadas cartesianas para a terceira dimensão. Hoje, matemáticos e físicos usam coordenadas para ir muito além disso, imaginando um espaço com qualquer número de dimensões. Embora seja quase impossível visualizar tal espaço, os matemáticos podem usar essas ferramentas para descrever linhas se movendo em quatro, cinco ou quantas dimensões espaciais quiserem.

As coordenadas também podem ser usadas para examinar a relação entre duas quantidades. Essa ideia foi introduzida já nos anos 1370, quando o monge francês Nicole d'Oresme usou coordenadas retangulares e as formas geométricas criadas por seus resultados para entender, por exemplo, a relação entre elementos como velocidade e tempo, ou as ligações entre intensidade do calor

O triunfo das ideias cartesianas em matemática [...] se deve, em não pequeno grau, ao professor Frans van Schooten, de Leiden.
Dirk Struik
Matemático holandês

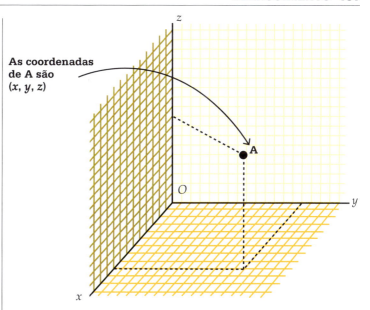

As coordenadas cartesianas 3D podem ser usadas para plotar um objeto que tem, por exemplo, largura, profundidade e altura. Três eixos (x, y, z) são dispostos em ângulo reto uns com os outros. Onde se encontram é a origem (O).

e o grau de expansão decorrente.
Algumas quantidades podem ser representadas usando coordenadas conhecidas como vetores, existindo num "espaço vetorial" puramente matemático. Os vetores são quantidades com dois valores, que podem ser plotados como uma magnitude (o comprimento de uma linha) e uma direção. A velocidade é um vetor, já que tem exatamente esses valores (uma quantidade de velocidade e uma direção de movimento), enquanto outros vetores, como o calor e a expansão de Oresme, são visualizados dessa forma para tornar mais fácil somar e subtrair conjuntos diferentes de valores ou para manipulá-los de outra forma.

Os matemáticos do século XIX também acharam novas finalidades para as coordenadas cartesianas. Eles as usaram para representar números complexos (somas de números imaginários, como $\sqrt{-1}$, e números reais) ou quatérnios (o sistema que estende números complexos) como vetores plotados em duas, três ou mais dimensões.

As coordenadas essenciais

O sistema cartesiano de coordenadas não é o único. As coordenadas geográficas plotam pontos do globo como ângulos a partir de círculos máximos prefixados – a linha do Equador e o meridiano de Greenwich. Um sistema similar, usando coordenadas celestes, descreve a localização das estrelas numa esfera imaginária centrada na Terra e que se estende ao infinito no espaço. As coordenadas polares, determinadas por distância e ângulos a partir do centro da Terra, também são úteis para certos tipos de cálculos.

As coordenadas cartesianas continuam no entanto a ser uma ferramenta onipresente, capaz de plotar qualquer coisa, de meros dados de pesquisa a movimentos de átomos. Sem elas, descobertas como o cálculo analítico (que divide quantidades em parcelas infinitesimalmente pequenas) e avanços em geometrias não euclidianas ou do espaço-tempo não poderiam ter ocorrido. As coordenadas cartesianas tiveram impacto imenso na matemática e em muitos campos da ciência e das artes, da engenharia e da economia à robótica e à computação gráfica. ■

A matemática é um instrumento de conhecimento mais poderoso que qualquer outro legado a nós pela atividade humana.
René Descartes

UM RECURSO DE MARAVILHOSA INVENÇÃO
A ÁREA SOB UMA CICLOIDE

EM CONTEXTO

FIGURAS CENTRAIS
Bonaventura Cavalieri (1598-1647), **Gilles Personne de Roberval** (1602-1675)

CAMPO
Geometria aplicada

ANTES
c. 240 a.C. Arquimedes investiga volume e área da superfície de esferas em *Método relativo a teoremas matemáticos*.

1503 O matemático francês Charles de Bovelles faz a primeira descrição de uma cicloide em *Introductio in geometriam* [Introdução à geometria].

DEPOIS
1656 O matemático holandês Christiaan Huygens baseia sua invenção do pêndulo para relógio na curva de uma cicloide.

1693 A solução de De Roberval para a área de uma cicloide é publicada mais de sessenta anos após a descoberta e dezoito anos depois de sua morte.

Os gregos antigos ficavam perplexos com problemas de áreas e volumes de figuras limitadas por curvas. Para comparar áreas de formas, eles transformavam cada uma num quadrado de mesma área que a forma original e então cotejavam os tamanhos dos quadrados. Isso era fácil com formas de bordas retas, mas as curvilíneas traziam problemas.

Essas questões continuaram sem solução até 1629, quando o matemático e padre jesuíta italiano Bonaventura Cavalieri encontrou um método para calcular áreas e volumes de formas curvas fatiando-as em pedaços paralelos (o princípio de Cavalieri, visto em cima, à dir.), embora ele só tenha publicado seus achados seis anos depois. Em 1634, Gilles Personne de Roberval usou esse método, obtendo para a área sob uma cicloide (o arco traçado pela beirada de uma roda girando) três vezes a área do círculo usado para gerar a cicloide.

Quadratura do círculo

O matemático grego antigo Arquimedes usou um engenhoso método de exaustão para determinar

Esta roda girou sobre um pedaço de chiclete. O gráfico mostra o caminho do chiclete conforme a roda gira, criando uma forma de cicloide, que, como De Roberval descobriu, tem área de três vezes a da roda.

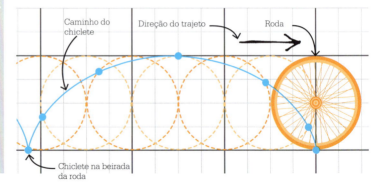

RENASCIMENTO 153

Ver também: *Os elementos*, de Euclides 52-57 ▪ O cálculo de pi 60-65 ▪ Primos de Mersenne 124 ▪ O problema dos máximos 142-143 ▪ O triângulo de Pascal 156-161 ▪ A curva tautocrônica de Huygens 167 ▪ O cálculo 168-175

Um belo resultado, em que eu não tinha reparado antes.
René Descartes
sobre o método de De Roberval para obter a área sob uma cicloide

Como esta forma de barbatana de tubarão (esq.) e o triângulo (dir.) têm a mesma altura e largura em pontos equivalentes da altura, o princípio de Cavalieri declara que podem ser fatiados em peças paralelas de área similar.

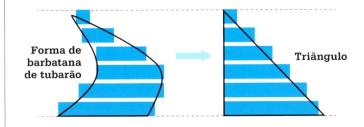

Forma de barbatana de tubarão

Triângulo

a área entre uma parábola e uma linha reta. Ele consistia em inscrever ajustado na parábola um triângulo de área conhecida e então inscrever triângulos cada vez menores em todos os intervalos que sobrassem. Somando as áreas dos triângulos, Arquimedes obteve uma boa aproximação da área que buscava. Os métodos de régua e compasso de sua época, porém, tinham limitações. Ao tentar calcular a área da superfície de uma esfera usando a quadratura, processo que envolve construir um quadrado de área igual à de um círculo, ele fracassou. Ele sabia que a área da superfície da esfera era quatro vezes a do círculo de mesmo raio, mas não conseguiu achar um quadrado que desse essa área de superfície.

Girando em frente

A primeira descrição de uma cicloide foi publicada por Charles de Bovelles em 1503. O polímata italiano Galileu deu à cicloide seu nome ("circular", em grego) e tentou calcular sua área recortando modelos de uma cicloide e um círculo, pesando as peças e comparando os resultados. Por volta de 1628, o francês Marin Mersenne desafiou colegas matemáticos como De Roberval, René Descartes e Pierre de Fermat a descobrir a área sob o arco de uma cicloide e uma tangente a um ponto da curva. Quando De Roberval contou a Descartes que havia obtido êxito, este o desconsiderou como "um resultado muito pequeno". Descartes, por sua vez, descobriu a tangente a uma cicloide em 1638 e desafiou De Roberval e Fermat a fazerem o mesmo. Só Fermat conseguiu.

Em 1658, o arquiteto inglês Christopher Wren calculou o comprimento de um arco de cicloide como quatro vezes o diâmetro do círculo gerador. No mesmo ano, Blaise Pascal obteve a área de qualquer fatia vertical de uma cicloide. Ele também imaginou rodar essas fatias verticais num eixo horizontal, e descobriu a área de superfície e volume dos discos varridos por essa rotação. O uso por Pascal de fatias infinitamente pequenas das formas para resolver as propriedades das cicloides levaria aos *"fluxions"*, introduzidos por Isaac Newton quando começou a desenvolver o cálculo. ∎

Gilles Personne de Roberval

Nascido em 1602, num campo perto de Roberval, no norte da França, onde sua mãe fazia a colheita, Gilles Personne de Roberval estudou os clássicos e matemática com o padre local. Em 1628, mudou-se para Paris, onde se juntou ao círculo de intelectuais de Marin Mersenne.

Em 1632, De Roberval se tornou professor de matemática do Collège Gervais, e dois anos depois ganhou uma competição para um cargo de muito prestígio no Collège Royale.

Viveu com frugalidade, mas conseguiu comprar uma fazenda para sua família extensa e alugava lotes para gerar renda. Continuou a praticar matemática toda a vida. Em 1669, inventou uma balança que levou seu nome. Morreu em 1675.

Obra principal

1693 *Traité des indivisibles*
[Tratado sobre os indivisíveis]

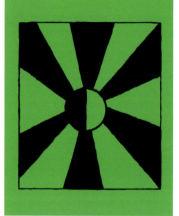

TRÊS DIMENSÕES FEITAS POR DUAS
GEOMETRIA PROJETIVA

EM CONTEXTO

FIGURA CENTRAL
Girard Desargues (1591-1661)

CAMPO
Geometria aplicada

ANTES
c. 300 a.C. *Os elementos*, de Euclides, apresenta ideias que depois constituirão a geometria euclidiana.

c. 200 a.C. Em *Cônicas*, Apolônio descreve as propriedades das seções cônicas.

1435 O arquiteto italiano Leon Battista Alberti colige os princípios da perspectiva em *De pictura* [Sobre a pintura].

DEPOIS
1685 Em *Sectiones conicae* [Seções cônicas], o matemático e pintor francês Philippe de la Hire define a hipérbole, a parábola e a elipse.

1822 O matemático e engenheiro francês Jean-Victor Poncelet escreve um tratado sobre geometria projetiva.

Em contraste com a geometria tradicional euclidiana, em que todas as figuras e objetos 2D pertencem ao mesmo plano, a geometria projetiva trata da alteração da forma aparente de um objeto devido à perspectiva a partir da qual o objeto é visto. Girard Desargues, matemático francês do século XVII, foi um dos fundadores dessa geometria.

Dois séculos antes, os artistas e arquitetos do Renascimento haviam se ocupado da ideia de perspectiva. Fillipo Brunelleschi tinha redescoberto os princípios da perspectiva linear dos antigos gregos e romanos e explorou-a em projetos arquitetônicos, esculturas

Geometria e perspectiva linear

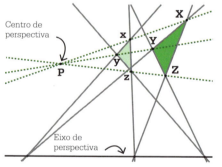

Estes dois triângulos estão em perspectiva a partir de um ponto de vista chamado centro de perspectiva (P). Linhas que conectam os vértices correspondentes dos triângulos (X a x, Y a y e Z a z) sempre se encontrarão em P. Se XYZ for um objeto triangular real, aparecerá como o triângulo xyz ao ser visto de P. O teorema de Desargues afirma que linhas que se estendem a partir dos lados correspondentes de cada triângulo sempre se encontrarão numa linha chamada eixo de perspectiva.

A perspectiva faz as linhas paralelas dos lados deste prédio de telhado plano darem a impressão de acabar se encontrando. O ponto onde se encontram é chamado ponto de fuga.

RENASCIMENTO

Ver também: Pitágoras 36-43 ▪ *Os elementos*, de Euclides 52-57 ▪ Seções cônicas 68-69 ▪ A área sob uma cicloide 152-153 ▪ O triângulo de Pascal 156-161 ▪ Geometrias não euclidianas 228-229

A boa arquitetura deveria ser uma projeção da própria vida.
Walter Gropius
Arquiteto alemão

e pinturas. Seu colega arquiteto Leon Battista Alberti recorreu a "pontos de fuga" para criar uma sensação de perspectiva 3D e escreveu sobre o uso de perspectiva em arte.

Dos mapas à matemática

Ao viajar para novas terras, os exploradores do Ocidente precisavam de mapas precisos que representassem o mundo esférico em duas dimensões. Em 1569, o cartógrafo flamengo Gerardus Mercator criou o método conhecido hoje como "projeção cilíndrica do globo", que pode ser visualizado como a superfície da Terra transposta para um cilindro em redor. Quando o cilindro é cortado de cima a baixo e desenrolado, torna-se um mapa bidimensional.

Nos anos 1630, Desargues começou a investigar que propriedades não mudam (são invariantes) quando uma imagem é projetada numa superfície (mapeamento de perspectiva). Embora suas dimensões e ângulos possam mudar, a colinearidade é preservada; isso significa que se três pontos XYZ estão numa reta, com Y entre X e Z, então suas imagens xyz também ficam numa reta com y entre x e z. Uma imagem de qualquer triângulo é outro triângulo. Os lados correspondentes de cada triângulo podem ser estendidos para se encontrar nos três pontos de uma linha (eixo de perspectiva), e as linhas que passam em cada vértice e em seu vértice correspondente irão se encontrar num ponto (o centro de perspectiva). Desargues percebeu que todas as seções cônicas sob projeção são assim equivalentes. Uma propriedade invariante sozinha, como a colinearidade, só precisa ser provada para um caso, e não testada para cada cônica. O teorema do "hexagrama místico" de Pascal, por exemplo, declara que as interseções de linhas que conectam pares de seis pontos numa cônica repousam todas num reta. Isso pode ser mostrado conectando seis pontos de um círculo, uma prova válida para outras cônicas também.

Desargues considerou então o que ocorre quando o vértice do cone de projeção se distancia. Raios paralelos vêm de um ponto no infinito (como do Sol). Acrescentando esses pontos no infinito ao plano euclidiano, cada par de linhas se encontra num ponto, até as linhas paralelas, que se encontram no infinito. O método foi desenvolvido como geometria plena por Poncelet em 1822. Hoje, a geometria projetiva é usada por arquitetos e engenheiros em tecnologia CAD e em animação computadorizada para filmes e jogos. ∎

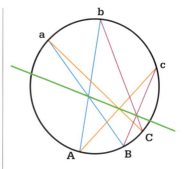

Quando seis pontos arbitrários são desenhados num círculo e unidos como mostrado (Ab, aB; Ac, Ca; Cb, cB), pode-se traçar uma reta através dos pontos em que as linhas da mesma cor se cruzam. Usando projeção, isso também é verdadeiro para uma elipse.

Girard Desargues

Nascido em 1591, Girard Desargues viveu em Lyon, vindo de uma família de advogados ricos, com várias propriedades, como um solar e um castelo. Desargues fez várias visitas a Paris e, por meio de Marin Mersenne, ficou amigo de Descartes e Pascal. Trabalhou como tutor e, depois, como engenheiro e arquiteto. Era um geômetra excelente e partilhou suas ideias com os amigos matemáticos. Alguns de seus folhetos foram depois expandidos e publicados como livros. Escreveu sobre perspectiva e matemática aplicada a projetos práticos, como desenhar uma escada em espiral e um novo tipo de bomba de água. Desargues morreu em 1661. Sua obra foi redescoberta e republicada em 1864.

Obras principais

1636 *Perspective* [Perspectiva]
1639 *Brouillon project d'une Atteinte aux evenemens des rencontres du cone avec un plan* [Esboço sobre a obtenção do resultado da interseção de um cone com um plano]

SIMETRIA
É O QUE VEMOS NUM
RELANCE

O TRIÂNGULO DE PASCAL

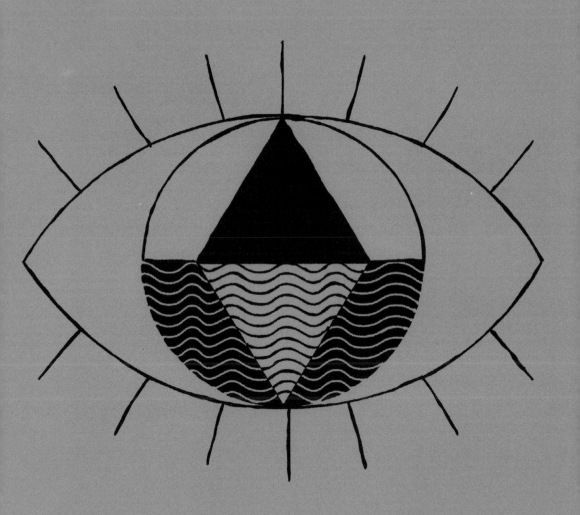

158 O TRIÂNGULO DE PASCAL

EM CONTEXTO

FIGURA CENTRAL
Blaise Pascal (1623-1662)

CAMPOS
Probabilidades, teoria dos números

ANTES
975 O matemático indiano Halayudha faz a descrição mais antiga que se conservou de números num triângulo de Pascal.

c. 1050 Na China, Jia Xian descreve o triângulo depois chamado triângulo de Yang Hui.

c. 1120 Omar Khayyam cria uma antiga versão do triângulo de Pascal.

DEPOIS
1713 *Ars conjectandi* [A arte da conjectura], de Jacob Bernoulli, desenvolve o triângulo de Pascal.

1915 Wacław Sierpinski descreve o padrão fractal de triângulos depois conhecido como triângulos de Sierpinski.

Há dois tipos de mente [...] a matemática e [...] a intuitiva. A primeira chega a suas concepções devagar, mas elas são [...] rígidas; a segunda é dotada de maior flexibilidade.
Blaise Pascal

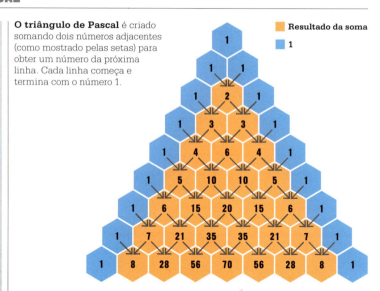

O triângulo de Pascal é criado somando dois números adjacentes (como mostrado pelas setas) para obter um número da próxima linha. Cada linha começa e termina com o número 1.

A matemática trata com frequência da identificação de padrões numéricos, e um dos mais notáveis é o triângulo de Pascal – um triângulo equilátero construído a partir de um arranjo muito simples de números em linhas cada vez mais largas. Cada número é a soma de dois números adjacentes na linha acima. O triângulo de Pascal pode ter qualquer tamanho, de umas poucas linhas até qualquer número delas.

Talvez pareça que uma regra tão simples de arranjo de números só poderia levar a padrões simples, mas o triângulo de Pascal é campo fértil para vários ramos da mais alta matemática, como álgebra, teoria dos números, probabilidades e combinatória (a matemática de contar e arranjar). Muitas sequências importantes foram encontradas no triângulo, e os matemáticos acreditam que elas podem refletir algumas verdades sobre as relações entre números que ainda falta entender.

Esse triângulo recebe em geral o nome do filósofo e matemático francês Blaise Pascal, que o explorou em detalhes em *Traité du triangle arithmétique* [Tratado sobre o triângulo aritmético], de 1653. Na Itália, porém, é chamado "triângulo de Tartaglia", em referência ao matemático Niccolò Tartaglia, que escreveu sobre ele no século xv. Na verdade, as origens do triângulo datam de 450 a.C., na Índia antiga (ver box, p. 160).

Teoria das probabilidades

A contribuição de Pascal ao triângulo foi notável porque ele apresentou uma estrutura clara para o estudo de suas propriedades. Em particular, ajudou, com isso, a lançar as bases da teoria das probabilidades, em sua correspondência com o matemático francês Pierre de Fermat. Antes de Pascal, estudiosos como Luca Pacioli, Gerolamo Cardano e Tartaglia tinham investigado as chances de dados caírem num número em especial ou mãos de

RENASCIMENTO 159

Ver também: Equações quadráticas 28-31 ▪ O teorema binomial 100-101 ▪ Equações cúbicas 102-105 ▪ A sequência de Fibonacci 106-111 ▪ Primos de Mersenne 124 ▪ Probabilidades 162-165 ▪ Fractais 306-311

cartas saírem de certo modo. Sua compreensão era no mínimo questionável e foi a obra de Pascal com o triângulo que juntou os fios.

A divisão da bolada

Um famoso apostador francês pediu a Pascal, em 1652, que estudasse probabilidades. Antoine Gombaud, Cavaleiro de Méré, queria saber como dividir o monte das apostas de modo justo se um jogo de azar fosse de repente interrompido. Se um jogo normal acabasse só quando um jogador tivesse vencido certo número de rodadas, por exemplo, De Méré queria saber se a divisão da bolada refletiria quantas rodadas cada jogador tinha vencido. Pascal combinou os números passo a passo para representar as rodadas transcorridas. A consequência natural foi um triângulo que sempre se alargava. Como Pascal mostrou, os números no triângulo contam o número de modos com que várias ocorrências podem se combinar para produzir um dado resultado.

A probabilidade de um evento é definida como a proporção de vezes em que ocorrerá. Um dado tem seis faces, então a probabilidade de que caia numa face em especial é de $1/6$. Em outras palavras, trata-se de observar de quantos modos o evento pode ocorrer, e dividir isso pelo número total de possibilidades. Embora isso seja fácil com um só dado, com múltiplos dados, ou 52 cartas, os cálculos ficam complicados. Porém Pascal descobriu que o triângulo poderia ser usado para achar o número de combinações possíveis quando se escolhe uma quantidade de objetos a partir de um número particular de opções disponíveis.

Cálculos binomiais

Como Pascal notou, a resposta está nos binômios – expressões com dois termos, como $x + y$. Cada linha do triângulo de Pascal dá os coeficientes binomiais para uma potência em especial. A linha zero (o topo do triângulo) é usada para o »

O **1** está no **topo** do triângulo de Pascal e **no começo e no fim** de cada linha.

Cada linha tem **um número a mais** que a precedente.

Todo número é a **soma dos dois sobre** ele.

O triângulo de números resultante pode continuar para sempre.

Blaise Pascal

Nascido em Clermont-Ferrand, na França, em 1623, Blaise Pascal foi um matemático prodígio. Adolescente, foi levado pelo pai ao salão matemático de Marin Mersenne em Paris. Aos 21 anos, construiu uma máquina de somar e subtrair, a primeira a ser comercializada. Além de suas contribuições à matemática, Pascal teve papel importante em muitos avanços científicos do século XVII, com estudos sobre os fluidos e a natureza do vácuo que ajudaram a entender a ideia de pressão do ar – a unidade científica de pressão se chama "pascal". Em 1661, lançou o que talvez tenha sido o primeiro serviço de transporte público de Paris, com carruagens para cinco pessoas. Morreu de causas inexplicadas em 1662, com apenas 39 anos.

Obras principais

1653 *Traité du triangle arithmétique* [Tratado sobre o triângulo aritmético]
1654 *Potestatum numericarum summa* [Somas de potências de números]

O TRIÂNGULO DE PASCAL

O **Bat country**, projeto de trepa-trepa da artista americana Gwen Fisher, é um tetraedro de Sierpinski construído com tacos e bolas de softball. Esse tetraedro é uma estrutura 3D feita de triângulos de Sierpinski.

binômio à potência de 0: $(x + y)^0 = 1$. Para o binômio à potência de 1, $(x + y)^1 = 1x + 1y$, então os coeficientes (1 e 1) correspondem à primeira linha do triângulo (a linha zero não é contada como linha). O binômio $(x + y)^2 = 1x^2 + 2xy + 1y^2$ tem os coeficientes 1, 2 e 1, como na segunda linha do triângulo de Pascal. Conforme a expansão de binômios leva a expressões cada vez maiores, os coeficientes continuam a corresponder à linha respectiva no triângulo. Por exemplo, no binômio $(x + y)^3 = 1x^3 + 3x^2y + 3xy^2 + 1y^3$ os coeficientes correspondem à terceira linha do triângulo. As probabilidades são calculadas dividindo o número de possibilidades pela soma dos coeficientes da linha que reflete o número total de objetos: assim, numa família de três crianças (número total de objetos), a probabilidade de uma menina e dois meninos é de ³∕₈ (a soma de todos os coeficientes da terceira linha do triângulo é 8, e há três modos de haver uma menina numa família de três crianças). O triângulo de Pascal tornou simples descobrir probabilidades. Como pode continuar para sempre, ele funciona para quaisquer potências. A relação entre coeficientes binomiais e os números do triângulo de Pascal revela uma verdade fundamental sobre números e probabilidades.

Padrões visuais

O simples padrão numérico de Pascal se revelou um trampolim, com a obra de Fermat, para a matemática das probabilidades, mas sua importância não para aí. Para começar, ele facilita multiplicar expressões binomiais

O pagode Hsinbyume de **Mianmar** representa o mítico monte Meru, cuja escada inspirou outro nome do triângulo de Pascal.

O triângulo antigo

Os matemáticos conheciam o triângulo de Pascal muito antes do século XVII. No Irã, ele se chama "triângulo de Khayyam", de Omar Khayyam, mas ele foi só um dos muitos matemáticos islâmicos que o estudaram entre os séculos VII e XIII, uma era de ouro do conhecimento. Na China também, em c. 1050 Jia Xian criou um triângulo similar para mostrar coeficientes. Seu triângulo foi adotado e popularizado por Yang Hui no século XIII, e por isso lá se chama triângulo de Yang Hui. Sua imagem consta no *Siyuan yujian* [Espelho precioso dos quatro elementos], publicado em 1303 por Zhu Shijie. As referências mais antigas ao triângulo de Pascal, porém, vêm da Índia, em textos indianos de 450 a.C. como em um guia de métrica poética, com o nome de "Escada do monte Meru". Os matemáticos da Índia antiga também notaram que as linhas de números diagonais intercaladas do triângulo mostravam o que hoje é chamado de números de Fibonacci (ver à dir.).

RENASCIMENTO

com altas potências, que de outro modo exigiriam muito tempo.

Os matemáticos estão sempre achando novas surpresas nele. Alguns dos padrões do triângulo de Pascal são muito simples. A borda externa é toda feita com o número 1, e o conjunto seguinte de números, na primeira diagonal, é uma simples reta numérica 1, 2, 3, 4, 5 etc.

Uma propriedade interessante do triângulo de Pascal é o padrão "taco de hóquei", que pode ser usado para adição. Se você descer uma diagonal a partir de qualquer um dos 1s externos e então parar em qualquer lugar, encontrará a soma total dos números da diagonal andando um passo na direção oposta. Por exemplo, começando no quarto 1 da borda esquerda e descendo em diagonal para a direita, se parar no número 10, o total dos números percorridos até ali (1 + 4 + 10) será encontrado descendo na diagonal para a esquerda um passo: 15.

Colorir todos os números divisíveis por um número em especial cria um padrão fractal, e

> Não posso avaliar meu trabalho enquanto o faço. Tenho de agir como os pintores, afastar-me e vê-lo de uma distância, mas não longe demais.
> **Blaise Pascal**

colorir todos os números ímpares produz um padrão de triângulos identificado pelo matemático polonês Wacław Sierpinski em 1915. Esse padrão pode ser obtido sem o triângulo de Pascal, quebrando um triângulo equilátero em triângulos cada vez menores e juntando os pontos médios de cada um dos três lados dos triângulos. A divisão pode continuar indefinidamente. Hoje, os triângulos de Sierpinski são populares em padrões de tricô e no *origami*, em que o triângulo de Sierpinski se converte em três dimensões, gerando o tetraedro de Sierpinski.

Teoria dos números

Há também muitos padrões mais complexos ocultos no triângulo de Pascal. Um deles é a sequência de Fibonacci, que se acha nas diagonais (ver abaixo). Outra ligação com a teoria dos números é a descoberta de que a soma de todos os números das linhas acima de dada linha sempre é um a menos que a soma dos números da linha dada. Quando a soma de todos os números acima de uma linha dada é um número primo, é um primo de Mersenne, ou seja, um primo que é 1 a menos que uma potência de 2, como 3 ($2^2 - 1$), 7 ($2^3 - 1$) e 31 ($2^5 - 1$). A primeira lista desses primos foi feita por um contemporâneo de Pascal, Marin Mersenne. Hoje, o maior primo de Mersenne conhecido é $2^{82.589.933} - 1$. Se se desenhasse o triângulo de Pascal grande o bastante, esse número seria encontrado lá. ∎

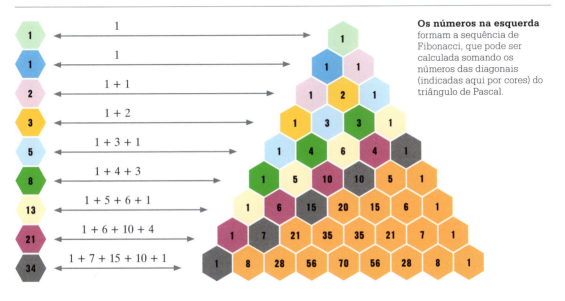

Os números na esquerda formam a sequência de Fibonacci, que pode ser calculada somando os números das diagonais (indicadas aqui por cores) do triângulo de Pascal.

O ACASO É RESTRINGIDO E REGIDO PELA LEI

PROBABILIDADES

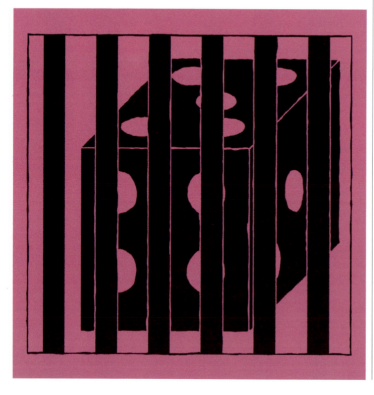

EM CONTEXTO

FIGURAS CENTRAIS
Blaise Pascal (1623-1662),
Pierre de Fermat (1601-1665)

CAMPO
Probabilidades

ANTES
1620 Galileu publica *Sopra le scoperte dei dadi* [Sobre os resultados dos dados], calculando as chances de certos totais ao jogar dados.

DEPOIS
1657 Christiaan Huygens escreve um tratado sobre teoria das probabilidades e suas aplicações em jogos de azar.

1718 Abraham de Moivre publica *The doctrine of chances* [A doutrina das possibilidades].

1812 Pierre-Simon Laplace aplica a teoria das probabilidades a problemas científicos em *Théorie analytique des probabilités* [Teoria analítica das probabilidades].

Antes do século XVI, prever o resultado de um evento futuro com algum grau de precisão era considerado impossível. Porém, na Itália renascentista, Gerolamo Cardano produziu análises profundas de lances de dados. No século XVII, tais problemas atraíram a atenção dos franceses Blaise Pascal e Pierre de Fermat. Mais conhecidos por descobertas como o triângulo de Pascal (ver pp. 156-161) e o teorema de Fermat (ver pp. 320-323), os dois levaram a matemática das probabilidades a um novo nível, lançando as bases da teoria das probabilidades.

RENASCIMENTO 163

Ver também: A lei dos grandes números 184-185 ▪ O teorema de Bayes 198-199 ▪ O experimento da agulha de Buffon 202-203 ▪ Nascimento da estatística moderna 268-271

A teoria das probabilidades é apenas o senso comum reduzido a cálculo.
Pierre-Simon Laplace

Prever os resultados de jogos de azar revelou-se um modo útil de abordar as probabilidades, que, por definição, medem a possibilidade de que algo ocorra. Por exemplo, a chance de obter 6 em um dado pode ser estimada jogando-o certo número de vezes e dividindo a quantidade de 6 obtidos pelo número total de jogadas. O resultado, chamado frequência relativa, dá a probabilidade de obter 6, que pode ser expressa como uma fração, um decimal ou um percentual. Isso, porém, é uma descoberta observada, baseada em experimentos reais. A probabilidade teórica de qualquer evento isolado é calculada dividindo o número dos resultados desejados pelo total de possíveis resultados. Com uma jogada de um dado de seis lados, a probabilidade de obter um 6 é de $1/6$ e a de obter outro número qualquer é de $5/6$.

Estimativa de chances

Num jogo popular na França no século XVII, dois jogadores se alternavam lançando quatro dados numa aposta para obter pelo menos um 6. Os jogadores entravam com valores iguais e concordavam, previamente, que o primeiro a ganhar certo número de rodadas levaria toda a bolada. O escritor e matemático amador Antoine Gombaud, que se nomeava »

Pierre de Fermat

Nascido em 1601 em Beaumont-de-Lomagne, na França, Pierre de Fermat foi para Orleans em 1623 para estudar direito e logo voltou seu interesse para a matemática. Como outros estudiosos da época, dedicou-se a problemas de geometria do mundo antigo e aplicou métodos algébricos para tentar resolvê-los. Em 1631, mudou-se para Toulouse e trabalhou como advogado. No tempo livre, Fermat continuou as investigações matemáticas, divulgando suas ideias em cartas a amigos como Blaise Pascal. Em 1653 contraiu a peste, mas sobreviveu e realizou alguns de seus melhores trabalhos. Além das ideias sobre probabilidades, foi pioneiro do cálculo diferencial, mas é mais lembrado por sua contribuição à teoria dos números e pelo último teorema de Fermat. Ele morreu em Castres, em 1665.

Obras principais

1629 *De tangentibus linearum curvarum* [Sobre tangentes de curvas]
1637 *Methodus ad disquirendam maximam et minimam* [Métodos de investigação de máximos e mínimos]

Impossível	Improvável	Meio a meio	Provável	Certo
0		0,5		1

Um docinho azul será tirado de um vidro cheio apenas de docinhos rosa.

Um docinho azul será tirado de um vidro cheio igualmente de docinhos azuis e rosa.

Um docinho azul será tirado de um vidro cheio apenas de docinhos azuis.

É fácil medir a probabilidade nos casos mostrados acima. É zero se o elemento em questão (docinhos azuis) está ausente, e 0,5 (ou ½, ou 50%) se metade de todos os docinhos forem azuis. Quando eventos são certos, a probabilidade = 1 (ou 100%).

164 PROBABILIDADES

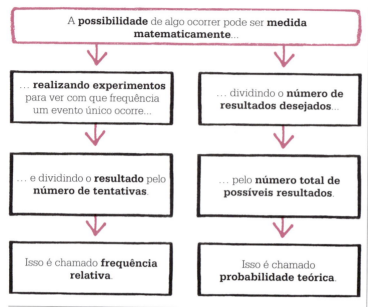

A **possibilidade** de algo ocorrer pode ser **medida matematicamente**...

↓ ↓

... realizando experimentos para ver com que frequência um evento único ocorre...

... dividindo o **número de resultados desejados**...

↓ ↓

... e dividindo o **resultado** pelo **número de tentativas**.

... pelo **número total de possíveis resultados**.

↓ ↓

Isso é chamado **frequência relativa**.

Isso é chamado **probabilidade teórica**.

Cavaleiro de Méré, percebeu a probabilidade de $1/6$ em uma jogada de um dado, e buscou calcular as chances de obter um duplo 6 lançando um par de dados.

De Méré imaginou que a possibilidade de obter dois 6 com duas jogadas de um dado era de $1/36$, ou seja, $1/6$ da chance de obter um 6 num lance de um dado. Para manter iguais as chances, ele afirmou que um par de dados deveria ser jogado seis vezes para cada jogada do dado sozinho. Para conseguir a mesma chance de obter um duplo 6 que teria de obter um 6 jogando quatro dados, o par teria de ser jogado $6 \times 4 = 24$ vezes. De Méré perdeu consistentemente suas apostas e foi compelido a deduzir que um duplo 6 em 24 jogadas de um par de dados

era menos provável que um 6 de quatro jogadas de um só dado.

Em 1654, De Méré consultou seu amigo Pascal sobre esse problema e também sobre como a bolada deveria ser dividida entre os jogadores quando um jogo fosse interrompido no meio. Isso era conhecido como "problema dos pontos" e tinha uma longa história. Em 1494, o matemático italiano Luca Pacioli havia sugerido que a bolada fosse dividida em proporção ao número de rodadas já vencidas por cada jogador.

Em meados do século XVI, Niccolò Tartaglia, outro eminente matemático, notou que tal divisão seria injusta se o jogo fosse interrompido, digamos, após só uma rodada. Sua solução era basear a divisão da bolada na proporção entre o tamanho da vantagem e a duração do jogo, mas isso também trouxe resultados insatisfatórios para jogos com muitas rodadas. Tartaglia duvidou que o problema pudesse ser resolvido de forma a convencer todos os jogadores de sua equidade.

As cartas de Pascal e Fermat

No século XVII, era comum os matemáticos se encontrarem em academias – sociedades científicas. Na França, a principal academia era a do abade Marin Mersenne, padre jesuíta e matemático que promovia reuniões semanais em

Numa roleta padrão, há chance de $1/37$ de que a bolinha caia num dado número numa só rodada. Esse número se aproxima de 1 conforme aumenta o número de tentativas.

RENASCIMENTO 165

> A variedade implica probabilidade e a probabilidade significa que os matemáticos podem se pôr a trabalhar.
> **Hannah Fry**
> Matemática britânica

sua casa em Paris. Pascal as frequentava, mas ele e Fermat nunca se encontraram. Apesar disso, tendo ponderado sobre os problemas de De Méré, Pascal decidiu escrever a Fermat, comunicando suas ideias sobre esse assunto e outros relacionados e pedindo a opinião dele. Essa foi a primeira das cartas entre os dois em que a teoria das probabilidades foi desenvolvida.

Jogador versus banca

As cartas de Pascal e Fermat eram enviadas por meio de Pierre de Carcavi, um amigo comum. Sete cartas trocadas em 1654 revelam as ideias de ambos sobre o problema dos pontos, examinado em diferentes cenários. Eles discutiram uma disputa entre um jogador tentando obter pelo menos um 6 em oito jogadas e uma banca que ganha a bolada se o jogador for malsucedido. Se o jogo for interrompido antes de um 6 ser obtido, Pascal parece sugerir que a bolada seja alocada segundo as expectativas de vencer do jogador. No início do jogo, a probabilidade de oito jogadas do dado sem sucesso é de $(5/6)^8 = 0{,}233$ e a de obter pelo menos um seis é de $(1 - 0{,}233)$, ou $0{,}7677$. O jogo claramente favorece aquele que faz as jogadas, em vez da banca.

Formulação da teoria

Em outras cartas, Pascal e Fermat discutem outros casos de jogos interrompidos, como quando há alternância entre dois jogadores até que um tenha sucesso. Fermat nota que o que importa é o número de jogadas restantes quando a partida para. Ele assinala que um jogador com uma vantagem de 7 a 5 num jogo até 10 tem a mesma chance de ganhar no fim que um jogador com uma vantagem de 17 a 15 num jogo até 20.

Pascal dá como exemplo dois competidores numa sequência de jogos, cada qual com chance igual de vencer, em que o primeiro a ganhar três jogos recebe a bolada. Cada jogador apostou 32 moedas, então a bolada é de 64 moedas. Ao longo de três jogos, o primeiro jogador ganha duas vezes, o outro uma. Se jogarem então um quarto jogo e o primeiro jogador ganhar, levará as 64 moedas; se o outro vencer, cada um terá ganhado dois jogos e tem igual chance de vencer o jogo final. Se pararem nesse ponto, cada um deve receber de volta as 32 moedas.

Os métodos passo a passo e as respostas refletidas de Fermat fornecem alguns dos primeiros exemplos do uso de expectativas ao raciocinar sobre probabilidades. As cartas entre os dois lançaram os princípios básicos da teoria das probabilidades, e os jogos de azar continuariam a se mostrar terreno fértil para os teóricos iniciais. O físico e matemático holandês Christiaan Huygens escreveu *De ratiociniis in ludo aleae* [Sobre o raciocínio em jogos de azar], o primeiro livro sobre a teoria das probabilidades.

Uma versão inicial da lei dos grandes números (LGN) – teorema que examina os resultados de fazer a mesma ação (como lançar um dado) um número de vezes – está contida em *Ars conjectandi* [A arte da conjectura], de 1713, do matemático suíço Jacob Bernoulli. No fim do século XVIII e no início do XIX, Pierre Simon Laplace aplicou a teoria das probabilidades a problemas práticos e científicos, apresentando seus métodos em *Théorie analytique des probabilités* [Teoria analítica das probabilidades) em 1812. ■

Teoria das probabilidades

Embora o direito antigo e o medieval classificassem a probabilidade ao avaliar evidências judiciais, não havia teoria em que se basear. De modo similar, no Renascimento, ao calcular o seguro de barcos, os prêmios se baseavam numa estimativa intuitiva de risco. As chances eram um elemento dos jogos, mas Gerolamo Cardano foi o primeiro a aplicar a matemática ao estudo das probabilidades. Jogos de azar foram o foco de tais estudos, mesmo após a morte de Pascal e Fermat, cujas cartas sobre o tema contribuíram muito para a teoria posterior.

No fim do século XVIII, Pierre-Simon Laplace estendeu o âmbito da teoria das probabilidades à ciência e introduziu suas ferramentas matemáticas para prever a probabilidade de muitos incidentes e até de fenômenos naturais. Ele também percebeu sua aplicação na estatística. A teoria das probabilidades é usada em outros campos: psicologia, economia, engenharia e esportes.

A SOMA DAS DISTÂNCIAS É IGUAL À ALTURA
O TEOREMA DO TRIÂNGULO DE VIVIANI

EM CONTEXTO

FIGURA CENTRAL
Vincenzo Viviani (1622-1703)

CAMPO
Geometria

ANTES
c. 300 a.C. Euclides define um triângulo em seu livro *Os elementos* e prova muitos teoremas relativos a triângulos.

c. 50 d.C. Heron de Alexandria define uma fórmula para obter a área de um triângulo a partir dos comprimentos de seus lados.

DEPOIS
1822 O geômetra alemão Karl Wilhelm Feuerbach publica uma prova para o círculo de nove pontos que passa pelo ponto médio de cada lado do triângulo.

1826 O geômetra suíço Jakob Steiner descreve o centro do triângulo como o que tem a soma mínima de distâncias a partir dos três vértices do triângulo.

O matemático italiano Vincenzo Viviani estudou com Galileu em Florença. Após a morte de Galileu em 1642, Viviani reuniu a obra do mestre, publicando a primeira coletânea em 1655-1656.

Viviani pesquisou, entre outros temas, a velocidade do som, que mediu com 25 m/s de diferença do valor real. Ele é mais conhecido, porém, pelo teorema do triângulo, que afirma que a soma das distâncias entre qualquer ponto dentro de um triângulo equilátero e seus lados é igual à altura do triângulo.

A prova do teorema
Começando com um triângulo equilátero de base (lado) a e altura h (ver acima à dir.), um ponto é colocado dentro do triângulo. Linhas perpendiculares (p, q e r) são desenhadas a partir do ponto para os três lados, encontrando-os a 90°. O triângulo é dividido em três triângulos menores desenhando uma linha a partir do ponto até cada canto do triângulo principal.

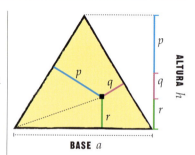

A altura de um triângulo equilátero (acima) é sempre igual aos comprimentos combinados de linhas desenhadas a partir de qualquer ponto do triângulo perpendiculares a seus três lados.

A área de um triângulo é $1/2 \times$ base $\times$ altura, então se os comprimentos das perpendiculares são p, q e r, as áreas dos triângulos somam $1/2 (p + q + r)a$. Essa é também a área do triângulo maior, que é $1/2 ha$, e assim $h = p + q + r$. Se você quebrar uma vareta de comprimento h em três, sempre haverá um ponto no triângulo a partir do qual as peças formam as perpendiculares p, q e r. ∎

Ver também: Pitágoras 36-43 ▪ *Os elementos*, de Euclides 52-57 ▪ Trigonometria 70-75 ▪ Geometria projetiva 154-155 ▪ Geometrias não euclidianas 228-229

O BALANÇO DE UM PÊNDULO
A CURVA TAUTOCRÔNICA DE HUYGENS

EM CONTEXTO

FIGURA CENTRAL
Christiaan Huygens
(1629-1695)

CAMPO
Geometria

ANTES
1503 O matemático francês Charles de Bovelles é o primeiro a descrever uma cicloide.

1602 Galileu descobre que o tempo que um pêndulo leva para completar um balanço não depende da largura do balanço.

DEPOIS
1690 O matemático suíço Jacob Bernoulli recorre à solução imperfeita de Huygens do problema da tautocrônica para resolver o problema da braquistócrona – a obtenção da curva de descida mais rápida.

Início dos anos 1700 O problema da longitude é resolvido pelo relojoeiro britânico John Harrison e outros – usando molas em vez de pêndulos.

Em 1656, o físico e matemático holandês Christiaan Huygens criou o relógio de pêndulo, um instrumento com um peso de balanço constante. Ele queria resolver o problema náutico da determinação da longitude de um barco, o que era impossível sem cálculos precisos de tempo. Porém um relógio exato teria de dar conta do movimento das ondas, que causavam grandes variações no balanço do pêndulo, levando a discrepâncias de medida.

Em busca da curva certa
A chave era encontrar um trajeto curvo para o pêndulo (conhecido como curva tautocrônica) em que o tempo que ele levasse para voltar ao ponto mais baixo fosse constante a despeito de seu ponto mais alto. Huygens descobriu que o caminho curvo do pêndulo teria de ser ajustado para percorrer uma cicloide, uma curva íngreme no topo e rasa no fundo. Ele teve então a ideia de restringir o caminho do pêndulo por meio da adição de "bochechas" em forma de cicloide.

Em teoria, o tempo de cada movimento seria agora o mesmo a partir de qualquer ponto inicial. Porém a fricção introduziu um erro maior que aquele que Huygens queria resolver. Foi só nos anos 1750 que o franco-italiano Joseph-Louis Lagrange chegou a uma solução, em que a altura da curva precisa ser proporcional ao quadrado do comprimento do arco percorrido pelo pêndulo. ■

Fiquei [...] impressionado com o fato admirável de que em geometria todos os corpos que deslizam ao longo da cicloide [...] descem de qualquer ponto no mesmo tempo exato.
Herman Melville
Moby Dick (1851)

Ver também: A área sob uma cicloide 152-153 ▪ O triângulo de Pascal 156-161 ▪ A lei dos grandes números 184-185

COM CÁLCULO POSSO PREVER O FUTURO

O CÁLCULO

EM CONTEXTO

FIGURAS CENTRAIS
Isaac Newton (1642-1727),
Gottfried Leibniz (1646-1716)

CAMPO
Cálculo

ANTES
287-212 a.C. Arquimedes usa o método da exaustão para calcular áreas e volumes, introduzindo o conceito de infinitesimais.

c. 1630 Pierre de Fermat usa uma nova técnica para encontrar tangentes de curvas, localizando seus pontos máximos e mínimos.

DEPOIS
1740 Leonhard Euler aplica as ideias do cálculo para sintetizar cálculo, álgebra complexa e trigonometria.

1823 O matemático francês Augustin-Louis Cauchy formaliza o teorema fundamental do cálculo.

O desenvolvimento do cálculo, ramo da matemática que lida com o modo como as coisas mudam, foi um dos avanços mais significativos da história da matemática. O cálculo pode mostrar como a posição de um veículo em movimento muda com o tempo, como o brilho de uma fonte de luz diminui quando ela se afasta ou como a posição dos olhos de uma pessoa se altera conforme seguem um objeto em movimento. Ele pode determinar onde fenômenos cambiantes alcançam o valor máximo ou mínimo e a que taxa passam de um a outro.

Além de taxas de mudança, outro aspecto importante do cálculo é o somatório (o processo de somar coisas), que evoluiu da necessidade de calcular áreas. Por fim, o estudo de áreas e volumes foi formalizado no que se tornou conhecido como integração, enquanto calcular as taxas de mudança foi chamado diferenciação.

Fornecendo compreensão melhor do comportamento de fenômenos, o cálculo pode ser usado para prever e influenciar seu

Nada acontece no mundo cujo sentido não seja o de algum máximo ou mínimo.
Leonhard Euler

estado futuro. Assim como a álgebra e a aritmética são ferramentas para trabalhar com generalizações de números ou de quantidades, o cálculo tem suas próprias regras, notações e aplicações, e seu desenvolvimento entre os séculos XVII e XIX levou a rápido progresso em campos como engenharia e física.

Origens antigas

Os babilônios e egípcios antigos tinham interesse especial por medidas. Era importante para eles poder calcular as dimensões de campos para cultivar e irrigar plantações e saber o volume das construções para estocar os grãos. Eles desenvolveram as primeiras noções de área e volume, embora elas tendessem a assumir a forma de exemplos muito específicos, como no Papiro de Rhind, em que um problema envolve a área de um campo redondo de diâmetro de 9 *khet* (antiga unidade de comprimento egípcia). As regras definidas no Papiro de Rhind levariam por fim ao que mais de 3 mil anos depois se chamaria cálculo integral.

O conceito de infinito é central no cálculo. Na Grécia Antiga, os paradoxos de movimento de Zenão,

---

Segundo a concepção de Arquimedes, o **círculo** tinha um **número infinito de lados**.

→

Ele obteve uma a **área** aproximada do **círculo** colocando-o dentro de **polígonos de lados infinitamente pequenos**.

↓

O pensamento grego antigo está na base do cálculo moderno.

←

A divisão em **partes infinitas** é essencial à integração (o estudo de áreas e volumes).

RENASCIMENTO

Ver também: O Papiro de Rhind 32-33 ▪ Os paradoxos de movimento de Zenão 46-47 ▪ O cálculo de pi 60-65 ▪ Os decimais 132-137 ▪ O problema dos máximos 142-143 ▪ A área sob uma cicloide 152-153 ▪ O número de Euler 186-191 ▪ Identidade de Euler 197

conjunto de problemas filosóficos criados pelo filósofo Zenão de Eleia no século V a.C., postularam que o movimento era impossível porque há um número infinito de pontos a meio caminho em qualquer distância dada. Por volta de 370 d.C., o matemático grego Eudoxo de Cnido propôs um método para calcular a área de uma forma preenchendo-a com polígonos

Pois com velocidade última se quer dizer que, com aquela com que o corpo se move, nem chega antes a sua última posição, quando cessa o movimento, nem depois, mas no próprio instante em que chega.
Isaac Newton

idênticos de área conhecida, e depois tornando os polígonos infinitamente pequenos. Pensava-se que sua área combinada convergiria por fim para a área verdadeira da forma.

Esse assim chamado método da exaustão foi adotado por Arquimedes em c. 225 a.C. Ele obteve a área aproximada de um círculo envolvendo-o com polígonos de número crescente de lados. Conforme o número de lados aumenta, os polígonos (de área conhecida) se parecem cada vez mais com o círculo. Levando essa ideia ao limite, Arquimedes imaginou um polígono de lados de comprimento infinitesimalmente menores. O reconhecimento dos infinitesimais foi um momento crucial no desenvolvimento do cálculo: enigmas antes insolúveis, como os paradoxos do movimento de Zenão, podiam agora ser resolvidos.

Ideias estimulantes

Os matemáticos da China e da Índia medievais avançaram mais,

Com o desenvolvimento das civilizações, medidas precisas se tornaram essenciais. Esta pintura de uma tumba antiga egípcia mostra agrimensores usando corda para calcular as dimensões de um campo de trigo.

trabalhando com somas infinitas. Também no mundo muçulmano a álgebra permitiu que, em vez de fazer um cálculo milhões de vezes, para todas as possíveis variações, símbolos genéricos fossem usados para provar que um caso é verdadeiro para todos os números até infinito.

Os matemáticos sofreram um longo período de estagnação na Europa, mas, com o Renascimento, no século XIV, o interesse renovado pelo tema levou a novas ideias sobre o movimento e as leis que regem distância e velocidade. O matemático e filósofo francês Nicole d'Oresme estudou a velocidade de um objeto acelerado em relação ao tempo e percebeu que a área sob o gráfico que representa essa relação é equivalente à distância percorrida » pelo objeto. Essa noção seria formalizada no fim do século XVII por Isaac Newton e Isaac Barrow na Inglaterra, Gottfried Leibniz na Alemanha, e pelo matemático escocês James Gregory. O trabalho de Oresme se inspirou no dos "calculadores de Oxford", grupo de eruditos do Merton College, em Oxford, que no século XIV desenvolveu o teorema da velocidade média, o qual Oresme depois provou. Segundo o teorema, se um corpo está em movimento uniformemente acelerado e um segundo corpo se move a velocidade uniforme igual à velocidade média do primeiro, e ambos se movem na mesma direção, os dois cobrirão a mesma distância. Os estudiosos de Merton se dedicavam a resolver problemas físicos e filosóficos usando cálculos e lógica e interessavam-se por análise quantitativa de fenômenos como calor, cor, luz e velocidade. Eles se inspiravam na trigonometria do astrônomo árabe Al-Battani (858-929 d.C.) e na lógica e na física de Aristóteles.

Novos desenvolvimentos

O ritmo do desenvolvimento do cálculo aumentou no fim do século XVI. Por volta de 1600, o matemático francês François Viète promoveu o uso de símbolos em álgebra (que antes era descrita com palavras) e o matemático flamengo Simon Stevin deu início ao conceito de limites matemáticos, segundo o qual a soma de quantidades poderia convergir para um valor limite, tal como a área dos polígonos de Arquimedes converge para a de um círculo.

Por volta dessa época, o matemático e astrônomo alemão Johannes Kepler estudou o movimento dos planetas, calculando também a área incluída numa órbita planetária, que descobriu ser elíptica em vez de circular. Usando métodos gregos antigos, ele obteve a área dividindo a elipse em faixas de largura infinitesimal.

Antecipando a integração mais formal que viria, o método de Kepler foi levado além em 1635 pelo matemático italiano Bonaventura Cavalieri em *Geometria indivisibilibus continuorum nova quadam ratione promota* [Geometria desenvolvida de novo modo pelos indivisíveis do contínuo]. Cavalieri elaborou o método de indivisíveis, modo mais rigoroso de determinar o tamanho de formas. Outros avanços se seguiram no século XVII com os trabalhos do teólogo e matemático inglês Isaac Barrow e do físico italiano Evangelista Torricelli,

Esta ilustração do modelo de Kepler do Sistema Solar com sólidos platônicos apareceu num livro de 1596. Kepler usou faixas infinitesimalmente pequenas para medir a distância coberta numa órbita. Esse método foi um precursor da integração.

```
                    Há uma relação inversa entre diferenciação e
                                    integração
```

- A **diferenciação** é usada para calcular a **derivada**, que dá o gradiente de uma curva; este é a taxa de mudança em qualquer ponto dado.

- A **integração** é usada para calcular a **integral**, que dá a área delimitada por uma curva.

- A **derivada** pode ser usada para calcular a **velocidade** de um objeto em queda em qualquer instante dado.

- A **integral** pode ser usada para determinar a área de uma forma **2D** ou o volume de uma forma **3D**.

seguidos pelos de Pierre de Fermat e René Descartes, cuja análise de curvas fez progredir a nova área da álgebra gráfica. Fermat também localizou os máximos e mínimos, os maiores e menores valores de uma curva.

Modelo dos *fluxions*

Em 1665-1666, o matemático inglês Isaac Newton desenvolveu o método dos *fluxions*, calculando variáveis que mudavam com o tempo, uma pedra angular na história do cálculo. Como Kepler e Galileu, Newton se interessou pelo estudo de corpos em movimento e buscou em especial unificar as leis que regem o movimento dos corpos celestes e o movimento na Terra.

No modelo dos *fluxions*, Newton separou em dois componentes perpendiculares (x e y) um ponto movendo-se ao longo de uma curva e considerou então suas velocidades. Essa obra lançou as bases do que seria conhecido como cálculo diferencial (ou diferenciação) e que, com o campo relacionado do cálculo integral, levaria ao teorema fundamental do cálculo (ver texto ao lado). A ideia do cálculo diferencial é que a taxa com que uma variável muda num »

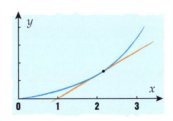

A diferenciação pode ser usada para obter a taxa de mudança de um dado ponto no tempo. A linha azul mostra toda a taxa de mudança e a tangente laranja apresenta a taxa num dado ponto.

O teorema fundamental do cálculo

O estudo do cálculo se apoia no teorema fundamental do cálculo, que especifica a relação entre diferenciação e integração, ambos baseados no conceito de infinitesimais. Enunciado por James Gregory em 1668 em *Geometriae pars universalis* [A parte universal da geometria], ele foi generalizado por Isaac Barrow em 1670 e formalizado em 1823 por Augustin-Louis Cauchy.

O teorema tem duas partes. A primeira declara que a integração e a diferenciação são opostas – para qualquer função contínua (a que pode ser definida para todos os valores), há uma antiderivada (ou integral), cuja derivada (uma medida da taxa de mudança) é a própria função. A segunda parte do teorema afirma que, se valores são inseridos numa antiderivada $F(x)$, o resultado – a integral definida da função $f(x)$ – permite calcular áreas sob a curva da função $f(x)$.

James Gregory (1638-1675) foi o primeiro a formular o teorema fundamental do cálculo.

ponto é igual ao gradiente de uma tangente a esse ponto. Isso pode ser representado desenhando uma tangente (reta que toca uma curva apenas num ponto). O gradiente ou inclinação dessa linha será a taxa de mudança da curva nesse ponto. Newton percebeu que nos máximos e mínimos o gradiente da curva era zero, porque quando algo está no seu ponto mais alto ou mais baixo momentaneamente não muda. Newton desenvolveu mais sua teoria, considerando o problema inverso – se a taxa com que uma variável muda é conhecida, pode-se calcular a forma da própria variável? Essa "antidiferenciação" impunha descobrir áreas sob a curva.

Newton *versus* Leibniz

Pela mesma época em que Newton desenvolveu seu cálculo, o matemático alemão Gottfried Leibniz criava sua própria versão, baseada no exame de mudanças infinitesimais em duas coordenadas, definindo um ponto numa curva. Leibniz usou uma notação muito diferente da de Newton e em 1684 publicou um artigo sobre o que depois seria

Assumindo que eu sabia nossa velocidade instantânea em cada possível momento, posso então usar essa informação para determinar quanto avançamos? O cálculo diz que sim.
Jennifer Ouellette
Escritora científica americana

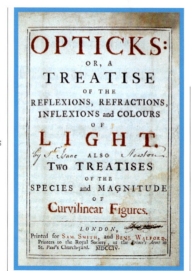

chamado de cálculo diferencial. Dali a dois anos, publicou outro artigo, desta vez sobre integração, de novo usando notação diversa da de Newton. Em um manuscrito não publicado, datado de 29 de outubro de 1675, Leibniz foi o primeiro a utilizar o símbolo de integral ∫, de uso universal hoje.

Houve muito debate sobre quem descobriu o cálculo moderno, Newton ou Leibniz. Isso levou a uma longa hostilidade entre os dois rivais e em grande parte da comunidade matemática. Embora Newton tenha criado a teoria dos *fluxions* em 1665-1666, só a publicou em 1704, quando saiu como apêndice de sua obra *Óptica*. Leibniz iniciou sua versão do cálculo por volta de 1673 e publicou-a em 1684. Diz-se que o posterior *Principia*, de Newton, foi influenciado pela obra de Leibniz.

Em 1712, Leibniz e Newton se acusavam mutuamente de plágio. Segundo o consenso moderno, eles desenvolveram suas ideias sobre o tema de modo independente. Os irmãos Jacob e Johann Bernoulli

Óptica, de Isaac Newton, é um tratado sobre reflexão e refração da luz publicado em 1704, e contém os primeiros detalhes de seu trabalho na área do cálculo.

também deram contribuições significativas ao cálculo, cunhando o termo "integral" em 1690. O matemático escocês Colin Maclaurin publicou seu *Treatise on Fluxions* [Tratado de *fluxions*] em 1742, promovendo e desenvolvendo os métodos de Newton e tentando dar-lhes mais rigor. Em sua obra, Maclaurin aplica o cálculo ao estudo de séries infinitas de termos algébricos. Enquanto isso o matemático suíço Leonhard Euler, amigo próximo dos filhos de Johann Bernoulli, foi influenciado por suas ideias sobre o tema. Em particular, ele aplicou a ideia de infinitesimais ao que é conhecido como função exponencial, e^x. Isso acabou levando à chamada identidade de Euler, $e^{i\pi} + 1 = 0$, equação que conecta cinco das quantidades matemáticas mais fundamentais (e, i, π, 0 e 1) de modo muito simples.

Ao longo do século XVIII, o cálculo se mostrou cada vez mais

Quando os valores sucessivamente atribuídos à mesma variável se aproximam indefinidamente de um valor fixo, de modo que terminem se diferenciando dele tão pouco quanto desejado, esse valor fixo é chamado limite.
Augustin-Louis Cauchy

A notação do cálculo moderno

$\dot{f}$	Criado por **Newton** para **diferenciação**.
$\int$	Criado por **Leibniz** para **integração**.
dy/dx	Criado por **Leibniz** para **diferenciação**.
f'	Criado por **Lagrange** para **diferenciação**.

útil como ferramenta para descrever e entender o mundo físico. Nos anos 1750, Euler, em colaboração com o matemático franco-italiano Joseph-Louis Lagrange, usou o cálculo para chegar a uma equação – a equação de Euler-Lagrange – para compreender tanto a mecânica de sólidos como de fluidos (gás e líquido). No início do século XIX, o físico e matemático francês Pierre-Simon Laplace desenvolveu a teoria eletromagnética com a ajuda do cálculo.

Formalização das teorias

Os vários desenvolvimentos do cálculo foram formalizados em 1823, quando Augustin-Louis Cauchy expôs o teorema fundamental do cálculo, que, em essência, afirma que o processo de diferenciação (a obtenção de taxas de mudança de uma variável representada por uma curva) é o inverso do processo de integração (o cálculo da área sob uma curva). A formalização de Cauchy permitiu ver o cálculo como um todo unificado, lidando com infinitesimais de modo consistente e usando uma notação aceita universalmente.

O campo do cálculo foi levado além no século XIX. Em 1854, o matemático alemão Bernhard Riemann formulou critérios para funções que seriam ou não integráveis, com base na definição de limites finitos superior e inferior para a função.

Aplicações em toda parte

Muitos avanços da física e da engenharia se baseiam no cálculo. Albert Einstein usou-o nas teorias da relatividade especial e geral no início do século XX e ele foi muito aplicado na mecânica quântica (que lida com o movimento de partículas subatômicas). A equação de onda de Schrödinger, equação diferencial publicada em 1925 pelo físico austríaco Erwin Schrödinger, modela uma partícula como uma onda cujo estado só pode ser determinado usando probabilidades. Isso foi revolucionário num mundo científico que até então era governado pela certeza.

O cálculo tem muitas aplicações importantes hoje; está presente, por exemplo, nos mecanismos de busca, em projetos de construção, avanços da medicina, modelos econômicos e previsão do tempo. É difícil imaginar um mundo sem esse ramo onipresente da matemática, pois certamente não haveria computadores. Muitos afirmaram que o cálculo é a descoberta matemática mais importante dos últimos quatrocentos anos. ■

Gottfried Leibniz

Nascido em Leipzig, na Alemanha, em 1646, Gottfried Leibniz cresceu numa família acadêmica. Seu pai era professor de filosofia moral e a mãe era filha de um professor de direito. Em 1667, após concluir os estudos universitários, Leibniz se tornou conselheiro sobre leis e política do eleitor de Mainz, cargo que lhe permitiu viajar e conhecer outros eruditos europeus. Após a morte de seu empregador em 1673, se tornou bibliotecário do duque de Brunswick, em Hanover. Leibniz foi um filósofo célebre, além de matemático. Nunca se casou e sua morte em 1716 teve pouca repercussão. Seus êxitos tinham sido ofuscados pela disputa do cálculo com Newton e só foram reconhecidos vários anos após ele morrer.

Obras principais

1666 *Dissertatio de arte combinatória* [Sobre a arte da combinação]
1684 *Nova methodus pro maximis et minimis* [Novo método para máximos e mínimos]
1703 *Explanação de aritmética binária*

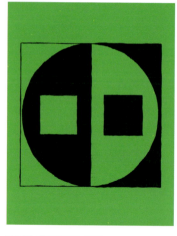

A PERFEIÇÃO DA CIÊNCIA DOS NÚMEROS
NÚMEROS BINÁRIOS

EM CONTEXTO

FIGURA CENTRAL
Gottfried Leibniz (1646-1716)

CAMPOS
Teoria dos números, lógica

ANTES
c. 2000 a.C. Os egípcios antigos usam um sistema binário de duplicar e mear para fazer multiplicação e divisão.

c. 1600 O matemático e astrólogo inglês Thomas Harriot faz experimentos com sistemas numéricos, como o binário.

DEPOIS
1854 George Boole usa aritmética binária para desenvolver álgebra booliana.

1937 Claude Shannon mostra como a álgebra booliana pode ser implementada usando circuitos eletrônicos e código binário.

1990 Um código binário de 16 bits codifica pixels numa tela de computador, permitindo que apresente mais de 65 mil cores.

Estamos acostumados no dia a dia a usar o sistema de contagem de base 10, com seus dez dígitos familiares, 0 a 9. Em 10, colocamos um 1 na coluna das dezenas e um 0 na das unidades e assim por diante, acrescentando colunas para centenas, milhares e além. O sistema binário é um sistema de contagem de base 2 e usa apenas dois símbolos, 0 e 1. Em vez de aumentar em múltiplos de 10, cada coluna representa uma potência de 2. Assim o número binário 1011 não é 1.011 mas 11 (da direita para a esquerda: um 1, um 2, nenhum 4 e

Números decimais	Número binário					Número visual				
	16s	8s	4s	2s	1s	16s	8s	4s	2s	1s
1	0	0	0	0	1	☐	☐	☐	☐	■
2	0	0	0	1	0	☐	☐	☐	■	☐
3	0	0	0	1	1	☐	☐	☐	■	■
4	0	0	1	0	0	☐	☐	■	☐	☐
5	0	0	1	0	1	☐	☐	■	☐	■
6	0	0	1	1	0	☐	☐	■	■	☐
7	0	0	1	1	1	☐	☐	■	■	■
8	0	1	0	0	0	☐	■	☐	☐	☐
9	0	1	0	0	1	☐	■	☐	☐	■
10	0	1	0	1	0	☐	■	☐	■	☐

Os números binários são escritos como 1s e 0s, usando um sistema de base 2. A tabela mostra como escrever os números 1 a 10, do sistema de base 10, como números binários e como binários visuais – que é como um computador os processa –, em que 1 é "ligado" e 0 é "desligado".

RENASCIMENTO

Ver também: Números posicionais 22-27 ▪ O Papiro de Rhind 32-33 ▪ Os decimais 132-137 ▪ Logaritmos 138-141 ▪ O computador mecânico 222-225 ▪ Álgebra booliana 242-247 ▪ A máquina de Turing 284-289 ▪ Criptografia 314-317

Contar com dois, ou seja, com 0 e 1, [...] é o modo mais fundamental de contar, para a ciência, e oferece novas descobertas, que são [...] úteis, até para a prática de números.
Gottfried Leibniz

A cifra de Bacon

O filósofo e cortesão inglês Francis Bacon (1561-1626) era praticante da criptografia, a ciência de decifrar códigos. Ele desenvolveu o que chamou de cifra biliteral, que usava as letras a e b para gerar todo o alfabeto – a = aaaaa, b = aaaab, c = aaaba, d = aaabb etc. Se a for substituído por 0 e b por 1, obtém-se uma sequência binária. É um código fácil de decifrar, mas Bacon percebeu que a e b não têm de ser letras – podem ser quaisquer objetos diferentes – "como sinos, trompetes, luzes e tochas [..] e quaisquer instrumentos da mesma natureza". Era uma cifra engenhosamente adaptável, que Bacon podia usar para "fazer qualquer coisa significar qualquer coisa". Uma mensagem secreta poderia ser escondida em um grupo de objetos ou números, ou até na notação musical. O código de telégrafo de ponto e traço de Samuel Morse, que revolucionou a comunicação no século XIX, e a codificação ligado/desligado de um computador moderno têm paralelos com a cifra de Bacon.

um 8). As opções binárias são preto e branco; em qualquer coluna só há sempre ou 1 ou 0. Esse conceito simples ligado ou desligado se mostrou vital para a computação, por exemplo, em que cada número pode ser representado por uma série de ações liga/desliga como num interruptor.

O poder binário revelado

Em 1617, o matemático escocês John Napier anunciou uma calculadora binária baseada num tabuleiro de xadrez. Cada quadrado tinha um valor, que era de "ligado" ou "desligado", dependendo se havia uma conta no quadrado. A calculadora permitia multiplicar, dividir e até obter raízes quadradas, mas só foi considerada uma curiosidade. Na mesma época, Thomas Harriot fazia experimentos com sistemas numéricos, inclusive o binário. Ele conseguia converter números de base 10 para o sistema binário e vice-versa e fazer cálculos usando números binários. Suas ideias, porém, só foram publicadas bem após sua morte em 1621. O potencial dos números binários foi por fim reconhecido pelo matemático e filósofo alemão Gottfried Leibniz. Em 1679, ele descreveu uma máquina calculadora que funcionava com princípios binários, com portas abertas ou fechadas que permitiam a queda de bolas de gude. Os computadores trabalham de modo similar, usando interruptores e eletricidade em vez de portas e bolas de gude. Leibniz delineou suas ideias sobre o tema em 1703, em *Explanação de aritmética binária*, mostrando como os 0s e 1s podiam representar números e assim simplificar até as operações mais complexas em uma forma básica binária. Ele foi influenciado pela correspondência com missionários na China, que lhe apresentaram o *I ching* [Livro da mutações], antigo livro chinês de adivinhação. O livro dividia a realidade em dois polos opostos – *yin* e *yang* –, um simbolizado por uma linha quebrada, o outro por uma contínua. Essas linhas eram dispostas como hexagramas de seis linhas, combinados em 64 padrões diferentes. Leibniz via relações entre essa abordagem binária da adivinhação e seu trabalho com os números binários. Acima de tudo, Leibniz era movido pela fé religiosa. Ele queria usar a lógica para responder questões sobre a existência de Deus e acreditava que o sistema binário apreendia sua visão da criação do Universo, com 0 simbolizando o nada e 1 representando Deus. ∎

Os ensinamentos e comentários do *I ching*, do filósofo chinês antigo Confúcio (551-479 a.C.) influenciaram a obra de Leibniz e outros cientistas dos séculos XVII e XVIII.

ILUMINI
1680–1800

SMO

INTRODUÇÃO

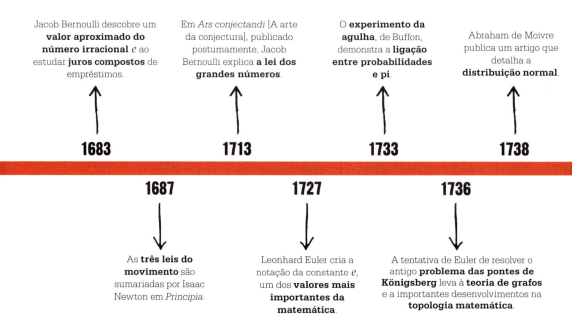

No fim do século XVII, a Europa tinha se tornado o centro cultural e científico do mundo. A Revolução Científica estava em marcha, inspirando uma abordagem nova, racional, não só nas ciências mas em todos os aspectos culturais e sociais. A era do Iluminismo, como o período ficou conhecido, foi uma época de forte mudança sociopolítica e produziu um crescimento enorme na difusão do conhecimento e da educação no século XVIII. Foi também um período de progresso considerável na matemática.

Gigantes suíços

Baseando-se no trabalho de Newton e Leibniz, cujas ideias estavam sendo aplicadas em física e engenharia, os irmãos Jacob e Johann Bernoulli desenvolveram ainda mais a teoria do cálculo com seu "cálculo de variações" e vários outros conceitos matemáticos descobertos no século XVII. O irmão mais velho, Jacob, é famoso por seu trabalho com a teoria dos números, mas também ajudou a desenvolver a teoria das probabilidades, introduzindo a lei dos grandes números.

Os Bernoullis e seus filhos, dotados em matemática, foram os principais nomes em sua área no início do século XVIII, e fizeram de sua cidade, Basileia, na Suíça, um centro de estudo matemático. Foi lá que Leonhard Euler, o próximo e talvez o maior matemático iluminista, nasceu e estudou. Euler era contemporâneo e amigo de Daniel e Nicholas Bernoulli, filhos de Johann, e bem cedo se mostrou um sucessor à altura de Jacob e Johann. Com apenas vinte anos, sugeriu uma notação para o número irracional e, cujo valor aproximado Jacob Bernoulli havia calculado.

Euler publicou vários livros e tratados e trabalhou em todos os campos da matemática, muitas vezes notando ligações entre conceitos de álgebra, geometria e teoria dos números à primeira vista separados e que se tornariam a base de novos campos do estudo matemático. Por exemplo, sua abordagem do problema aparentemente simples de planejar uma rota na cidade de Königsberg cruzando cada uma das sete pontes só uma vez revelou conceitos muito mais profundos de topologia, inspirando novas áreas de pesquisa.

ILUMINISMO

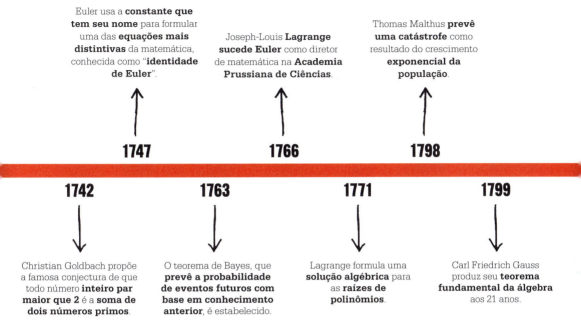

1747 — Euler usa a **constante que tem seu nome** para formular uma das **equações mais distintivas** da matemática, conhecida como "**identidade de Euler**".

1766 — Joseph-Louis **Lagrange sucede Euler** como diretor de matemática na **Academia Prussiana de Ciências**.

1798 — Thomas Malthus **prevê uma catástrofe** como resultado do crescimento **exponencial da população**.

1742 — Christian Goldbach propõe a famosa conjectura de que todo número **inteiro par maior que 2** é a **soma de dois números primos**.

1763 — O teorema de Bayes, que **prevê a probabilidade de eventos futuros com base em conhecimento anterior**, é estabelecido.

1771 — Lagrange formula uma **solução algébrica** para as **raízes de polinômios**.

1799 — Carl Friedrich Gauss produz seu **teorema fundamental da álgebra** aos 21 anos.

As contribuições de Euler a todos os campos da matemática, em especial cálculo, teoria dos grafos e teoria dos números, foram enormes, além de sua importância ao padronizar a notação matemática. Ele é lembrado em especial pela elegante equação chamada "identidade de Euler", que destaca a relação entre constantes matemáticas fundamentais como e e π.

Outros matemáticos

Os Bernoullis e Euler tendem a ofuscar as realizações dos muitos outros matemáticos do século XVIII. Um deles é Christian Goldbach, alemão contemporâneo de Euler. Ao longo da carreira, Goldbach fez amizade com outros matemáticos influentes, como Leibniz e os Bernoullis, e se correspondeu regularmente com eles sobre suas teorias. Em carta a Euler, ele propôs a conjectura, pela qual é mais conhecido, de que todo número inteiro par maior que 2 pode ser expresso como a soma de dois números primos, que até hoje não foi provada.

Outros contribuíram para o desenvolvimento do florescente campo da teoria das probabilidades. Georges-Louis Leclerc, conde de Buffon, por exemplo, demonstrou, aplicando os princípios do cálculo, a relação entre pi e probabilidades, enquanto outro francês, Abraham de Moivre, descreveu o conceito de distribuição normal e o inglês Thomas Bayes propôs um teorema da probabilidade de eventos com base no conhecimento do passado.

No fim do século XVIII, a França se tornou o centro europeu de pesquisa matemática, com Joseph-Louis Lagrange, em especial, emergindo como figura importante. Lagrange ganhou reputação trabalhando com Euler, mas depois fez grandes contribuições à teoria dos números e polinômios.

Novas fronteiras

Quando o século chegava ao fim, a Europa foi abalada por revoluções políticas que derrubaram o monarca na França e fizeram nascer os Estados Unidos. Um jovem alemão, Carl Friedrich Gauss, publicou seu teorema fundamental da álgebra, marcando o início de uma carreira espetacular e um novo período na história da matemática. ■

PARA CADA AÇÃO HÁ UMA REAÇÃO IGUAL E OPOSTA
AS LEIS DO MOVIMENTO DE NEWTON

EM CONTEXTO

FIGURA CENTRAL
Isaac Newton (1642-1727)

CAMPO
Matemática aplicada

ANTES
c. 330 a.C. Aristóteles acredita que é preciso força para manter o movimento.

c. 1630 Galileu Galilei realiza experimentos de movimento e descobre que a fricção é uma força retardadora.

1674 Robert Hooke escreve *An attempt to prove the motion of the Earth* [Uma tentativa de provar o movimento da Terra], que se tornará a primeira lei de Newton.

DEPOIS
1905 Albert Einstein apresenta a teoria da relatividade, que desafia Newton sobre a gravidade.

1977 A *Voyager 1* é lançada. Sem fricção ou arrasto no espaço, a nave avança devido à primeira lei de Newton e sai do Sistema Solar em 2012.

Ao usar a matemática para explicar os movimentos dos planetas e dos objetos na Terra, Isaac Newton basicamente mudou o modo como vemos o Universo. Ele publicou suas descobertas em 1687 nos três volumes de *Philosophiae naturalis principia mathematica* (Princípios matemáticos de filosofia natural), também chamados apenas de *Principia*.

Como os planetas se movem
Em 1667, Newton já tinha desenvolvido versões prévias de suas três leis do movimento e sabia ser preciso força para fazer um corpo seguir uma trajetória circular. Ele usou seu conhecimento das forças e as leis do movimento planetário do astrônomo alemão Johannes Kepler para deduzir como órbitas elípticas se relacionavam às leis de atração gravitacional. Em 1686, o astrônomo inglês Edmond Halley convenceu Newton a escrever essa nova física e suas aplicações ao movimento planetário. Em *Principia*, Newton usou matemática para mostrar que as consequências da gravidade eram consistentes com o que

A segunda e a terceira leis de Newton ajudam a explicar como as balanças funcionam. Quando nos pesamos, nosso peso (a massa de um objeto multiplicada pela gravidade) é uma força, hoje medida em newtons, que podem ser convertidos em medidas de massa, como os quilogramas.

O corpo (massa) de uma pessoa sobre a balança é empurrado para baixo pela gravidade.

A balança empurra de volta para cima com a mesma força exata que a pressão para baixo da gravidade.

O peso é indicado na maior parte das balanças em quilogramas. Assim, 1 kg é igual a 9,81 N.

ILUMINISMO

Ver também: Lógica silogística 50-51 ▪ O problema dos máximos 142-143 ▪ O cálculo 168-175 ▪ Emmy Noether e a álgebra abstrata 280-281

As três leis do movimento de Newton

Primeira lei: todo corpo **continua em seu estado** de repouso, ou de movimento uniforme em linha reta, a menos que seja **compelido a mudar** desse estado por forças aplicadas sobre ele.

Segunda lei: a **mudança** no movimento é **proporcional** à **força motriz** aplicada e acontece na direção da linha reta em que a força foi aplicada.

Terceira lei: para cada **ação** há uma **reação igual** e **oposta**.

---

observara experimentalmente. Ele analisou o movimento de corpos sob a ação de forças e postulou a atração gravitacional para explicar o movimento de marés, projéteis e pêndulos, além de órbitas de planetas e cometas.

Leis do movimento

Newton começou *Principia* declarando suas três leis do movimento. A primeira diz que é preciso uma força para criar movimento e que esta pode ser a da atração gravitacional entre dois corpos ou uma força aplicada (como quando um taco de sinuca acerta a bola). A segunda lei explica o que ocorre quando os objetos se movem. Newton disse que a taxa de mudança do momento (massa × velocidade) de um corpo é igual à força que atua sobre ele. Caso se plote num gráfico a velocidade em relação ao tempo, o gradiente de qualquer ponto é a taxa de aceleração (qualquer mudança de velocidade). A terceira lei de Newton diz que, se dois objetos estão em contato, as forças de reação entre eles se cancelam, cada um empurrando o outro com força igual, mas em direções opostas. Um objeto parado numa mesa a empurra para baixo, e a mesa o empurra de volta com força igual. Se isso não fosse verdadeiro, o objeto se moveria. Até a teoria da relatividade de Einstein, toda a física mecânica se baseava nas três leis do movimento de Newton. ▪

Isaac Newton

Isaac Newton nasceu no Natal de 1642 em Lincolnshire, na Inglaterra, e foi criado na infância pela avó. Ele estudou no Trinity College, em Cambridge, onde revelou fascínio pela ciência e pela filosofia. Durante a Grande Peste de 1665-1666, a universidade teve de fechar e foi nesse período que ele formulou as ideias sobre *fluxions* (taxas de mudança num dado ponto no tempo).

Newton fez descobertas significativas nos campos da gravidade, do movimento e da óptica, onde desenvolveu a rivalidade com o eminente cientista inglês Robert Hooke. Um dos vários postos governamentais que ocupou foi o de mestre da Casa da Moeda Real, onde supervisionou a mudança da moeda britânica do padrão prata para ouro. Foi também presidente da Real Sociedade. Newton morreu em 1727.

Obra principal

1687 *Principia*

RESULTADOS EMPÍRICOS E ESPERADOS SÃO OS MESMOS
A LEI DOS GRANDES NÚMEROS

EM CONTEXTO

FIGURA CENTRAL
Jacob Bernoulli (1655-1705)

CAMPO
Probabilidades

ANTES
c. 1564 Gerolamo Cardano escreve *Liber de ludo aleae* [O livro sobre jogos de azar], a primeira obra sobre probabilidades.

1654 Pierre de Fermat e Blaise Pascal desenvolvem a teoria das probabilidades.

DEPOIS
1733 Abraham de Moivre propõe o que se torna o teorema do limite central – conforme o tamanho de uma amostra cresce, os resultados se ajustam mais à distribuição normal, ou à curva de sino.

1763 Thomas Bayes desenvolve um modo de prever a chance de um resultado levando em conta as condições iniciais relativas àquele resultado.

A lei dos grandes números é um dos fundamentos da teoria das probabilidades e da estatística. Ela garante que, a longo prazo, os resultados de eventos futuros sejam previstos com razoável precisão. Isso, por exemplo, dá às empresas financeiras a confiança para fixar preços de produtos de segurança e pensão, sabendo as chances de terem de pagar, e assegura que os cassinos sempre obterão lucro de seus clientes apostadores no fim.

Segundo essa lei, conforme se fazem mais observações de um evento que está ocorrendo, a probabilidade (ou chance) medida desse resultado fica cada vez mais perto da chance teórica calculada antes de quaisquer observações começarem. Em outras palavras, o resultado médio de um grande número de tentativas será uma aproximação do valor esperado calculado usando a teoria das probabilidades – e aumentar o número de tentativas fará com que

---

A **chance** esperada de um **evento aleatório** pode ser **calculada** usando a teoria das probabilidades.

Em testes, os resultados observados **não se ajustam muito** ao valor **esperado**.

Conforme o número de tentativas **aumenta**, o valor observado médio **se aproxima do esperado**.

Após um **grande número** de tentativas, o **valor observado médio** e o **valor esperado** são quase idênticos.

ILUMINISMO

Ver também: Probabilidades 162-165 ▪ Distribuição normal 192-193 ▪ O teorema de Bayes 198-199 ▪ A distribuição de Poisson 220 ▪ Nascimento da estatística moderna 268-271

> Definimos a arte da conjectura [...] como a arte de avaliar [...] as probabilidades das coisas, de modo a sempre poder, em nossos julgamentos e ações, basear-nos no que foi considerado o melhor.
> **Jacob Bernoulli**

essa média fique ainda mais próxima. A lei recebeu o nome do matemático francês Siméon Poisson em 1835, mas sua origem é creditada ao matemático suíço Jacob Bernoulli. Sua descoberta, que ele chamou de teorema dourado foi publicada por seu sobrinho em 1713 no livro *Ars conjectandi* [A arte da conjectura].

Embora não tenha sido o primeiro a perceber o vínculo entre coletar dados e prever resultados, Bernoulli desenvolveu a primeira prova dessa relação considerando um jogo com dois resultados possíveis – vitória ou derrota. A chance teórica de ganhar o jogo é V, e Bernoulli desconfiou que a fração de jogos (f) que resultava em vitória convergiria para V conforme o número de jogos aumentasse. Ele provou isso mostrando que a probabilidade de f ser maior ou menor que V por uma quantidade específica se aproximava de 0 (significando impossível) conforme o jogo era repetido.

A probabilidade falsa

Uma moeda lançada é um exemplo da lei dos grandes números. Assumindo que a chance de resultar cara ou coroa é igual, a lei dita que, após muitos lances, metade (ou muito perto disso) cairão em cara e metade em coroa. Porém, nos primeiros momentos, é provável que caras e coroas estejam menos equilibradas. Por exemplo, os primeiros dez lances podem dar sete caras e três coroas. Talvez pareça então mais provável que o próximo lance seja coroa. Essa, porém, é a "falácia do jogador" – em que se assume que os resultados de todos os jogos (lances) estão conectados. Um jogador pode imaginar que o lance número onze provavelmente será coroa porque o número de caras e coroas deve se equilibrar, mas a probabilidade de cara ou coroa é a mesma em toda jogada, e o resultado de uma jogada é independente de qualquer outro. Esse é o ponto de partida de toda a teoria das probabilidades. Após mil jogadas, o desequilíbrio aparente daqueles primeiros dez lances se torna irrelevante. ■

Quando o juiz lança a moeda, não há vantagem para um capitão de time, segundo a lei dos grandes números, em basear a escolha de cara ou coroa em resultados de jogos anteriores.

Jacob Bernoulli

Nascido em Basileia, na Suíça, em 1655, Jacob Bernoulli estudou teologia, mas desenvolveu interesse pela matemática. Em 1687, tornou-se professor de matemática da Universidade de Basileia, posto que manteve pelo resto da vida.

Além do trabalho em probabilidades, Bernoulli é lembrado por descobrir a constante matemática e ao calcular o crescimento de fundos por meio de juros compostos contínuos em incrementos infinitesimais. Ele também se envolveu no desenvolvimento do cálculo, tomando o partido de Gottfried Leibniz contra Isaac Newton quando ambos alegavam ter criado um novo campo matemático. Bernoulli trabalhou em cálculo com o irmão mais jovem, Johann. Porém Johann invejava as conquistas do irmão e os dois romperam relações anos antes de Jacob morrer, em 1705.

Obras principais

1713 *Ars conjectandi* [A arte da conjectura]
1744 *Opera* [Obras completas]

UM DESSES NÚMEROS ESTRANHOS QUE SÃO CRIATURAS SINGULARES

O NÚMERO DE EULER

188 O NÚMERO DE EULER

EM CONTEXTO

FIGURA CENTRAL
Leonhard Euler (1707-1783)

CAMPO
Teoria dos números

ANTES
1618 Logaritmos calculados a partir do número hoje conhecido como *e* são listados no apêndice do livro sobre logaritmos de John Napier.

1683 Jacob Bernoulli usa *e* em trabalho sobre juros compostos.

1733 Abraham de Moivre descobre a "distribuição normal": o modo como os valores da maioria dos dados se aglomeram num ponto central e rareiam nos extremos. Sua equação envolve *e*.

DEPOIS
1815 É publicada a prova de Joseph Fourier de que *e* é irracional.

1873 O matemático francês Charles Hermite prova que *e* é transcendente.

Uma **constante** matemática é um número significativo e **bem-definido**. Sua magnitude **nunca varia**.

A constante *e* (2,718...) tem **propriedades especiais**.

Ela é **irracional** – não pode ser expressa como a **razão** entre **dois números inteiros** numa fração simples.

Ela é **transcendente** – continua a ser **irracional** quando **elevada a qualquer potência**.

A constante matemática que se tornou conhecida como *e*, ou número de Euler (2,718..., com um número infinito de casas decimais) surgiu no início do século XVII, quando os logaritmos foram inventados para ajudar a simplificar cálculos complexos. O matemático escocês John Napier compilou tábuas de logaritmos de base 2,718... que funcionavam especialmente bem em cálculos que envolvessem crescimento exponencial. Eles foram depois chamados "logaritmos naturais" porque podem ser usados para descrever matematicamente muitos processos da natureza, mas, com a notação algébrica ainda nos primórdios, Napier só via os logaritmos como um auxiliar para cálculos que envolviam razões entre distâncias cobertas por pontos em movimento.

No fim do século XVII, o matemático suíço Jacob Bernoulli usou 2,718... para calcular juros compostos, mas foi Leonhard Euler,

---

Leonhard Euler

Nascido em 1707, em Basileia, na Suíça, Euler cresceu na vizinha Riehen. Ensinado de início pelo pai, ministro protestante com algum conhecimento matemático e amigo da família Bernoulli, Euler desenvolveu paixão pelo tema. Apesar de ter entrado na universidade para tornar-se ministro, ele mudou para matemática com o apoio de Johann Bernoulli. Euler trabalhou depois na Suíça e na Rússia e se tornou o matemático mais prolífico de todos os tempos, contribuindo muito para o cálculo, a geometria e a trigonometria, entre outros campos. Isso apesar de ter perdido gradualmente a visão a partir de 1738, ficando cego em 1771. Trabalhando até o fim, morreu em 1783, em São Petersburgo.

Obras principais

1748 *Introductio in analysin infinitorium* [Introdução à análise do infinito]
1862 *Meditatio in experimenta explosione tormentorum nuper instituta* [Meditação sobre experimentos recentes com disparos de canhão]

Ver também: Números posicionais 22-27 ▪ Números irracionais 44-45 ▪ O cálculo de pi 60-65 ▪ Os decimais 132-137 ▪ Logaritmos 138-141 ▪ Probabilidades 162-165 ▪ A lei dos grandes números 184-185 ▪ Identidade de Euler 197

---

aluno do irmão de Bernoulli, Johann, que primeiro chamou o número de e. Euler calculou e até 18 casas decimais e escreveu sua primeira obra sobre e, *Meditatio* [Meditação] em 1727, mas ela só foi publicada em 1862. Euler explorou e ainda mais em *Introductio* [Introdução], de 1748.

Juros compostos

Uma das primeiras vezes em que e apareceu foi no cálculo de juros compostos – em que, por exemplo, se depositam os juros de uma poupança na conta, aumentando o total guardado, em vez de pagá-los ao investidor. Se os juros são calculados em base anual, um investimento de 100 reais à taxa de juros de 3% ao ano produziria R$ 100 × 1,03 = R$ 103 após um ano. Depois de dois anos, seria de R$ 100 × 1,03 × 1,03 = R$ 106,09, e após dez anos R$ 100 × 1,03^{10} = R$ 134,39. A fórmula disso é $F = P(1 + j)^t$, em que F é a quantia final, P é o investimento original (principal), j é a taxa de juros e t é o número de anos.

Se os juros são calculados com frequência maior, o cálculo muda. Por exemplo, se forem calculados a cada mês, a taxa mensal é $1/12$ da taxa anual: 3 ÷ 12 = 0,25, então o investimento após um ano seria de R$ 100 × 1,0025^{12} = R$ 103,04. Se forem calculados a cada dia, a taxa é de 3 ÷ 365 = 0,008..., e a quantia após um ano seria de R$ 100 × 1,00008...^{365} = R$ 103,05. A fórmula disso é $F = P(1 + j/n)^{nt}$, na qual n é o número de vezes que os juros são calculados em cada ano. Conforme os intervalos em que os juros são calculados diminuem, a quantia de juros entregues ao fim de um ano se aproxima de $F = Pe^j$. Bernoulli chegou perto de descobrir isso »

Juros compostos rendem um valor total maior. Os exemplos abaixo mostram como R$ 10 de investimento principal acumulam juros se a taxa anual for de 100% *versus* juros compostos pagos a intervalos menores.

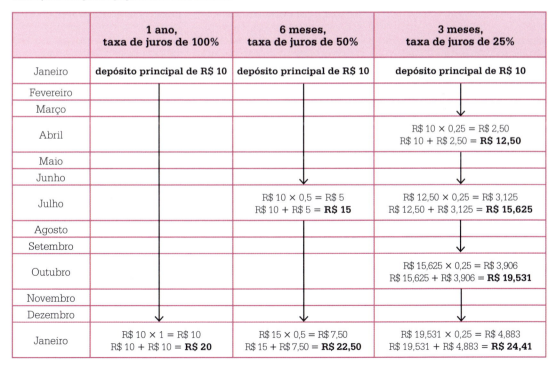

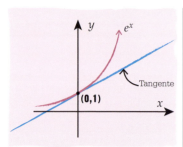

A função exponencial pode ser usada para calcular juros compostos. A função produz a curva $y = e^x$, que corta o eixo y em (0,1) e fica exponencialmente mais íngreme. Este gráfico também mostra a tangente à curva.

com seus cálculos, quando identificou e como o limite de $(1 + 1/n)^n$ quando n se aproxima do infinito ($n \to \infty$). A fórmula $(1 + 1/n)^n$ dá valores mais próximos de e conforme n aumenta. Por exemplo, $n = 1$ dá um valor de e de 2, $n = 10$ dá um valor de e de 2,5937... e $n = 100$ dá um valor de e de 2,7048...

Quando Euler calculou um valor de e correto com 18 casas decimais, provavelmente usou a sequência $e = 1 + 1 + 1/2 + 1/6 + 1/24 + 1/120 + 1/720$, até vinte termos.

Ele chegou a esses denominadores usando o fatorial de cada número inteiro. O fatorial de um inteiro é o produto desse inteiro e todos abaixo dele: 2 (2 × 1), 3 (3 × 2 × 1), 4 (4 × 3 × 2 × 1), 5 (5 × 4 × 3 × 2 × 1) etc., acrescentando um termo ao produto a cada vez. Isso pode ser mostrado como $e = 1 + 1 + 1/2! + 1/3! + 1/4!$ em notação fatorial.

Euler calculou e até 18 casas decimais, mas notou que os decimais continuavam indefinidamente. Isso significa que e é irracional. Em 1873, o matemático francês Charles Hermite provou que e também é não algébrico – não é um número com decimal finito, que pode ser usado numa equação polinomial regular. Isso o torna um número transcendente – um número real que não pode ser computado resolvendo uma equação.

A curva de crescimento

Juros compostos são um exemplo de crescimento exponencial. Tal crescimento, plotado num gráfico, aparecerá como uma curva. No século XVII, o clérigo inglês Thomas Malthus postulou que a população também cresce exponencialmente se não há impedimentos, como

Em prol da brevidade, sempre representaremos este número, 2,718281828..., pela letra e.
Leonhard Euler

guerra, fome ou falta de comida. Isso significa que a população continua a crescer à mesma taxa, levando a totais cada vez maiores. O crescimento constante da população pode ser calculado com a fórmula $P = P_0 e^{ct}$, em que P_0 é o número da população original, c é a taxa de crescimento e t é o tempo.

Plotado num gráfico, e mostra outras propriedades especiais. O gráfico de $y = e^x$ (a função exponencial, ver à esq.) é uma curva cuja tangente (a reta que toca, mas não corta a curva) nas coordenadas (0,1) também tem gradiente (inclinação) de precisamente 1. Isso ocorre porque a derivada (taxa de mudança) de e^x é, na verdade, e^x, e a

O Gateway Arch, nos Estados Unidos, é um arco de catenária achatado, do arquiteto finlandês-americano Eero Saarinen em 1947.

A catenária

Definida às vezes como a forma que uma corrente pendurada assume quando sustentada só nas pontas, a catenária é uma curva com a fórmula $y = 1/2 \, (e^x + e^{-x})$. As catenárias são muito encontradas na natureza e na tecnologia. Por exemplo, uma vela quadrada sob a pressão do vento toma a forma de catenária. Arcos com forma de catenária invertida são bastante usados em arquitetura devido à resistência. Por muito tempo se pensou que a forma da catenária era igual à da parábola. O holandês Christiaan Huygens – que cunhou o nome a partir do latim *catena* ("corrente") em 1690 – mostrou que, ao contrário da parábola, uma catenária não pode ser dada por uma equação polinomial. Três matemáticos – Huygens, Gottfried Leibniz e Johann Bernoulli – calcularam cada um uma fórmula para a catenária, chegando à mesma conclusão. Seus resultados foram publicados em 1691. Em 1744, Euler descreveu uma catenoide – semelhante a um cilindro acinturado, ela é criada pela rotação de uma catenária em torno de um eixo.

ILUMINISMO   191

derivada é usada para achar a tangente. A tangente serve para calcular a taxa de mudança num ponto específico de uma curva. Como a derivada é e^x, o declive (medida de direção e inclinação) da tangente será sempre o mesmo que o valor de y.

Desarranjos

Os vários modos com que um conjunto de itens pode ser ordenado se chamam permutações. Por exemplo, o conjunto 1, 2, 3 pode ser arranjado como 1, 3, 2 ou 2, 1, 3 ou 3, 2, 3, 1 ou 3, 1, 2 ou 3, 2, 1. Há seis modos no total, contando o original, pois o número de permutações num conjunto é igual ao fatorial do maior número inteiro, no caso 3! (abreviação de 3 × 2 × 1). O número de Euler também é significativo num tipo de permutação chamada desarranjo. Num desarranjo, nenhum dos itens pode ficar na posição original. Para quatro itens, o número de permutações possíveis é 24, mas para achar os desarranjos de 1, 2, 3, 4, todos os outros arranjos que comecem com 1 devem ser primeiro eliminados. Há três desarranjos começando com 2: 2, 1, 4, 3; 2, 3, 4, 1 e 2, 4, 1, 3. Há também três desarranjos começando com 3 e três com 4, perfazendo nove no total. Com cinco itens, o número

total de permutações é 120, e com seis é 720, complicando a tarefa de encontrar todos os desarranjos.

O número de Euler torna possível calcular o número de desarranjos de qualquer conjunto. Esse número é igual ao número de permutações dividido por e, arredondado para o número inteiro mais próximo. Por exemplo, para o conjunto de 1, 2, 3, em que há seis permutações, 6 ÷ e = 2,207... ou 2, o número inteiro mais próximo. Euler analisou desarranjos de dez números para Frederico, o Grande, da Prússia, que tencionava criar uma loteria para pagar suas dívidas. Para dez números, Euler descobriu que a probabilidade de obter um desarranjo é de $1/e$, com uma precisão de seis casas decimais.

Outros usos

O número de Euler é relevante em muitos outros cálculos – por exemplo, ao partir um número, para descobrir que números na partição têm o maior produto. Com o número 10, as

Para datar material orgânico pelo carbono, os pesquisadores testam uma amostra – aqui de um osso humano antigo – e usam o número de Euler para calcular sua idade a partir da taxa de decaimento radiativo.

partições incluem 3 e 7, cujo produto é 21; ou 6 e 4, que produzem 24; ou 5 e 5, que dão 25, que é o máximo produto para uma partição de 10 usando dois números. Com três números, 3, 3, 4 dão um produto de 36, mas indo para números fracionários, $3\,^1/_3 \times 3\,^1/_3 \times 3\,^1/_3 = {}^{1.000}/_{27} = 37,037...$ é o maior para três números. Numa partição em quatro, $2\,^1/_2 \times 2\,^1/_2 \times 2\,^1/_2 \times 2\,^1/_2 = 39,0625$; já em cinco, $2 \times 2 \times 2 \times 2 \times 2 = 32$. Resumindo, $(^{10}/_2)^2 = 25$, $(^{10}/_3)^3 = 37,037...$, $(^{10}/_4)^4 = 39,0625...$ e $(^{10}/_5)^5 = 32$. Esse resultado menor em uma partição por cinco indica que o número ótimo de partições para 10 está entre 3 e 4. O número de Euler pode ajudar a achar tanto o produto máximo, ou seja, $e^{(10/e)} = 39,598$, como o número da partição: $^{10}/e = 3,678...$ ∎

> [Frederico, o Grande, está] sempre em guerra; no verão com os austríacos, no inverno com os matemáticos.
> **Jean le Rond d'Alembert**
> Matemático francês

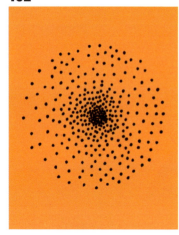

A VARIAÇÃO ALEATÓRIA CRIA UM PADRÃO
DISTRIBUIÇÃO NORMAL

EM CONTEXTO

FIGURAS CENTRAIS
Abraham de Moivre (1667-1754), **Carl Friedrich Gauss** (1777-1855)

CAMPOS
Estatística, probabilidades

ANTES
1710 O físico britânico John Arbuthnot publica uma prova estatística da providência divina relacionada ao número de homens e mulheres numa população.

DEPOIS
1920 Karl Pearson, estatístico britânico, lamenta que a curva gaussiana seja designada como curva normal, pois dá a impressão de que todas as outras distribuições de probabilidades são "anormais".

1922 Nos Estados Unidos, a Bolsa de Valores de Nova York introduz o uso da distribuição normal para modelar os riscos de investimentos.

No século XVIII, o matemático francês Abraham de Moivre deu um importante passo à frente em estatística; baseado na descoberta de Jacob Bernoulli da distribuição binomial, ele mostrou que os eventos se aglomeram ao redor da média (b, no gráfico abaixo). Esse fenômeno é chamado distribuição normal.

A distribuição binomial (usada para descrever resultados baseados em uma de duas possibilidades) foi introduzida por Bernoulli em *Ars conjectandi* [A arte da conjectura], publicado em 1713. Ao ser jogada uma moeda, pode haver dois resultados: sucesso e fracasso. Esse tipo de teste, com dois resultados igualmente prováveis, se chama ensaio de Bernoulli. As probabilidades binomiais surgem quando se realiza um número fixo desses ensaios de Bernoulli, n, cada um com a mesma probabilidade de sucesso, p, e o número total de sucessos é contado. A distribuição resultante é escrita como $b(n, p)$. A distribuição binomial $b(n, p)$ pode assumir valores de 0 a n, centrados numa média de np.

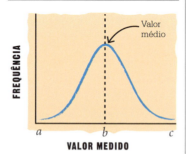

A curva de sino ilustra de modo visual a distribuição normal. O ponto mais alto da curva (b) representa a média, ao redor da qual os valores se aglomeram. Os valores rareiam ao se distanciar da média, e assim os menos frequentes estão nos pontos a e c.

Obtenção da média

Em 1721, o baronete escocês Alexander Cuming propôs a De Moivre um problema sobre as vitórias previstas num jogo de azar. De Moivre concluiu que isso se resumia a descobrir o desvio médio (a diferença média entre a média geral e cada valor num conjunto de dados) da distribuição binomial. Ele escreveu seus resultados em *Miscellanea analytica* [Miscelânea de análise].

De Moivre tinha percebido que os resultados binomiais se aglomeram ao redor da média – num gráfico, são plotados numa curva irregular que se

ILUMINISMO

Ver também: Probabilidades 162-165 ▪ A lei dos grandes números 184-185 ▪ O teorema fundamental da álgebra 204-209 ▪ O demônio de Laplace 218-219 ▪ A distribuição de Poisson 220 ▪ Nascimento da estatística moderna 268-271

aproxima da forma de um sino (distribuição normal) conforme mais dados são coletados. Em 1733, De Moivre ficou satisfeito por ter achado um modo simples de fazer aproximações de probabilidades binomiais por meio da distribuição normal, criando assim uma curva de sino para distribuição binomial num gráfico. Ele escreveu seus achados num artigo curto e depois os incluiu na edição de 1738 de *The doctrine of chances* [A doutrina das possibilidades].

Uso da distribuição normal

Desde meados do século XVIII, a curva de sino aflorou como modelo em todos os tipos de dados. Em 1809, Carl Friedrich Gauss foi pioneiro no uso da distribuição normal como ferramenta estatística útil por si própria. O matemático francês Pierre-Simon Laplace usou a distribuição normal ao modelar curvas para erros aleatórios, como erros de medida, em uma das primeiras aplicações de uma curva normal.

No século XIX, muitos estatísticos estudaram a variação em resultados experimentais. O estatístico britânico Francis Galton usou o recurso chamado *quincunx* (ou tabuleiro de Galton) para estudar a variação aleatória. O tabuleiro consistia em um arranjo triangular de pinos através dos quais se deixavam cair bolinhas do topo até o fundo, onde elas eram coletadas em uma série de tubos verticais. Galton contou as bolinhas de cada tubo e descreveu a distribuição resultante como "normal". Sua obra – e a de Karl Pearson – popularizou o uso do termo "normal" para descrever o que também é conhecido como curva "gaussiana".

Hoje, a distribuição normal é muito usada ao modelar dados estatísticos, com aplicações que vão de estudos de população a análises de investimentos. ∎

Os eventos se aglomeram ao redor da média.

A **distribuição normal** se aplica a **dados** contínuos, que podem assumir qualquer valor dentro de uma dada faixa. Ela produz uma **curva de sino**.

A **distribuição binomial** se aplica a **dados discretos**, o que significa que tem valores distintos.

De Moivre diz que, para um tamanho de amostra grande o bastante, a curva de sino normal pode ser usada para estimar a distribuição binomial.

Abraham de Moivre

Nascido em 1667, Abraham de Moivre era protestante na França católica, onde viveu até 1685, quando Luís XIV expulsou os huguenotes. Após um breve período preso por suas crenças religiosas, De Moivre emigrou para a Inglaterra e tornou-se tutor particular de matemática em Londres. Ele almejava ser professor numa universidade, mas, como francês, também enfrentou certa discriminação na Inglaterra. Apesar disso, De Moivre impressionou cientistas eminentes, como Isaac Newton, e fez amizade com eles, sendo eleito membro da Real Sociedade em 1697. Além do trabalho com distribuição, De Moivre foi mais conhecido pelos estudos com números complexos. Ele morreu em Londres, em 1754.

Obras principais

1711 *De mensura sortis* [Sobre a medida das possibilidades]
1721-1730 *Miscellanea analytica* [Miscelânea de análise]
1738 *The doctrine of chances* [A doutrina das possibilidades) (1ª edição)
1756 *The doctrine of chances* (3ª edição)

AS SETE PONTES DE KÖNIGSBERG
A TEORIA DOS GRAFOS

EM CONTEXTO

FIGURA CENTRAL
Leonhard Euler (1707-1783)

CAMPOS
Teoria dos números, topologia

ANTES
1727 Euler desenvolve a constante *e*, usada ao descrever decaimento e crescimento exponenciais.

DEPOIS
1858 August Moebius estende a fórmula da teoria dos grafos de Euler a superfícies unidas para formar uma só.

1895 Henri Poincaré publica o artigo *Analysis situs* [Análise de posição], em que a teoria dos grafos é generalizada, criando uma nova área da matemática, a topologia (estudo das propriedades de figuras geométricas que não são afetadas por deformação contínua).

A teoria dos grafos de Euler tem como foco as **conexões entre pontos diferentes**.

Um **grafo** consiste em um conjunto discreto de **pontos** (chamados nós ou vértices) ligados por **arestas**.

Se um caminho chega a todos os nós, passando por **cada aresta só uma vez**, é um caminho **euleriano**.

Um caminho euleriano é impossível no caso das pontes de Königsberg.

A teoria dos grafos e a topologia surgiram com a tentativa de Leonhard Euler de achar a solução de um enigma matemático – se seria possível fazer um trajeto pelas sete pontes de Königsberg (atual Kaliningrado, na Rússia), sem cruzar nenhuma duas vezes. O rio fluía ao redor de uma ilha e então se bifurcava. Vendo que o problema se relacionava à geometria de posição, Euler desenvolveu um novo tipo de geometria para mostrar que era impossível criar essa rota. As distâncias entre os pontos não importavam: a única coisa que contava eram as conexões entre os pontos.

Euler modelou o problema das pontes de Königsberg tomando cada uma das quatro áreas de terra como um ponto (nó ou vértice) e as pontes como arestas que juntavam

ILUMINISMO

Ver também: Coordenadas 144-151 ▪ O número de Euler 186-191 ▪ O plano complexo 214-215 ▪ A faixa de Moebius 248-249 ▪ Topologia 256-259 ▪ O efeito borboleta 294-299 ▪ O teorema das quatro cores 312-313

Leia Euler, leia Euler. Ele é nosso mestre em tudo.
Pierre-Simon Laplace

os vários pontos. Isso lhe deu um "grafo" das relações entre a terra e as pontes.

Primeiro teorema dos grafos

Euler iniciou assumindo que cada ponte só poderia ser cruzada uma vez e que cada vez que se entrasse numa área de terra seria preciso também sair, o que exigia duas pontes, para evitar cruzar alguma delas duas vezes. Cada área de terra precisava, portanto, estar conectada por um número par de pontes, com a exceção possível do início e do fim (se fossem locais diferentes). Porém, no grafo que representava Königsberg (ver à dir.), A é o ponto final de cinco pontes e B, C e D são cada uma o ponto final de três. Uma rota bem-sucedida precisa que as áreas de terra (nós ou vértices) tenham um número par de pontes (arestas) para entrada e saída. Só os pontos de início e fim podem ter um número ímpar. Se mais de dois nós tiverem um número ímpar de arestas, então uma rota que use cada ponte só uma vez é impossível. Ao mostrar isso, Euler forneceu o primeiro teorema da teoria dos grafos.

De modo geral, um grafo consiste em um conjunto distinto de nós (ou vértices) conectados por arestas. O número de arestas que se encontram num nó é chamado grau. No grafo de Königsberg, A tem grau 5 e B, C e D têm, cada um, grau 3. Um caminho que percorre cada arco uma só vez se chama caminho euleriano (ou semieuleriano se o começo e o fim estiverem em nós diferentes).

O problema das pontes de Königsberg pode ser expresso como a questão: "Há um caminho euleriano ou semieuleriano para o grafo de Königsberg?". A resposta de Euler é que tal grafo deve ter no máximo dois nós de grau ímpar, mas o grafo de Königsberg tem quatro nós de grau ímpar.

Teoria de rede

Os arcos de um grafo podem ser "pesados" (em termos de grau ou significação), recebendo valores numéricos – por exemplo, para representar os diferentes comprimentos de estradas num mapa. Um grafo que foi pesado é chamado também de rede. As redes são usadas para modelar relações entre objetos em muitas disciplinas – como ciência da computação, física de partículas, economia, criptografia, sociologia, biologia e climatologia –, tendo em vista em geral otimizar uma propriedade em especial, como a menor distância entre dois pontos.

Uma aplicação das redes é a abordagem do chamado "problema do caixeiro-viajante". O desafio é achar a rota mais curta para que um vendedor vá de sua casa a várias cidades e volte. Consta que o enigma foi proposto pela primeira vez na parte de trás de uma caixa de cereais. Apesar dos avanços da computação, não há método que garanta encontrar sempre a melhor solução, porque o tempo que isso leva aumenta exponencialmente conforme cresce o número de cidades. ▪

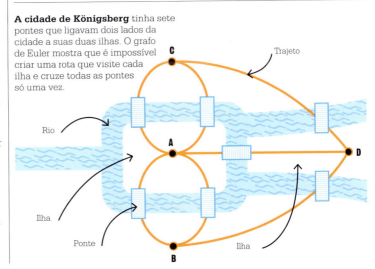

A cidade de Königsberg tinha sete pontes que ligavam dois lados da cidade a suas duas ilhas. O grafo de Euler mostra que é impossível criar uma rota que visite cada ilha e cruze todas as pontes só uma vez.

TODO INTEIRO PAR É A SOMA DE DOIS PRIMOS
A CONJECTURA DE GOLDBACH

EM CONTEXTO

FIGURA CENTRAL
Christian Goldbach
(1690-1764)

CAMPO
Teoria dos números

ANTES
c. 200 d.C. Diofanto de Alexandria escreve *Aritmética*, em que apresenta temas fundamentais dos números.

1202 Fibonacci identifica o que se tornou conhecido como a sequência de números de Fibonacci.

1643 Pierre de Fermat é um pioneiro da teoria dos números.

DEPOIS
1742 Leonhard Euler aprimora a conjectura de Goldbach.

1937 O matemático soviético Ivan Vinogradov prova o problema de Goldbach ternário, uma versão da conjectura.

Em 1742, o matemático russo Christian Goldbach escreveu a Leonhard Euler, principal matemático da época. Goldbach acreditava ter observado algo notável – que todo número inteiro par pode ser formado por dois números primos, como 6 (3 +3) ou 8 (3 + 5). Euler estava convencido de que Goldbach tinha razão, mas não conseguiu provar isso. Goldbach também propôs que todo número inteiro ímpar acima de 5 é a soma de três primos e concluiu que todo número inteiro maior que 2 poderia ser criado somando primos: essas propostas adicionais são chamadas versões "fracas" da conjectura original "forte", pois se seguiriam naturalmente se a conjectura forte fosse verdadeira.

Métodos manuais e eletrônicos falharam, até agora, em achar algum número par que não se conforme à conjectura original forte. Em 2013, um computador testou todos os números pares até 4×10^{18} sem encontrar nenhum. Quanto maior o número, mais pares de números primos podem criá-lo, assim parece muito provável que a conjectura seja válida e nenhuma exceção seja encontrada. Os matemáticos, porém, exigem uma prova definitiva.

Ao longo dos séculos, diferentes versões fracas da conjectura foram provadas, mas ninguém, até hoje, provou a conjectura forte, que parece destinada a derrotar até as mentes mais brilhantes. ■

Terence Tao, da UCLA, vencedor da Medalha Fields de 2006 e do Breakthrough Prize de matemática em 2015, publicou uma prova rigorosa de uma conjectura fraca de Goldbach em 2012.

Ver também: Primos de Mersenne 124 ▪ A lei dos grandes números 184-185 ▪ A hipótese de Riemann 250-251 ▪ O teorema dos números primos 260-261

ILUMINISMO

A MAIS BELA EQUAÇÃO
A IDENTIDADE DE EULER

EM CONTEXTO

FIGURA CENTRAL
Leonhard Euler (1707-1783)

CAMPO
Teoria dos números

ANTES
1714 Roger Cotes, matemático inglês que revisou *Principia*, de Newton, cria uma primeira fórmula similar à de Euler, mas usando números imaginários e um logaritmo complexo (tipo de logaritmo cuja base é um número complexo).

DEPOIS
1749 Abraham de Moivre usa a fórmula de Euler para provar seu teorema, que liga números complexos e trigonometria.

1934 O matemático soviético Alexander Gelfond mostra que e^{π} é transcendente, ou seja, é irracional e continua irracional quando elevado a qualquer potência.

Formulada por Leonhard Euler em 1747, a equação conhecida como identidade de Euler, $e^{i\pi} + 1 = 0$, inclui os cinco números mais importantes da matemática: 0 (zero), que é neutro em soma e subtração; 1, que é neutro em multiplicação e divisão; e (2,718..., o número no cerne do crescimento e decaimento exponenciais); i ($\sqrt{-1}$, o número imaginário fundamental) e π (3,142..., a razão entre a circunferência de um círculo e seu diâmetro, que ocorre em muitas equações da matemática e da física). Dois desses números, e e i, foram introduzidos pelo próprio Euler. Seu talento foi combinar todos esses cinco números basilares com três operações simples: elevar um número a uma potência (por exemplo, 5^4, ou $5 \times 5 \times 5 \times 5$), multiplicar e somar.

Números complexos

Matemáticos como Euler se perguntavam se teria sentido elevar um número a uma potência complexa (número complexo é o que combina um número real e um imaginário, como $a + bi$, em que a e b são números reais quaisquer). Quando Euler elevou a constante e à potência do número imaginário i multiplicado por π, descobriu que era igual a –1. Somando-se 1 a ambos os lados da equação obtém-se a identidade de Euler, $e^{i\pi} + 1 = 0$. A simplicidade da equação levou os matemáticos a descrevê-la como "elegante", um adjetivo reservado a provas que são profundas mas invulgarmente sucintas. ∎

Ela é simples [...] mas incrivelmente profunda; engloba as cinco constantes matemáticas mais importantes.
David Percy
Matemático britânico

Ver também: O cálculo de pi 60-65 ▪ Trigonometria 70-75 ▪ Números imaginários e complexos 128-131 ▪ Logaritmos 138-141 ▪ O número de Euler 186-191

NENHUMA TEORIA É PERFEITA
O TEOREMA DE BAYES

O teorema de Bayes é usado para **calcular probabilidades** de eventos **com base em conhecimento anterior**.

As **condições** relacionadas ao evento podem nos ajudar a **avaliar sua probabilidade com mais precisão**.

O teorema pode ser usado para prever de modo mais preciso as possibilidades de eventos futuros.

EM CONTEXTO

FIGURA CENTRAL
Thomas Bayes (1702-1761)

CAMPO
Probabilidades

ANTES
1713 *Ars conjectandi* [A arte da conjectura], de Jacob Bernoulli, publicado após sua morte, apresenta sua nova teoria das probabilidades.

1718 Abraham de Moivre define a independência estatística de eventos em *The doctrine of chances*. [A doutrina das possibilidades].

DEPOIS
1774 Em *Mémoire sur la probabilité des causes par les évènemens* [Memórias sobre a probabilidade das causas de eventos], Pierre-Simon Laplace introduz o princípio da probabilidade inversa.

1992 A Sociedade Internacional de Análise Bayesiana é fundada para promover o desenvolvimento do teorema de Bayes.

Em 1763, o clérigo e matemático galês Richard Price publicou o Ensaio para resolver um problema da doutrina de possibilidades. Seu autor, o reverendo Thomas Bayes, morrera dois anos antes, deixando o texto a Price em testamento. Era uma revolução na modelagem de probabilidades e ainda hoje é usado em áreas diversas como localização de aviões perdidos e testes de doenças. O livro *Ars conjectandi* [A arte da conjectura], de 1713, de Jacob Bernoulli, mostrou que, quando o número de variáveis geradas aleatoriamente e distribuídas de modo idêntico aumenta, sua média observada se aproxima da média teórica. Por exemplo, se você jogar uma moeda por tempo suficiente, o número de vezes em que sai cara se aproximará cada vez mais de metade do total de lances – uma probabilidade de 0,5.

Em 1718, Abraham de Moivre se empenhou em estudar a matemática subjacente às probabilidades. Ele demonstrou que, desde que o tamanho da amostra fosse grande o bastante, a distribuição de uma variável aleatória contínua – a altura das pessoas, por exemplo – resultava

ILUMINISMO

Ver também: Probabilidades 162-165 ▪ A lei dos grandes números 184-185 ▪ Distribuição normal 192-193 ▪ O demônio de Laplace 218-219 ▪ A distribuição de Poisson 220 ▪ Nascimento da estatística moderna 268-271 ▪ A máquina de Turing 284-289 ▪ Criptografia 314-317

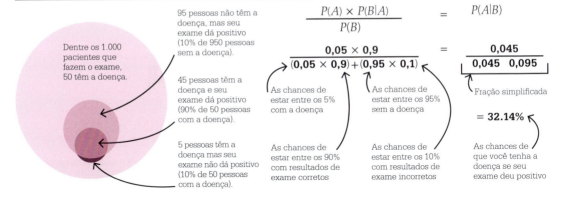

Se uma doença afeta 5% da população (evento A) e é diagnosticada usando um exame com 90% de precisão (evento B), você poderia assumir que a probabilidade (P) de ter a doença se o exame der positivo – $P(A|B)$ – é de 90%. Porém o teorema de Bayes inclui os falsos resultados produzidos pela imprecisão de 10% do exame – $P(B)$.

numa curva com forma de sino, depois chamada "distribuição normal" pelo matemático alemão Carl Gauss.

O uso das probabilidades

A maioria dos eventos do mundo real, porém, são mais complicados que um cara ou coroa. Para que esse estudo fosse útil, os matemáticos tiveram de determinar como o resultado de um evento poderia ser usado para tirar conclusões sobre probabilidades que levaram a ele. Esse raciocínio baseado nas causas de eventos observados – em vez de usar probabilidades diretas, como a chance de 50% de um cara ou coroa – ficou conhecido como probabilidade inversa. Problemas que lidam com probabilidades de causas são chamados de problemas de probabilidade inversa e podem envolver, por exemplo, observar uma moeda torta cair em cara em treze de vinte jogadas e então tentar determinar se a probabilidade de essa moeda cair em cara está em algum ponto entre 0,4 e 0,6. Para

mostrar como calcular probabilidades inversas, Bayes considerou dois eventos interdependentes – "evento A" e "evento B". Cada um tem uma probabilidade de ocorrer – $P(A)$ e $P(B)$ – onde P, para ambos, é um número entre 0 e 1. Se ocorre o evento A, a probabilidade de o evento B acontecer é alterada, e vice-versa. Para denotar isso, Bayes introduziu probabilidades condicionais. Estas são dadas como $P(A|B)$, a probabilidade de A dado B, e $P(B|A)$, a probabilidade de B dado A. Bayes conseguiu resolver o problema de como as quatro probabilidades se relacionam uma à outra com esta equação: $P(A|B) = P(A) \times P(B|A) \div P(B)$. ∎

Thomas Bayes

Filho de um pastor da seita não conformista, Thomas Bayes nasceu em 1702 e cresceu em Londres. Estudou lógica e teologia na Universidade de Edimburgo e seguiu a carreira do pai, passando a maior parte da vida como pastor de uma capela presbiteriana em Tunbridge Wells, em Kent. Embora pouco se saiba da vida de Bayes como matemático, em 1736 ele publicou de forma anônima *Uma introdução à doutrina dos fluxions*, em que defendeu os fundamentos do cálculo de Isaac Newton das críticas do bispo filósofo George Berkeley. Bayes tornou-se membro da Real Sociedade em 1742 e morreu em 1761.

Obra principal

1736 *An introduction to the doctrine of fluxions, and a defence of the mathematicians against the objections of the author of the Analyst* [Uma introdução à doutrina dos fluxions e uma defesa dos matemáticos contra as objeções do autor de *O analista*]

UMA SIMPLES QUESTÃO DE ÁLGEBRA
A SOLUÇÃO ALGÉBRICA DE EQUAÇÕES

EM CONTEXTO

FIGURA CENTRAL
Joseph-Louis Lagrange
(1736-1813)

CAMPO
Álgebra

ANTES
628 Brahmagupta publica uma fórmula para a solução de muitas equações quadráticas.

1545 Gerolamo Cardano cria fórmulas para resolver equações cúbicas e do quarto grau.

1749 Leonhard Euler prova que equações polinomiais de grau n têm exatamente n raízes complexas (em que n = 2, 3, 5 ou 6).

DEPOIS
1799 Carl Gauss publica a primeira prova do teorema fundamental da álgebra.

1824 Na Noruega, Niels Henrik Abel completa a prova de 1799 de Paolo Ruffini de que não há fórmula geral para a equação do quinto grau.

Equações polinomiais que envolvam números e uma só quantidade desconhecida (x e potências de x, como x^2 e x^3) são uma ferramenta poderosa para resolver problemas práticos. Um exemplo de equação polinomial é $x^2 + x + 41 = 0$. Ainda que seja possível obter soluções aproximadas para tais equações por cálculos numéricos repetidos, só se conseguiu resolvê-las com precisão (de modo algébrico) no século XVIII. Essa busca levou a muitas inovações matemáticas, como novos tipos de números – números negativos e complexos, por exemplo –, além da notação algébrica moderna e da teoria dos grupos.

Em busca de soluções
Os babilônios e os gregos antigos usavam métodos geométricos para resolver problemas hoje expressos, em geral, por equações quadráticas. Na época medieval, abordagens algorítmicas mais abstratas foram adotadas e no

---

As **equações** podem ser resolvidas numericamente, mas só **algumas podem ser resolvidas algebricamente**.

↓

Se você puder **usar** um **número finito** de operações, como +, −, ×, ÷ e √...

→

... e se essas **operações** só envolverem **números inteiros ou frações**...

↓

... a equação poderá ser resolvida algebricamente.

ILUMINISMO 201

Ver também: Equações quadráticas 28-31 ▪ A álgebra 92-99 ▪ O teorema binomial 100-101 ▪ Equações cúbicas 102-105 ▪ A curva tautocrônica de Huygens 167 ▪ O teorema fundamental da álgebra 204-209 ▪ A teoria dos grupos 230-233

século XVI os matemáticos conheciam relações entre os coeficientes de uma equação polinomial e suas raízes e tinham criado fórmulas para resolver equações cúbicas (cuja potência mais alta é 3) e do quarto grau (até a potência de 4). No século XVII, ganhou forma uma teoria geral das equações polinomiais, hoje chamada teorema fundamental da álgebra. Segundo ela, uma equação de grau n (em que a potência mais alta de x é x^n) tem exatamente n raízes ou soluções, que podem ser números reais ou complexos.

$$mx^3 + nx^2 + px + q = 0$$

Estes são os coeficientes da equação.

O teorema fundamental da álgebra diz que uma equação cúbica tem três soluções – que são três números, cada um dos quais, ao ser usado no lugar de x, torna a equação igual a zero.

A maior potência nesta equação é x^3, então é uma equação cúbica.

x é a variável da equação.

Uma equação algébrica é feita de variáveis e coeficientes. A potência mais alta da equação determina quantas soluções ela tem: neste caso, há três soluções.

Raízes e permutações

Em *Réflexions sur la révolution algébrique des équations* [Reflexões sobre a solução algébrica de equações], de 1771, o matemático franco-italiano Joseph-Louis Lagrange apresentou uma abordagem geral para resolver equações polinomiais. Seu trabalho era teórico – ele investigou a estrutura de equações polinomiais para descobrir em que condições se poderia achar uma fórmula para resolvê-las. Lagrange combinou a técnica de usar uma equação polinomial de grau menor cujos coeficientes eram relacionados aos da equação original com uma inovação surpreendente: ele considerou as permutações possíveis (reordenamentos) das raízes. O estudo de Lagrange das simetrias que surgiam dessas permutações permitiu entender por que as equações cúbicas e do quarto grau podiam ser resolvidas por fórmulas, e por que (devido a permutações diferentes de simetrias e raízes) uma fórmula para a equação do quinto grau exigia uma abordagem diversa.

Vinte anos após os trabalhos de Lagrange, o matemático italiano Paolo Ruffini começou a provar que não havia fórmula geral para a equação do quinto grau. O estudo de permutações (e simetrias) de Lagrange deu base à ainda mais abstrata e geral teoria dos grupos, desenvolvida pelo matemático francês Évariste Galois, que a usou para provar por que é impossível resolver de modo algébrico equações do quinto grau ou maior – ou seja, por que não há fórmula geral para resolver tais equações. ∎

Joseph-Louis Lagrange

Nascido Giuseppe Lodovico Lagrangia em Turim, em 1736. Sua família, Lagrange, era de origem francesa, por isso adotou esse nome. Como jovem matemático autodidata, trabalhou no problema da tautocrônica e desenvolveu um novo método formal para obter a função que resolvia tais problemas. Aos dezenove anos, escreveu a Leonhard Euler, que reconheceu seu talento. Lagrange aplicou seu método, que Euler chamou de cálculo de variações, ao estudo de uma vários fenômenos físicos, como a vibração de cordas. Em 1766, por recomendação de Euler, foi nomeado diretor de matemática da Academia de Berlim e em 1787 passou à Academia de Ciências de Paris. Apesar de ser acadêmico e estrangeiro, Lagrange sobreviveu à Revolução Francesa e ao período do Terror, e morreu em Paris, em 1813.

Obras principais

1771 *Reflexões sobre a solução algébrica de equações*
1788 *Mecânica analítica*
1797 *Teoria das funções analíticas*

VAMOS JUNTAR OS FATOS
O EXPERIMENTO DA AGULHA DE BUFFON

EM CONTEXTO

FIGURA CENTRAL
Georges-Louis Leclerc, conde de Buffon (1797-1788)

CAMPO
Probabilidades

ANTES
1666 Gerolamo Cardano publica *Liber de ludo aleae* [Sobre jogos de azar].

1718 Abraham de Moivre publica *The doctrine of chances* [A doutrina das possibilidades], o primeiro compêndio sobre probabilidades.

DEPOIS
1942-1946 O Projeto Manhattan, liderado pelos Estados Unidos para desenvolver armas nucleares, usa os métodos de Monte Carlo (processos computacionais que modelam risco gerando variáveis aleatórias).

Fim dos anos 1900 Os métodos quânticos de Monte Carlo são usados para explorar interações de partículas em sistemas microscópicos.

Em 1733, o matemático e naturalista Georges Leclerc, conde de Buffon, levantou – e respondeu – uma questão fascinante. Se uma agulha cair numa série de linhas paralelas equidistantes, qual a possibilidade de que cruze uma delas? Conhecido hoje como experimento da agulha de Buffon, esse foi um dos primeiros cálculos de probabilidades.

Uma ilustração elegante

Buffon usou de início o experimento da agulha para estimar π (pi) – a razão entre a circunferência de um círculo e seu diâmetro. Ele fez isso deixando cair muitas vezes uma agulha de comprimento c sobre uma série de linhas paralelas com distância d entre si, sendo d maior que o comprimento da agulha ($d > c$). Buffon calculou então o número de vezes que a agulha cruzou a linha em proporção (p) ao total de tentativas e chegou à fórmula de que π é aproximadamente igual a duas vezes o comprimento da agulha (c), dividido pela distância (d), multiplicada pela proporção de agulhas que cruzam a linha: $\pi \approx 2c \div dp$. A probabilidade de uma agulha cruzar uma linha pode ser calculada multiplicando cada lado da fórmula por p e então dividindo cada lado por π, obtendo-se $p \approx 2c \div \pi d$.

A relação com π pode ser usada em muitos problemas de probabilidades. Um exemplo envolve um quarto de círculo inscrito num quadrado, indo do canto superior esquerdo do quadrado para o inferior direito (ver abaixo). A borda horizontal de baixo do quadrado é o eixo x e a vertical esquerda, o eixo y, com valor de 0 no canto esquerdo inferior e 1 nos cantos onde a curva termina. Quando se escolhem dois números aleatórios entre 0 e 1 como coordenadas x e y, pode-se deduzir se o ponto cairá dentro do quarto de

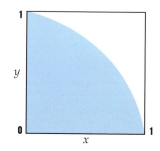

Usando pi, a probabilidade de um ponto escolhido de modo aleatório cair dentro do quarto de círculo neste quadrado pode ser calculada mais ou menos como 78%.

ILUMINISMO

Ver também: O cálculo de pi 60-65 ▪ Probabilidades 162-165 ▪ A lei dos grandes números 184-185 ▪ O teorema de Bayes 198-199 ▪ Nascimento da estatística moderna 268-271

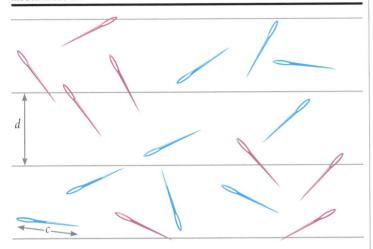

d = distância entre as linhas
c = comprimento da agulha

O experimento da agulha de Buffon demonstrou como a probabilidade pode ser vinculada ao pi. Buffon classificou as agulhas como "bem-sucedidas" (rosa) se cruzassem uma linha depois de cair e de "malsucedidas" (azul) se não cruzassem, e então calculou a probabilidade de sucesso.

Georges-Louis Leclerc, conde de Buffon

Nascido em Montbard, na França, em 1707, Georges-Louis Leclerc foi estimulado pelos pais a seguir carreira em direito, mas se interessava mais por botânica, medicina e matemática, que estudou na Universidade de Angers, na França. Aos vinte anos, ele explorou o teorema binomial. Independente financeiramente, Buffon pôde escrever e estudar sem descanso, trocando cartas com grande parte da elite científica da época. Seus interesses eram amplos e sua produção foi imensa, sobre tópicos que iam da construção naval à história natural e à astronomia. Também traduziu muitas obras científicas.

Nomeado em 1739 guardião do Jardin du Roi, o jardim botânico real de Paris, Buffon enriqueceu suas coleções e dobrou seu tamanho. Ele se manteve no posto até morrer, em Paris, em 1788.

Obras principais

1749-1786 *Histoire naturelle* [História natural]
1778 *Les époques de la nature* [As épocas da natureza]

círculo (sucesso) ou fora dele (fracasso) por meio de $\sqrt{a^2 + b^2}$, sendo a a coordenada x e b a coordenada y. O resultado é >1 para pontos fora da curva e <1 dentro dela. Como a escolha do ponto é aleatória, ele pode estar em qualquer lugar do quadrado. Pontos na linha do quarto de círculo são contados como sucesso. A chance de sucesso é de πr^2 (a área do círculo) ÷ 4. Se o raio é 1, $r^2 = 1$, então a área é só π; para um quarto de círculo divide-se π por 4, obtendo aproximadamente 0,78. A área total é a do quadrado, que é $1 \times 1 = 1$, então a probabilidade de cair na área pintada é de aproximadamente $0,78 ÷ 1 = 0,78$.

O método de Monte Carlo

Este problema é um exemplo de uma classe maior de experimentos que usam abordagem estatística, chamada métodos de Monte Carlo, nome em código dado pelo cientista Stanislaw Ulam e seus colegas para a amostra aleatória usada no trabalho secreto sobre armas nucleares na Segunda Guerra Mundial. Os métodos de Monte Carlo continuaram a ter aplicações quando os computadores agilizaram a repetição de uma probabilidade muitas vezes. ▪

Na análise de produtividade, a energia gerada por um parque eólico durante a vida útil é prevista usando diferentes níveis de incerteza no cálculo, por meio dos métodos de Monte Carlo.

A ÁLGEBRA MUITAS VEZES DÁ MAIS DO QUE LHE PEDEM

O TEOREMA FUNDAMENTAL DA ÁLGEBRA

206 O TEOREMA FUNDAMENTAL DA ÁLGEBRA

EM CONTEXTO

FIGURA CENTRAL
Carl Gauss (1777-1855)

CAMPO
Álgebra

ANTES
1629 Albert Girard afirma que um polinômio de grau n terá n raízes.

1746 Jean d'Alembert faz a primeira tentativa de provar o teorema fundamental da álgebra (TFA).

DEPOIS
1806 Robert Argand publica a primeira prova rigorosa do TFA que admite polinômios com coeficientes complexos.

1920 Alexander Ostrowski prova as hipóteses remanescentes da prova de Gauss do TFA.

1940 Hellmuth Kneser dá a primeira variante construtiva da prova de Argand do TFA que permite encontrar as raízes.

Uma equação afirma que uma quantidade é igual a outra e fornece os meios de determinar um número desconhecido. Desde os babilônios, estudiosos buscaram soluções para equações, encontrando de tempos em tempos exemplos aparentemente insolúveis. Consta que as tentativas de Hipaso, no século V a.C., de resolver $x^2 = 2$ e sua percepção de que $\sqrt{2}$ era irracional (não era nem um número inteiro, nem uma fração) levaram a sua morte por trair as crenças pitagóricas. Uns oitocentos anos depois, Diofanto não conhecia os números negativos, então não podia aceitar uma equação em que x era negativo, como $4 = 4x + 20$, em que x é -4.

Polinômios e raízes

No século XVIII, uma das áreas mais estudadas da matemática envolvia equações polinomiais. Elas eram muito usadas para resolver problemas de mecânica, física,

Gerolamo Cardano encontrou raízes negativas ao trabalhar com equações cúbicas no século XVI. Tê-las aceito como soluções válidas foi um importante passo na álgebra.

astronomia e engenharia, e incluíam potências de um valor desconhecido como x^2. A "raiz" de uma equação polinomial é um valor numérico específico que substituirá o valor desconhecido para que o polinômio seja igual a 0. Em 1629, o matemático

---

"Esse método de resolver problemas confessando honestamente a própria ignorância se chama álgebra."
Mary Everest Boole
Matemática britânica

Uma **equação polinomial** é uma expressão constituída de **variáveis** (como x e y) e **coeficientes** (como 4), além de operações (como + e −), para formar uma equação (como $x^2 + 4x - 12 = y$).

A raiz é um número que substitui uma variável (como $x = -6$) de modo a tornar a equação igual a zero.

Todas as equações polinomiais têm **raízes** que são ou **reais** ou **complexas**. Isso é conhecido como **teorema fundamental da álgebra** (TFA).

ILUMINISMO 207

Ver também: Equações quadráticas 28-31 ▪ Números negativos 76-79 ▪ A álgebra 92-99 ▪ Equações cúbicas 102-105 ▪ Números imaginários e complexos 128-131 ▪ A solução algébrica de equações 200-201 ▪ O plano complexo 214-215

Para encontrar a raiz ou raízes de uma equação

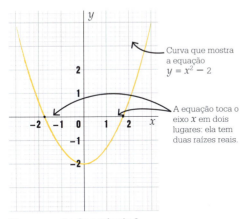

Uma equação de potência 2, como $y = x^2 - 2$, tem sempre duas raízes reais ou complexas.

Uma equação de potência 3, como $y = x^3 + x^2 - 3x$, tem sempre três raízes reais ou complexas.

francês Albert Girard mostrou que um polinômio de grau n terá n raízes. A equação quadrática $x^2 + 4x - 12 = 0$, por exemplo, tem duas raízes, $x = 2$ e $x = -6$, e ambas produzem a resposta 0. Ela tem duas raízes por causa do termo x^2; 2 é a potência mais alta da equação. Se uma equação quadrática é desenhada num gráfico (como mostrado acima), essas raízes podem ser achadas com facilidade: estão onde a linha toca o eixo x. Embora seu teorema fosse útil, o trabalho de Girard foi prejudicado pelo fato de ele não dispor do conceito de números complexos. Eles seriam a chave para produzir um teorema fundamental da álgebra (TFA) para resolver todos os polinômios possíveis.

Números complexos

A reunião de todos os números positivos e negativos, racionais e irracionais constitui os números reais. Alguns polinômios, porém, não têm raízes de números reais. Esse foi um problema enfrentado pelo matemático italiano Gerolamo Cardano e seus colegas no século XVI. Ao trabalhar com equações cúbicas, eles viram que algumas das soluções envolviam raízes quadradas de números negativos. Isso parecia impossível, porque um número negativo multiplicado por si mesmo produz um resultado positivo.

O problema foi resolvido em 1572, quando outro italiano, Rafael Bombelli, apresentou as regras para um sistema numérico estendido que incluía números como $\sqrt{-1}$ além dos números reais. Em 1751, Leonhard Euler estudou as raízes imaginárias de polinômios, e chamou $\sqrt{-1}$ de "unidade imaginária", ou i. Todos os números imaginários são múltiplos de i. Combinar o real e o imaginário, como em $a + bi$ (em que a e b são números reais quaisquer e $i = \sqrt{-1}$)

cria o que se chama número complexo. Uma vez que os matemáticos aceitaram a necessidade de números negativos e complexos para resolver certas equações, a questão que se manteve era se seria preciso introduzir novos tipos de números para obter as raízes de polinômios de graus mais altos. Euler e outros matemáticos, em especial Carl »

Os números imaginários são um belo e maravilhoso refúgio do espírito divino.
Gottfried Leibniz

O TEOREMA FUNDAMENTAL DA ÁLGEBRA

Carl Gauss

Nascido em Brunswick, na Alemanha, em 1777, Carl Gauss mostrou cedo o talento matemático: com apenas três anos, corrigiu um erro nos cálculos da folha de pagamentos de seu pai, e aos cinco cuidava das contas dele. Em 1795, entrou na Universidade de Göttingen e em 1798 construiu um heptadecágono regular (polígono de 17 lados) só com régua e compasso – o maior avanço na construção de polígonos desde a geometria de Euclides, cerca de 2 mil anos antes. Seu livro *Disquisitiones arithmeticae* [Investigações aritméticas], escrito aos 21 anos e publicado em 1801, foi crucial para definir a teoria dos números. Gauss também deu contribuições à astronomia (como a redescoberta do asteroide Ceres), à cartografia, ao estudo do eletromagnetismo e ao desenho de instrumentos ópticos. Porém guardou muitas ideias para si mesmo e muitas delas foram descobertas em artigos não publicados, após sua morte em 1855.

Obra principal

1801 *Disquisitiones arithmeticae* [Investigações aritméticas]

Gauss na Alemanha, enfrentaram a questão, concluindo que as raízes de qualquer polinômio são ou números reais ou complexos – não se requer nenhum outro tipo de número.

Primeiras pesquisas

O TFA pode ser expresso de vários modos, mas sua formulação mais comum é que todo polinômio com coeficientes complexos terá pelo menos uma raiz complexa. Pode-se afirmar também que todos os polinômios de grau n com coeficientes complexos têm n raízes complexas.

A primeira tentativa importante de provar o TFA foi feita em 1746 pelo matemático francês Jean le Rond d'Alembert em *Recherches sur le calcul intégral* [Pesquisas sobre o cálculo integral]. A prova de D'Alembert alega que, se um polinômio $P(x)$ com coeficientes reais tem uma raiz complexa $x = a + ib$, então tem também uma raiz complexa $x = a - ib$. Para provar esse teorema, ele usou uma ideia complicada hoje chamada lema de D'Alembert. Em matemática, um lema é uma proposição intermediária usada para resolver um teorema maior. D'Alembert, porém, não provou seu lema a contento; sua prova estava correta, mas continha falhas demais para satisfazer os

Só há dois tipos de conhecimento indubitável: a consciência de nossa própria existência e as verdades da matemática.
Jean d'Alembert

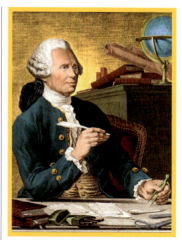

Jean d'Alembert foi o primeiro a tentar provar o TFA. Na França, o teorema é chamado de D'Alembert-Gauss, em reconhecimento à influência de D'Alembert sobre Gauss.

colegas matemáticos. Entre as tentativas posteriores de provar o TFA houve as de Leonhard Euler e Joseph-Louis Lagrange. Apesar de úteis para matemáticos futuros, elas também foram insatisfatórias. Em 1795, Pierre-Simon Laplace tentou provar o TFA usando o "discriminante" do polinômio, um parâmetro determinado a partir de seus coeficientes que indica a natureza de suas raízes, tal como real ou imaginária. Sua prova continha uma hipótese não provada que D'Alembert tinha evitado – que um polinômio sempre terá raízes.

A prova de Gauss

Em 1799, aos 21 anos, Carl Friedrich Gauss publicou sua tese de doutorado. Ela começava com uma crítica e um resumo da prova de D'Alembert, entre outros. Gauss assinalou que cada uma das provas anteriores tinha assumido parte do que tentava provar. Uma dessas hipóteses era que polinômios de grau ímpar (como cúbicos ou do quinto grau) sempre têm uma raiz real. Isso é verdade, mas Gauss argumentou que esse ponto precisava ser provado. Sua primeira prova se baseou em hipóteses sobre curvas algébricas. Embora elas fossem plausíveis, não foram rigorosamente provadas no trabalho de Gauss. Só em 1920, quando o matemático ucraniano Alexander Ostrowski publicou sua prova, as hipóteses de Gauss puderam ser justificadas. Pode-se dizer que a primeira prova de Gauss, geométrica, sofreu por ser prematura – em 1799, os conceitos de continuidade e do plano complexo, que o teriam ajudado a explicar suas ideias, ainda não tinham sido desenvolvidos.

Os acréscimos de Argand

Gauss publicou uma prova aperfeiçoada do TFA em 1816 e ainda um refinamento na palestra de seu jubileu de ouro (celebrando cinquenta anos de doutorado) em 1849. Diversamente de sua primeira abordagem, geométrica, a segunda e a terceira provas tiveram natureza mais algébrica e técnica. Gauss publicou quatro provas do TFA, mas não resolveu o problema por completo. Ele fracassou ao abordar a óbvia etapa seguinte: embora tivesse estabelecido que toda equação de números reais teria uma solução de número complexo, não considerou equações construídas a partir de números complexos como $x^2 = i$.

Em 1806, o matemático suíço Jean-Robert Argand encontrou uma solução particularmente elegante. Qualquer número complexo, z, pode ser escrito na forma $a + bi$, em que a é a parte real de z e bi é a parte imaginária. O trabalho de Argand permitiu representar de modo geométrico números complexos. Se os números reais eram desenhados ao longo do eixo x e os números imaginários, ao longo do eixo y, então o plano todo entre eles se torna o domínio dos números complexos. Argand provou que a solução para qualquer equação construída a partir de números complexos podia ser achada entre os números complexos de seu diagrama e que não há portanto necessidade de estender o sistema numérico. A prova do TFA de Argand foi a primeira realmente rigorosa.

Legado do teorema

As provas de Gauss e Argand estabeleceram a validade dos números complexos como raízes de polinômios. O TFA afirmava que ao resolver uma equação construída com números reais podia-se ter certeza de achar sua solução no domínio dos números complexos. Essas ideias revolucionárias formaram as bases da análise complexa. Os matemáticos depois de Argand continuaram a trabalhar para provar o TFA usando novos métodos. Em 1891, por exemplo, o alemão Karl Weierstrass criou um método – hoje chamado método de Durand-Kerner, devido a sua redescoberta por matemáticos nos anos 1960 – para encontrar de modo simultâneo todas as raízes de um polinômio. ■

Eu tenho meus resultados há muito tempo, mas não sei ainda como chegar a eles.
Carl Gauss

Um anel de Einstein, descoberto em 1998, é a deformação da luz de uma fonte em um anel devido ao lenteamento gravitacional.

Aplicações do TFA

As pesquisas sobre o teorema fundamental da álgebra levaram a revoluções em outros campos. Nos anos 1990, os matemáticos britânicos Terrence Sheil-Small e Alan Wilmshurst estenderam o TFA aos polinômios harmônicos. Estes podem ter um número infinito de raízes, mas em alguns casos há um número finito. Em 2006, os matemáticos Dmitry Khavinson e Genevra Newmann provaram que há um limite superior ao número de raízes de certa classe de polinômios harmônicos. Após publicar seus resultados, eles ficaram sabendo que sua prova estabelecia uma conjectura da astrofísica sul-coreana Sun Hong Rhie, relativa a imagens de fontes de luz astronômicas distantes. Objetos massivos do Universo curvam os raios de luz provenientes de fontes distantes no fenômeno chamado lenteamento gravitacional, criando imagens múltiplas ao telescópio. Rhie postulou que haveria um número máximo de imagens produzidas: este se revelou exatamente o limite superior achado por Khavinson e Neumann.

SÉCUL
1800–1900

XIX

INTRODUÇÃO

1806 — O matemático amador Jean-Robert Argand explora a ideia de **plotar números complexos como coordenadas**.

1822 — Charles Babbage desenvolve **os fundamentos das calculadoras** e, por fim, dos computadores com sua **máquina diferencial**.

1829–1832 — O problema **do postulado das paralelas de Euclides é resolvido**, 2 mil anos depois, por János Bolyai e Nikolai Lobatchevski, que provam a **validade da geometria hiperbólica**, na qual ele **não se sustenta**.

1837 — A **distribuição de Poisson**, ainda hoje usada para modelar o **número de vezes que um evento ocorre** num período fixo, **é estabelecida**.

1814 — A noção de um **Universo determinista que pode ser previsto** com total conhecimento de **cada partícula** é proposta por Pierre-Simon Laplace, e depois **chamada demônio de Laplace**.

1829 — Carl Gustav Jacob Jacobi faz **importantes incursões** na matemática e na física em seu trabalho sobre **funções elípticas**.

1832 — Évariste Galois morre aos vinte anos, tendo **desenvolvido a teoria dos grupos** para subsidiar seu **trabalho com polinômios**.

Os avanços na matemática se aceleraram no século XIX, com a elevação dessa área e da ciência a respeitados estudos acadêmicos. A Revolução Industrial se difundiu e o Ano da Revolução, 1848, viu o nacionalismo se erguer contra velhos impérios, dando novo impulso à ideia de compreender o funcionamento do Universo em termos científicos em vez de religiosos ou filosóficos. Pierre-Simon Laplace, por exemplo, aplicou as teorias do cálculo à mecânica celeste. Ele propôs uma forma de determinismo científico, dizendo que, com o devido conhecimento das partículas em movimento, o comportamento de tudo no Universo poderia ser previsto.

Outra característica da matemática do século XIX foi a crescente tendência à teoria – estimulada pela obra influente de Carl Friedrich Gauss, visto por muitos da área como o maior de todos os matemáticos. Ele dominou o estudo da disciplina por grande parte da primeira metade do século, dando contribuições a campos da álgebra, da geometria e da teoria dos números e emprestando nome a conceitos como distribuição gaussiana, função gaussiana, curvatura gaussiana e curva de erro gaussiana.

Novos campos

Gauss também foi pioneiro nas geometrias não euclidianas – o exemplo perfeito do espírito revolucionário da matemática do século XIX. O tema foi introduzido por Nikolai Lobatchevski e János Bolyai, que desenvolveram de modo independente teorias de geometria hiperbólica e espaços curvos, resolvendo o problema do postulado das paralelas de Euclides. Isso inaugurou uma abordagem totalmente nova à geometria, preparando caminho para o campo nascente da topologia (estudo do espaço e de superfícies), influenciado também pela possibilidade de mais de três dimensões oferecida pela descoberta dos quatérnios por William Hamilton.

Talvez o mais conhecido pioneiro da topologia seja August Moebius, inventor da faixa de Moebius, que tinha a propriedade incomum de ser uma superfície bidimensional com só um lado. As geometrias não euclidianas foram ainda mais desenvolvidas por Bernhard Riemann, que identificou e definiu tipos diferentes de geometria com múltiplas dimensões.

SÉCULO XIX

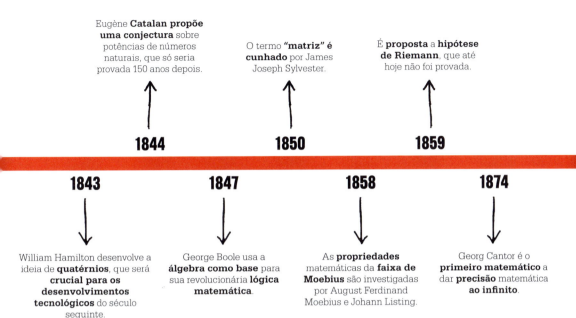

Riemann não confinou seus estudos à geometria, porém. Além do trabalho com cálculo, deu importantes contribuições à teoria dos números, seguindo os passos de Gauss. A hipótese de Riemann, derivada da função zeta de Riemann sobre números complexos, ainda não teve solução. Outras descobertas notáveis da época em teoria dos números incluem a criação da teoria dos conjuntos e a descrição de um "infinito de infinitos" por Georg Cantor, a conjectura de Eugène Catalan sobre as potências de números naturais e a aplicação de funções elípticas à teoria dos números proposta por Carl Gustav Jacob Jacobi.

Jacobi, como Riemann, era versátil, e muitas vezes ligava de modo novo diferentes campos da matemática. Seu interesse principal era a álgebra, outra área da matemática que se tornou cada vez mais abstrata no século XIX. As bases para o campo da álgebra abstrata foram lançadas por Évariste Galois, que, apesar de ter morrido cedo, também desenvolveu a teoria dos grupos enquanto determinava um método algébrico geral para resolver equações polinomiais.

Novas tecnologias

Nem toda a matemática dessa época era teoria pura – e mesmo alguns conceitos abstratos logo acharam aplicações mais práticas. Siméon Poisson, por exemplo, usou seu conhecimento de matemática pura para desenvolver ideias como a distribuição de Poisson, um conceito central no campo da teoria das probabilidades. Charles Babbage, por outro lado, respondeu à demanda prática por recursos para cálculo rápido e preciso com seu aparelho de calcular mecânico, a máquina diferencial. Ao fazer isso, ele lançou as bases para a invenção dos computadores. Além disso, o trabalho de Babbage inspirou Ada Lovelace a criar o precursor dos modernos algoritmos de computador.

Ao mesmo tempo, ocorriam outros avanços na matemática, com implicações de longo alcance para o progresso tecnológico. Usando a álgebra como ponto de partida, George Boole criou uma forma de lógica apoiada no sistema binário, com os operadores E, OU e NÃO. Ela se tornou a base da lógica matemática moderna e, tão importante quanto isso, preparou o caminho para a linguagem de computação quase um século depois. ∎

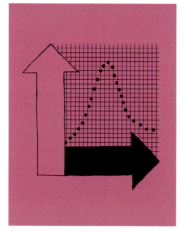

NÚMEROS COMPLEXOS SÃO COORDENADAS NUM PLANO

O PLANO COMPLEXO

> Algumas equações **não podem ser resolvidas** sem usar **números complexos**.

> Os números complexos têm **dois componentes**: um **número real** e um **número imaginário**.

> Os **números reais** (-1, 0, 1 etc.) são tradicionalmente expressos numa **reta numérica** horizontal.

> Os **números imaginários** podem ser plotados numa linha perpendicular à reta numérica – as duas linhas formam os eixos x e y.

> Isso cria um plano de números complexos, com números reais plotados ao longo do eixo x e números imaginários ao longo do eixo y.

EM CONTEXTO

FIGURA CENTRAL
Jean-Robert Argand
(1768-1822)

CAMPO
Teoria dos números

ANTES
1545 O estudioso italiano Gerolamo Cardano usa raízes quadradas negativas para resolver equações cúbicas no livro *Ars Magna* [A grande arte].

1637 René Descartes desenvolve um modo de plotar expressões algébricas como coordenadas numa grade.

DEPOIS
1843 O matemático irlandês William Hamilton expande o plano complexo com a adição de duas unidades imaginárias, criando os quatérnios – expressões plotadas num espaço 4D.

1859 Fundindo dois planos complexos, Bernhard Riemann desenvolve uma superfície 4D para analisar funções complexas.

Após séculos de desconfiança, os matemáticos afinal incorporaram o conceito de números negativos no século XVIII. Eles o fizeram ao usar números imaginários na álgebra. Em 1806, a contribuição principal do matemático Jean-Robert Argand, nascido na Suíça, foi plotar números complexos (com um componente real e um imaginário) como coordenadas num plano criado por dois eixos – x para os números reais e y para os imaginários. Esse

SÉCULO XIX

Ver também: Equações quadráticas 28-31 ▪ Equações cúbicas 102-105 ▪ Números imaginários e complexos 128-131 ▪ Coordenadas 144-151 ▪ O teorema fundamental da álgebra 204-209

Talvez haja muito pouca [...] ciência e tecnologia que não dependa de números complexos.
Keith Devlin
Matemático britânico

plano complexo forneceu a primeira interpretação geométrica das propriedades distintivas dos números complexos.

Raízes algébricas

Os números imaginários surgiram no século XVI, quando matemáticos italianos como Gerolamo Cardano e Niccolò Fontana Tartaglia descobriram que a solução de equações cúbicas exigia uma raiz quadrada de um número negativo. O quadrado de um número real não pode ser negativo – todo número real multiplicado por si mesmo resulta num positivo –, então eles trataram $\sqrt{-1}$ como uma nova unidade separada dos números reais. Leonhard Euler usou primeiro i para denotar a unidade imaginária ($\sqrt{-1}$) em suas tentativas de provar o teorema fundamental da álgebra (TFA). Esse teorema afirma que todas as equações polinomiais de grau n têm n raízes. Isso significa que, se x^2 é a potência mais alta numa equação algébrica de uma só variável (como x) e com coeficientes (números que multiplicam a variável) reais, a expressão tem grau dois, e também duas raízes; raízes são os valores de x que tornam o polinômio igual a zero. Muitos polinômios de aparência simples, como $x^2 + 1$, não são iguais a zero se x for um número real. Plotado num gráfico de eixos x e y, $x^2 + 1$ cria uma curva que nunca passa pela origem, ou ponto (0,0). Para que o TFA funcione para $x^2 + 1$, Gauss e outros usaram números reais combinados a números imaginários, criando números complexos. Todos os números são em essência complexos. Por exemplo, o número real 1 é o número complexo $1 + 0i$, enquanto o número i é $0 + i$. A equação $x^2 + 1$ pode ser igual a 0 quando x é i ou $-i$.

A descoberta de Argand

Quando Argand começou a plotar números complexos, descobriu que o número imaginário i não fica maior se elevado a potências mais altas. Em vez disso, ele segue um padrão de quatro etapas que se repete ao infinito: $i^1 = i$; $i^2 = -1$; $i^3 = -i$; $i^4 = i$; $i^5 = i$ e assim por diante. Isso pode ser visualizado num plano complexo. Multiplicar números reais por números imaginários produz rotações de 90° no plano complexo.

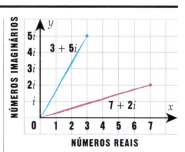

Um diagrama de Argand usa os eixos x e y para representar números reais e imaginários, combinando-os para plotar números complexos. Este diagrama mostra os números $3 + 5i$ e $7 + 2i$.

Então $1 \times i = i$, que não aparece no eixo x dos números reais, mas no eixo y imaginário. Continuando a multiplicar por i, há mais rotações de 90°, e é por isso que a cada quatro multiplicações volta-se ao ponto de partida. A plotagem de números complexos – ou diagramas de Argand – torna simples resolver polinômios complicados. O plano complexo é hoje uma ferramenta poderosa que funciona bem além do âmbito da teoria dos números. ▪

Jean-Robert Argand

Pouco se sabe sobre os primeiros anos de Jean-Robert Argand. Ele nasceu em Genebra, em 1768, e parece não ter tido educação formal em matemática. Em 1806, foi para Paris gerenciar uma livraria e autopublicou a obra que contém a interpretação geométrica dos números complexos pela qual é conhecido. (Hoje se sabe que o cartógrafo norueguês Casper Wessel usou construções similares em 1799.) O ensaio de Argand foi republicado num periódico matemático em 1813 e no ano seguinte ele usou o plano complexo para produzir a primeira prova rigorosa do teorema fundamental da álgebra. Argand publicou mais oito artigos antes de sua morte em 1822, em Paris.

Obra principal

1806 *Essai sur une manière de représenter les quantités imaginaires dans les constructions géométriques* [Ensaio sobre um método para representar quantidades imaginárias geometricamente]

A NATUREZA É A FONTE MAIS FÉRTIL DE DESCOBERTAS MATEMÁTICAS
ANÁLISE DE FOURIER

EM CONTEXTO

FIGURA CENTRAL
Joseph Fourier (1768-1830)

CAMPO
Matemática aplicada

ANTES
1701 Na França, Joseph Sauveur sugere que cordas vibrando oscilam com muitas ondas de diferentes comprimentos ao mesmo tempo.

1753 O matemático suíço Daniel Bernoulli mostra que uma corda vibrando consiste em um número infinito de oscilações harmônicas.

DEPOIS
1965 Nos Estados Unidos, James Cooley e John Tukey criam a transformada rápida de Fourier, um algoritmo capaz de acelerar a análise de Fourier.

Anos 2000 A análise de Fourier é usada para criar programas de reconhecimento de voz para computadores e celulares.

O som criado por cordas vibrando foi tema de pesquisa por mais de 2.500 anos. Por volta de 550 a.C., Pitágoras descobriu que, se esticarmos duas cordas do mesmo material com a mesma tensão, mas uma com duas vezes o comprimento da outra, a menor vibrará com duas vezes a frequência da maior, e as notas resultantes terão uma oitava de intervalo.

Dois séculos depois, Aristóteles aventou que o som viajava através do ar em ondas, embora pensasse, de modo incorreto, que os sons mais agudos avançavam mais rápido que os mais graves. No século XVII, Galileu percebeu que os sons são produzidos por vibrações: quanto maior a frequência das vibrações, mais alto o tom do som que percebemos.

Calor e harmonia

No fim do século XVII, físicos como Joseph Sauveur faziam grandes incursões no estudo das relações entre as ondas em cordas esticadas e a altura e a frequência dos sons que produziam. Ao longo de suas pesquisas, os matemáticos mostraram que qualquer corda sustentará uma série potencialmente

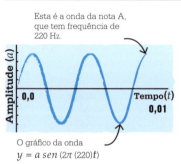

Esta é a onda da nota A, que tem frequência de 220 Hz.

O gráfico da onda
$y = a\ sen\ (2\pi\ (220)t)$

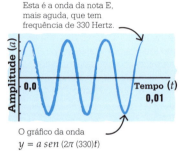

Esta é a onda da nota E, mais aguda, que tem frequência de 330 Hertz.

O gráfico da onda
$y = a\ sen\ (2\pi\ (330)t)$

Os sons se constituem de uma série complexa de tons. A análise de Fourier pode separar tons puros uns dos outros, que podem ser representados como ondas senoides num gráfico. Os tons têm frequência, que define a altura, e amplitude, que determina o volume.

SÉCULO XIX

Ver também: Pitágoras 36-43 ▪ Trigonometria 70-75 ▪ Funções de Bessel 221 ▪ Funções elípticas 226-227 ▪ Topologia 256-259 ▪ O programa Langlands 302-303

Joseph Fourier

Jean-Baptiste Joseph Fourier nasceu em Auxerre, na França, em 1768. Filho de alfaiate, entrou na escola militar, onde seu vivo interesse por matemática o levou a se tornar um professor bem-sucedido da matéria. A carreira de Fourier foi interrompida por duas prisões – uma por criticar a Revolução Francesa, a outra por apoiá-la –, mas em 1798 ele acompanhou as forças de Napoleão no Egito como diplomata. Napoleão mais tarde o tornou barão e depois conde. Após a queda do imperador em 1815, Fourier foi para Paris, onde chefiou o Escritório Estatístico do Sena e continuou os estudos de física matemática, como o trabalho sobre a série de Fourier (série de ondas senoidais que caracterizam os sons). Em 1822, foi nomeado secretário da Academia Francesa de Ciências, posto que manteve até morrer, em 1830. Fourier é um dos 72 cientistas com os nomes inscritos na Torre Eiffel.

Obra principal

1822 *Théorie analytique de la chaleur* [Teoria analítica do calor]

---

infinita de vibrações, começando com a fundamental (a frequência natural mais baixa da corda) e incluindo seus harmônicos (múltiplos inteiros da fundamental). O tom puro de uma só altura é produzido por uma oscilação regular repetida de uma onda senoidal (ver gráfico). A qualidade do som de um instrumento musical resulta principalmente do número e das intensidades relativas dos harmônicos presentes no som, ou seu conteúdo harmônico. O resultado é uma variedade de ondas que interferem entre si. Joseph Fourier tentava resolver o problema de como o calor se espalha num objeto sólido; ele desenvolveu uma abordagem que lhe permitia calcular a temperatura em qualquer lugar dentro de um objeto, em qualquer tempo, após uma fonte de calor ser aplicada a uma de suas bordas.

A análise de Fourier do modo como os materiais vibram permite aos engenheiros construir prédios que ressoam em frequências diferentes de um terremoto típico e assim evitar danos como os ocorridos na Cidade do México, em 2017.

Os estudos de Fourier sobre distribuição do calor mostraram que, a despeito da complexidade de uma forma de onda, ela poderia ser decomposta em suas ondas senoidais constituintes, um processo hoje chamado análise de Fourier. Como o calor sob a forma de radiação é uma onda, as descobertas de Fourier sobre distribuição do calor tiveram aplicações no estudo do som. Uma onda sonora pode ser entendida em termos das amplitudes de suas ondas senoidais constituintes, um conjunto de números às vezes referido como espectro harmônico.

Hoje, a análise de Fourier tem papel central em muitas aplicações, como compressão de arquivos digitais, análise de imagens por ressonância magnética, programas de reconhecimento de voz e de correção de afinação musical, e na determinação da composição de atmosferas planetárias. ■

O DIABRETE QUE CONHECE A POSIÇÃO DE CADA PARTÍCULA DO UNIVERSO
O DEMÔNIO DE LAPLACE

EM CONTEXTO

FIGURA CENTRAL
Pierre-Simon Laplace
(1749-1827)

CAMPO
Filosofia matemática

ANTES
1665 Isaac Newton desenvolve o cálculo para analisar e descrever o movimento de corpos em queda e outros sistemas mecânicos complexos.

DEPOIS
1872 Ludwig Boltzmann usa mecânica estatística para mostrar como a termodinâmica de um sistema sempre resulta em aumento de entropia.

1963 Edward Lorenz descreve o atrator de Lorenz, um modelo que produz resultados caóticos a cada minúscula mudança dos parâmetros iniciais.

2008 O matemático americano David Wolpert refuta o demônio de Laplace tratando o "intelecto" como um computador.

Em 1814, o francês Pierre-Simon Laplace, que combinava matemática e ciência a filosofia e política, apresentou um experimento mental hoje chamado demônio de Laplace. O próprio Laplace nunca usou a palavra "demônio"; ela surgiu em reinterpretações posteriores, evocando um ser sobrenatural tornado divino pela matemática.

Laplace imaginou um intelecto que pudesse analisar os movimentos de todos os átomos do Universo, de modo a prever com precisão seus trajetos futuros. Seu experimento era uma investigação sobre o determinismo, conceito filosófico segundo o qual todos os eventos futuros são determinados por causas no passado.

Análise mecânica

Laplace se inspirou na mecânica clássica – campo da matemática que descreve o comportamento de corpos em movimento, com base nas leis de Isaac Newton. Num universo newtoniano, os átomos (e até as partículas de luz) seguem as leis do movimento e ficam quicando em trajetórias embaralhadas. O "intelecto" de Laplace seria capaz de captar e analisar todos os seus movimentos; isso criaria uma fórmula única que usa os movimentos presentes para descobrir os passados e prever os futuros. A teoria de Laplace tinha uma grave consequência filosófica. Ela só poderia funcionar se o Universo seguisse um trajeto mecânico previsível, de modo que tudo, da rotação das galáxias aos

Modelos do Sistema Solar como este, um Universo com mecanismo de relógio, que mostravam o movimento dos planetas, tornaram-se populares após a publicação da teoria da gravitação universal de Newton.

SÉCULO XIX

Ver também: Probabilidades 162-165 ▪ O cálculo 168-175 ▪ As leis do movimento de Newton 182-183 ▪ O efeito borboleta 294-299

Pierre-Simon Laplace

Nascido numa família aristocrática em 1749, Laplace viveu durante a Revolução Francesa e a época do Terror, quando muitos de seus amigos foram mortos. Em 1799, tornou-se ministro do Interior de Napoleão Bonaparte, mas foi dispensado após seis semanas por ser muito analítico e ineficaz. Laplace depois se alinhou aos Bourbons (família real francesa) e foi recompensado com a devolução de seu título original de marquês quando a monarquia foi restaurada. O demônio de Laplace foi uma nota marginal a uma carreira que também incluiu a física e a astronomia, em que Laplace foi o primeiro a postular o conceito de buraco negro. Suas contribuições à matemática se deram em mecânica clássica, teoria das probabilidades e transformações algébricas. Morreu em Paris, em 1827.

Obras principais

1798-1828 *Mécanique celeste* [Mecânica celeste]
1812 *Théorie analytique des probabilités* [Teoria analítica das probabilidades]
1814 *Ensaio filosófico sobre probabilidades*

átomos minúsculos das células nervosas que controlam os pensamentos, pudesse ser mapeado até o futuro. Isso significava que cada aspecto da vida das pessoas até a morte já está predeterminado; elas não têm livre-arbítrio nem influência sobre seus pensamentos e atos.

Acaso e estatística

Embora tenha participado da criação dessa visão arrasadora da realidade, a matemática também ajudou a rejeitá-la. Nos anos 1850, o estudo de calor e energia – termodinâmica – estava levando a um novo modelo, o mundo atômico. Para isso, era preciso descrever o movimento de átomos e moléculas dentro da matéria. A mecânica clássica não estava à altura da tarefa. Em seu lugar, os físicos adotaram a técnica inventada pelo matemático suíço Daniel Bernoulli em 1738, que usava a teoria das probabilidades para modelar o movimento de unidades independentes num espaço. Refinada pelo físico austríaco Ludwig Boltzmann, essa técnica foi chamada mecânica estatística. Ela descrevia o mundo atômico em termos de possibilidades aleatórias – algo contrário ao determinismo mecânico do demônio de Laplace. Nos anos 1920, a ideia de um Universo probabilístico foi consolidada com o desenvolvimento da física quântica, que tem a incerteza em seu cerne. ∎

QUAIS AS CHANCES?
A DISTRIBUIÇÃO DE POISSON

EM CONTEXTO

FIGURA CENTRAL
Siméon Poisson (1781-1840)

CAMPO
Probabilidades

ANTES
1662 John Graunt publica *Natural and political observations upon the bills of mortality* [Observações naturais e políticas sobre as listas de mortalidade], e marca o surgimento da estatística.

1711 *De mensura sortis* [Sobre a medida das possibilidades], de Abraham de Moivre, descreve o que depois se chamou distribuição de Poisson.

DEPOIS
1898 O estatístico Ladislaus Bortkiewicz usa a distribuição de Poisson para estudar o número de soldados prussianos mortos por coices de cavalo.

1946 O estatístico R. D. Clarke publica um estudo, baseado na distribuição de Poisson, sobre os padrões dos impactos dos mísseis V-1 e V-2 em Londres.

Em estatística, a distribuição de Poisson modela o número de vezes que um evento de ocorrência aleatória acontece num dado intervalo de tempo ou espaço. Introduzida em 1837 pelo matemático francês Siméon Poisson e baseada no trabalho de Abraham de Moivre, ela ajuda a prever várias possibilidades.

Tome-se, por exemplo, a cozinheira que precisa prever o número de pedido de batatas em sua cantina e precisa decidir quantas pré-cozinhar cada dia. Ela sabe a média dos pedidos diários e decide preparar n batatas, com pelo menos 90% de certeza de que n corresponderá à demanda. Para usar a distribuição de Poisson ao calcular n, é preciso algumas condições: os pedidos devem ocorrer de modo aleatório e uniforme e ser únicos – em média, o mesmo número de batatas é pedido todos os dias. Se essas condições se aplicarem, a cozinheira pode encontrar o valor de n – quantas batatas pré-cozinhar. O número médio de eventos por unidade de espaço ou tempo (lambda, ou λ) é a chave. Se $\lambda = 4$ (o número médio de batatas pedidas em um dia) e o número de pedidos em um dia qualquer é B, a probabilidade de B ser menor ou igual a 6, pela distribuição de Poisson, é de 89%, enquanto a probabilidade de B ser menor ou igual a 7 é de 95%. A cozinheira precisa de pelo menos 90% de certeza de que a demanda será atendida, então n será 7 aqui. ■

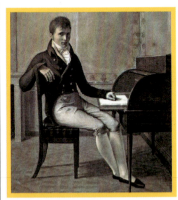

A distribuição de Poisson é atribuída a Siméon Poisson, mas esse pode ser um exemplo da lei de Stigler – nenhuma descoberta científica é creditada ao seu verdadeiro autor.

Ver também: Probabilidades 162-165 ▪ O número de Euler 186-191 ▪ Distribuição normal 192-193 ▪ Nascimento da estatística moderna 268-271

SÉCULO XIX 221

UMA FERRAMENTA INDISPENSÁVEL EM MATEMÁTICA APLICADA
FUNÇÕES DE BESSEL

EM CONTEXTO

FIGURA CENTRAL
Friedrich Wilhelm Bessel
(1784-1846)

CAMPO
Geometria aplicada

ANTES
1609 Johannes Kepler mostra que as órbitas dos planetas são elipses.

1732 Daniel Bernoulli usa o que depois foi chamado de funções de Bessel para estudar as vibrações de uma corrente balançando.

1764 Leonhard Euler analisa a vibração de uma membrana usando o que depois seria entendido como funções de Bessel.

DEPOIS
1922 O matemático britânico George Watson escreve o amplamente influente *A treatise on the theory of Bessel functions* [Um tratado sobre a teoria das funções de Bessel].

No início do século XIX, o matemático e astrônomo alemão Friedrich Wilhelm Bessel obteve soluções para uma equação diferencial particular, a chamada equação de Bessel. Ele estudou sistematicamente essas funções (soluções) em 1824. Hoje conhecidas como funções de Bessel, elas são úteis para cientistas e engenheiros. Cruciais para a análise de ondas, como as eletromagnéticas ao se mover pelos fios, elas também são usadas para descrever a difração da luz, o fluxo de eletricidade ou calor num cilindro sólido e os movimentos dos fluidos.

Movimento dos planetas
As origens das funções de Bessel se acham no trabalho pioneiro do matemático e astrônomo Johannes Kepler sobre os movimentos dos planetas, no início do século XVII. A análise meticulosa de observações levou-o a perceber que as órbitas dos planetas ao redor do Sol são elípticas, não circulares, e ele descreveu as três leis principais do movimento planetário. Os matemáticos usaram

As funções de Bessel são muito belas, além de terem aplicações práticas.
E. W. Hobson
Matemático britânico

depois as funções de Bessel para fazer grandes descobertas em vários campos. Daniel Bernoulli encontrou equações para as oscilações de um pêndulo e Leonhard Euler desenvolveu equações correspondentes para a vibração de uma membrana esticada. Euler e outros também usaram as funções de Bessel para encontrar soluções ao "problema dos três corpos", relacionado ao movimento de um corpo, como um planeta ou satélite, influenciado pelos campos gravitacionais de dois outros corpos. ■

Ver também: O problema dos máximos 142-143 ▪ O cálculo 168-175 ▪ A lei dos grandes números 184-185 ▪ O número de Euler 186-191 ▪ Análise de Fourier 216-217

ELE VAI GUIAR O FUTURO DA CIÊNCIA
O COMPUTADOR MECÂNICO

EM CONTEXTO

FIGURAS CENTRAIS
Charles Babbage (1791-1871),
Ada Lovelace (1815-1852)

CAMPO
Ciência da computação

ANTES
1617 O matemático escocês John Napier inventa um instrumento de cálculo manual.

1642-1644 Na França, Blaise Pascal cria uma máquina de calcular.

1801 O tecelão francês Joseph-Marie Jacquard demonstra a primeira máquina programável – um tear controlado por um cartão perfurado.

DEPOIS
1944 O criptologista britânico Max Newman constrói o Colossus, primeiro computador programável eletrônico digital.

O matemático e inventor britânico Charles Babbage antecipou a era da computação mais de um século com duas ideias de calculadoras mecânicas e máquinas "pensantes". À primeira ele chamou "máquina diferencial", um instrumento de cálculo que trabalhava de modo automático usando uma combinação de engrenagens e hastes. Babbage só conseguiu construir a máquina em parte; mesmo assim, ela processava cálculos complexos em instantes e com precisão.

A segunda ideia, mais ambiciosa, era a máquina analítica. Nunca construída, ela foi concebida como um aparelho que poderia responder a problemas

SÉCULO XIX 223

Ver também: Números binários 176-177 ▪ Matrizes 238-241 ▪ O teorema do macaco infinito 278-279 ▪ A máquina de Turing 284-289 ▪ A teoria da informação 291 ▪ O teorema das quatro cores 312-313

Charles Babbage foi instigado a projetar uma calculadora mecânica pelos erros que encontrava em tábuas astronômicas produzidas por trabalhadores malpagos e pouco confiáveis.

Nenhuma calculadora antes trabalhara com números de mais de quatro dígitos. Já a máquina diferencial foi projetada para lidar com números de até cinquenta dígitos por meio de mais de 25 mil peças móveis. Para fazer um cálculo na máquina, cada número era representado por uma coluna de engrenagens. Cada engrenagem era marcada com um dígito de 0 a 9, girando-as de modo a mostrar o dígito correto, e a máquina realizava então todo o cálculo de modo automático.

Babbage construiu vários

A cada aumento de conhecimento, assim como a cada invenção de ferramenta, o trabalho humano é diminuído.
Charles Babbage

modelos pequenos com apenas sete colunas de números, mas notável poder de cálculo. Em 1823, ele conseguiu convencer o governo britânico a financiar em parte o projeto, com a promessa de que tornaria muito mais rápido, barato e preciso produzir tabelas oficiais. No entanto, construir a máquina »

novos e resolvê-los sem intervenção humana. O projeto recebeu a contribuição crucial de Ada Lovelace, jovem matemática brilhante. Ela prenunciou muitos dos aspectos matemáticos centrais da programação de computadores e previu como a máquina poderia ser usada para analisar quaisquer tipos de símbolos.

Cálculo automático

Nos séculos XVII e XVIII, matemáticos como Gottfried Leibniz e Blaise Pascal criaram instrumentos mecânicos de cálculo, mas eles tinham poder limitado e eram propensos a erro, pois dependiam a cada etapa de intervenção humana. A ideia de Babbage era criar uma máquina de calcular que trabalhasse de modo automático, eliminando o erro humano. Ele chamou seu invento de máquina diferencial porque reduzia multiplicações e divisões complexas a adições e subtrações – "diferenças" –, que podiam ser trabalhadas por muitas engrenagens interconectadas. Ela até imprimiria os resultados.

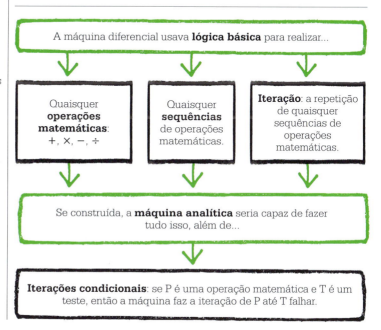

O COMPUTADOR MECÂNICO

Esta réplica do modelo de demonstração que Babbage fez em 1832 da máquina diferencial nº 1 tem três colunas, cada uma com engrenagens numeradas. Duas são para cálculo, uma para o resultado.

completa era tremendamente caro e levava ao limite a capacidade tecnológica da época. Após duas décadas de trabalho, em 1842 o governo cancelou o projeto.

Enquanto isso, em desenhos e cálculos, Babbage tinha também trabalhado na ideia de uma máquina analítica. Seus textos indicam que a máquina, se construída, poderia ter chegado perto do que hoje chamamos "computador". Seu projeto antecipava virtualmente todos os componentes principais de um computador moderno, como a unidade central de processamento (CPU), o armazenamento de memória e programas integrados.

Um problema que Babbage enfrentou foi o que fazer com números levados para a coluna seguinte ao somar colunas de dígitos. De início, ele usou um mecanismo separado para cada transferência, mas viu que era complicado demais. Então dividiu a máquina em duas, a "usina" e o "armazém", o que tornou possível separar os processos de adição e transposição. As operações aritméticas ocorriam na usina; o armazém era onde os números ficavam antes de serem processados e depois eram recebidos de volta da usina. A usina era a versão de Babbage da CPU de um computador, enquanto o armazém era a memória.

A ideia de dizer a uma máquina o que fazer – a programação – veio de um tecelão francês, Joseph-Marie Jacquard. Ele desenvolveu um tear que usava cartões perfurados para lhe dizer como tecer padrões complexos em seda. Em 1836, Babbage percebeu que também podia usar cartões perfurados – não só para controlar sua máquina como para registrar resultados e sequências de cálculos.

Um gênio e um amparo

Um dos maiores defensores da obra de Babbage foi sua colega matemática Ada Lovelace. Ela dizia que a máquina analítica iria "tecer padrões algébricos como o tear de

---

Tipos de cartão numerado para programar a máquina analítica

Os **cartões de números** especificavam os valores inseridos no armazém ou recebidos de volta do armazém para serem guardados fora.

Os **cartões variáveis** especificavam quais dados – guardados em "eixos" ou unidades de armazenagem – deviam alimentar a usina e onde os dados recebidos de volta deviam ser guardados.

Os **cartões operacionais** determinavam as operações aritméticas a serem realizadas pela usina.

Os **cartões combinatórios** controlavam como os cartões variáveis e operacionais se viravam para a frente ou para trás após operações específicas serem concluídas.

SÉCULO XIX

O objetivo da máquina analítica é duplo. Primeiro, a manipulação completa de números. Segundo, a manipulação completa de símbolos algébricos.
Charles Babbage

Jacquard compõe flores e folhas". Quando jovem, em 1832, Lovelace viu uma máquina diferencial trabalhando e ficou fascinada. Em 1843, ela conseguiu publicar sua tradução de um folheto sobre a máquina analítica escrito pelo engenheiro italiano Luigi Menabrea, à qual acrescentou extensas notas explicativas.

Muitas dessas notas tratavam de sistemas que integrariam a computação moderna. Na "nota G", Lovelace descreveu o que talvez seja o primeiro algoritmo de computador, "para mostrar que uma função implícita pode ser realizada pela máquina sem a mente ou a mão humana". Ela também teorizou que a máquina poderia resolver problemas repetindo uma série de instruções – com a hoje chamada "estrutura de repetição". Lovelace inventou um cartão de programação, ou conjunto de cartões, que voltava sempre à posição original para trabalhar o próximo cartão ou conjunto de dados. Desse modo, ela afirmou, a máquina poderia revolver um sistema de equações lineares ou gerar grandes tábuas de números primos. Talvez o maior *insight* das notas de Lovelace seja sua visão das máquinas como cérebros mecânicos com grandes aplicações. "A máquina pode arranjar e combinar suas quantidades numéricas como se fossem letras ou quaisquer outros símbolos gerais", escreveu, percebendo que qualquer tipo de símbolo, não só números, poderia ser manipulado e processado por máquinas. Essa é a diferença entre cálculo e computação – e a base do computador moderno. Lovelace também anteviu como tais máquinas seriam limitadas pela qualidade do *input*. Pode se dizer que o primeiro computador programável – não uma calculadora – foi criado por Konrad Zuse em 1938.

Legado postergado

Os planos de desenvolver o trabalho de Babbage foram truncados pela morte prematura de Lovelace, quando o próprio Babbage estava cansado, doente e desiludido pela falta de apoio a sua máquina diferencial. A mecânica de alta precisão exigida para construir a máquina estava além do que um engenheiro poderia fazer na época. Praticamente esquecidas até serem republicadas em 1953, as notas de Lovelace confirmam que ela e Babbage prenunciaram muitas das características do computador hoje presente em cada casa ou escritório. ∎

Quanto mais estudo [a máquina analítica], mais sinto que meu gênio anseia por ela.
Ada Lovelace

Ada Lovelace

Nascida Augusta Byron em Londres, em 1815, a condessa de Lovelace foi a única filha legítima do poeta lorde Byron. Ele deixou a Inglaterra poucos meses após Lovelace nascer, e ela nunca o viu de novo. Sua mãe, lady Byron, tinha aptidões matemáticas – Byron a chamava de princesa dos paralelogramos – e insistiu para que Lovelace também estudasse matemática.

Lovelace ficou famosa pelo talento em matemática e em línguas. Conheceu Charles Babbage aos dezessete anos e ficou fascinada por seu trabalho. Dois anos depois, casou-se com William King, conde de Lovelace, com quem teve três filhos, mas continuou a estudar matemática e a seguir os progressos de Babbage, que a chamava de "encantadora de números".

Lovelace escreveu longas notas sobre a máquina analítica de Babbage. Ela expressou muitas ideias sobre o que viria a ser a computação, o que lhe valeu a reputação de primeira programadora de computadores. Lovelace morreu em 1852 de câncer no útero; conforme seu desejo, foi enterrada ao lado do pai.

UM NOVO TIPO DE FUNÇÃO
FUNÇÕES ELÍPTICAS

EM CONTEXTO

FIGURA CENTRAL
Carl Gustav Jacob Jacobi

CAMPOS
Teoria dos números, geometria

ANTES
1655 John Wallis aplica o cálculo ao comprimento de uma curva elíptica; a integral elíptica que ele deriva é definida por uma série infinita de termos.

1799 Carl Gauss determina as características principais das funções elípticas; sua obra só é publicada em 1841.

1827-1828 Niels Abel deriva e publica, de forma independente, os mesmos achados de Gauss.

DEPOIS
1862 O matemático alemão Karl Weierstrass desenvolve uma teoria geral das funções elípticas, mostrando que podem ser aplicadas a problemas tanto de álgebra quanto de geometria.

Física – para calcular a carga de uma partícula a partir de seu trajeto curvo através de um campo magnético.

Astronomia – as órbitas dos planetas são elípticas.

Mecânica – para fazer cálculos sobre o movimento de pêndulos.

Alguns **usos** das **funções elípticas** são...

Trigonometria – funções de trigonometria esférica baseadas no círculo são casos especiais de funções elípticas.

Criptografia – para ocultar as chaves envolvidas ao criptografar informações privadas em público.

O "círculo achatado" de uma elipse é uma das curvas mais conhecidas da matemática e tem longa história. As elipses foram estudadas pelos gregos antigos como uma das seções cônicas. Cortar um cone na horizontal produz um círculo; cortá-lo num ângulo inclinado cria uma elipse (e, com o aumento da inclinação, curvas abertas chamadas parábola e hipérbole). Uma elipse é uma curva fechada definida como o conjunto de todos os pontos de um plano cuja soma das distâncias a dois pontos fixos – chamados focos – é sempre o mesmo número. (O círculo é uma

Ver também: A curva tautocrônica de Huygens 167 ▪ O cálculo 168-175 ▪ As leis do movimento de Newton 182-183 ▪ Criptografia 314-317 ▪ A prova do último teorema de Fermat 320-323

SÉCULO XIX 227

Soube com igual admiração e satisfação que dois jovens geômetras [...] conseguiram com seu trabalho individual melhorar consideravelmente a teoria das funções elípticas.
Adrien-Marie Legendre

elipse especial com só um foco central, não dois.) Em 1609, o astrônomo e matemático alemão Johannes Kepler demonstrou que as órbitas dos planetas são elípticas, com o Sol ocupando um dos focos.

Ferramentas novas

A matemática de um círculo pode ser usada para modelar e prever um fenômeno natural que varia e se repete de modo rítmico (ou periódico), como o movimento para cima e para baixo de uma onda sonora simples; já a matemática da elipse pode fazer isso com fenômenos que seguem padrões periódicos mais complexos, como campos eletromagnéticos ou o movimento orbital de planetas.

Tais ferramentas, as funções elípticas, tiveram origem na Inglaterra, com John Wallis e Isaac Newton, matemáticos do século XVII. Independentemente um do outro, eles criaram um método para calcular o comprimento de um arco – ou o comprimento de uma seção – de uma elipse. Com contribuições posteriores, sua técnica foi desenvolvida nas funções elípticas

e se tornou um modo de analisar muitos tipos de curvas complexas e sistemas oscilantes além da simples elipse.

Aplicações práticas

Em 1828, o norueguês Neils Abel e o alemão Carl Jacobi, também trabalhando de modo independente, mostraram aplicações mais amplas das funções elípticas na matemática e na física. Essas funções aparecem na prova do último teorema de Fermat, em 1995, e nos mais recentes sistemas de criptografia de chave pública. Desde que Abel morreu, aos 26 anos, só meses após fazer suas principais descobertas, muitas dessas aplicações foram desenvolvidas por Jacobi. As funções elípticas de Jacobi são complexas, mas uma forma mais simples, a função p, foi introduzida em 1862 pelo matemático alemão Karl Weierstrass. As funções p são usadas em mecânica clássica e quântica. ▪

As funções elípticas são usadas para definir trajetórias de naves espaciais como a sonda *Dawn*, que explorou o planeta anão Ceres e o asteroide Vesta, no Cinturão de Asteroides.

Carl Gustav Jacob Jacobi

Nascido em Potsdam, na Prússia, em 1804, Carl Gustav Jacob Jacobi estudou de início com um tio. Aos doze anos já tinha aprendido tudo o que a escola poderia ensinar, e por isso, precisou esperar até os dezesseis para ser aceito na Universidade de Berlim. Ele passou esse período estudando matemática sozinho – o que continuou depois a fazer, por considerar os cursos da universidade básicos demais. Graduou-se em um ano e, em 1832, tornou-se professor da Universidade de Königsberg. Caiu doente em 1843 e voltou a Berlim, onde se sustentou com uma pensão dada pelo rei da Prússia. Em 1848, fracassou ao concorrer ao parlamento como candidato liberal e o rei, ofendido, retirou por algum tempo seu apoio. Em 1851, com apenas 46 anos, Jacobi contraiu varíola e morreu.

Obra principal

1829 *Fundamenta nova theoria funcionum ellipticarum* [Fundamentos de uma nova teoria das funções elípticas]

CRIEI OUTRO MUNDO A PARTIR DO NADA
GEOMETRIAS NÃO EUCLIDIANAS

EM CONTEXTO

FIGURA CENTRAL
János Bolyai (1802-1860)

CAMPO
Geometria

ANTES
1733 Na Itália, o matemático Giovanni Saccheri fracassa ao tentar provar o postulado das paralelas de Euclides a partir de seus outros quatro postulados.

1827 Carl Friedrich Gauss publica *Disquisitiones generales circa superficies curvas* [Investigações gerais sobre superfícies curvas], definindo a curvatura intrínseca de um espaço, que pode ser deduzida de dentro do espaço.

DEPOIS
1854 Bernhard Riemann descreve o tipo de superfície que tem geometria hiperbólica.

1915 Einstein descreve a gravidade como curvatura do espaço-tempo em sua teoria da relatividade geral.

O postulado das paralelas (PP) é o quinto de cinco postulados dos quais Euclides deduziu seus teoremas da geometria em *Os elementos*. O PP era controverso entre os gregos antigos, pois não parecia tão autoevidente como os outros postulados de Euclides nem havia um modo óbvio de verificá-lo. Porém, sem o PP, muitos teoremas elementares da geometria não podiam ser provados. Nos 2 mil anos seguintes, os matemáticos arriscariam a reputação em tentativas de resolver a questão. No século v d.C., o filósofo Proclo

Geometrias euclidianas e não euclidianas

Na geometria euclidiana (ver à dir.) assume-se que a superfície seja plana. Em formas não euclidianas de geometria (ver abaixo), não é assim. Na geometria hiperbólica, a superfície se curva para dentro como numa sela, enquanto uma superfície elíptica se curva para fora como uma esfera.

O postulado das paralelas (PP) pode ser expresso pelo axioma do matemático escocês John Playfair: dado um plano que contém uma linha A e um ponto P não em A, há exatamente uma linha B através de P que não corta A. Essas linhas A e B são paralelas.

Na geometria hiperbólica, há infinitas linhas (por exemplo, B e C) através do ponto P que não cortam a linha A. As superfícies de uma geometria hiperbólica exibem curvatura negativa – por exemplo, a campânula de um trompete.

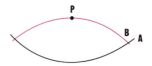

Na geometria elíptica, como na superfície de uma esfera, o PP não se sustenta e todas as linhas (por exemplo, B) através do ponto P cortam a linha A. Por exemplo, os meridianos da Terra são linhas paralelas que se cortam nos polos.

Ver também: *Os elementos*, de Euclides 52-57 ▪ Geometria projetiva 154-155 ▪ Topologia 256-259 ▪ 23 problemas para o século xx 266-267 ▪ O espaço de Minkowski 274-275

Deixe a ciência das paralelas em paz. Eu me dispus a [...] remover a falha da geometria [mas] voltei atrás quando vi que ninguém pode chegar ao fim dessa noite.
Wolfgang Bolyai
Pai de János Bolyai

afirmou que o PP era um teorema que podia ser derivado dos outros postulados e devia assim ser eliminado.

Na era de ouro do islamismo (séculos VIII a XIV), matemáticos tentaram provar o PP. O polímata persa Nasir al-Din al-Tusi mostrou que o PP é equivalente a afirmar que a soma dos ângulos de qualquer triângulo é 180°, mas mesmo assim o PP continuou controverso. No século XVII, novas traduções de *Os elementos* chegaram à Europa e Giovanni Saccheri mostrou que, se o PP não fosse verdadeiro, a soma dos ângulos de um triângulo seria sempre menor ou maior que 180°.

No início do século XIX, o húngaro János Bolyai e o russo Nikolai Lobatchevski provaram de modo independente a validade de uma geometria hiperbólica não euclidiana (ver ao lado), em que o PP não se sustenta, mas os outros quatro postulados de Euclides sim. Bolyai afirmou ter criado "um outro mundo a partir do nada", mas a ideia não foi bem-recebida na época. Gauss reconheceu sua validade, mas disse que a tinha descoberto primeiro. A ideia de Gauss de uma curvatura intrínseca de uma superfície ou espaço foi importante para estabelecer esse novo mundo, mas ele deixou poucas evidências de ter desenvolvido a geometria não euclidiana. Apesar disso, considerou que o Universo pode ser não euclidiano. Avanços posteriores de Bernhard Riemann, Eugenio Beltrami, Felix Klein, David Hilbert e outros levaram as geometrias não euclidianas a não ser mais vistas hoje como exóticas, e os físicos vêm ponderando seriamente se o Universo é mesmo plano (euclidiano) ou curvo.

Incursões na arte

A geometria hiperbólica também aparece na arte. Modelos criados por Henri Poincaré inspiraram muitos trabalhos gráficos de M. C. Escher, e alguns matemáticos, como Daina Taimina, usaram a arte e técnicas artesanais para tornar palpáveis esses novos mundos. ▪

Modelos de crochê de superfícies hiperbólicas criados por Daina Taimina são mais táteis que os de papel. Ela afirma que o processo de fazer crochê ajuda a desenvolver a intuição geométrica.

SÉCULO XIX   229

Daina Taimina

Nascida na Letônia em 1954, Daina Taimina iniciou a carreira nos campos da ciência da computação e da história da matemática. Após lecionar por vinte anos na Universidade da Letônia, ela foi para a Universidade Cornell, nos Estados Unidos, em 1996, onde um encontro casual lhe abriu uma nova área de interesse. Taimina assistiu a uma oficina de geometria de David Henderson em que ele demonstrou como fazer um modelo de papel de uma superfície hiperbólica. O próprio Henderson tinha aprendido a técnica com William Thurston, topologista americano pioneiro. Taimina fez então seus próprios modelos de superfícies hiperbólicas de crochê para ajudar suas aulas. Os modelos foram um sucesso, rompendo o estereótipo da matemática como um campo sem relação com arte e artesanato. Taimina ingressou desde então numa segunda carreira como matemática-artista.

Obra principal

2004 *Experiencing geometry* [Experimentando a geometria], com David W. Henderson

ESTRUTURAS ALGÉBRICAS TÊM SIMETRIAS
A TEORIA DOS GRUPOS

EM CONTEXTO

FIGURA CENTRAL
Évariste Galois (1811-1832)

CAMPOS
Álgebra, teoria dos números

ANTES
1799 O matemático italiano Paolo Ruffini considera os conjuntos de permutações de raízes uma estrutura abstrata.

1815 O matemático francês Augustin-Louis Cauchy desenvolve a teoria dos grupos de permutação.

DEPOIS
1846 A obra de Galois é publicada postumamente pelo colega francês Joseph Liouville.

1854 O matemático britânico Arthur Cayley expande o trabalho de Galois numa teoria completa de grupos abstratos.

1872 O matemático alemão Felix Klein define a geometria em termos de teoria dos grupos.

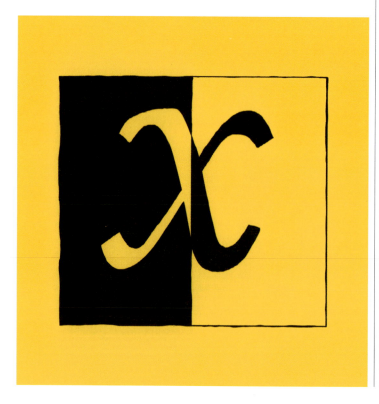

A teoria dos grupos é um ramo da álgebra que permeia a matemática atual. Sua origem se deve em grande parte ao matemático francês Évariste Galois, que a desenvolveu para entender por que só algumas equações polinomiais podiam ser resolvidas de modo algébrico. Ao fazer isso, ele não só deu a resposta final a uma busca histórica que começara na antiga Babilônia como lançou as bases da álgebra abstrata.

A abordagem de Galois ao problema foi relacioná-lo a uma questão de outra área da matemática. Essa pode ser uma estratégia poderosa quando a outra área é bem-compreendida. Nesse

Ver também: A solução algébrica de equações 200-201 ▪ Emmy Noether e a álgebra abstrata 280-281 ▪ Grupos simples finitos 318-319

SÉCULO XIX

Um **grupo** é um **conjunto de elementos**, como números ou formas...

... com uma **operação** (como adição ou rotação) **que atua sobre eles**.

Para ser classificado como grupo, um conjunto deve satisfazer quatro axiomas.

Precisa ter uma **identidade**: um elemento que deixa qualquer outro elemento **inalterado** ao atuar sobre ele.

Precisa ter um **inverso**: todo elemento tem um elemento **correspondente** que combinado a ele resulta na identidade.

Precisa ser **associativo**: a **ordem** em que as operações são realizadas nos elementos não importa.

Deve ser **fechado**: realizar a operação **não introduzirá** elementos de fora no conjunto.

Évariste Galois

Nascido em 1811, Évariste Galois teve vida breve mas arrebatada e brilhante. Ele conhecia desde adolescente as obras de Lagrange, Gauss e Cauchy, mas não conseguiu (duas vezes) entrar na prestigiosa École Polytechnique – talvez devido à impetuosidade com a matemática e a política, mas sem dúvida afetado pelo suicídio do pai.

Em 1829, Galois entrou na École Préparatoire, mas foi expulso em 1830 por suas ideias políticas. Republicano convicto, foi preso em 1831 e ficou na cadeia por oito meses. Pouco depois de libertado, em 1832, envolveu-se num duelo – não se sabe se por amor ou política. Feriu-se gravemente e morreu no dia seguinte, deixando um punhado de artigos matemáticos que contêm as bases da teoria dos grupos, teoria dos corpos finitos e o que hoje se chama teoria de Galois.

Obras principais

1830 *Sur la théorie des nombres* [Sobre a teoria dos números]
1831 *Premier mémoire* [Primeira memória]

---

caso, porém, Galois teve primeiro de desenvolver a teoria da área mais simples (a teoria dos grupos) para lidar com o problema mais difícil (solubilidade de equações). A ligação que fez entre as duas áreas é hoje chamada teoria de Galois.

Aritmética de simetrias

Um grupo é um objeto abstrato – consiste num conjunto de elementos e uma operação que os combina, sujeitos a alguns axiomas. Quando esses elementos incluem formas, os grupos podem ser vistos como algo que envolve simetria. Simetrias simples – como as de um polígono regular – são intuitivamente captadas. Por exemplo, um triângulo equilátero de vértices A, B e C (ver próxima página) pode ser girado de três modos (em 120°, 240° ou 360°) »

A TEORIA DOS GRUPOS

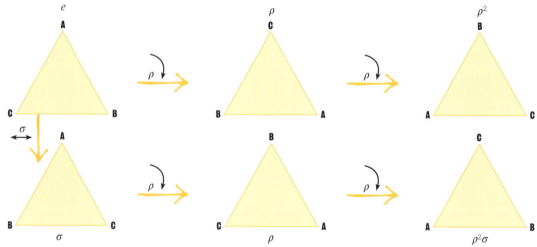

O triângulo equilátero tem seis simetrias. Elas são a rotação (ρ) de 120°, 240° e 360° e a reflexão (σ) por uma linha vertical em A, B ou C. O diagrama acima mostra os resultados da aplicação de uma simetria após outra a e, o elemento identidade (rotação de 0°) e como se escrevem – $\rho^2\sigma$ (o último triângulo equilátero do diagrama) significa "rodar 120° duas vezes e refletir".

ao redor de seu centro e ser refletido em três linhas diferentes. Cada uma dessas seis transformações se ajusta ao próprio triângulo – ele parece igual, mas os vértices são permutados (rearranjados). Uma rotação em sentido horário de 120° leva o vértice A para onde B estava, B para C e C para A; já uma reflexão na linha vertical através de A troca os vértices B e C. As três rotações e as reflexões dão todas as simetrias possíveis do triângulo ABC.

Um modo de ver as simetrias do triângulo é considerar todas as permutações possíveis dos vértices. Uma rotação ou reflexão pode levar o vértice A para um de três pontos (inclusive o seu). A partir de cada uma dessas possibilidades, o vértice B tem dois destinos disponíveis. O destino do terceiro vértice está então determinado, porque o triângulo é rígido, então há 3 × 2 = 6 possibilidades. Os grupos de simetria de polígonos podem ser vistos como permutações de um conjunto de elementos. O grupo de simetria do triângulo equilátero é um membro de um pequeno grupo chamado D_3.

Axiomas da teoria dos grupos

A teoria dos grupos tem quatro axiomas centrais. O primeiro é o axioma da identidade; ele afirma que há um elemento único que não muda nenhum elemento do grupo

quando combinado a ele. No triângulo ABC, a identidade é a rotação de 0°. O segundo é o axioma do inverso. Segundo ele, todo elemento tem um elemento inverso único; combinar os dois resulta no elemento identidade.

O terceiro axioma diz respeito à associatividade, ou seja, o resultado de operações com os elementos não depende da ordem em que são aplicadas. Por exemplo, ao combinar qualquer conjunto de três elementos com um operador de multiplicação, pode-se fazer as operações em qualquer ordem. Assim, se os elementos 1, 2 e 3 são membros de um grupo, então (1 × 2) × 3 = 2 × 3 = 6 e 1 × (2 × 3) = 1 × 6 = 6 dão todos o mesmo resultado.

As rotações possíveis de um cubo de Rubik formam um grupo matemático com 43.252.003.274.489.856.000 elementos, mas resolver o cubo a partir de qualquer posição não requer mais de 26 giros de 90°.

O detector Atlas do acelerador Cern foi projetado para estudar partículas subatômicas, como as previstas pela teoria dos grupos.

A teoria dos grupos na física

O Universo, do ponto de vista da física, é cheio de simetrias, e a teoria dos grupos tem se mostrado um recurso poderoso para compreendê-lo e fazer previsões. Os físicos usam os grupos de Lie (de Sophus Lie, matemático norueguês), que são contínuos, não discretos – por exemplo, modelam o número infinito de simetrias rotacionais, como as associadas ao círculo, em vez do número finito de transformações de um polígono. Em 1915, a algebrista alemã Emmy Noether demonstrou como os grupos de Lie se relacionam às leis da conservação (como a conservação da energia). Nos anos 1960, os físicos adotaram a teoria dos grupos para classificar partículas subatômicas, mas os grupos matemáticos que usaram incluíam uma combinação de simetrias que nenhuma partícula conhecida tinha. Os cientistas tentaram buscar uma partícula com essa combinação de simetrias e acharam a partícula ômega menos. Mais recentemente, o bóson de Higgs preencheu outra lacuna como essa.

O quarto axioma é o fechamento, que significa que um grupo não deve ter elementos fora dele como resultado de fazer as operações. Um exemplo de grupo que obedece a todos os quatro axiomas é o conjunto dos números inteiros {..., −3, −2, −1, 0, 1, 2, 3, ...} com a operação de adição. O único elemento identidade é 0, e o inverso de qualquer inteiro n é $-n$, já que $n + -n = 0 = -n + n$. A adição de números inteiros é associativa e o conjunto também é fechado, porque somar quaisquer inteiros resulta em outro inteiro.

Os grupos podem ter outro atributo ainda: a comutabilidade. Se um grupo é comutativo, é chamado de abeliano, ou seja, seus elementos podem ser permutados sem mudar o resultado. Números inteiros somados em qualquer ordem dão o mesmo resultado (6 + 7 = 13 e 7 + 6 = 13), então o conjunto dos inteiros com a operação de adição é abeliano.

Os grupos e os corpos de Galois

Os grupos são só um de muitos tipos de estrutura algébrica abstrata. Estruturas bastante próximas são os anéis e os corpos, definidos também em termos de um conjunto com operações e axiomas. Um corpo contém duas operações; os números complexos (com as operações de adição e multiplicação) são um corpo. O corpo dos números complexos é o território em que se obtém soluções de equações polinomiais.

A teoria de Galois relaciona a solubilidade de uma equação polinomial (cujas raízes são elementos de um corpo) a um grupo – especificamente, ao grupo de permutação com rearranjos possíveis de suas raízes. Galois mostrou que esse grupo, hoje chamado grupo de Galois, deve ter um tipo de estrutura se a equação for solúvel algebricamente, e outro tipo se não for. Os grupos de Galois de equações do quarto grau e polinômios mais simples são solúveis, mas os de polinômios de grau mais alto não. A álgebra moderna é um estudo abstrato de grupos, anéis, corpos e outras estruturas.

A teoria dos grupos ainda se desenvolve e tem muitas aplicações. Ela é usada para estudar simetrias em química e física, por exemplo, e pode ser utilizada em criptografia de chave pública, que protege grande parte da comunicação digital atual. ∎

Sempre que grupos se revelaram ou puderam ser introduzidos, a simplicidade se cristalizou no caos comparativo.
Eric Temple Bell
Matemático escocês

Precisamos de uma supermatemática em que as operações são tão desconhecidas quanto as quantidades com que operam [...] tal supermatemática é a teoria dos grupos.
Arthur Eddington
Astrofísico britânico

COMO UM MAPA DE BOLSO
QUATÉRNIOS

EM CONTEXTO

FIGURA CENTRAL
William Rowan Hamilton
(1805-1865)

CAMPO
Sistemas numéricos

ANTES
1572 Rafael Bombelli, da Itália, cria números complexos combinando números reais, baseados na unidade 1, e números imaginários, baseados na unidade i.

1806 Jean-Robert Argand cria uma interpretação geométrica dos números complexos plotando-os como coordenadas e criando o plano complexo.

DEPOIS
1888 Charles Hinton inventa o tesserato, uma extensão do cubo a quatro dimensões espaciais. O tesserato tem quatro cubos, seis quadrados e quatro arestas que se encontram em cada canto.

Os quatérnios – uma extensão dos números complexos – são usados para modelar, controlar e descrever movimento em três dimensões, o que é essencial, por exemplo, para criar imagens de videogame, planejar a trajetória de sondas espaciais e calcular a direção em que um celular aponta. Os quatérnios foram criados por William Rowan Hamilton, matemático irlandês que se interessava pela modelagem matemática do movimento em espaço tridimensional. Em 1843, num lampejo de inspiração, ele percebeu que o problema da terceira dimensão não podia ser resolvido com um número tridimensional – era preciso um quadridimensional (um quatérnio).

Os números complexos (somas de números reais e imaginários) têm **duas dimensões** e descrevem o movimento em duas dimensões.

Para descrever o movimento em **três dimensões**, é preciso uma **versão estendida** dos números complexos.

Um **número tridimensional não** é **suficiente** para descrever o movimento em três dimensões.

A descrição completa do movimento no espaço tridimensional requer um número quadridimensional, ou quatérnio.

Ver também: Números imaginários e complexos 128-131 ■ Coordenadas 144-151 ■ As leis do movimento de Newton 182-183 ■ O plano complexo 214-215

Como os quatérnios podem modelar e controlar o movimento de objetos em três dimensões, são úteis em especial em jogos de realidade virtual.

Movimentos e rotações

Os números complexos são bidimensionais: são feitos de uma parte real e uma imaginária, por exemplo, $1 + 2i$. Devido a isso, as duas partes de qualquer número complexo podem funcionar como coordenadas e o número ser plotado numa superfície ou plano. O plano complexo bidimensional estende a reta numérica unidimensional, combinando números reais e unidades imaginárias. A plotagem de números complexos permite assim o cálculo de movimento e rotação em duas dimensões. Qualquer movimento linear do ponto A ao B pode ser expresso como a adição de dois números complexos. Somar mais números cria uma sequência de movimentos através do plano. Para descrever a rotação, os números complexos são multiplicados entre si. Cada multiplicação por i, a unidade imaginária, resulta numa rotação de 90°, e a rotação de qualquer outro ângulo é devida a algum fator ou fração de i.

Após a compreensão dos números complexos, o desafio seguinte para os matemáticos foi criar um número que funcionasse do mesmo modo num espaço tridimensional. A resposta lógica era acrescentar uma terceira reta numérica, j, que corre a 90° tanto da reta numérica real quanto da imaginária, mas ninguém conseguia conceber como tal número seria somado, multiplicado e assim por diante.

Quatro dimensões

A solução de Hamilton foi acrescentar uma quarta unidade não real, k. Isso criou um quatérnio, com a estrutura básica de $a + bi + cj + dk$, sendo a, b, c e d números reais. As duas unidades do quatérnio adicionais, j e k, compartilham propriedades similares a i e são imaginárias. Um quatérnio pode definir um vetor, ou uma linha no espaço tridimensional, e é capaz de descrever um ângulo e a direção de rotação ao redor desse vetor. À semelhança do plano complexo, a matemática do quatérnio simples, combinada à trigonometria básica, oferece um modo de descrever todos os tipos de movimentos num espaço tridimensional. ■

Um fluxo subjacente de pensamentos corria em minha mente e deu por fim um resultado [...] Um circuito elétrico pareceu se fechar e uma faísca brilhou, como o arauto de muitos e longos anos.
William Rowan Hamilton

SÉCULO XIX 235

William Rowan Hamilton

Nascido em Dublin, em 1805, Hamilton se interessou por matemática já aos oito anos, ao conhecer Zerah Colburn, menino-prodígio americano em turnê. Aos 22, ainda estudando no Trinity College, em Dublin, foi nomeado professor de astronomia da universidade e astrônomo real da Irlanda.

Hamilton calculava os trajetos dos corpos celestes graças a seu domínio da mecânica newtoniana. Mais tarde, ele a atualizou num sistema que permitiu novos avanços em eletromagnetismo e mecânica quântica. Em 1856, tentou aproveitar suas habilidades lançando o jogo icosiano, em que os jogadores buscam um caminho que ligue os pontos de um dodecaedro sem passar duas vezes pelo mesmo ponto. Hamilton vendeu os direitos do jogo por 25 libras. Ele morreu em 1865, após um grave ataque de gota.

Obras principais

1853 *Lectures on quaternions* [Preleções sobre quatérnios]
1866 *Elements of quaternions* [Elementos de quatérnios]

POTÊNCIAS DE NÚMEROS NATURAIS QUASE NUNCA SÃO CONSECUTIVAS
A CONJECTURA DE CATALAN

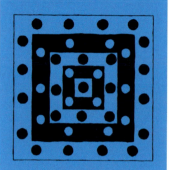

EM CONTEXTO

FIGURA CENTRAL
Eugène Catalan (1814-1894)

CAMPO
Teoria dos números

ANTES
c. 1320 O filósofo e matemático francês Levi ben Gershon (Gersônides) mostra que as únicas potências de 2 e 3 que têm diferença só de 1 são $8 = 2^3$ e $9 = 3^2$.

1738 Leonhard Euler prova que 8 e 9 são os únicos números quadrados ou cúbicos consecutivos.

DEPOIS
1976 O teórico de números holandês Robert Tijdeman prova que, se existem mais potências consecutivas, só há um número finito delas.

2002 Preda Mihăilescu prova a conjectura de Catalan, 158 anos depois de formulada em 1844.

Muitos problemas da teoria dos números são fáceis de colocar, mas muito difíceis de provar. O último teorema de Fermat, por exemplo, foi uma conjectura (afirmação não provada) por 357 anos. Como a conjectura de Fermat, a de Catalan é uma afirmação enganadoramente simples sobre potências de números inteiros positivos que foi provada muito depois de enunciada.

Em 1844, Eugène Catalan afirmou que só há uma solução para a equação $x^m - y^n = 1$, em que x, y, m e n são números naturais (inteiros positivos) e m e n são maiores que 1.

A solução é $x = 3$, $m = 2$, $y = 2$ e $n = 3$, pois $3^2 - 2^3 = 1$. Em outras palavras, quadrados, cubos e potências mais altas de números naturais quase nunca são consecutivas. Quinhentos anos antes, Gersônides tinha provado um caso especial da afirmação. Ele usou só potências de 2 e 3, resolvendo as equações $3^n - 2^m = 1$ e $2^m - 3^n = 1$. Em 1738, Leonhard Euler provou, de modo similar, um caso em que as únicas potências permitidas eram quadrados e cubos. Euler fez isso resolvendo a equação $x^2 - y^3 = 1$. Isso estava mais perto da conjectura de Catalan, mas não considerava a

---

Usando **números naturais** (inteiros positivos), a menor **diferença entre duas potências** é 1.

Catalan expressou isso com a **fórmula** $x^m - y^n = 1$, em que m e n devem ser **maiores que 1**.

Só há uma solução para essa equação usando números naturais: $3^2 - 2^3 = 1$.

Ver também: Pitágoras 36-43 ▪ Equações diofantinas 80-81 ▪ A conjectura de Goldbach 196 ▪ Números taxicab 276-277 ▪ A prova do último teorema de Fermat 320-323

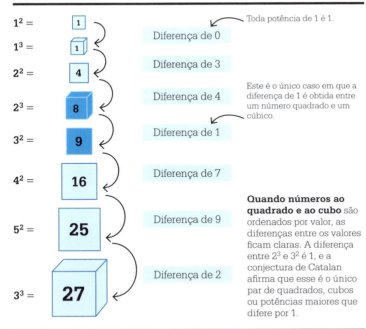

Eugène Catalan

Nascido em Bruges, na Bélgica, em 1814, Eugène Catalan foi aluno do matemático francês Joseph Liouville na École Polytechnique de Paris. Ele era republicano desde jovem, participou da Revolução de 1848 e foi destituído de vários postos acadêmicos devido às ideias políticas.

Catalan se interessava em particular por geometria e combinatória (contagem e arranjo) e seu nome é associado aos números de Catalan. Essa sequência (1, 2, 5, 14, 42...) conta, entre outras coisas, os modos com que polígonos se dividem em triângulos.

Embora se considerasse francês, Catalan ganhou reconhecimento na Bélgica, onde viveu desde que foi nomeado professor de análise na Universidade de Liège em 1865 até a morte, em 1894.

Obras principais

1860 *Traité élémentaire des séries* [Tratado elementar sobre séries]
1890 *Intégrales eulériennes ou elliptiques* [Integrais eulerianas ou elípticas]

---

possibilidade de que potências ou expoentes mais altos resultassem em números consecutivos.

Para ser um teorema

O próprio Catalan disse que não podia provar sua conjectura totalmente. Outros matemáticos abordaram o problema, mas foi só em 2002 que o matemático romeno Preda Mihăilescu resolveu as questões pendentes e tornou a conjectura um teorema. Poderia parecer que a conjectura de Catalan era falsa, já que cálculos simples logo mostravam exemplos de potências quase consecutivas. Por exemplo, $3^3 - 5^2 = 2$ e $2^7 - 5^3 = 3$. Por outro lado, mesmo essas quase soluções são raras. Uma abordagem da questão parecia envolver a realização de muitos cálculos: em 1976, Robert Tijdeman achou um limite superior (tamanho máximo) para x, y, m e n. Isso provou que só há um número finito de potências que podem ser consecutivas. A veracidade da conjectura de Catalan podia agora ser testada checando cada uma dessas potências. Infelizmente, o limite superior de Tijdeman é astronomicamente grande, tornando esses cálculos praticamente inviáveis mesmo para computadores modernos. A prova de Mihăilescu da conjectura de Catalan não envolve nenhum desses cálculos. Ele se baseou nas conquistas de Ke Zhao, J. W. S. Cassels e outros, no século XX, que provaram que m e n devem ser números primos ímpares para quaisquer outras soluções de $x^m - y^n = 1$. Sua prova não é tão formidável como a do último teorema de Fermat de Andrew Wiles, mas é também altamente técnica. ▪

A MATRIZ ESTÁ EM TODO LUGAR

MATRIZES

EM CONTEXTO

FIGURA CENTRAL
James Joseph Sylvester
(1814-1897)

CAMPOS
Álgebra, teoria dos números

ANTES
200 a.C. O texto chinês antigo *Chui chang cuan shu* [Os nove capítulos sobre a arte matemática] apresenta um método para resolver equações usando matrizes.

1545 Gerolamo Cardano publica técnicas que empregam determinantes.

1801 Carl Friedrich Gauss usa uma matriz com um sistema de seis equações para computar a órbita do asteroide Palas.

DEPOIS
1858 Arthur Cayley define formalmente a álgebra matricial e prova resultados para matrizes 2 x 2 e 3 x 3.

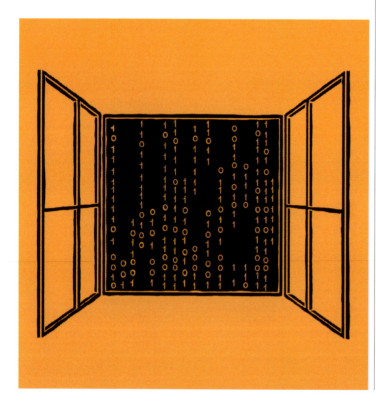

Matrizes são arranjos retangulares (grades) de elementos (números ou expressões algébricas) dispostos em linhas e colunas fechadas por colchetes. As linhas e colunas podem se estender ao infinito, o que permite às matrizes guardar vastas quantidades de dados de maneira compacta e elegante. Embora uma matriz contenha muitos elementos, é tratada como uma unidade. As matrizes têm aplicações em matemática, física e ciência da computação, por exemplo, em computação gráfica e na descrição do fluxo de um fluido.

A evidência mais remota conhecida de tais arranjos data de c. 2600 a.C., na civilização maia da

SÉCULO XIX

Ver também: A álgebra 92-99 ■ Coordenadas 144-151 ■ Probabilidades 162-165 ■ A teoria dos grafos 194-195 ■ A teoria dos grupos 230-233 ■ Criptografia 314-317

As dimensões de uma matriz são importantes, pois operações como soma e subtração exigem que as matrizes envolvidas tenham as mesmas dimensões. As matrizes 2 × 2 abaixo são quadradas, o que significa que têm número igual de linhas e colunas. A imagem mostra como matrizes são somadas pela adição dos elementos em posições correspondentes.

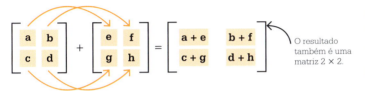

O resultado também é uma matriz 2 × 2.

James Joseph Sylvester

América Central. Alguns historiadores creem que o povo maia manipulava números em linhas e colunas para resolver equações, citando como evidência decorações que parecem grades em monumentos e trajes sacerdotais. Outros, porém, duvidam que esses desenhos representem matrizes reais.

A primeira utilização verificada de matrizes ocorreu na antiga China. O compêndio *Chui chang cuan shu* [Os nove capítulos sobre a arte matemática], do século II a.C., descreve como arrumar uma prancha de contagem e usar um método semelhante à matriz para resolver sistemas de equações lineares com vários valores desconhecidos. Esse método era similar ao sistema de eliminação introduzido pelo matemático alemão Carl Gauss no século XIX, usado até hoje na solução de sistemas de equações.

Matriz aritmética

Em 1850, o matemático britânico James Joseph Sylvester usou pela primeira vez o termo "matriz" para descrever um arranjo de números. Pouco depois, seu amigo e colega Arthur Cayley formalizou as regras de manipulação de matrizes. Cayley mostrou que as regras da álgebra matricial são diferentes das da álgebra padrão. Duas matrizes de mesmo tamanho (com o mesmo número de elementos nas linhas e colunas respectivas) são somadas com a simples soma dos elementos correspondentes. Matrizes de tamanhos diferentes não podem ser somadas. A multiplicação de matrizes, porém, é bem diferente da de números. Nem todas as matrizes podem ser multiplicadas entre si; só se pode calcular AB (ver acima) se »

Os arranjos encontrados em ruínas maias indicam, para alguns historiadores, que eles usavam matrizes para resolver equações lineares. Outros, porém, creem que eles estavam apenas imitando padrões da natureza, como o do casco desta tartaruga.

Nascido em 1814, James Joseph Sylvester iniciou os estudos na University College London, mas saiu de lá quando outro estudante o acusou de brandir uma faca. Ele foi então para Cambridge e ficou em segundo lugar nos exames de ingresso na graduação, mas não foi aceito porque, como era judeu, não poderia jurar fidelidade à Igreja da Inglaterra. Sylvester ensinou pouco tempo nos Estados Unidos, mas teve dificuldades similares lá. De volta a Londres, cursou direito e obteve licença para advogar em 1850. Também começou a trabalhar com matrizes com um colega, Arthur Cayley. Em 1876, voltou aos Estados Unidos como professor de matemática da Universidade Johns Hopkins, em Maryland, onde fundou o *American Journal of Mathematics*. Morreu em Londres, em 1897.

Obras principais

1850 *On a new class of theorems* [Sobre uma nova classe de teoremas]
1852 *On the principle of the calculus of forms* [Sobre o princípio do cálculo de formas]
1876 *Treatise on elliptic functions* [Tratado sobre funções elípticas]

A multiplicação de duas matrizes é obtida multiplicando os números horizontais da primeira matriz pelos verticais da segunda (o ponto centralizado indica multiplicação) e somando os resultados. Na álgebra matricial, mudar a ordem em que duas matrizes são multiplicadas altera o resultado, como mostrado aqui na multiplicação de duas matrizes quadradas (A e B).

$$\overset{A}{\begin{bmatrix} 4 & 8 \\ 1 & 3 \end{bmatrix}} \times \overset{B}{\begin{bmatrix} 2 & 9 \\ 7 & 0 \end{bmatrix}} = \begin{bmatrix} 4 \cdot 2 + 8 \cdot 7 & 4 \cdot 9 + 8 \cdot 0 \\ 1 \cdot 2 + 3 \cdot 7 & 1 \cdot 9 + 3 \cdot 0 \end{bmatrix} = \begin{bmatrix} 64 & 36 \\ 23 & 9 \end{bmatrix}$$

$$\overset{B}{\begin{bmatrix} 2 & 9 \\ 7 & 0 \end{bmatrix}} \times \overset{A}{\begin{bmatrix} 4 & 8 \\ 1 & 3 \end{bmatrix}} = \begin{bmatrix} 2 \cdot 4 + 9 \cdot 1 & 2 \cdot 8 + 9 \cdot 3 \\ 7 \cdot 4 + 0 \cdot 1 & 7 \cdot 8 + 0 \cdot 3 \end{bmatrix} = \begin{bmatrix} 17 & 43 \\ 28 & 56 \end{bmatrix}$$

a contagem das linhas de B é a mesma das colunas de A. A multiplicação de matrizes não é comutativa, o que quer dizer que, mesmo quando A e B são matrizes quadradas, AB não é igual a BA.

Matrizes quadradas

Devido a sua simetria, as matrizes quadradas têm propriedades especiais. Por exemplo, uma matriz quadrada pode ser multiplicada repetidamente por si própria. Uma matriz quadrada de tamanho $n \times n$ com o valor 1 ao longo da diagonal que começa no topo esquerdo e o valor 0 em todos os outros lugares é chamada matriz identidade (I_n).

Toda matriz quadrada tem um valor associado chamado determinante, que envolve muitas de suas propriedades e pode ser computado por operações matemáticas de seus elementos. As matrizes quadradas cujos elementos são números complexos e cujos determinantes não são zero formam a estrutura algébrica chamada grupo. Teoremas verdadeiros para grupos são, assim, também verdadeiros para tais matrizes, e novos desenvolvimentos da teoria dos grupos podem ser aplicados às matrizes. Os grupos também podem ser representados como matrizes, permitindo que problemas difíceis da teoria dos grupos sejam expressos em termos de álgebra matricial, que é resolvida com mais facilidade. A teoria da representação, como esse campo é chamado, é aplicada à teoria e análise dos números e na física.

Determinantes

O determinante de uma matriz foi assim nomeado por Gauss, devido ao fato de que determina se o sistema de equações representado pela matriz tem uma solução. Desde que o determinante não seja 0, o sistema só terá uma solução. Se o determinante for 0, o sistema terá ou nenhuma solução ou muitas.

No século XVII, o matemático japonês Seki Takakaze mostrou como calcular os determinantes de matrizes até o tamanho de 5×5. No século seguinte, matemáticos

Uma transformação linear em duas dimensões mapeia linhas que passam pela origem (ou seja, aplica as configurações dessas linhas) a outras que passam pela origem, e linhas paralelas a linhas paralelas. As transformações lineares incluem rotações, reflexões, ampliações, estiramentos e cisalhamentos (linhas que deslizam em paralelo a uma linha fixa, em proporção com a distância delas à linha fixa). A imagem de qualquer ponto (x, y) é obtida multiplicando a matriz pelo vetor da coluna que representa o ponto (x, y). Abaixo, a forma original é o quadrado rosa, com vértices (0,0), (2,0), (2,2), e (0,2) e a imagem é o verde.

Cisalhamento horizontal com fator de cisalhamento 1

$$\begin{bmatrix} 1 & 1 \\ 0 & 1 \end{bmatrix} \times \begin{bmatrix} x \\ y \end{bmatrix}$$

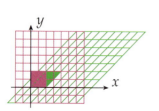

Reflexão no eixo vertical

$$\begin{bmatrix} -1 & 0 \\ 0 & 1 \end{bmatrix} \times \begin{bmatrix} x \\ y \end{bmatrix}$$

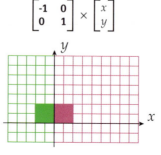

Ampliação por um fator de 1,5

$$\begin{bmatrix} 1,5 & 0 \\ 0 & 1,5 \end{bmatrix} \times \begin{bmatrix} x \\ y \end{bmatrix}$$

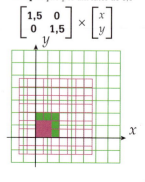

SÉCULO XIX

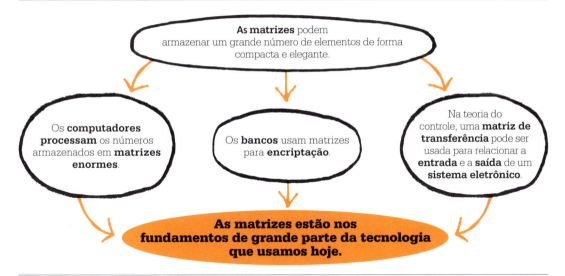

descobriram as regras para obter determinantes de arranjos cada vez maiores. Em 1750, o matemático suíço Gabriel Cramer apresentou uma regra geral (hoje chamada regra de Cramer) para o determinante de uma matriz com m linhas e n colunas, mas não conseguiu provar essa regra.

Em 1812, os matemáticos franceses Augustin-Louis Cauchy e Jacques Binet provaram que quando duas matrizes quadradas do mesmo tamanho são multiplicadas o determinante desse produto é, na verdade, igual ao produto de seus determinantes individuais: $det AB = (det A) \times (det B)$. Essa regra simplificou o processo de encontrar o determinante de uma matriz muito grande, quebrando-o nos determinantes de duas matrizes menores.

Matrizes de transformação

As matrizes podem ser usadas para representar transformações geométricas lineares (ver ao lado), como reflexões, rotações, translações e escalas. As transformações em duas dimensões envolvem matrizes 2 × 2; as transformações 3D, matrizes 3 × 3. O determinante de uma matriz de transformação contém informações sobre a área ou o volume da figura transformada. Hoje, os programas de CAD (*computer aided design* – desenho assistido por computador) fazem amplo uso de matrizes para esse fim.

Aplicações modernas

As matrizes podem armazenar vastas quantidades de dados de modo compacto, o que as torna essenciais à matemática, à física e à computação. A teoria dos grafos usa matrizes para registrar como um conjunto de vértices (pontos) se liga por arestas (linhas). A mecânica matricial, uma formulação da física quântica, faz amplo uso da álgebra matricial, e os físicos de partículas e cosmólogos utilizam matrizes de transformação e teoria dos grupos para estudar simetrias do Universo.

As matrizes são usadas ao representar circuitos elétricos para resolver problemas de voltagem e corrente. São também importantes na ciência da computação e na criptografia. As matrizes estocásticas, cujos elementos representam probabilidades, são usadas em algoritmos de mecanismos de busca para ranquear páginas de internet. Programadores usam matrizes como chaves ao criptografar mensagens; valores numéricos individuais atribuídos às letras são multiplicados pelos números da matriz. Quanto maior a matriz usada, maior segurança da encriptação. ∎

Não pensei que fosse preciso assumir o trabalho de uma prova formal do teorema, no caso geral de uma matriz de qualquer grau.
Arthur Cayley

UMA INVESTIGAÇÃO SOBRE AS LEIS DO PENSAMENTO
ÁLGEBRA BOOLIANA

ÁLGEBRA BOOLIANA

EM CONTEXTO

FIGURA CENTRAL
George Boole (1815-1864)

CAMPO
Lógica

ANTES
350 a.C. A filosofia de Aristóteles discute silogismos.

1697 Gottfried Leibniz tenta sem sucesso usar a álgebra para formalizar a lógica.

DEPOIS
1881 John Venn introduz os diagramas de Venn para explicar a lógica booliana.

1893 Charles Sanders Peirce usa tabelas-verdade para mostrar os resultados da álgebra booliana.

1937 Claude Shannon usa a lógica booliana como base para projetos de computadores em *A symbolic analysis of relay and switching circuits* [Análise simbólica de circuitos de relé e comutador].

"Ele nunca deu mais que atenção secundária à matemática, e até pela lógica se interessava mais como meio de limpar o terreno."
Mary Everest Boole
Matemática britânica, esposa de George Boole

A **lógica booliana** estipula que os resultados de todas as operações de **álgebra booliana** só podem ser **ou verdadeiras ou falsas**.

"**Verdadeiro**" em geral é representado por **1** e "**falso**", por **0**.

Todas as operações da álgebra booliana só têm dois resultados possíveis: 1 ou 0.

A lógica é o alicerce da matemática. Ela nos dá as regras do raciocínio e uma base para decidir a validade de um argumento ou proposição. Um argumento matemático usa as regras da lógica para garantir que, se uma proposição básica é verdadeira, toda e qualquer afirmação construída sobre tal proposição também será verdadeira.

O primeiro a tentar apresentar os princípios da lógica foi o filósofo grego Aristóteles, por volta de 350 a.C. Sua análise das várias formas dos argumentos marcou o início da lógica como tema de estudo. Ele examinou, em especial, o tipo de argumento chamado silogismo, que consiste em três proposições. A duas primeiras, as premissas, exigem pela lógica a terceira, a conclusão. As ideias de Aristóteles sobre lógica não tiveram paralelo nem foram questionadas no pensamento ocidental por mais de 2 mil anos.

Aristóteles abordou a lógica como um ramo da filosofia, mas no século XIX os estudiosos começaram a estudá-la como disciplina matemática. Isso envolveu passar de argumentos expostos em palavras para uma lógica simbólica em que eles podiam ser expressos por símbolos abstratos. Um dos pioneiros da mudança para a lógica matemática foi o britânico George Boole, que buscou aplicar métodos do campo emergente da álgebra simbólica à lógica.

Lógica algébrica

As investigações de Boole sobre lógica começaram de modo incomum. Em 1847, um amigo, o lógico britânico Augustus De Morgan, envolveu-se numa disputa com um filósofo sobre a autoria de uma ideia. Boole não estava diretamente envolvido, mas o evento o estimulou a registrar suas ideias sobre a formalização da lógica pela matemática no ensaio *Mathematical analysis of logic* [Análise matemática da lógica], de 1847.

Boole queria descobrir um modo de enquadrar argumentos lógicos para que pudessem ser manipulados e resolvidos de modo matemático. Para isso, desenvolveu um tipo de álgebra linguística, em que as operações da álgebra comum, como adição e multiplicação, foram trocadas pelos conectores usados em lógica. Como na álgebra, o uso de símbolos e conectivos por Boole permitiu simplificar as expressões lógicas.

As três operações centrais da álgebra de Boole eram E, OU e NÃO;

Ver também: Lógica silogística 50-51 ▪ Números binários 176-177 ▪ A solução algébrica de equações 200-201 ▪ Diagramas de Venn 254 ▪ A máquina de Turing 284-289 ▪ A teoria da informação 291 ▪ Lógica difusa 300-301

Boole pensava que eram as únicas operações necessárias para realizar comparações de conjuntos, além das funções matemáticas básicas. Por exemplo, em lógica duas afirmações podem ser ligadas por E, como em "este animal é coberto de pelos" E "este animal amamenta os filhotes" ou por OU, como em "este animal nada" OU "este animal tem penas". A afirmação "A E B" é verdadeira quando A e B são ambos verdadeiros individualmente, enquanto a afirmação "A OU B" é verdadeira se um ou ambos A e B são verdadeiros. Em termos booleanos, tais afirmações podem ser dadas como, por exemplo: (A OU B) = (B OU A); NÃO (NÃO A) = A; ou ainda NÃO (A OU B) = (NÃO A) E (NÃO B).

Binário de Boole

Em 1854, Boole publicou sua obra mais importante, *An investigation into The laws of thought* [Investigação sobre as Leis do pensamento]. Ele tinha estudado as propriedades algébricas dos números e percebeu que o conjunto {0, 1}, com operações como adição e multiplicação, podia ser usado para formar uma linguagem algébrica consistente. Boole propôs que proposições lógicas só poderiam ter dois valores – verdadeiro ou falso – e não poderiam ser nada entre os dois.

Na álgebra lógica de Boole, verdade e falsidade se reduziam a valores binários: 1 para verdadeiro e 0 para falso. Começando com uma afirmação inicial que era ou verdadeira ou falsa, Boole podia então construir outras afirmações e usar as operações E, OU e NÃO para determinar se essas outras afirmações eram verdadeiras ou não.

Um mais um é um

Apesar da semelhança, o binário verdadeiro e falso de 1 e 0 de Boole não é o mesmo que os números binários. Os números booleanos diferem por completo da matemática dos números reais. As "leis" da álgebra de Boole permitem afirmações que não seriam admitidas por outras formas de álgebra. Na álgebra de Boole, só há dois valores possíveis para qualquer quantidade: ou 1 ou 0.

A álgebra booliana torna possível provar afirmações lógicas realizando cálculos algébricos.
Ian Stewart
Matemático britânico

Além disso, não há nela algo como a subtração. Por exemplo, se a afirmação A, "meu cachorro é peludo", é verdadeira, tem o valor de 1, e se a afirmação B, "meu cachorro é marrom", é verdadeira, também tem o valor de 1. A e B podem ser combinadas na afirmação "meu cachorro é peludo OU meu cachorro é marrom", que também é verdadeira e tem o valor de 1. Na álgebra de Boole, OU se comporta como + (com exceção de 1 + 1 = 1) e E se comporta como × (ver tabela na p. 247). »

George Boole

Nascido em Lincoln em 1815, George Boole era filho de um fabricante de sapatos que lhe transmitiu o amor por ciência e matemática. Quando os negócios do pai ruíram, George, aos dezesseis anos, virou auxiliar de classe para sustentar a família e passou a estudar matemática a sério, lendo um livro de cálculo. Publicou depois trabalhos no *Cambridge Mathematical Journal*, mas não conseguiu arcar a graduação. Em 1849, devido à correspondência com Augustus De Morgan, Boole foi nomeado professor de matemática do novo Queen's College de Cork, na Irlanda, onde ficou até a morte prematura, aos 49 anos.

Obras principais

1847 *Mathematical analysis of logic* [Análise matemática da lógica]
1854 *The laws of thought* [As leis do pensamento]
1859 *Treatise on differential equations* [Tratado sobre equações diferenciais]
1860 *Treatise on the calculus of finite differences* [Tratado sobre cálculo de diferenças finitas]

246 ÁLGEBRA BOOLIANA

> A coisa mais distante de minha mente são aqueles esforços para tentar estabelecer uma similaridade artificial [entre lógica e álgebra].
> **Gottlob Frege**

Visualização de resultados

Em 1881, o lógico britânico John Venn desenvolveu as teorias de Boole em *Symbolic logic* [Lógica simbólica], oferecendo um modo de visualizá-las com o que foi chamado de diagramas de Venn. Estes representam relações de inclusão (E) e exclusão (NÃO) entre conjuntos por meio de círculos em interseção, cada um correspondente a um conjunto distinto. Um diagrama de Venn de dois círculos representa proposições como "Todos os A são B", enquanto um diagrama de três círculos é usado para proposições que envolvem três conjuntos (como X, Y e Z, abaixo).

Os resultados de uma afirmação também podem ser avaliados em álgebra booliana por meio de uma tabela-verdade (ver ao lado), em que todas as combinações possíveis de entrada são experimentadas e registradas. Essas tabelas-verdade foram usadas primeiro pelo lógico americano Charles Sanders Peirce em 1893, quase trinta anos após a morte de Boole. Por exemplo, a afirmação A E B só pode ser considerada verdadeira se tanto A quanto B forem verdadeiros. Se um ou ambos A e B forem falsos, então A E B é falso. Assim, dentre as quatro combinações possíveis de A e B, só uma resulta numa resposta verdadeira. Por outro lado, para A OU B, há três combinações possíveis em que essa afirmação é verdadeira, já que só será falsa se tanto A quanto B forem falsos. Afirmações mais complexas também podem ser avaliadas traçando tabelas-verdade.

Por exemplo, A E (B OU NÃO C) é verdadeiro quando A e B são ambos verdadeiros e C é falso, e é falso quando A é falso e ambos B e C são verdadeiros. Dentre oito combinações possíveis de verdadeiro e falso, há três em que a afirmação é verdadeira e cinco em que é falsa.

Limitações

Uma desvantagem do sistema de álgebra de Boole era que não tinha um método de quantificação: não havia um modo simples de expressar uma afirmação como "para todo X", por exemplo. A primeira lógica simbólica com quantificação foi criada em 1879 pelo lógico alemão Gottlob Frege, que se opôs às tentativas de Boole de transformar a lógica em álgebra. Frege foi sucedido por Charles Sanders Peirce e outro lógico alemão, Ernst Schröder, que introduziu a quantificação na álgebra de Boole e produziu trabalhos importantes com o sistema de Boole.

Estes diagramas de Venn representam três das funções mais básicas da álgebra booliana: as funções para E, OU e NÃO. O diagrama de três círculos representa uma combinação de duas funções: (X E Y) OU Z.

▨ A região que mostra a saída da função

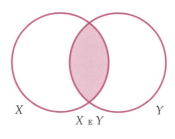

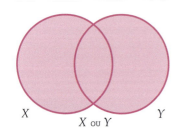

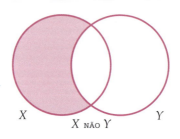

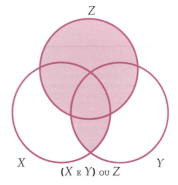

SÉCULO XIX

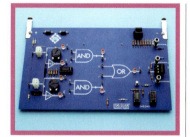

Este módulo lógico é usado para ensinar como portas lógicas funcionam em circuitos eletrônicos. As portas podem ser conectadas a luzes ou campainhas acionadas dependendo da saída.

O legado de Boole

Foi só uns setenta anos após a morte de Boole que o potencial de suas ideias foi totalmente entendido. O engenheiro americano Claude Shannon usou *Mathematical analysis of logic* [Análise matemática da lógica], de Boole, para criar as bases dos circuitos digitais modernos de computador. Ao trabalhar em um dos primeiros computadores mundiais, Shannon percebeu que o sistema binário de dois valores de Boole poderia dar fundamento às portas lógicas (recursos físicos que se movem com base em funções booleanas) do circuito elétrico. Com apenas 21 anos, Shannon publicou em 1937 as ideias que basearam o projeto futuro de computador em *A symbolic analysis of relay and switching circuits* (Análise simbólica de circuitos de relé e comutador).

Os elementos dos códigos usados hoje em programas de computador se baseiam na lógica formulada por Boole. A lógica booliana também está no cerne do funcionamento dos mecanismos de busca na internet. Nos primeiros dias da rede, era comum usar os comandos E, OU e NÃO para filtrar resultados e encontrar o que se buscava em específico, mas avanços na tecnologia permitiram às pessoas hoje fazer buscas com uma linguagem mais natural. Os comandos boolianos ficaram apenas em silêncio: a busca por "George Boole", por exemplo, tem um E implícito entre as duas palavras, de modo que só páginas da internet com ambos os nomes apareçam nos resultados. ∎

Porta	Símbolo	Tabela-verdade
NÃO Uma saída de porta NÃO é o oposto da entrada.	A ─▷○─ X	ENTRADA / SAÍDA 1 / 0 0 / 1
E Uma saída de porta E só é 1 se ambas as entradas forem 1.	A, B ─D─ X	ENTRADA (A, B) / SAÍDA (A e B) 0, 0 / 0 0, 1 / 0 1, 0 / 0 1, 1 / 1
OU Uma saída de porta OU só é 0 se ambas as entradas forem 0.	A, B ─D─ X	ENTRADA (A, B) / SAÍDA (A e B) 0, 0 / 0 0, 1 / 1 1, 0 / 1 1, 1 / 1
NAND Uma porta NAND é uma porta E seguida por uma porta NÃO.	A, B ─D○─ X	ENTRADA (A, B) / SAÍDA (A e B) 0, 0 / 1 0, 1 / 1 1, 0 / 1 1, 1 / 0
NOR Uma porta NOR é uma porta OU seguida por uma porta NÃO.	A, B ─D○─ X	ENTRADA (A, B) / SAÍDA (A e B) 0, 0 / 1 0, 1 / 0 1, 0 / 0 1, 1 / 0

As portas lógicas são recursos físicos eletrônicos que executam funções boolianas e constituem parte importante dos circuitos de computador. Esta tabela mostra os vários símbolos de cada tipo de porta lógica. As tabelas-verdade mostram os resultados possíveis de várias entradas nas portas.

UMA FORMA COM UM SÓ LADO
A FAIXA DE MOEBIUS

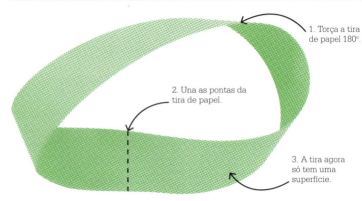

1. Torça a tira de papel 180°.
2. Una as pontas da tira de papel.
3. A tira agora só tem uma superfície.

A faixa de Moebius pode ser feita com uma simples tira de papel. Ela pode ser colorida em um movimento contínuo, sem tirar o lápis de cor do papel. A forma só tem uma superfície; isso pode ser conferido seguindo a superfície da forma com o olhar.

EM CONTEXTO

FIGURA CENTRAL
August Moebius (1790-1868)

CAMPO
Geometria aplicada

ANTES
Século III d.C. Um mosaico grego com Aion, deus grego do tempo eterno, mostra um zodíaco de forma semelhante à da faixa de Moebius.

1847 Johann Listing publica *Vorstudien zur Topologie* (Estudos introdutórios à topologia)

DEPOIS
1882 Felix Klein descreve a *Kleinsche Flasche* (garrafa de Klein), forma composta de duas faixas de Moebius.

1957 Nos Estados Unidos, a B. F. Goodrich Company obtém a patente de uma correia de transmissão baseada na faixa de Moebius.

2015 Faixas de Moebius são usadas em pesquisa de feixes de laser, com aplicações potenciais em nanotecnologia.

U ma faixa de Moebius – nome que vem de August Moebius, matemático alemão do século XIX – pode ser criada em segundos ao se torcer uma tira de papel 180° e unir as duas pontas. A forma que resulta tem algumas propriedades inesperadas, que impulsionaram nossa compreensão de figuras geométricas complexas – o ramo de estudo chamado topologia.

O século XIX foi um período criativo para a matemática, e o instigante campo novo da topologia gerou muitas formas geométricas novas. Muito desse ímpeto veio de matemáticos alemães, como Moebius e Johann Listing. Em 1858, os dois investigaram, de modo independente, uma faixa torcida, que, segundo consta, Listing descobriu primeiro.

Uma vez formada, a faixa de Moebius só tem uma superfície – uma formiga que ande ao longo dessa superfície poderia percorrer ambos os lados do papel num

Ver também: A teoria dos grafos 194-195 ▪ Topologia 256-259 ▪ O espaço de Minkowski 274-275 ▪ Fractais 306-311

SÉCULO XIX 249

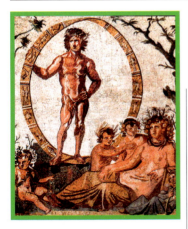

Um mosaico romano de c. 200 d.C. inclui o que pode ser a mais antiga representação de uma faixa de Moebius, que se acredita representar a natureza eterna do tempo.

movimento contínuo, sem cruzar a borda. Em geometria, ela é considerada um exemplo clássico de superfície não orientável. Isso significa que quando se passa o dedo ao redor de toda a faixa, os lados esquerdo e direito do papel são invertidos. A faixa de Moebius é a superfície bidimensional não orientável mais simples que pode ser criada em espaço tridimensional.

Os experimentos com a faixa de Moebius produzem outros resultados inesperados. Por exemplo, se você desenhar uma linha ao longo do centro da faixa e depois cortá-la pela linha, a forma não se dividirá em duas. Em vez disso, você obterá uma faixa torcida contínua mais longa. Ou, então, desenhe uma linha mais ou menos a um terço da largura da faixa e corte-a ao longo do comprimento: o resultado será uma faixa torcida ligada a uma segunda faixa torcida, com o dobro do comprimento.

Espaço, indústria e arte

A faixa de Moebius às vezes ocorre naturalmente, como no movimento de partículas com carga magnética nos cinturões de radiação Van Allen ao redor da Terra e na estrutura molecular de algumas proteínas. Suas propriedades têm uso também em aplicações do dia a dia. No início do século xx, a forma da faixa de Moebius foi usada em fitas contínuas de gravação para fornecer o dobro de tempo de reprodução. Há ainda montanhas-russas com faixas de Moebius, como a Grand National, no Blackpool Pleasure Beach, no norte inglês. A faixa de Moebius também fornece ideias a artistas e arquitetos. O holandês Maurits Escher criou uma xilogravura notável de uma fila de formigas andando sobre a forma. Construções impressionantes inspiradas na faixa de Moebius estão sendo erguidas de modo a minimizar o impacto dos raios do sol. A forma é usada como símbolo universal de reciclagem e também é evocada no símbolo matemático de infinito (∞), lembrando a imagem de eternidade do antigo mosaico romano (acima). ∎

Nossas vidas são faixas de Moebius, ao mesmo tempo desgraça e maravilha. Nossos destinos são infinitos e infinitamente se repetem.
Joyce Carol Oates
Romancista americana

August Möbius

Nascido em 1790 na Alemanha, perto de Naumberg, na Saxônia, August Ferdinand Moebius era filho de um professor de dança. Foi estudar na Universidade de Leipzig matemática, física e astronomia aos dezoito anos, e depois, em Göttingen, com o grande matemático alemão Carl Friedrich Gauss. Em 1816, Moebius foi nomeado professor de astronomia em Leipzig e ficou ali o resto da vida, escrevendo tratados sobre o cometa de Halley e outros tópicos de astronomia.

Moebius é associado a vários conceitos matemáticos, como as transformações de Moebius, a função de Moebius, o plano de Moebius e a fórmula de inversão de Moebius. Ele também conjecturou a projeção geométrica chamada rede de Moebius. Morreu em Leipzig, em 1868.

Obras principais

1827 *Der barycentrische calkul* [Cálculo de centros de gravidade]
1837 *Lehrbuch der Statik* [Compêndio de estática]
1843 *Die Elemente der Mechanik des Himmels* [Elementos de mecânica celeste]

A MÚSICA DOS NÚMEROS PRIMOS
A HIPÓTESE DE RIEMANN

É muito **difícil estimar** quantos números primos existem entre um **par de números**.

A **hipótese de Riemann** afirma que a **função zeta** (uma função da teoria dos números) fornece a **estimativa** mais **precisa** para o total de números primos entre dois valores.

A hipótese **não foi ainda provada**.

EM CONTEXTO

FIGURA CENTRAL
Bernhard Riemann (1826--1866)

CAMPO
Teoria dos números

ANTES
1748 Leonhard Euler define o produto de Euler, ligando uma versão do que se tornaria a função zeta à sequência dos números primos.

1848 O matemático russo Pafnuti Tchebichev apresenta o primeiro estudo significativo da função $\pi(n)$ de contagem de números primos.

DEPOIS
1901 O matemático sueco Helge von Koch prova que a melhor versão possível da função de contagem de números primos reside na hipótese de Riemann.

2004 O processamento distribuído é usado para provar que os primeiros dez trilhões de zeros não triviais estão na linha crítica.

Em 1900, David Hilbert listou 23 problemas matemáticos pendentes. Um deles era a hipótese de Riemann, que ainda é por consenso um dos mais importantes problemas não resolvidos da matemática. Ele trata de números primos – aqueles que só são divisíveis por si mesmos e por 1. Provar a hipótese de Riemann resolveria muitos outros teoremas.

O aspecto mais notável dos números primos é que quanto maiores são mais separados ficam. Entre os números 1 e 100, 25 são primos (1 em 4); entre 1 e 100.000, há 9.592 (cerca de 1 em 10). Esses valores se expressam pela função de contagem de números primos, $\pi(n)$, mas π aqui não se refere à constante matemática pi. Inserindo-se n em π obtém-se o número de primos entre 1 e n. Por exemplo, o número de primos até 100 dá $\pi(100) = 25$.

Padrão descoberto
Durante séculos, o fascínio dos matemáticos pelos números primos os levou a buscar uma fórmula que previsse os valores dessa função.

Ver também: Primos de Mersenne 124 ▪ Números imaginários e complexos 128-131 ▪ O plano complexo 214-215 ▪ O teorema dos números primos 260-261

> O fracasso da hipótese de Riemann seria devastador para a distribuição dos números primos.
> **Enrico Bombieri**
> Matemático italiano

Com apenas catorze anos, Carl Gauss descobriu uma resposta aproximada, e logo conseguiu achar uma versão melhorada da função de contagem de números primos que podia prever o número deles entre 1 e 1.000.000 como 78.628, com margem de erro de 0,2%.

Uma nova fórmula
Em 1859, Bernhard Riemann elaborou uma nova fórmula para $\pi(n)$ que daria as estimativas mais precisas possíveis. Uma das entradas requeridas por essa fórmula é uma série de números complexos definida pelo que hoje se chama função zeta de Riemann, $\zeta(s)$.

Os números exigidos para confirmar a fórmula de Riemann para $\pi(n)$ são os números complexos (s) para os quais $\zeta(s) = 0$. Alguns deles – os "zeros triviais" – são fáceis de achar; eles são todos os números inteiros pares negativos (-2, -4, -6 etc.). Achar os outros (os zeros não triviais – todos os outros valores para os quais $\zeta(s) = 0$) é mais difícil. Riemann só calculou três. Ele acreditava que os zeros não triviais têm uma coisa em comum: ao ser plotados no plano complexo, todos caem na "linha crítica", onde a parte real do número é 0,5. Essa ideia se chama "hipótese de Riemann".

A solução
Em 2018, o matemático britânico Michael Atiyah, aos 89 anos, disse ter encontrado uma prova simples da hipótese de Riemann. Ele morreu poucos meses depois, sem que a prova fosse verificada.

Embora provar a hipótese de Riemann validasse a condição da função zeta como o melhor indicador da distribuição de números primos, ainda assim não permitiria que os números primos fossem totalmente previstos. Sua distribuição é em certa medida caótica. Mas a hipótese identifica o caráter misto previsível e aleatório dos números primos. A combinação é exatamente a que é mostrada pelos níveis de energia do núcleo de átomos pesados, segundo a teoria quântica. Essa profunda conexão significa que a hipótese talvez seja um dia provada não por um matemático, mas por um físico. ▪

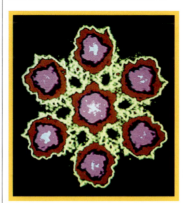

O urânio é um exemplo de átomo pesado cujo núcleo segue o mesmo comportamento estatístico dos números primos, o que o torna muito difícil de prever.

Bernhard Riemann

Filho de um clérigo, Bernhard Riemann nasceu na Alemanha, em 1826. Fascinado de início por teologia, ele foi convencido a mudar sua graduação para matemática por Carl Gauss, seu professor na Universidade de Göttingen. O resultado foi uma série de descobertas influentes até hoje.

Além de trabalhar com números primos, Riemann ajudou a formular as regras para aplicar o cálculo a funções complexas (funções que usam números complexos). Sua compreensão revolucionária do espaço foi usada por Einstein ao desenvolver a teoria da relatividade. Apesar do sucesso, Riemann tinha dificuldades financeiras. Ele só conseguiu dinheiro para se casar quando lhe concederam uma cátedra em Göttingen, em 1862. Um mês depois, caiu doente e sua saúde se deteriorou até que morreu de tuberculose em 1866.

Obra principal

1868 *Ueber die Hypothesen, welche der Geometrie zu Grunde liegen* [Sobre a hipótese que está na base da geometria]

ALGUNS INFINITOS SÃO MAIORES QUE OUTROS
NÚMEROS TRANSFINITOS

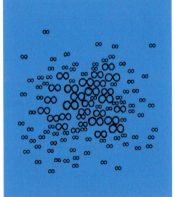

EM CONTEXTO

FIGURA CENTRAL
Georg Cantor (1845-1918)

CAMPO
Teoria dos números

ANTES
450 a.C. Zenão de Eleia usa vários paradoxos para explorar a natureza do infinito.

1844 O matemático francês Joseph Liouville prova que um número pode ser transcendente – ter um número infinito de dígitos arranjados sem um período de dízima e sem uma raiz algébrica.

DEPOIS
1901 O paradoxo do barbeiro, de Bertrand Russell, expõe a fragilidade da teoria dos conjuntos ao definir números.

1913 O teorema do macaco infinito explica que, dado um tempo infinito, uma entrada aleatória pode por fim produzir todos os resultados possíveis.

O infinito é um conceito de que os matemáticos instintivamente desconfiaram há muito tempo. Foi só no fim do século XIX que Georg Cantor pôde explicá-lo com rigor matemático. Ele descobriu que há mais de um tipo de infinito – uma variedade infinita, na verdade – e que alguns são maiores que outros. Para descrever esses diferentes infinitos, ele introduziu os números transfinitos. Enquanto estudava a teoria dos conjuntos, Cantor buscou criar definições para cada número até o infinito. Essa necessidade surgiu da descoberta dos números transcendentes, como π e e, que são irracionais, infinitamente longos e não são raízes algébricas. Entre cada número algébrico – incluindo os inteiros, frações e certos números

---

O conjunto **infinito** de **números naturais** (inteiros positivos) é bem ordenado e teoricamente **pode ser listado**.

⬇

Portanto, esse é um **infinito contável**.

O conjunto **infinito** dos **números transcendentes**, como π, **não pode ser listado** em nenhuma ordem.

⬇

Portanto, esse é um **infinito incontável**.

⬇

Um **infinito incontável** é **maior** que um **infinito contável**.

⬇

Alguns infinitos são maiores que outros.

SÉCULO XIX 253

Ver também: Números irracionais 44-45 ▪ Os paradoxos de movimento de Zenão 46-47 ▪ Números negativos 76-79 ▪ Números imaginários e complexos 128-131 ▪ O cálculo 168-175 ▪ A lógica da matemática 272-273 ▪ O teorema do macaco infinito 278-279

irracionais (como $\sqrt{2}$) – há um número infinito de transcendentes.

Contagem de infinitos

Para ajudar a identificar onde um número se localiza, Cantor traçou uma distinção entre dois tipos de números: cardinais, que são os números de contagem 1, 2, 3... e denotam o tamanho de um conjunto; e ordinais, como 1º, 2º e 3º, que registram a ordem.

Cantor criou um novo número cardinal transfinito – alef ($\aleph$), a primeira letra do alfabeto hebraico – para denotar um conjunto que contém um número infinito de elementos. O conjunto dos números inteiros, que inclui os números naturais, inteiros negativos e zero, recebeu a cardinalidade de $\aleph_0$, o menor cardinal transfinito, já que esses são teoricamente números contáveis, mas na verdade é impossível contá-los todos. Um conjunto com uma cardinalidade $\aleph_0$ começa com um primeiro item e termina com um item ω (ômega), um número ordinal transfinito. O número de itens de um conjunto com cardinalidade de $\aleph_0$ é ω. Somar a esse conjunto cria um novo conjunto de $\omega + 1$. Um conjunto de todos os ordinais contáveis, como $\omega + 1$, $\omega + 1 + 2$, $\omega + 1 + 2 + 3$..., conterá ω_1 itens. Esse conjunto não pode ser contado, tornando esse infinito maior que os contáveis, então diz-se que tem uma cardinalidade de $\aleph_1$. O conjunto de todos os conjuntos $\aleph_1$ contém ω_2 itens, com uma cardinalidade de $\aleph_2$. Desse modo, a teoria dos conjuntos de Cantor cria infinitos aninhados uns dentro dos outros, expandindo-se eternamente. ∎

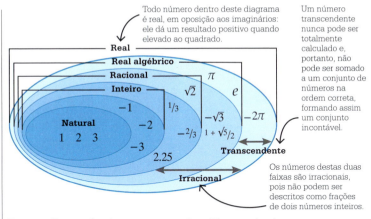

Todo número dentro deste diagrama é real, em oposição aos imaginários: ele dá um resultado positivo quando elevado ao quadrado.

Um número transcendente nunca pode ser totalmente calculado e, portanto, não pode ser somado a um conjunto de números na ordem correta, formando assim um conjunto incontável.

Os números destas duas faixas são irracionais, pois não podem ser descritos como frações de dois números inteiros.

Estes anéis concêntricos mostram os tipos diferentes de números, que correspondem a diferentes tipos de infinitos. Cada anel descreve um conjunto de números. Por exemplo, o conjunto de números naturais é um pequeno subconjunto dos números racionais, que por sua vez se combinam com o conjunto dos números irracionais para formar o conjunto completo dos números reais.

Georg Cantor

Nascido em São Petersburgo, na Rússia, em 1845, Georg Cantor foi com a família para a Alemanha em 1856. Acadêmico (e violinista) notável, estudou em Berlim e Göttingen, e depois foi professor de matemática na Universidade de Halle. Apesar de muito admirado pelos matemáticos atuais, Cantor era uma espécie de pária entre seus contemporâneos. Sua teoria dos números transfinitos se chocava com as ideias matemáticas tradicionais e as críticas de importantes matemáticos prejudicaram sua carreira. Também foi criticado pelo clero, mas Cantor, muito religioso, via sua pesquisa como uma glorificação de Deus. Em depressão, Cantor passou internado a maior parte dos anos finais. Ele começou a ser valorizado no início do século XX, mas passou a velhice na pobreza. Morreu de ataque cardíaco em 1918.

Obra principal

1915 *Contributions to the founding of the theory of transfinite numbers* [Contribuições aos fundamentos da teoria dos números transfinitos]

REPRESENTAÇÃO DIAGRAMÁTICA DO RACIOCÍNIO
DIAGRAMAS DE VENN

EM CONTEXTO

FIGURA CENTRAL
John Venn (1834-1923)

CAMPO
Estatística

ANTES
c. 1290 O místico catalão Ramon Llull inventa sistemas de classificação usando recursos como árvores, escadas e rodas.

c. 1690 Gottfried Leibniz cria círculos de classificação.

1762 Leonhard Euler descreve o uso de círculos lógicos, hoje chamados círculos de Euler.

DEPOIS
1963 O matemático americano David W. Henderson delineia a conexão entre os diagramas de Venn simétricos e os números primos.

2003 Nos Estados Unidos, Jerrold Griggs, Charles Killian e Carla Savage mostram que existem diagramas de Venn simétricos para todos os números primos.

Em 1880, o matemático britânico John Venn apresentou a ideia do diagrama de Venn no artigo "On the diagrammatic and mechanical representation of propositions and reasonings" [Sobre a representação diagramática e mecânica de proposições e raciocínios]. O diagrama de Venn é um modo de agrupar coisas em círculos (ou outras formas curvas) sobrepostos para mostrar a relação entre eles.

Círculos sobrepostos

O diagrama de Venn considera dois ou três conjuntos ou grupos diferentes de coisas com algo em comum – como todas as coisas vivas ou todos os planetas do sistema solar. Cada conjunto recebe seu próprio círculo e os círculos são sobrepostos. Os objetos de cada conjunto são então arranjados nos círculos de modo que aqueles que pertençam a mais de um conjunto sejam dispostos onde os círculos se sobrepõem. Diagramas de Venn com dois círculos podem representar proposições categóricas, como "Todos os A são B", "Nenhum A é B" e "Alguns A são B". Diagramas de três círculos podem também representar silogismos, em que há duas premissas e uma conclusão categóricas. Por exemplo: "Todos os franceses são europeus. Alguns franceses comem queijo. Portanto, alguns europeus comem queijo".

Ferramenta muito usada para ordenar dados na vida diária, em contextos que vão de salas de aula a mesas de diretoria, os diagramas de Venn são parte integral da teoria dos conjuntos, devido a sua capacidade de expressar relações. ∎

Grandes ideias são as que estão na interseção do diagrama de Venn de 'é uma boa ideia' e 'parece uma má ideia'.
Sam Altman
Empresário americano

Ver também: Lógica silogística 50-51 ▪ Probabilidades 162-165 ▪ O cálculo 168-175 ▪ O número de Euler 186-191 ▪ A lógica da matemática 272-273

A TORRE VAI CAIR E O MUNDO ACABARÁ
A TORRE DE HANÓI

EM CONTEXTO

FIGURA CENTRAL
Édouard Lucas (1842-1891)

CAMPO
Teoria dos números

ANTES
1876 Édouard Lucas prova que o número de Mersenne $2^{127} - 1$ é primo. Esse ainda é o maior número primo já encontrado sem uso de computador.

DEPOIS
1894 O trabalho de Lucas com matemática recreativa é publicado postumamente em quatro volumes.

1959 O escritor americano Eric Frank Russell publica "Now inhale" (Agora inspire), conto sobre um alienígena a quem se permite jogar uma versão da Torre de Hanói antes de sua execução.

1966 Num episódio de *Doctor Who*, da BBC, o vilão Fabricante de Brinquedos Celestial força Doctor Who a disputar uma versão do jogo com dez discos.

Consta que o matemático francês Édouard Lucas inventou o jogo da Torre de Hanói em 1883. O objetivo do jogo é simples. Apresenta-se ao adversário três pinos, um dos quais com três discos por ordem de tamanho, com o maior embaixo. Os três discos devem ser movidos um por vez de modo a recriar o arranjo inicial num pino diferente usando o menor número possível de movimentos, com a restrição de que os jogadores só podem colocar um disco em cima de um disco maior ou num pino vazio.

A solução do enigma

Com três discos, a Torre de Hanói pode ser resolvida com só sete movimentos. Com qualquer número de discos, a fórmula $2^n - 1$ dará o número mínimo de movimentos (sendo n igual ao número de discos). Uma solução do desafio usa números binários (0 e 1). Cada disco é representado por um dígito binário, ou bit. O valor 0 indica que um disco está no pino inicial; o 1, que está no pino final.

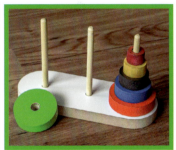

Uma forma da Torre de Hanói é um brinquedo popular para crianças pequenas. Versões com oito discos são muitas vezes usadas para testar habilidades de desenvolvimento de crianças mais velhas.

A sequência de bits muda a cada movimento.

Segundo a lenda, se os monges de um templo na Índia ou no Vietnã (dependendo da versão da história) conseguirem mover 64 discos de um pino a outro seguindo as regras, o mundo vai acabar. Porém, mesmo usando a melhor estratégia e movendo um disco por segundo, eles levariam 585 bilhões de anos para terminar o jogo. ∎

Ver também: Trigo num tabuleiro de xadrez 112-113 ▪ Primos de Mersenne 124 ▪ Números binários 176-177

TAMANHO E FORMA NÃO IMPORTAM, SÓ AS CONEXÕES
TOPOLOGIA

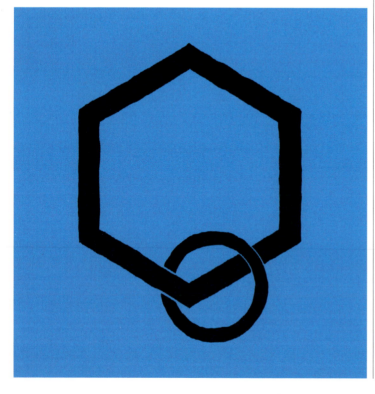

EM CONTEXTO

FIGURA CENTRAL
Henri Poincaré (1854-1912)

CAMPO
Geometria

ANTES
1736 Leonhard Euler resolve o problema topológico histórico das sete pontes de Königsberg.

1847 Johann Listing cunha o termo "topologia" como um tema matemático.

DEPOIS
1925 O matemático russo Pavel Aleksandrov estabelece a base para estudo das propriedades essenciais de espaços topológicos.

2006 A prova de Grigori Perelman da conjectura de Poincaré é confirmada.

A topologia é, em termos simples, o estudo das formas sem medidas. Em geometria clássica, se um par de formas tem comprimentos e ângulos correspondentes iguais, e se for possível deslizar, refletir ou girar uma das formas para coincidir com a outra, elas são congruentes – um modo matemático de dizer que são idênticas. Para um topologista, porém, duas formas são idênticas – ou invariantes, em terminologia topológica – se podem ser modeladas uma na outra por estiramento, torção ou inclinação contínua, mas sem cortá-las, furá-las ou colá-las. Isso levou a topologia a ser chamada "geometria da folha de borracha".

Ver também: *Os elementos*, de Euclides 52-57 ▪ Coordenadas 144-151 ▪ A faixa de Moebius 248-249 ▪ O espaço de Minkowski 274-275 ▪ A prova da conjectura de Poincaré 324-325

A topologia é o **estudo de formas abstratas** sem medidas.

⬇

Formas topologicamente idênticas **podem ser modeladas** uma na outra por meio de estiramento, torção ou inclinação.

⬇

Forma e tamanho não importam, só as conexões (o número de buracos).

Henri Poincaré

Nascido em 1854, em Nancy, na França, Henri Poincaré logo mostrou tanto talento que um professor o descreveu como "monstro da matemática". Ele se graduou nessa disciplina na École Polytechnique de Paris e obteve o doutorado na Universidade de Paris. Em 1886, foi nomeado catedrático de física matemática e probabilidades da Sorbonne, em Paris, onde passou o resto da carreira.

Em 1887, ganhou um prêmio do rei Oscar II da Suécia pela solução parcial das muitas variáveis envolvidas em determinar a órbita estável de três planetas um ao redor do outro. Um erro que ele mesmo confessou lançou seus cálculos sobre a órbita estável em dúvida, mas em compensação abriu caminho para o estudo da "teoria do caos". Ele morreu em 1912.

Obras principais

1892-1899 *Les méthodes nouvelles de la mécanique céleste* [Novos métodos de mecânica celeste]
1895 *Analysis situs* [Análise de posição]
1903 *La science et l'hypothèse* [Ciência e hipótese]

Por mais de 2 mil anos, desde a época de Euclides, em c. 300 a.C., a geometria se ocupou de classificar formas por comprimentos e ângulos. No século XVIII e no início do XIX, alguns matemáticos começaram a ver os objetos geométricos de modo diverso, considerando as propriedades globais das formas além dos limites de linhas e ângulos. Surgiu daí o campo matemático da topologia, que no início do século XX foi muito além da noção de "forma", abarcando estruturas algébricas abstratas. O expoente mais ousado e influente da nova área foi o matemático francês Henri Poincaré, que usou a topologia complexa para lançar nova luz na "forma" do próprio Universo.

Nasce uma nova geometria

Em 1750, Leonard Euler revelou que trabalhara numa fórmula para poliedros – figuras tridimensionais com quatro ou mais planos, como o cubo ou a pirâmide – que envolvia seus vértices, arestas e faces em vez de linhas e ângulos. O que ele postulou ficou conhecido como fórmula poliédrica de Euler: $V + F - A = 2$, em que V é o número de »

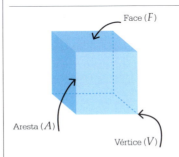

A fórmula de Euler, $V + F - A = 2$, funciona para a maioria dos poliedros, como o cubo. Seus valores de $V = 8$, $F = 6$ e $A = 12$, quando inseridos na fórmula, produzem o cálculo $8 + 6 - 12$, que é igual a 2.

TOPOLOGIA

> A topologia algébrica nos permite ler as formas e suas transformações.
> **Stephanie Strickland**
> Poeta americana

vértices, F o número de faces e A o número de arestas. A fórmula indicava que todos os poliedros partilhavam características básicas.

Porém, em 1813, outro matemático suíço, Simon L'Huilier, notou que a fórmula de Euler não era verdadeira para todos os poliedros; era falsa para poliedros com buracos ou não convexos – formas com algumas diagonais (ligadas por vértices) não contidas no interior nem sobre a superfície. L'Huilier criou um sistema em que cada forma tinha sua própria característica de Euler – $(V - A + F)$ – e as formas com a mesma característica de Euler eram relacionadas, a despeito de quanto pudessem ser manipuladas. O termo "topologia" – derivado do grego *topos*, "lugar" – foi introduzido no mundo matemático pelo alemão Johann Listing em 1847, no tratado *Vorstudien zur Topologie* [Estudos introdutórios de topologia], embora ele tenha usado a palavra em cartas pelo menos dez anos antes. Listing se interessava em particular por formas que não satisfaziam a fórmula de Euler ou desafiavam as convenções de ter superfícies distintas "fora" e "dentro". Ele até criou uma versão da faixa de Moebius – superfície que só tem um lado e uma aresta – alguns meses antes de August Moebius.

Na mesma época, outro matemático alemão, Bernhard Riemann, imaginou novos sistemas de coordenadas geométricas que iam além dos limites dos sistemas 2D e 3D criados por René Descartes. A nova estrutura de Riemann permitiu aos matemáticos explorar formas em quatro ou mais dimensões, inclusive as aparentemente impossíveis.

Uma dessas formas foi a garrafa de Klein, criada em 1882 pelo matemático alemão Felix Klein. Ele imaginou juntar duas faixas de Moebius, criando uma forma que tem só uma superfície, é não orientável (não tem esquerda nem direita) e, diversamente da faixa de Moebius, não tem aresta ou curva limitadora. Como não tem interseções, a forma só pode existir de verdade no espaço quadridimensional. Se representada em 3D, ela apresenta interseção consigo mesma, e é assim que começa a se parecer com uma garrafa. Os topologistas aplicaram o termo "2-variedade" a formas como a faixa de Moebius e a garrafa de Klein para descrever suas superfícies, que são bidimensionais, integradas num espaço de dimensão maior (a faixa de Moebius pode existir em espaço de três dimensões, mas a garrafa de Klein precisa de quatro para existir propriamente).

Uma conjectura universal

A forma do Universo há muito é fonte de especulação. Parecemos viver num mundo 3D, mas para entender sua forma temos de sair disso, passando a quatro dimensões. Do mesmo modo, para ter uma noção da forma de uma superfície 2D precisamos olhá-la em três dimensões. Um ponto de partida seria imaginar que vivemos num Universo que é uma superfície 3D integrada em quatro dimensões. Dando esse passo além, é possível considerar que essa superfície 3D na verdade é uma esfera integrada num espaço 4D, também conhecida como 3-esfera. Uma 2-esfera é

Para um topologista, uma caneca de café é idêntica na forma a uma rosquinha, porque puxando, esticando e inclinando uma pode-se modelá-la na forma da outra.

Caneca de café   **Rosquinha**

O robô BlackDog® foi concebido para transportar cargas em terreno irregular. Os movimentos do robô são calculados com topologia algébrica, que pode predizer e modelar o espaço ao redor.

equivalente a uma esfera "normal" (como uma bola) em um espaço 3D.

Em 1904, Henri Poincaré foi além, expondo uma teoria que ajudaria a lançar uma base topológica para entender a forma do Universo. Ele propôs o que se chamou conjectura de Poincaré: "toda 3-variedade fechada e simplesmente conexa é homeomorfa a uma 3-esfera". Uma "3-variedade" é uma forma que parece 3D quando sua superfície é ampliada, mas existe em dimensões maiores, e "simplesmente conexa" significa que não tem buracos – como uma laranja, não uma rosquinha. Uma forma "fechada" é finita, sem bordas – como uma esfera. Por fim "homeomorfa" designa formas que podem ser modeladas umas nas outras, como uma caneca e uma rosquinha (ver ao lado). Uma rosquinha e uma laranja, porém, não são homeomorfas por causa do buraco da rosquinha.

Segundo Poincaré, se puder ser mostrado que o Universo não contém buracos, será possível modelá-lo como uma 3-esfera. Para verificar se ele tem buracos, seria possível, em teoria, fazer um experimento com um barbante. Imagine que você é um explorador que viaja ao redor do Universo a partir de um ponto dado, desenrolando um rolo de barbante conforme avança. Ao voltar ao ponto de partida, você vê a ponta inicial do fio. Pega então as duas pontas e começa a puxá-las, juntando o barbante. Se o Universo for "simplesmente conexo", você vai conseguir juntar todo o barbante, como uma volta seguindo o contorno suave de uma esfera; se você tiver passado por buracos ou intervalos, o barbante pode ter se "enroscado". Por exemplo, se o Universo tiver a forma de uma rosquinha e, em suas viagens, você envolver o barbante ao redor de seu contorno, o fio vai ficar preso. Você não vai conseguir juntar o barbante sem puxá-lo além do Universo.

A forma do futuro

Os avanços da topologia continuaram no século XX. Em 1905, o matemático francês Maurice Fréchet criou a ideia de um espaço métrico – conjunto de pontos com uma "métrica" que define a distância entre eles.

Também na virada para o século XX o matemático alemão David Hibert concebeu a ideia de um espaço que tomou os espaços euclidianos de duas e três dimensões e os generalizou para infinitas dimensões. A matemática pôde então ser feita em qualquer dimensão, do mesmo modo que num sistema de coordenadas 3D. Essa área da matemática topológica foi chamada "topologia infinito-dimensional".

O campo da topologia hoje é vasto, abarcando estruturas algébricas abstratas muito distantes da simples noção de "forma". Ele tem aplicações de amplo alcance em áreas como genética e biologia molecular, ajudando, por exemplo, a descobrir os "nós" criados ao redor do DNA por certas enzimas. ∎

Provavelmente nenhum ramo da matemática experimentou crescimento mais surpreendente.
Raymond Louis Wilder
Matemático americano

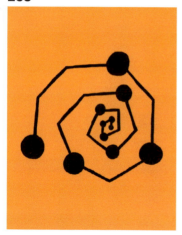

PERDIDO NAQUELE ESPAÇO SILENCIOSO E MEDIDO
O TEOREMA DOS NÚMEROS PRIMOS

EM CONTEXTO

FIGURA CENTRAL
Jacques Hadamard
(1865-1963)

CAMPO
Teoria dos números

ANTES
1798 O matemático francês Adrien-Marie Legendre apresenta uma fórmula aproximada para determinar quantos números primos há menores ou iguais a um valor dado.

1859 Bernhard Riemann delineia uma prova possível do teorema dos números primos, mas a matemática exigida para completá-la não existe ainda.

DEPOIS
1903 O matemático alemão Edmund Landau simplifica a prova do teorema dos números primos de Hadamard.

1949 Paul Erdős, na Hungria, e Atle Selberg, na Noruega, encontram ambos a prova do teorema usando só teoria dos números.

Os números primos – números inteiros positivos que só têm dois fatores, eles próprios e 1 – fascinam há muito os matemáticos. Se o primeiro passo foi encontrá-los, e são frequentes entre os números pequenos, o passo seguinte seria identificar um padrão para descrever sua distribuição. Mais de 2 mil anos antes, Euclides provara que há infinitos números primos, mas foi só no fim do século XVIII que Legendre expôs sua conjectura – uma fórmula para descrever a distribuição dos números primos, que ficaria conhecida como teorema dos números primos. Em 1896, Jacques Hadamard, na França, e Charles-Jean de La Vallée Poussin, na Bélgica, provaram ambos o teorema, de modo bastante independente.

É evidente que a frequência dos números primos diminui conforme os números ficam maiores. Entre os primeiros vinte inteiros positivos, oito são primos – 2, 3, 5, 7, 11, 13, 17 e 19. Entre os números 1.000 e 1.020, só há três números primos (1.009, 1.013 e 1.019) e entre 1.000.000 e 1.000.020 o único primo é 1.000.003. Isso parece razoável; quanto maior o

---

Há **25** números **primos de 1 a 100**.

Há **21** números **primos de 101 a 200**.

Há **16** números **primos de 201 a 300**.

Os números primos ficam **menos comuns** conforme os números **ficam maiores**.

Um padrão dos números primos emerge.

SÉCULO XIX

Ver também: *Os elementos*, de Euclides 52-57 ▪ Primos de Mersenne 124 ▪ Números imaginários e complexos 128-131 ▪ A hipótese de Riemann 250-251

1	2	3	4	5	6	7	8	9	10
11	12	13	14	15	16	17	18	19	20
21	22	23	24	25	26	27	28	29	30
31	32	33	34	35	36	37	38	39	40
41	42	43	44	45	46	47	48	49	50

A frequência dos números primos tende a diminuir conforme os números ficam maiores. Embora haja dois primos entre 30 e 40, e três entre 40 e 50, a precisão do teorema dos números primos aumenta com números maiores.

▫ Números primos

Jacques Hadamard

Nascido em Versalhes, na França, em 1865, Jacques-Salomon Hadamard interessou-se por matemática instigado por um professor. Ele obteve o doutorado em Paris, em 1892, e no mesmo ano ganhou o Grand Prix des Sciences Mathématiques por seu trabalho com números primos. Mudou-se para Bordeaux para ensinar na universidade e lá provou o teorema dos números primos. Em 1894, Alfred Dreyfus, judeu parente da mulher de Hadamard, foi falsamente acusado de vender segredos de Estado e condenado à prisão perpétua. Hadamard, também judeu, trabalhou sem descanso em defesa de Dreyfus e afinal ele foi solto. O brilho da carreira de Hadamard foi toldado por perdas pessoais; dois de seus filhos morreram na Primeira Guerra Mundial e outro na Segunda Guerra. A morte de seu neto Étienne em 1962 foi o golpe final. Hadamard morreu um ano depois.

Obras principais

1892 *Determinação do número de primos menores que um dado número*
1910 *Leçons sur le calcul des variations* [Lição sobre o cálculo de variações]

número, mais números que podem ser divisores existem abaixo dele.

Muitos matemáticos notáveis ficaram intrigados com a distribuição dos números primos. Em 1859, o matemático alemão Bernhard Riemann trabalhou numa prova no artigo "Ueber die Anzahl der Primzahlen unter einer gegebenen Grösse" [Sobre o número de primos abaixo de dada magnitude]. Ele acreditava que a análise complexa, um ramo da matemática em que ideias de função são aplicadas a números complexos (combinações de números reais, como 1, e números imaginários, como $\sqrt{-1}$), levaria a uma solução. Ele estava certo; o estudo da análise complexa se desenvolveu, impulsionando as provas de Hadamard e Poussin.

O que o teorema diz

O teorema foi concebido para calcular quantos números primos há menores ou iguais a um número real x. Ele afirma que $\pi(x)$ é aproximadamente igual a $x \div ln(x)$ conforme x fica maior e tende ao infinito. Aqui, $\pi(x)$ denota a função de contagem da quantidade de números primos e não se relaciona ao número pi, e $ln(x)$ é o logaritmo natural de x. Para explicar o teorema de modo um pouco diverso, para um número x grande, o intervalo médio entre os números primos de 1 a x é de aproximadamente $ln(x)$. Ou, para qualquer número entre 1 e x, a probabilidade de ser um número primo é de cerca de $1 \div ln(x)$.

Os números primos são os blocos fundamentais dos números em matemática, como os elementos para os compostos na química. A hipótese de Riemann – uma conjectura não resolvida – é essencial para a compreensão disso e, se verdadeira, poderia revelar muito ainda sobre os números primos. ▪

Os números primos [...] crescem como ervas daninhas entre os números naturais, parecendo só obedecer à lei do acaso.
Don Zagier
Matemático americano

ERA MODERN
1900–HOJE

INTRODUÇÃO

1900 — David Hilbert define os **23 problemas não resolvidos mais importantes** da pesquisa matemática, **preparando o cenário** para o século à frente.

1903 — Bertrand Russell usa o **paradoxo do barbeiro** para demonstrar **contradições na teoria dos conjuntos**.

1907 — Inspirado na **teoria da relatividade especial** de Einstein, Hermann Minkowski sugere a ideia de **espaço-tempo como a quarta dimensão invisível**.

1934 — Um grupo de matemáticos franceses começa a **escrever sob o pseudônimo de Nicolas Bourbaki**, e seu trabalho abre caminho para a **solução final do último teorema de Fermat**.

1900 — O **teste de qui-quadrado** é introduzido por Karl Pearson, revolucionando o **campo da estatística**.

1904 — É proposta a **conjectura de Poincaré**, que permaneceu não provada por **quase um século**.

1921 — Emmy Noether publica *Ideal theory in rings* [Teoria ideal dos anéis], texto crucial no desenvolvimento da **álgebra abstrata**.

1937 — Alan Turing propõe a ideia de uma **máquina matemática**, que influenciaria **o surgimento dos computadores**.

Em 1900, enquanto a corrida armamentista que levou à Primeira Guerra Mundial se intensificava, o matemático alemão David Hilbert tentava prever os rumos que a matemática tomaria no século XX. A lista dos 23 problemas não resolvidos que ele considerava cruciais influenciou a identificação dos campos da matemática que poderiam ser investigados de modo produtivo.

Novo século, novos campos

Uma área a explorar eram os fundamentos da matemática. Buscando determinar as bases lógicas da matemática, Bertrand Russell descreveu um paradoxo que destacava uma contradição na teoria ingênua dos conjuntos, de Georg Cantor, levando a uma reavaliação do tema. Essas ideias foram retomadas por André Weil e outros, usando o pseudônimo Nicolas Bourbaki. Começando do básico, eles se reuniram nos anos 1930 e 1940, formalizando com rigor todos os ramos da matemática em termos de teoria dos conjuntos.

Outros, em especial Henri Poincaré, exploraram o recém-surgido campo da topologia, o desdobramento da geometria que trata de superfícies e espaço. Sua famosa conjectura se relaciona à superfície bidimensional de uma esfera tridimensional. Diversamente de muitos de seus pares no século XX, Poincaré não se restringiu a um só campo da matemática. Além de matemática pura, fez descobertas significativas em física teórica, como no princípio de relatividade que propôs. De modo similar, Hermann Minkowski — cujo interesse principal era a geometria e o método geométrico aplicado a problemas da teoria dos números – explorou a noção de múltiplas dimensões e sugeriu o espaço-tempo como uma possível quarta dimensão. Emmy Noether, uma das primeiras matemáticas da era moderna a ser reconhecida, chegou ao campo da física teórica a partir da perspectiva da álgebra abstrata.

A era do computador

Na primeira metade do século XX, a matemática aplicada relacionou-se muito à física teórica, em especial nas implicações das teorias da relatividade de Einstein, mas a parte final do século foi cada vez mais dominada por avanços nas ciências da computação. O interesse por computação começou nos anos 1930, com a busca da solução do

ERA MODERNA

1963 — Edward Lorenz publica sua obra sobre a **teoria do caos**, que depois se tornou **sinônimo** do exemplo do **efeito borboleta**.

1977 — Nos Estados Unidos, três matemáticos desenvolvem o **algoritmo RSA**, usando números primos para **criptografar dados**.

1980 — Benoit Mandelbrot cria o **conjunto de Mandelbrot**, cunhando o **termo "fractal"**.

1995 — O **último teorema de Fermat** é afinal declarado **resolvido** após o matemático britânico Andrew Wiles **corrigir um erro** de sua prova inicial.

1965 — A **lógica difusa** é formulada por Lotfi Zadeh e logo usada numa **ampla gama de tecnologias**, em especial no Japão.

1977 — A **solução** do **problema das quatro cores** se torna o primeiro **teorema** matemático **provado por computador**.

1989 — A **World Wide Web**, inventada por **Tim Berners-Lee**, facilita a transmissão rápida de ideias, inclusive em matemática.

2006 — A prova da **conjectura de Poincaré** de Grigori Perelman é plenamente aceita pela comunidade matemática.

Entscheidungsproblem (problema de decisão) de Hilbert e a possibilidade de um algoritmo para determinar a verdade ou falsidade de uma afirmação. Um dos primeiros a abordar o problema foi Alan Turing, que na Segunda Guerra Mundial desenvolveu máquinas para quebrar códigos – as precursoras dos computadores modernos. Ele depois propôs um teste de inteligência artificial. Com os computadores eletrônicos, a matemática teve de responder à demanda por métodos para projetar e programar sistemas. Estes, por outro lado, forneceram aos matemáticos uma ferramenta poderosa. Até ali os problemas não resolvidos, como o teorema das quatro cores, envolviam muitas vezes cálculos demorados, que podiam agora ser feitos pelo computador com rapidez e precisão. Embora Poincaré tenha lançado as bases da teoria do caos, Edward Lorenz foi capaz de estabelecer seus princípios com mais firmeza com a ajuda de modelos de computador. Suas imagens visuais de atratores e osciladores, como os fractais de Benoit Mandelbrot, tornaram-se ícones desses novos campos. Com os computadores, a segurança na transferência de dados tornou-se uma preocupação e os matemáticos criaram sistemas complexos de criptografia usando a fatoração de números primos grandes. Lançada em 1989, a World Wide Web facilitou a transmissão rápida de dados e os computadores se tornaram parte do dia a dia, em especial no campo da tecnologia da informação.

Nova lógica, novo milênio

Por algum tempo, pareceu que a computação eletrônica resolveria quase todos os problemas. Mas a computação se baseia no sistema binário de lógica de George Boole no século XIX, e os opostos polares ligado-desligado, verdadeiro-falso, 0-1 e assim por diante não descreviam como as coisas são no mundo real. Para superar isso, Lotfi Zadeh sugeriu um sistema de lógica "difusa" em que as afirmações podem ser em parte verdadeiras ou falsas, num intervalo entre 0 (totalmente falsa) e 1 (totalmente verdadeira). Em 2000, a matemática do século XXI foi proclamada em espírito similar ao do século XX quando o Clay Mathematics Institute anunciou sete problemas para o Prêmio do Milênio, oferecendo um milhão de dólares pela solução de qualquer um deles. Até agora, só a conjectura de Poincaré foi resolvida; a prova de Grigori Perelman foi confirmada em 2006. ∎

O VÉU SOB O QUAL O FUTURO SE ESCONDE

23 PROBLEMAS PARA O SÉCULO XX

EM CONTEXTO

FIGURA CENTRAL
David Hilbert (1862-1943)

CAMPOS
Lógica, geometria

ANTES
1859 Bernhard Riemann propõe a hipótese de Riemann, problema famoso que depois será o número 8 da lista de Hilbert e continua sem solução até hoje.

1878 Georg Cantor expõe a hipótese do contínuo, mais tarde número 1 na lista de Hilbert.

DEPOIS
2000 O Clay Institute lança a lista dos sete problemas matemáticos do Prêmio do Milênio, oferecendo 1 milhão de dólares para cada um resolvido.

2008 Buscando estimular grandes descobertas matemáticas, a Agência de Projetos de Pesquisa Avançada de Defesa dos Estados Unidos anuncia sua lista de 23 problemas não resolvidos.

Em 1900, **David Hilbert** propôs **23 problemas** que, pensava, **ocupariam os matemáticos** no **século** seguinte.

Ele acreditava que resolver esses problemas melhoraria nossa compreensão de uma ampla gama de campos, como a teoria dos números, a álgebra, a geometria e o cálculo.

| **Dez** dos problemas foram **resolvidos**. | **Sete** têm soluções **não universalmente aceitas**. | **Quatro** continuam **sem solução**. | **Dois** são **vagos demais** para ser resolvidos um dia. |

É preciso capacidade técnica especial e autoconfiança para prever os problemas relevantes dos cem anos seguintes, mas foi o que o matemático alemão David Hilbert fez em 1900. Hilbert tinha conhecimento substancial da maioria dos campos da matemática. No Congresso Internacional de Matemática em Paris, em 1900, ele anunciou com firmeza sua escolha de 23 questões que acreditava que ocupariam a mente dos matemáticos nas décadas a seguir. Foi algo visionário; o mundo matemático enfrentou o desafio.

O alcance dos problemas
Muitas das questões de Hilbert eram bastante técnicas, mas algumas eram mais acessíveis. A número 3, por exemplo, pergunta se um de quaisquer dois poliedros de mesmo volume pode sempre ser cortado em muitos pedaços de número finito que

Ver também: Equações diofantinas 80-81 ▪ O número de Euler 186-191 ▪ A conjectura de Goldbach 196 ▪ A hipótese de Riemann 250-251 ▪ Números transfinitos 252-253

O infinito! Nenhuma outra questão já tocou tão profundamente o espírito humano.
David Hilbert

possam ser reunidos para criar o outro poliedro. Isso logo foi resolvido, em 1900, por Max Dehn, matemático americano nascido na Alemanha, que concluiu que não seria possível.

A hipótese do contínuo, o primeiro problema da lista de Hilbert, assinalava que o conjunto dos números naturais (os inteiros positivos) é infinito, mas o dos números reais entre 0 e 1 também é. Como resultado do trabalho do matemático alemão Georg Cantor, foi estabelecido que o primeiro infinito era "menor" que o segundo.

A hipótese do contínuo também afirmava que não há infinito entre esses dois infinitos. O próprio Cantor tinha certeza de que isso era verdadeiro, mas não conseguiu prová-lo. Em 1940, o lógico austro-americano Kurt Gödel mostrou que não se poderia provar que tal infinito existe e, em 1963, o matemático americano Paul Cohen mostrou que não seria possível provar que tal infinito não existe. O primeiro problema de Hilbert foi substancialmente resolvido, embora a teoria dos conjuntos (o estudo das propriedades dos conjuntos) seja um tema complexo e haja muito trabalho por fazer. Dos 23 problemas de Hilbert, dez são considerados resolvidos, sete foram resolvidos em parte, dois foram classificados como vagos demais para ser algum dia resolvidos definitivamente, três continuam sem solução e um (também não resolvido) é na verdade um problema de física. Entre os problemas não resolvidos está a hipótese de Riemann, que alguns observadores creem que continuará assim no futuro próximo.

Desafios para o futuro

A realização notável de Hilbert foi prever com precisão o que preocuparia os matemáticos do século XX e além. Quando o matemático americano Steve Smale, ganhador da Medalha Fields, apresentou sua lista de dezoito questões em 1998, incluiu os problemas 8 e 16 de Hilbert. Dois anos depois, a hipótese de Riemann era também um dos problemas do Prêmio do Milênio do Clay Institute. Os matemáticos de hoje enfrentam mais desafios, mas aspectos dos problemas de Hilbert – em especial os não resolvidos ainda – continuam relevantes. ∎

A solução de problemas e a construção de teorias andam de mãos dadas. É por isso que Hilbert se arriscou a apresentar uma lista de problemas não resolvidos em vez de métodos ou resultados novos.
Rüdiger Thiele
Matemático alemão

David Hilbert

Nascido na Prússia de pais alemães em 1862, David Hilbert entrou em 1880 na Universidade de Königsberg, onde depois lecionou antes de se tornar professor de matemática da Universidade de Göttingen em 1895. Nesse posto, ele tornou Göttingen um centro matemático mundial e ensinou diversos jovens matemáticos que depois deixaram sua própria marca.

Hilbert era famoso pela compreensão ampla de muitas áreas da matemática e tinha forte interesse pela física matemática. Exaurido pela anemia, aposentou-se em 1930; a faculdade de matemática de Göttingen logo entrou em decadência, após os expurgos nazistas de colegas judeus. Apesar de sua grande contribuição à matemática, a morte de Hilbert em 1943, durante a Segunda Guerra Mundial, passou quase despercebida.

Obras principais

1897 *Comentário sobre números*
1900 *"Os problemas da matemática"* (palestra em Paris)
1932-1935 *Obras reunidas*
1934-1939 *Fundamentos de matemática* (com Paul Bernays)

A ESTATÍSTICA É A GRAMÁTICA DA CIÊNCIA

NASCIMENTO DA ESTATÍSTICA MODERNA

EM CONTEXTO

FIGURA CENTRAL
Francis Galton (1822-1911)

CAMPO
Teoria dos números

ANTES
1774 Pierre-Simon Laplace mostra o padrão de distribuição esperado ao redor da norma.

1809 Carl Friedrich Gauss desenvolve o método dos mínimos quadrados para obter a linha mais ajustada a uma dispersão de dados.

1835 Adolphe Quetelet defende o uso da curva de sino para modelar dados sociais.

DEPOIS
1900 Karl Pearson propõe o teste de qui-quadrado para determinar a significância das diferenças entre frequências esperadas e observadas.

A estatística é o ramo da matemática que se ocupa da análise e interpretação de grandes quantidades de dados. Seus fundamentos foram lançados no fim do século XIX, em especial pelos polímatas britânicos Francis Galton e Karl Pearson.

A estatística investiga se o padrão de dados registrados é significativo ou aleatório. Ela teve origem nos esforços de matemáticos do século XVIII, como Pierre-Simon Laplace, para identificar erros observacionais em astronomia. Em qualquer conjunto de dados científicos, a maioria dos erros tendem a ser bem pequenos e só uns poucos costumam ser muito grandes. Assim, quando as observações são plotadas num gráfico, formam uma curva em

ERA MODERNA

Ver também: Números negativos 76-79 ▪ Probabilidades 162-165 ▪ Distribuição normal 192-193 ▪ O teorema fundamental da álgebra 204-209 ▪ O demônio de Laplace 218-219 ▪ A distribuição de Poisson 220-221

forma de sino com um pico criado pelo resultado mais provável, ou "norma", no meio. Em 1835, o matemático belga Adolphe Quetelet postulou que características como a massa corporal, numa população humana, seguem um padrão de curva de sino, em que valores ao redor da média são mais frequentes. Valores mais altos ou mais baixos são menos frequentes. Ele criou o Índice Quetelet (o atual IMC) para indicar a massa corporal.

Tipicamente, plotar num gráfico duas variáveis, como altura e idade, cria uma dispersão confusa de pontos de dados que não podem ser ligados por uma linha clara. Porém, em 1809, o matemático alemão Carl Friedrich Gauss descobriu uma equação para criar uma linha "mais bem-ajustada", que mostraria a relação entre as variáveis. Gauss usou o método chamado "mínimos quadrados", que envolve somar os quadrados dos dados e ainda é usado por estatísticos. Nos anos 1840, matemáticos como Auguste Bravais buscavam um nível de erro que pudesse ser aceitável para essa linha e tentaram identificar o significado do ponto médio ou "mediana" de um conjunto de dados.

Correlação e regressão

Foram Galton e, depois, Pearson os primeiros a juntar os fios. Galton se inspirou no trabalho de seu primo Charles Darwin sobre evolução, e seu objetivo era mostrar quão provável era que fatores como altura, fisionomia e até inteligência e tendências criminais pudessem passar de uma geração à seguinte. As ideias de Galton e Pearson eram contaminadas pela doutrina da eugenia e do melhoramento racial, mas as técnicas que desenvolveram »

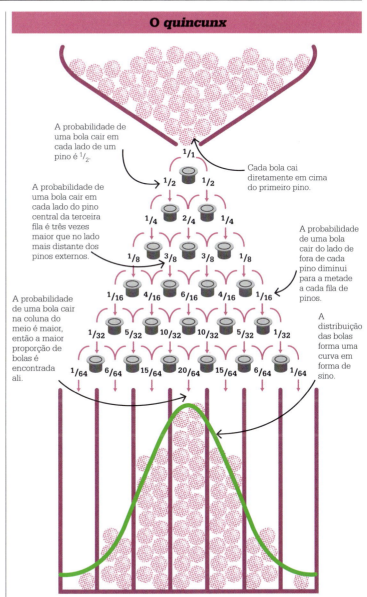

Francis Galton inventou o *quincunx* (também chamado de tabuleiro de Galton) para modelar a curva de sino. Seu projeto original tinha contas caindo sobre pinos.

NASCIMENTO DA ESTATÍSTICA MODERNA

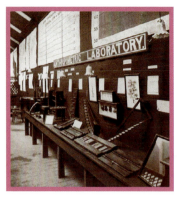

Galton construiu um laboratório antropométrico para coletar informações sobre características humanas, como tamanho da cabeça e qualidade da visão. Isso gerou quantidades enormes de dados, que ele teve de analisar estatisticamente.

acharam outras aplicações. Galton era um cientista rigoroso, determinado a analisar dados para mostrar matematicamente quanto os resultados são prováveis. Na inovadora obra *Natural Inheritance* [Herança natural], de 1888, Galton mostrou como dois conjuntos de dados podem ser comparados para mostrar se há relação significativa entre eles. Sua abordagem envolvia determinar dois conceitos relacionados que hoje estão no cerne da análise estatística: correlação e regressão.

A correlação mede o grau de correspondência de duas variáveis aleatórias, como altura e peso. Ela com frequência busca uma relação linear – ou seja, a que resulta numa linha simples num gráfico, com uma variável mudando em sintonia com a outra. A correlação não implica relação causal entre duas variáveis; simplesmente significa que variam juntas. A regressão, por outro lado, busca a melhor equação para a linha do gráfico para duas variáveis, de modo que as mudanças em uma variável possam ser previstas a partir das mudanças na outra.

Desvio padrão

Embora o interesse principal de Galton fosse a hereditariedade humana, ele criou uma ampla gama de conjuntos de dados. Notavelmente, mediu o tamanho de sementes produzidas por ervilhas-de-cheiro que cresceram de sete conjuntos de sementes. Galton descobriu que as menores produziam sementes maiores e as maiores produziam sementes menores. Ele descobriu o fenômeno da regressão à média, a tendência das medidas a se equilibrar, sempre tender à média, com o tempo.

Inspirado no trabalho de Galton, Pearson começou a desenvolver uma estrutura matemática para correlação e regressão. Após testes exaustivos com lançamento de moedas e sorteio de bilhetes de loteria, Pearson teve a ideia crucial do "desvio padrão", que mostra quanto em média os valores observados diferem dos esperados. Para chegar a esse número, ele

Regressão à média

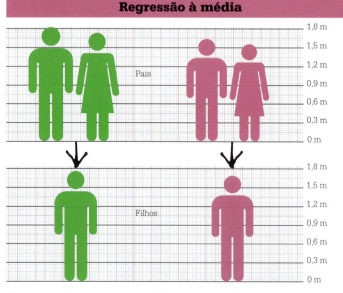

Galton percebeu que pais muito altos tendem a ter filhos mais baixos que eles, enquanto pais muito baixos tendem a ter filhos levemente mais altos que eles. A segunda geração será mais próxima em altura que a primeira – um exemplo de regressão à média.

Nenhum problema observacional deixará de ser resolvido com mais dados.
Vera Rubin
Astrônoma americana

ERA MODERNA 271

descobriu a média, que é a soma de todos os valores dividida pelo número de valores. Pearson encontrou então a variância – a média das diferenças ao quadrado em relação à media. As diferenças são elevadas ao quadrado pra evitar problemas com números negativos, e o desvio padrão é a raiz quadrada da variância. Pearson percebeu que unindo a média e o desvio padrão podia calcular a regressão de Galton com precisão.

Teste de qui-quadrado

Em 1900, após longo estudo de dados de apostas de mesas de jogo de Monte Carlo, Pearson descreveu o teste de qui-quadrado, hoje uma das pedras angulares da estatística. Seu objetivo era determinar se a diferença entre os valores observados e os esperados era significativa ou apenas resultado do acaso.

Usando seus dados de apostas, Pearson calculou uma tabela de valores de probabilidades, chamada qui-quadrado (χ^2), em que 0 indica diferença não significativa do esperado (a hipótese nula) e valores maiores indicam diferença significativa. Pearson fez um trabalho meticuloso à mão, mas as tabelas qui-quadradas hoje são produzidas por programas de computador. Para cada conjunto de dados, um valor qui-quadrado pode ser encontrado a partir da soma de todas as diferenças entre valores observados e esperados. Os valores qui-quadrados são checados na tabela para descobrir a significância das variações dos dados dentro de limites fixados pelo pesquisador, chamados "graus de liberdade".

Francis Galton introduziu…
- **Correlação**: o grau de correspondência de duas variáveis.
- **Regressão à média**: a tendência dos dados a se equilibrar, com o tempo.

Karl Pearson introduziu…
- **Desvio padrão**: o grau em que os resultados diferem da média.
- **O teste de qui-quadrado**: para variações entre dados observados e esperados.

Nasce a estatística moderna.

A combinação da correlação e regressão de Galton e do desvio padrão e teste de qui-quadrado de Pearson é a base da estatística moderna. Essas ideias foram desde então aperfeiçoadas e desenvolvidas, mas continuam no âmago da análise de dados. Esta é crucial em muitos aspectos da vida moderna, da compreensão do comportamento econômico ao planejamento de novas conexões de transporte e à melhoria dos serviços de saúde pública. ∎

Karl Pearson

Karl Pearson nasceu em Londres em 1857. Ateu, livre-pensador e socialista, ele foi um dos grandes estatísticos do século XX, mas também defendeu a desacreditada ciência da eugenia.

Após se graduar em matemática na Universidade de Cambridge, Pearson se tornou professor antes de deixar sua marca na estatística. Em 1901, fundou o periódico estatístico *Biometrika* com Francis Galton e o biólogo evolucionista Walter F. R. Weldon e, a seguir, o primeiro departamento de estatística universitário do mundo, no University College, em Londres, em 1911. Suas ideias o levaram a muitas disputas. Morreu em 1936.

Obras principais

1892 *A gramática da ciência*
1896 *Contribuições matemáticas à teoria da evolução*
1900 *Sobre o critério de que um dado sistema de desvio do provável no caso de um sistema correlacionado de variáveis seja tal que possa se supor razoavelmente que tenha surgido de amostragem aleatória.*

UMA LÓGICA MAIS LIVRE NOS LIBERTA
A LÓGICA DA MATEMÁTICA

EM CONTEXTO

FIGURA CENTRAL
Bertrand Russell (1872-1970)

CAMPO
Lógica

ANTES
c. 300 a.C. Em *Os elementos*, de Euclides, há uma abordagem axiomática da geometria.

Anos 1820 O matemático francês Augustin Cauchy esclarece as regras do cálculo, dando início a um novo rigor na matemática.

DEPOIS
1936 Alan Turing estuda a computabilidade das funções matemáticas, tendo em vista analisar quais problemas da matemática podem ser decididos e quais não podem.

1975 O lógico americano Harvey Friedman desenvolve o programa de "matemática reversa", que começa com teoremas e trabalha de volta a axiomas.

O **paradoxo do barbeiro** supõe uma cidade em que **todos** os homens são **barbeados**.

Qualquer homem que não se barbeie **sozinho** deve ser barbeado pelo **barbeiro da cidade**.

Então quem barbeia o barbeiro?

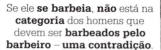
Se ele **se barbeia**, **não** está na **categoria** dos homens que devem ser **barbeados pelo barbeiro** – uma contradição.

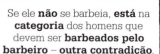
Se ele **não** se barbeia, **está** na **categoria** dos homens que devem ser **barbeados pelo barbeiro** – outra contradição.

A noção comum de que a matemática é lógica e tem regras fixas se desenvolveu por milênios, remontando à Grécia Antiga, com as obras de Platão, Aristóteles e Euclides. Uma definição rigorosa das leis da aritmética e da geometria emergiu no século XIX, com a obra de George Boole, Gottlob Frege, Georg Cantor, Giuseppe Peano e, em 1899, os *Fundamentos de geometria*, de David Hilbert. Porém, em 1903, Bertrand Russell publicou *The principles of mathematics* [Princípios de matemática], que revelou uma falha na lógica de uma área da matemática. No livro, ele explorou um paradoxo – o paradoxo de Russell (ou de Russell-Zermelo, do matemático alemão Ernst Zermelo, que fez uma descoberta similar em 1899).

ERA MODERNA

Ver também: Os sólidos platônicos 48-49 ▪ Lógica silogística 50-51 ▪ *Os elementos*, de Euclides 52-57 ▪ A conjectura de Goldbach 196 ▪ A máquina de Turing 284-289

Bertrand Russell

Filho de lorde, Bertrand Russell nasceu em Monmouthshire, no País de Gales, em 1872. Estudou matemática e filosofia na Universidade de Cambridge, mas foi demitido em 1916 por atividades contra a guerra. Pacifista e crítico social, em 1918 foi preso ao escrever *Introduction to mathematical philosophy* [Introdução à filosofia matemática]. Deu aulas nos Estados Unidos nos anos 1930, mas a nomeação em uma faculdade de Nova York foi cancelada devido à declaração judicial de que suas opiniões o tornavam inapto. Recebeu o Nobel de Literatura em 1950, e em 1955 ele e Albert Einstein lançaram um manifesto exigindo a proibição de armas nucleares. Mais tarde se opôs à Guerra do Vietnã. Morreu em 1970.

Obras principais

1903 *The principles of mathematics* [Princípios de matemática]
1908 *Mathematical logic as based on the theory of types* [A matemática lógica, baseada na teoria dos tipos]
1910-1913 *Principia mathematica* [Princípios de matemática]

O paradoxo implicava que a teoria dos conjuntos, que trata das propriedades dos conjuntos de números ou funções e estava rapidamente se tornando o alicerce da matemática, continha uma contradição. Para explicar o problema, Russell usou a analogia conhecida como o paradoxo do barbeiro, em que um barbeiro barbeia todo homem da cidade menos os que se barbeiam sozinhos, criando dois conjuntos de pessoas: os que se barbeiam e os barbeados pelo barbeiro. Porém isso suscita uma questão: se o barbeiro se barbeia, a qual dos dois conjuntos pertence?

O paradoxo do barbeiro de Russell contradizia *Grundgesetze der Arithmetik* [As leis básicas da aritmética], de Frege, que tratam da lógica da matemática, como Russell assinalou em carta a Frege em 1902. Frege disse que ficou "atordoado" e nunca achou uma solução adequada para o paradoxo.

Uma teoria dos tipos

Russell foi além e apresentou sua própria resposta ao paradoxo. Ele desenvolveu uma "teoria dos tipos" que fazia restrições ao modelo estabelecido da teoria dos conjuntos (conhecida como "teoria ingênua dos conjuntos"), criando uma hierarquia de modo que "o conjunto de todos os conjuntos" fosse tratado de modo diverso dos conjuntos menores que o constituem. Ao fazer isso, Russell conseguiu contornar totalmente o paradoxo. Ele usou esse novo conjunto de princípios lógicos no importante *Principia mathematica* [Princípios matemáticos], escrito com Alfred North Whitehead e publicado em três volumes de 1910 a 1913.

Lacunas lógicas

Em 1931, Kurt Gödel, matemático e filósofo austríaco, publicou o teorema da incompletude (em sequência a seu teorema da completude, de alguns anos antes). Nele, concluiu que sempre existirão algumas afirmações sobre números que podem ser verdadeiras, mas podem nunca ser provadas. Mais ainda, expandir a matemática simplesmente adicionando mais axiomas levará a maior "incompletude". Isso significava que os esforços de Russell, Hilbert, Frege e Peano de desenvolver estruturas lógicas completas para a matemática estavam destinados a ter lacunas lógicas, por mais indiscutíveis que se tentasse torná-las.

O teorema de Gödel também implicava que alguns teoremas ainda não provados em matemática, como a conjectura de Goldbach, podem nunca ser provados. Isso, porém, não impediu esforços decididos de matemáticos para provar que Gödel estava errado. ∎

Todo bom matemático é pelo menos meio filósofo e todo bom filósofo é pelo menos meio matemático.
Gottlob Frege

O UNIVERSO É QUADRIDIMENSIONAL
O ESPAÇO DE MINKOWSKI

EM CONTEXTO

FIGURA CENTRAL
Herman Minkowski
(1864-1909)

CAMPO
Geometria

ANTES
c. 300 a.C. Euclides estabelece, em *Os elementos*, a geometria do espaço 3D.

1904 Em *The Fourth Dimension* [A quarta dimensão], o matemático britânico Charles Hinton cunha o termo "tesserato" para um cubo quadridimensional.

1905 O cientista francês Henri Poincaré tem a ideia de tornar o tempo a quarta dimensão em espaço.

1905 Albert Einstein expõe a teoria da relatividade especial.

DEPOIS
1916 Einstein escreve o artigo central da teoria da relatividade geral, em que explica a gravidade como uma curvatura do espaço-tempo.

Em nossa visão comum do mundo há três dimensões – comprimento, largura e altura –, que podem ser descritas em grande parte em termos matemáticos pela geometria de Euclides. Numa palestra em 1907, porém, o matemático alemão Hermann Minkowski acrescentou o tempo, uma quarta dimensão invisível, criando o conceito de espaço-tempo. Isso teve papel central na compreensão da natureza do Universo e forneceu um quadro matemático para a teoria da relatividade de Einstein, permitindo aos cientistas desenvolvê-la e expandi-la. Foi no século XVIII que os pesquisadores começaram a questionar se a geometria tridimensional euclidiana poderia descrever todo o Universo. Os matemáticos passaram a desenvolver estruturas geométricas não euclidianas, enquanto alguns consideraram o tempo como uma potencial dimensão. A luz forneceu o

Um buraco negro ocorre quando o espaço-tempo se distorce tanto que sua curvatura fica infinita no centro do buraco. Nem a luz tem velocidade suficiente para escapar de sua imensa atração gravitacional.

Ver também: *Os elementos*, de Euclides 52-57 ▪ As leis do movimento de Newton 182-183 ▪ O demônio de Laplace 218-219 ▪ Topologia 256-259 ▪ A prova da conjectura de Poincaré 324-325

Objeto parado	Objetos em movimento	Objetos à velocidade da luz
A linha de universo de um objeto parado é vertical porque ele não está se movendo pelo espaço.	Um objeto mais lento tem uma linha de universo mais íngreme pois avança mais devagar ao longo do eixo do espaço.	Esta linha de universo tem um ângulo de 45°, com uma razão 1:1 entre os eixos de tempo e espaço.

Hermann Minkowski

Nascido em Aleksotas (hoje na Lituânia), em 1864, Minkowski foi com a família para Königsberg, na Prússia, em 1872. Desde cedo mostrou talento para a matemática e aos quinze anos iniciou os estudos na Universidade de Königsberg. Aos dezenove, recebeu o Grande Prêmio de Paris de matemática, e aos 23 tornou-se professor da Universidade de Bonn. Em 1897 deu aulas ao jovem Albert Einstein em Zurique.

Após mudar-se para Göttingen em 1902, Minkowski encantou-se com a matemática da física, em especial a interação entre luz e matéria. Quando Einstein revelou sua teoria da relatividade especial em 1905, Minkowski foi estimulado a desenvolver sua própria teoria, em que espaço e tempo integram uma realidade quadridimensional. O conceito inspirou a teoria da relatividade geral de Einstein em 1915, mas Minkowski já tinha morrido – aos 44 anos, por ruptura do apêndice.

Obra principal

1907 *Raum und Zeit* [Espaço e tempo]

---

impulso matemático. Nos anos 1860, o cientista escocês James Clerk Maxwell descobriu que a velocidade da luz é a mesma qualquer que seja a fonte. Suas equações foram então desenvolvidas por matemáticos que buscaram entender como a velocidade finita da luz se ajustava ao sistema de coordenadas de espaço e tempo.

Matemática da relatividade

Em 1904, o matemático holandês Henrik Lorentz desenvolveu um conjunto de equações, chamadas transformações, para mostrar como massa, comprimento e tempo mudam conforme um objeto espacial se aproxima da velocidade da luz. Um ano depois, Albert Einstein apresentou a teoria da relatividade especial, provando que a velocidade da luz é a mesma em todo o Universo. O tempo é uma quantidade relativa, não absoluta – com diferentes velocidades em lugares diversos e entrelaçado ao espaço. Minkowski transformou a teoria de Einstein em matemática, mostrando como o espaço e o tempo são partes de um espaço-tempo quadridimensional, em que cada ponto do espaço e tempo tem uma posição. Ele representou o movimento entre posições como uma linha teórica, uma "linha de universo", que poderia ser plotada num gráfico com o espaço e o tempo como eixos. Um objeto estático produz uma linha de universo vertical, e a linha de universo de um objeto em movimento fica em ângulo (ver acima) de 45° à velocidade da luz. Segundo Minkowski, nenhuma linha de universo pode exceder esse ângulo, mas na verdade há três eixos de espaço mais o eixo de tempo, então a linha de 45° na verdade é um hipercone, uma figura quadridimensional. Toda a realidade física se mantém dentro dele, já que nada é mais rápido que a luz. ■

Daqui em diante, o espaço em si mesmo e o tempo em si mesmo devem se apagar como simples sombras, e só alguma união dos dois preservará a realidade independente.
Hermann Minkowski

UM NÚMERO BEM SEM GRAÇA
NÚMEROS TAXICAB

EM CONTEXTO

FIGURA CENTRAL
Srinivasa Ramanujan
(1887-1920)

CAMPO
Teoria dos números

ANTES
1657 Na França, o matemático Bernard Frénicle de Bessy cita as propriedades de 1.729, o número taxicab original.

Século XVIII O matemático suíço Leonhard Euler calcula que 635.318.657 é o menor número que pode ser expresso como a soma de duas potências quartas (números elevados à potência de 4) de duas formas.

DEPOIS
1978 O matemático belga Pierre Deligne recebe a Medalha Fields por sua obra em teoria dos números, que inclui a prova de uma conjectura na teoria das formas modulares que foi feita primeiro por Ramanujan.

Um número taxicab, Ta(n) é o menor número que pode ser expresso como a soma de dois números inteiros positivos ao cubo em n (número de) diferentes modos. O nome se deve a uma história de 1919, quando o matemático britânico G. H. Hardy foi a Putney, em Londres, visitar seu protegido Srinivasa Ramanujan, que estava doente. Chegando num táxi de número 1.729, Hardy observou: "Um número bem sem graça, você não acha?". Ramanujan discordou, explicando que 1.729 é o menor número formado pela soma de dois cubos positivos de dois modos diferentes. O fato de Hardy contar muitas vezes essa história fez com que 1.729 se tornasse um dos números mais famosos da matemática. Ramanujan não foi o primeiro a notar as propriedades únicas desse número; o matemático francês Bernard Frénicle de Bessy também tinha escrito sobre ele no século XVII.

Expandindo o conceito
A história do taxicab inspirou matemáticos posteriores a examinar a propriedade que Ramanujan tinha reconhecido e expandir suas aplicações, buscando o menor número que pudesse ser expresso como a soma de dois cubos positivos

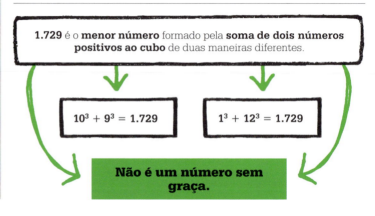

ERA MODERNA 277

Ver também: Equações cúbicas 102-105 ▪ Funções elípticas 226-227 ▪ A conjectura de Catalan 236-237 ▪ O teorema dos números primos 260-261

Ta(n) sempre existe?

A existência de Ta(n) foi provada teoricamente em 1938 para todos os valores de n, mas a busca por números taxicab maiores continua. Mesmo com a vantagem dos cálculos por computador, os matemáticos não foram ainda além da descoberta de Ta(6) por Uwe Hollerbach.

Data	Número	Valor	Descobridor
N/A	Ta(1)	2	N/A
1657	Ta(2)	1.729	De Bessy
1957	Ta(3)	87.539.319	Leech
1989	Ta(4)	6.963.472.309.248	Rosenstiel, Dardis, Rosenstiel
1994	Ta(5)	48.988.659.276.962.496	Dardis
2008	Ta(6)	24.153.319.581.254.312.065.344	Hollerbach

Srinivasa Ramanujan

Nascido em Madras, na Índia, em 1887, Ramanujan logo mostrou aptidão extraordinária em matemática. Como era difícil obter reconhecimento onde vivia, tomou a atitude ousada de mandar alguns de seus resultados para G. H. Hardy, professor do Trinity College, em Cambridge. Hardy declarou que tinham de ser o trabalho de um matemático "da mais alta classe" e deviam ser verdadeiros, pois ninguém seria capaz de inventá-los. Em 1913, Hardy convidou Ramanujan a trabalhar com ele em Cambridge. A colaboração foi muito produtiva: além dos números taxicab, Ramanujan desenvolveu uma fórmula para obter o valor de pi com alto nível de precisão.

Ramanujan, porém, tinha má saúde. Ele voltou à Índia em 1919 e morreu um ano depois – é provável que de disenteria pela amebíase contraída anos antes. Deixou vários cadernos, que os matemáticos ainda hoje estudam.

Obra principal

1927 *Collected papers of Srinivasa Ramanujan* [Artigos compilados de Srinivasa Ramanujan]

---

de três, quatro ou mais modos diversos. Outra questão era se Ta(n) existe para todos os valores de n; em 1938, Hardy e o matemático britânico Edward Wright provaram que sim (uma prova de existência), mas desenvolver um método para achar Ta(n) em cada caso se mostrou difícil. Levando o conceito além, a expressão Ta(j, k, n) busca o menor número positivo que é a soma de quaisquer números dentre diferentes inteiros positivos (j), cada um elevado a qualquer potência (k) de n modos diferentes. Por exemplo, Ta(4,2,2) requer o menor número que é a soma de quatro números ao quadrado (ou dois à quarta potência) de dois modos diversos: 635.318.657.

Importância duradoura

Os números taxicab eram só uma das áreas de trabalho de Hardy e Ramanujan. Seu foco foram os números primos. Hardy se entusiasmou quando Ramanujan afirmou ter achado uma função de x que representava de modo exato o número de números primos menores que x; Ramanujan não conseguiu, porém, apresentar uma prova rigorosa. Os números taxicab têm pouco uso prático, mas ainda inspiram os estudiosos como curiosidades. Os matemáticos hoje também buscam números cabtaxi: baseados na fórmula dos taxicab, estes permitem cálculos tanto com números ao cubo positivos quanto negativos. ▪

Uma equação não significa nada para mim, a menos que expresse um pensamento de Deus.
Srinivasa Ramanujan

UM MILHÃO DE MACACOS MARTELANDO NUM MILHÃO DE MÁQUINAS DE ESCREVER
O TEOREMA DO MACACO INFINITO

EM CONTEXTO

FIGURA CENTRAL
Émile Borel (1871-1956)

CAMPO
Probabilidades

ANTES
45 a.C. O filósofo romano Cícero afirma ser muito improvável que uma combinação aleatória de átomos forme a Terra.

1843 Antoine Augustin Cournot faz uma distinção entre certeza física e prática.

DEPOIS
1928 O físico britânico Arthur Eddington desenvolve a ideia de que o improvável é impossível.

2003 Cientistas da Universidade de Plymouth, no Reino Unido, testam a teoria de Borel com macacos de verdade e um teclado de computador.

2011 O programa de computador de 1 milhão de macacos virtuais, do programador americano Jesse Anderson, gera as obras completas de Shakespeare.

No início do século XX, o matemático francês Émile Borel explorou a improbabilidade – quando eventos têm uma chance muito pequena de algum dia ocorrer. Borel concluiu que eventos com probabilidade suficientemente pequena nunca ocorrerão. Ele não foi o primeiro a estudar a probabilidade de eventos improváveis. No século IV a.C., o filósofo grego Aristóteles aventou, em *Metafísica*, que a Terra teria sido criada por átomos que se juntaram por total acaso. Três séculos depois, o filósofo romano Cícero afirmou que, por ser tão improvável, isso era em essência impossível.

Definição de impossibilidade
Nos últimos dois milênios, vários pensadores examinaram o equilíbrio entre o improvável e o impossível.

Numa **quantidade infinita de tempo**, um número **infinito** de **eventos** irá ocorrer.

Um macaco datilografando **por tempo infinito** produzirá todas as letras em todas as **combinações possíveis** um número **infinito** de vezes.

O **macaco** produziria assim **todos os textos finitos** um número **infinito** de vezes.

Segundo a probabilidade matemática, um macaco datilografando por tempo infinito acabará digitando as obras completas de Shakespeare.

Ver também: Probabilidades 162-165 ▪ A lei dos grandes números 184-185 ▪ Distribuição normal 192-193 ▪ O demônio de Laplace 218-219 ▪ Números transfinitos 252-253

O evento fisicamente impossível é, assim, aquele que tem probabilidade infinitamente pequena, e esta observação sozinha dá substância [...] à teoria da probabilidade matemática.
Antoine Augustin Cournot

Nos anos 1760, o matemático francês Jean d'Alembert questionou se seria possível ter uma longa sequência de ocorrências seguidas quando ocorrência e não ocorrência fossem igualmente prováveis – por exemplo, se uma pessoa jogando uma moeda poderia obter cara 2 milhões de vezes seguidas. Em 1843, o matemático francês Antoine Augustin Cournot questionou a possibilidade de equilibrar um cone em sua ponta. Ele afirmou que era possível, mas muito improvável e fez a distinção entre certeza física – um evento que pode ocorrer fisicamente, como o equilíbrio do cone – e certeza prática, que é tão improvável que na prática é considerada impossível. No que é às vezes chamado princípio de Cournot, ele supôs que um evento com uma probabilidade muito pequena não acontecerá.

Macacos infinitos

A lei de Borel, que ele chamou de lei da possibilidade única, dá uma medida à certeza prática. Para eventos de escala humana, Borel considerou impossíveis os com probabilidade de menos de 10^{-6} (ou 0,000001). Ele também apresentou um exemplo famoso para ilustrar a impossibilidade: macacos batucando nas teclas de uma máquina de escrever aleatoriamente acabarão digitando as obras completas de Shakespeare. Esse resultado é muito improvável, mas matematicamente, num tempo infinito (ou com um número infinito de macacos), deve acontecer. Borel observou que, embora não se possa provar matematicamente que é impossível a macacos digitar Shakespeare, isso é tão improvável que os matemáticos devem considerar impossível. A ideia de macacos datilografando as obras de Shakespeare cativou a imaginação das pessoas e a lei de Borel ficou conhecida como teorema do macaco infinito. ∎

A teoria de Borel é com frequência aplicada aos mercados de ações, em que o nível de caos implica que em alguns casos a seleção aleatória funciona melhor que a baseada em teorias econômicas tradicionais.

Émile Borel

Nascido em Saint-Affrique, na França, em 1871, Émile Borel foi um matemático prodígio e se graduou em primeiro lugar da classe na École Normale Supérieure em 1893. Após dar aulas em Lille por quatro anos, voltou à École, onde deslumbrou colegas matemáticos com vários artigos brilhantes. Borel é mais conhecido pelo teorema do macaco infinito, mas seu feito mais duradouro foi ter lançado as bases da moderna compreensão das funções complexas – como uma variável deve ser alterada para se obter um resultado em especial. Na Primeira Guerra Mundial, Borel trabalhou para o Departamento de Guerra e depois foi ministro da Marinha. Preso quando os alemães invadiram a França na Segunda Guerra, foi libertado e lutou na Resistência, o que lhe valeu a Croix de Guerre. Morreu em 1956 em Paris.

Obras principais

1913 *Le hasard* [O acaso]
1914 *Principes et formules classiques du calcul des probabilités* [Princípios e fórmulas clássicas do cálculo de probabilidades]

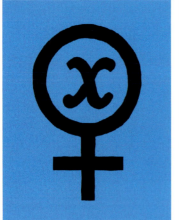

ELA MUDOU A FACE DA ÁLGEBRA
EMMY NOETHER E A ÁLGEBRA ABSTRATA

EM CONTEXTO

FIGURA CENTRAL
Emmy Noether (1882-1935)

CAMPO
Álgebra

ANTES
1843 O matemático alemão Ernst Kummer desenvolve o conceito de números ideais (ideais no anel dos números inteiros).

1871 Richard Dedekind elabora a ideia de Kummer, formulando de modo mais geral definições de anéis e ideais.

1890 David Hilbert aperfeiçoa o conceito de anel.

DEPOIS
1930 O matemático holandês Bartel Leendert van der Waerden escreve o primeiro tratamento abrangente da álgebra abstrata.

1958 O matemático britânico Alfred Goldie prova que os anéis noetherianos podem ser entendidos e analisados em termos de tipos de anéis mais simples.

No século XIX, a análise e a geometria eram os campos principais da matemática. Já a álgebra era bem menos popular. Na Revolução Industrial, a matemática aplicada foi priorizada em relação a áreas de estudo mais teóricas. Isso mudou no início do século XX, com o surgimento da álgebra abstrata, que se tornou um dos campos centrais da matemática, em grande parte graças às inovações da matemática alemã Emmy Noether.

Noether não foi a primeira a se concentrar na álgebra abstrata. Matemáticos como Joseph-Louis Lagrange, Carl Friedrich Gauss e o britânico Arthur Cayley tinham desenvolvido trabalhos sobre a teoria da álgebra, que ganhou impulso quando o matemático alemão Richard Dedekind começou a estudar estruturas algébricas. Ele conceituou o anel – conjunto de elementos com duas operações, como adição e multiplicação. Um anel pode ser quebrado em partes chamadas ideais – subconjuntos de elementos. Por exemplo, o conjunto de números inteiros pares é um ideal no anel dos inteiros.

Trabalhos importantes

Noether iniciou o trabalho sobre álgebra abstrata pouco antes da Primeira Guerra Mundial com seu estudo da teoria dos invariantes, que explicava como algumas expressões algébricas ficam iguais enquanto outras mudam. Em 1915, esse trabalho a levou a uma importante contribuição à física; ela provou que as leis de conservação de energia e massa correspondem cada uma a um tipo diverso de simetria. A conservação de carga elétrica, por exemplo, se relaciona à simetria rotacional. Hoje chamado teorema de Noether, o trabalho foi elogiado por Einstein pelo modo como abordou sua teoria da relatividade geral.

Meus métodos são na verdade de trabalho e pensamento; é por isso que afloram por toda parte anonimamente.
Emmy Noether

ERA MODERNA 281

Ver também: A álgebra 92-99 ▪ O teorema binomial 100-101 ▪ A solução algébrica de equações 200-201 ▪ O teorema fundamental da álgebra 204-209 ▪ A teoria dos grupos 230-233 ▪ Matrizes 238-241 ▪ Topologia 256-259

Os matemáticos criaram o sistema chamado **álgebra abstrata** para generalizar objetos matemáticos e as **operações aplicadas a eles**.

⬇

Um **conjunto** é uma reunião de **objetos** ou **elementos**, como os números inteiros.

⬇

Um **grupo** é um tipo de conjunto que **inclui uma operação** (por exemplo, adição) e segue certos axiomas.

⬇

Um **anel** é um **tipo de grupo** que inclui uma **segunda operação**, muitas vezes a multiplicação. Ele também inclui o **axioma da associatividade**, pelo qual cada uma das operações pode ser aplicada em qualquer ordem sem afetar o resultado.

⬇

As contribuições de Noether à teoria do anel impulsionaram nossa compreensão das estruturas algébricas.

Emmy Noether

Nascida em 1882, Emmy Noether, por ser mulher judia na Alemanha, lutou para conseguir estudar, ser reconhecida, e até por um emprego básico na academia no início do século XX. Embora tenha conseguido um posto na Universidade de Erlangen – onde seu pai ensinava matemática –, ela não foi paga de 1908 a 1923. Depois, enfrentou discriminação similar em Göttingen, onde seus colegas brigaram para que fosse oficialmente registrada na faculdade. Em 1933, a ascensão dos nazistas levou a sua dispensa e ela se mudou para os Estados Unidos, onde trabalhou no Bryn Mawr College e no Instituto de Estudos Avançados de Princeton até a morte, em 1935.

Obras principais

1921 *Idealtheorie in Ringbereichen* [Teoria dos ideais em anéis]
1924 *Abstrakter Aufbau der Idealtheorie im algebraischen Zahlkörper* [Construção abstrata da teoria dos ideais em campos algébricos]

No início dos anos 1920, Noether focou sua pesquisa em anéis e ideais. Num artigo crucial, *Idealtheorie in Ringbereichen* [Teoria dos ideais em anéis], de 1921, ela estudou ideais num conjunto particular de anéis comutativos, em que os números podem ser permutados quando multiplicados, sem afetar o resultado. Num artigo de 1924, ela provou que nesses anéis comutativos, todo ideal é o produto único de ideais primos. Com suas contribuições à teoria do anel, Noether, uma das mais brilhantes matemáticas de sua época, lançou as bases para o desenvolvimento de todo o campo da álgebra abstrata. ∎

AS ESTRUTURAS SÃO AS ARMAS DO MATEMÁTICO
O GRUPO DE BOURBAKI

EM CONTEXTO

FIGURAS CENTRAIS
André Weil (1906-1998)
Henri Cartan (1904-2008)

CAMPOS
Teoria dos números, álgebra

ANTES
1637 René Descartes cria a geometria de coordenadas, que permite representar pontos numa superfície plana.

1874 Georg Cantor cria a teoria dos conjuntos, que descreve como conjuntos e subconjuntos se inter-relacionam.

1895 Henri Poincaré lança as bases da topologia algébrica em *Analysis situs* [Análise de posição]

DEPOIS
Anos 1960 O movimento da matemática moderna, centrado na teoria dos conjuntos, se populariza nas escolas americanas e europeias.

1995 Andrew Wiles publica a prova final do último teorema de Fermat.

O genial matemático russo Nicolas Bourbaki foi um dos mais produtivos e influentes do século XX. Sua obra monumental *Éléments de mathématique* [Elementos de matemática], de 1960, ocupa lugar central nas bibliotecas universitárias, e incontáveis estudantes de matemática aprenderam as ferramentas do ofício a partir dessa obra. Bourbaki, porém, nunca existiu. Ele foi uma ficção criada nos anos 1930 por jovens matemáticos franceses que buscavam preencher o vazio deixado pela devastação da Primeira Guerra Mundial. Enquanto outros países tinham mantido os acadêmicos em

---

Um grupo de matemáticos franceses sentia-se **desalentado** com o estado da **matemática francesa** e quis...

↓ ↓ ↓

... adotar uma **abordagem de maior rigor** na matemática.

... acabar com a dependência de **suposições criativas**.

... pensar sobre **álgebra** em termos de **formas geométricas**.

↓

Porém receavam **retaliações** e queriam **atuar em segredo**, então...

↓

... **publicaram** seus **textos** sob o pseudônimo de **Nicolas Bourbaki**.

ERA MODERNA

Ver também: Coordenadas 144-151 ▪ Topologia 256-259 ▪ O efeito borboleta 294-299 ▪ A prova do último teorema de Fermat 320-323 ▪ A prova da conjectura de Poincaré 324-325

O grupo de Bourbaki posa para uma foto em seu primeiro congresso, em julho de 1935. Nela estão Henri Cartan (de pé, na extrema esquerda) e André Weil (de pé, o quarto a partir da esquerda).

casa, os matemáticos franceses haviam se juntado aos compatriotas nas trincheiras e uma geração de professores foram mortos. Os matemáticos franceses se sentiam tolhidos por livros didáticos e professores antiquados.

Renovação da matemática

Alguns jovens professores achavam que a matemática francesa carecia de rigor e precisão. Eles desconfiavam das "suposições criativas", como as viam, de matemáticos mais velhos como Henri Poincaré ao desenvolver a teoria do caos e matemática para a física.

Em 1934, dois jovens palestrantes da Universidade de Strasbourg, André Weil e Henri Cartan, puseram mãos à obra. Eles convidaram seis antigos colegas estudantes da École Normale Supérieure para almoçar em Paris, esperando convencê-los a participar de um projeto ambicioso: escrever um novo tratado que revolucionasse a matemática.

O grupo – que incluía Claude Chevalley, Jean Delsarte, Jean Dieudonné e René de Possel – concordou em criar um novo conjunto de trabalhos que cobrisse todos os campos da matemática. Reunindo-se regularmente e comandado por Dieudonné, o grupo produziu livro após livro sob a designação *Éléments de mathématique* [Elementos de matemática]. A obra era propensa a controvérsias, então adotaram o pseudônimo Nicolas Bourbaki.

O grupo queria levar a matemática de volta ao básico e fornecer fundamentos a partir dos quais avançar. Apesar do rápido entusiasmo febril nos anos 1960, sua obra se provou radical demais para professores e alunos. O grupo muitas vezes se desentendeu com matemáticos e físicos de vanguarda, e era tão focado em matemática pura que dava pouca atenção à aplicada. Tópicos que continham incerteza, como probabilidades, não tinham lugar na obra de Bourbaki.

Mesmo assim, o grupo contribuiu a vários tópicos matemáticos, em especial a teoria dos conjuntos e a geometria algébrica. Atuou em segredo (e seus membros deviam se desligar dele aos cinquenta anos), ainda existe, mas publica pouco. Os dois volumes mais recentes de Bourbaki são de 1998 e 2012. ∎

O legado de Bourbaki

A topologia e a teoria dos conjuntos – o encontro entre números e formas – eram, para Bourbaki, a própria raiz da matemática e estavam no cerne do trabalho do grupo. René Descartes foi o primeiro a ligar formas e números, no século XVII, com a geometria de coordenadas, tornando a geometria em álgebra. Bourbaki ajudou a fazer a ligação de outro modo, tornando a álgebra em geometria e criando a geometria algébrica, que talvez seja seu legado mais duradouro. Foi seu trabalho sobre geometria algébrica que, pelo menos em parte, levou o matemático britânico Andrew Wiles a afinal provar o último teorema de Fermat; ele publicou sua prova em 1995. Alguns matemáticos acreditam que a geometria algébrica tem grande potencial inexplorado para o futuro. Ela já tem aplicações no mundo real, como na programação de códigos para celulares e cartões inteligentes.

UMA ÚNICA MÁQUINA PARA CALCULAR QUALQUER SEQUÊNCIA CALCULÁVEL

A MÁQUINA DE TURING

A MÁQUINA DE TURING

EM CONTEXTO

FIGURA CENTRAL
Alan Turing (1912-1954)

CAMPO
Ciência da computação

ANTES
1837 No Reino Unido, Charles Babbage projeta a máquina analítica, um computador mecânico que usa o sistema decimal. Se tivesse sido construído, seria o primeiro instrumento "Turing-completo".

DEPOIS
1937 Claude Shannon projeta circuitos elétricos de comutação que usam álgebra booliana, fazendo circuitos digitais que seguem regras de lógica.

1971 O matemático americano Stephen Cook propõe o problema P versus NP, que tenta explicar por que alguns problemas matemáticos podem ser verificados rápido, mas levariam bilhões de anos para serem provados, apesar do imenso poder de cálculo dos computadores.

Se se espera que uma máquina seja infalível, ela não pode ser também inteligente.
Alan Turing

A computação de respostas de muitos problemas numéricos **pode ser reduzida a um algoritmo** – sequência de **passos matemáticos** que são aplicados numa ordem predefinida.

⬇ ⬇

Alguns **algoritmos** chegam a **respostas**, outros **giram em falso para sempre**.

A **máquina de Turing** pode processar qualquer **algoritmo, solúvel ou não**.

⬇ ⬇

Alimentando a máquina com algoritmos, é possível provar quando um algoritmo não tem resposta.

Alan Turing é muitas vezes citado como pai da computação digital, mas a máquina de Turing, que lhe valeu essa fama, foi um instrumento hipotético e não físico. Em vez de construir um protótipo de computador, Turing usou um experimento mental para resolver o *Entscheidungsproblem* (problema de decisão), que o matemático alemão David Hilbert propusera em 1928. Hilbert buscava entender se a lógica poderia se tornar mais rigorosa se fosse simplificada em um conjunto de regras, ou axiomas, do mesmo modo que se pensava na época ser possível simplificar a aritmética, a geometria e outros campos da matemática. Ele queria saber se havia um modo de predeterminar se um algoritmo – método para resolver um problema matemático específico usando um conjunto dado de instruções numa dada ordem – chegaria a uma solução do problema.

Em 1931, o matemático austríaco Kurt Gödel demonstrou que a matemática baseada em axiomas formais não poderia provar tudo o que era verdadeiro segundo tais axiomas. Segundo o que Gödel chamou de teorema da incompletude, havia um descompasso entre verdade matemática e prova matemática.

Raízes antigas

Os algoritmos têm origens remotas. Um dos primeiros exemplos é o método do geômetra grego Euclides para calcular o máximo divisor comum de dois números – o maior número que divide ambos sem deixar resto. Outro exemplo antigo é a peneira de Eratóstenes, atribuída a esse matemático grego do século III a.C. Trata-se de um algoritmo para separar números

ERA MODERNA **287**

Ver também: *Os elementos*, de Euclides 52-57 ▪ A peneira de Eratóstenes 66-67 ▪ 23 problemas para o século xx 266-267 ▪ A teoria da informação 291 ▪ Criptografia 314-317

> Um homem munido de papel, lápis e borracha e submetido à disciplina estrita é na verdade uma máquina universal.
> **Alan Turing**

primos e compostos (não primos). Os algoritmos de Eratóstenes e Euclides funcionam de modo perfeito e pode-se provar que sempre fazem isso, mas não se conformam a uma definição formal. Foi essa necessidade que levou Turing a criar a "máquina virtual".

Em 1937, Turing publicou seu primeiro artigo como membro do King's College, de Cambridge: "On computable numbers with an application to the Entscheidungsproblem" [Sobre números computáveis, com uma aplicação ao *Entscheidungsproblem*].

Ele mostrava que não há solução para o problema de decisão de Hilbert: alguns algoritmos não são computáveis, mas não há um mecanismo universal que os identifique sem testá-los.

Turing chegou a essa conclusão usando sua máquina hipotética, que consistia em duas partes. A primeira era uma fita, tão longa quanto necessário, dividida em seções, cada uma com um caractere em código. Esse caractere podia ser qualquer coisa, mas a versão mais simples usava 1s e 0s. A segunda parte era a própria máquina, que lia os dados de cada seção da fita (pelo movimento da cabeça ou da fita). A máquina teria um conjunto de instruções (um algoritmo) que controlaria seu comportamento. A máquina (ou fita) poderia ir para a esquerda »

Funcionárias trabalham na Cabana 8 de Bletchley Park, no Reino Unido, na Segunda Guerra Mundial. Em certa época, Turing chefiou o trabalho da Cabana 8, que decifrou os comunicados entre Adolf Hitler e suas forças.

Alan Turing

Nascido em Londres em 1912, Alan Turing era descrito como gênio pelos professores. Após se graduar com nota máxima em matemática na Universidade de Cambridge em 1934, continuou a estudar em Princeton, nos Estados Unidos. De volta ao Reino Unido em 1938, Turing ingressou na Government Code and Cypher School, em Bletchley Park. Após o início da guerra, em 1939, ele e outros desenvolveram a Bombe, aparelho eletromecânico que decifrava mensagens inimigas. Depois da guerra, Turing trabalhou na Universidade de Manchester, onde projetou o ACE (sigla em inglês da máquina de computação automática) e outros recursos digitais. Em 1952, foi condenado por homossexualidade, então crime no Reino Unido. Foi também excluído do trabalho de decifração de códigos do governo. Para evitar a prisão, concordou com um tratamento hormonal para redução da libido. Em 1954 se suicidou.

Obra principal

1939 "Relatório sobre as aplicações das probabilidades à criptografia"

A MÁQUINA DE TURING

A máquina de Turing consiste em uma cabeça que lê dados numa fita de comprimento infinito. O algoritmo da máquina pode tanto instruir a cabeça quanto a fita a se mover – ir para a esquerda, a direita ou ficar parada. A memória acompanha as mudanças e as alimenta de volta no algoritmo.

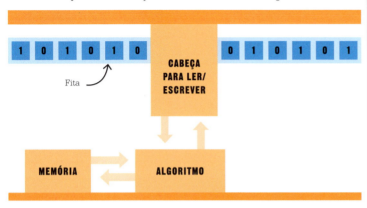

ou a direita, ou ficar onde estava, e reescrever os dados da fita, mudando 0 para 1 ou vice-versa. Tal máquina poderia efetuar qualquer algoritmo concebível.

Turing queria saber se qualquer algoritmo inserido na máquina a levaria a parar. Isso significaria que o algoritmo chegara a uma solução. A questão era se haveria um modo de saber quais algoritmos (ou máquinas virtuais) parariam e quais não; se Turing pudesse descobrir, ele responderia o problema de decisão.

O problema da parada

Turing abordou esse problema como um experimento mental. Ele começou imaginando uma máquina que fosse capaz de dizer se um algoritmo (A) pararia (forneceria uma resposta e pararia de rodar) ao receber um *input* para o qual a resposta fosse "sim" ou "não". Turing não se preocupou com a mecânica física dessa máquina. Depois de idealizá-la, porém, pôde, teoricamente, tomar qualquer algoritmo e testá-lo usando a máquina para ver se pararia.

Em essência, a máquina de Turing (M) é um algoritmo que testa outro algoritmo (A) para ver se é solúvel. Ele faz isso perguntando: A parou (tem uma solução)? M obtém assim uma resposta "sim" ou "não". Turing imaginou então uma versão modificada dessa máquina (M*), ajustada de tal modo que, se a resposta fosse "sim" (A parou), então M* faria o oposto – ficaria girando em falso para sempre (e não pararia). Se a resposta fosse "não" (A não parou), então M* pararia.

Turing levou além esse experimento mental, imaginando que se poderia usar a máquina M* para testar se seu próprio algoritmo, M*, pararia. Se a resposta fosse "sim", o algoritmo M* pararia, e então a máquina M* não iria parar. Se a resposta fosse "não", o algoritmo M* nunca pararia, então a máquina M* pararia. O experimento mental de Turing tinha, assim, criado um paradoxo que poderia ser usado como uma forma de prova matemática. Se provado isso, porque é impossível saber se a máquina algum dia pararia ou não, então a resposta do problema de decisão era "não": não havia um teste universal para a validade dos algoritmos.

Arquitetura de computador

A máquina de Turing não tinha terminado seu trabalho. Turing e outros perceberam que esse conceito simples poderia ser usado como um computador. Na época, o termo "computador" era usado para designar uma pessoa que realizava cálculos matemáticos complexos. Uma máquina de Turing faria isso usando um algoritmo para reescrever um *input* (os dados da fita) num *output*. Em termos de habilidade de computação, os algoritmos usados numa máquina de Turing são do tipo mais forte já inventado. Os computadores modernos e os programas que rodam neles trabalham na verdade como máquinas de Turing, e são assim considerados "Turing-completos".

Figura de destaque na matemática e na lógica, Turing deu importantes contribuições ao desenvolvimento de computadores reais, não só virtuais. Porém foi o matemático húngaro John von Neumann que inventou uma versão

Temos de alimentar [informação] por um processador. Um ser humano transforma informação em inteligência ou conhecimento. Tendemos a esquecer que nenhum computador jamais perguntará uma questão nova.
Grace Hopper
Cientista da computação americana

ERA MODERNA

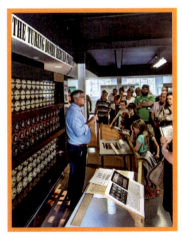

Uma Bombe de Turing, usada para decifrar mensagens em código, foi reconstruída no museu de Bletchley Park, o centro britânico de decifração de códigos na Segunda Guerra Mundial.

real do instrumento hipotético de Turing, usando uma unidade de processamento central (CPU, na sigla em inglês) que convertia um *input* em *output* recorrendo a informações armazenadas numa memória interna e enviando de volta novas informações a salvar. Ele propôs essa configuração, chamada "arquitetura de Von Neumann", em 1945, e hoje um processo similar é usado em quase todos os aparelhos de computação.

Código binário

Turing não considerou de início o uso apenas de dados binários em sua máquina. Ele só pensou que ela usaria um código com um conjunto finito de caracteres. Porém a linguagem da primeira máquina Turing-completa construída, o Z3, era binária. Criado em 1941 pelo engenheiro alemão Konrad Zuse, o Z3 usava relés eletromecânicos, ou comutadores, para representar 1s e 0s de dados binários. Chamados a princípio variáveis discretas, os 1s e 0s do código de computação foram renomeados em 1948 bits, abreviação de "dígitos binários". O termo foi cunhado por Claude Shannon, figura central na teoria da informação – campo da matemática que examina como a informação pode ser armazenada e transmitida como códigos digitais.

Os primeiros computadores usaram bits múltiplos como endereços para seções de memória – mostrando onde o processador deveria procurar os dados. Esses bocados de bits ficaram conhecidos como bytes, cuja pronúncia ("baites") visa evitar confusão com "bits". Nas primeiras décadas da computação, os bytes em geral continham 4 ou 6 bits, mas nos anos 1970 surgiram os microprocessadores de 8 bits Intel e o byte se tornou a unidade para 8 bits. O byte de 8 bits era conveniente, porque 8 bits têm 2^8 permutações (256) e podem codificar números de 0 a 255.

Com um código binário arranjado em conjuntos de oito dígitos – e depois em cadeias ainda mais longas –, foi possível produzir programas para todas as aplicações concebíveis. Os programas de computador são

> A ideia popular de que os cientistas trabalham rigorosamente a partir de fatos bem-estabelecidos, nunca sendo influenciados por nenhuma conjectura não provada, é bem enganosa.
> **Alan Turing**

apenas algoritmos; os *inputs* de um teclado, microfone ou tela sensível são processados por esses algoritmos em *outputs*, como o texto numa tela.

Os princípios da máquina de Turing ainda são usados em computadores modernos e tudo indica que continuem a ser, até a computação quântica mudar o modo de processar a informação. Um bit de computador clássico é 1 ou 0, e nada entre eles. Um bit quântico, ou qubit, usa a superposição de 1 e 0 ao mesmo tempo, o que aumenta tremendamente o poder de computação. ∎

O teste de Turing

Em 1950, Turing desenvolveu um teste sobre a habilidade de uma máquina de exibir comportamento inteligente equivalente ou indistinguível do humano. Segundo sua ideia, se uma máquina parecesse pensar por si mesma, então ela pensava. O Prêmio Loebner de Inteligência Artificial (IA) foi criado em 1990 pelo inventor americano Hugh Loebner e pelo Centro de Estudos do Comportamento de Cambridge, em Massachusetts. Todo ano, computadores que usam IA disputam o prêmio. As IAs devem enganar os juízes, fazendo-os pensar que são humanas e não programas de computador. As que chegam à final se alternam comunicando-se com um de quatro juízes. Cada juiz se comunica também com um ser humano e deve decidir qual dos dois parece mais humano. Ao longo dos anos o teste recebeu muitas críticas, que questionam sua capacidade de julgar de verdade a inteligência de uma IA efetivamente ou veem a competição como uma proeza que não aumenta o conhecimento no campo de IA.

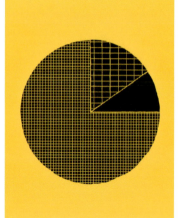

COISAS PEQUENAS SÃO MAIS NUMEROSAS QUE AS GRANDES
A LEI DE BENFORD

EM CONTEXTO

FIGURA CENTRAL
Frank Benford (1883-1948)

CAMPO
Teoria dos números

ANTES
1881 O astrônomo canadense Simon Newcomb observa que as páginas de tábuas de logaritmos mais consultadas têm números que começam por 1.

DEPOIS
1972 Hal Varian, economista americano, sugere usar a lei de Benford para detectar fraudes.

1995 O matemático americano Ted Hill prova que a lei de Benford pode ser aplicada a distribuições estatísticas.

2009 A análise estatística dos resultados da eleição presidencial iraniana mostra que não se coadunam com a lei de Benford, o que indica que podem ter sido manipulados.

Seria de esperar que em qualquer conjunto grande de números, os que começassem com 3 ocorressem com mais ou menos a mesma frequência que os iniciados por qualquer outro dígito. No entanto, muitos conjuntos de números – uma lista com a população de vilarejos e cidades do Reino Unido, por exemplo – mostram um padrão claramente diverso. Muitas vezes, num conjunto de números de ocorrência natural, cerca de 30% começam com 1, por volta de 17% com 2 e menos de 5% com 9. Em 1938, o físico americano Frank Benford escreveu um artigo sobre esse fenômeno e os matemáticos depois se referiram a ele como lei de Benford.

Padrão recorrente
A lei de Benford é evidente em muitos casos, dos comprimentos dos rios aos preços das ações e às taxas de mortalidade. Alguns tipos de dados se ajustam à lei melhor que outros. Dados de ocorrência natural que se estendem por várias ordens de magnitude, de centenas a milhões, por exemplo, satisfazem a lei melhor que dados agrupados com mais proximidade. Os números da sequência de Fibonacci seguem a lei de Benford, assim como as potências de muitos números inteiros. Números usados como nomes ou rótulos, como os de ônibus ou telefone, não se ajustam. Quando os números são forjados, tendem a uma distribuição mais igual de números iniciais que seguem a lei de Benford. Isso permitiu a investigadores usar essa lei para detectar fraudes financeiras. ∎

Curiosamente, dos vinte conjuntos de dados que Benford coligiu, o tamanho de seis das amostras tem como primeiro dígito 1. Notou alguma coisa estranha nisso?
Rachel Fewster
Ecologista estatística, Nova Zelândia

Ver também: A sequência de Fibonacci 106-111 ▪ Logaritmos 138-141 ▪ Probabilidades 162-165 ▪ Distribuição normal 192-193

UM PLANO PARA A ERA DIGITAL
A TEORIA DA INFORMAÇÃO

EM CONTEXTO

FIGURA CENTRAL
Claude Shannon (1916-2001)

CAMPO
Ciência da computação

ANTES
1679 Gottfried Leibniz desenvolve a antiga ideia de numeração binária.

1854 George Boole introduz a álgebra que será a base da computação.

1877 O físico austríaco Ludwig Boltzman desenvolve a ligação entre entropia (medida de aleatoriedade) e probabilidade.

1928 Nos Estados Unidos, o engenheiro eletrônico Ralph Hartley vê a informação como quantidade mensurável.

DEPOIS
1961 O físico alemão Rolf Landauer mostra que a manipulação da informação aumenta a entropia.

Em 1948, Claude Shannon, matemático e engenheiro eletrônico americano, publicou o artigo *A mathematical theory of communication* [Teoria matemática da comunicação]. Desvelando a matemática da informação e mostrando como ela podia ser transmitida digitalmente, o texto marcou o início da era da informação.

Na época, as mensagens só podiam ser transmitidas por meio de sinal analógico, contínuo. A principal desvantagem disso é que as ondas ficam mais fracas conforme viajam, com uma interferência de fundo cada vez maior. Por fim, a estática supera a mensagem original.

A solução de Shannon foi dividir a informação nos menores pedaços possíveis, ou bits (dígitos binários). A mensagem é convertida num código feito de 0s e 1s – cada 0 é uma voltagem baixa e cada 1, uma voltagem alta. Para criar esse código, Shannon se baseou na matemática binária, desenvolvida por Gottfried Leibniz – a ideia de que números podem ser representados só por 0s e

Shannon demonstra Theseus, um rato eletromecânico que usa um cérebro de relés de telefone para achar o caminho num labirinto.

1s. Embora não tenha sido o primeiro a mandar informação de modo digital, Shannon refinou a técnica. Para ele, não se tratava só de resolver problemas técnicos da transmissão eficiente de informação. Mostrando que ela pode ser expressa por dígitos binários, ele lançou a teoria da informação – com implicações que alcançam todos os campos da ciência, além de cada casa e escritório com um computador. ∎

Ver também: O cálculo 168-175 ▪ Números binários 176-177 ▪ Álgebra booliana 242-247

ESTAMOS TODOS SÓ A SEIS PASSOS UNS DOS OUTROS
SEIS GRAUS DE SEPARAÇÃO

EM CONTEXTO

FIGURA CENTRAL
Michael Gurevitch
(1930-2008)

CAMPO
Teoria dos números

ANTES
1929 O escritor húngaro Frigyes Karinthy cunha a expressão "seis graus de separação".

DEPOIS
1967 O sociólogo americano Stanley Milgram projeta uma experiência dos pequenos mundos para estudar os seis graus de separação e a conectividade entre as pessoas.

1979 Manfred Kochen, da IBM, e Ithiel de Sola Pool, do MIT, publicam uma análise matemática de redes sociais.

1998 Nos Estados Unidos, o sociólogo Duncan J. Watts e o matemático Steven Strogatz apresentam o modelo de grafo aleatório de Watts-Strogatz para medir conectividade.

A maioria dos **indivíduos** tem um leque de **conexões** com pessoas de áreas **diversas** de sua **vida**.

Essas **conexões**, por sua vez, estão **ligadas** a outros **grupos** e **redes** de pessoas.

Outras ligações a indivíduos que estão **três passos distantes** (por exemplo, um amigo de um amigo de um amigo) revelam uma **vasta gama** de **pessoas conectadas umas às outras**.

Estudos indicam que, quando ligados por nossas redes sociais, todos nós, em média, estamos seis passos distantes uns dos outros.

As redes são usadas para modelar relações entre objetos ou pessoas em muitas disciplinas, como ciência, física de partículas, economia, criptografia, biologia, sociologia e climatologia. Um de seus tipos é o diagrama de rede social dos "seis graus de separação", que mede quanto as pessoas se conectam umas às outras.

Em 1961, Michael Gurevitch, estudante de pós-graduação americano, publicou um estudo histórico sobre a natureza das redes sociais. Em 1967, Stanley Milgram

ERA MODERNA 293

Ver também: Logaritmos 138-141 ▪ A teoria dos grafos 194-195 ▪ Topologia 256-259 ▪ Nascimento da estatística moderna 268-271 ▪ A máquina de Turing 284-289 ▪ Matemática social 304 ▪ Criptografia 314-317

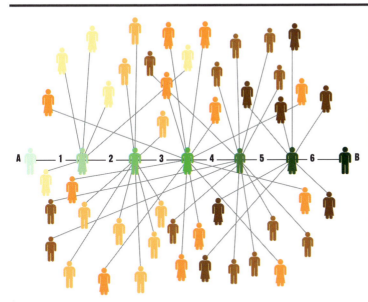

A teoria dos seis graus de separação mostra como quaisquer duas pessoas aparentemente desconectadas podem ser ligadas por não mais que seis passos por meio de amigos e conhecidos. Esse número pode diminuir com o crescimento das mídias sociais.

pesquisou quantos vínculos entre conhecidos eram precisos para ligar estranhos nos Estados Unidos. Ele tomou pessoas no Nebraska que enviariam uma carta que no fim deveria chegar a uma pessoa específica (aleatória) em Massachusetts. Cada destinatário mandava então a carta a uma pessoa que sabia que estaria mais perto do destino final. Milgram estudou por quantas pessoas cada uma das cartas passou até atingir o alvo. Em média, as cartas que chegaram ao destino precisaram de seis intermediários.

A teoria do mundo pequeno era anterior a Milgram. Em um conto de 1929, *Láncszemek* [Cadeias], Frigyes Karinthy aventou que a média do número de conexões entre as pessoas no mundo poderia ser seis, com a amizade como fator de conexão. Karinthy, um escritor e não matemático, cunhou a expressão "seis graus de separação". Desde então os matemáticos tentaram modelar o grau médio de separação. Duncan Watts e Steven Strogatz mostraram que, se há uma rede aleatória com N nós, cada qual com K ligações a outros nós, o comprimento do caminho médio entre dois nós é $ln\ N$ dividido por $ln\ K$ (em que ln é logaritmo natural). Se houver 10 nós, cada um com 4 conexões a outros nós, a distância média entre dois nós escolhidos aleatoriamente será de $^{ln\ 10}/_{ln\ 4} \approx 1,66$.

Outras redes sociais
Nos anos 1980, amigos do matemático húngaro Paul Erdős, que trabalhava colaborativamente, cunharam o termo "número de Erdős" para indicar seu grau de separação de outros matemáticos publicados. Os coautores de Erdős tinham um número de Erdős 1, qualquer um que tivesse trabalhado com um de seus coautores tinha o número 2 e assim por diante. A ideia cativou o público após uma entrevista do ator americano Kevin Bacon, que disse ter trabalhado com cada ator de Hollywood ou com alguém que tinha trabalhado com eles. O termo "número de Bacon" foi cunhado para indicar o grau de separação entre um ator e Bacon. No *rock*, conexões com os membros da banda de *heavy metal* Black Sabbath são indicadas pelo "número de Sabbath". Para filtrar os realmente bem-conectados, há o número de Erdős-Bacon-Sabbath, EBS (a soma dos números de Erdős, Bacon e Sabbath de alguém). Só poucos indivíduos têm números EBS de um dígito.

Em 2008, a Microsoft fez uma pesquisa para mostrar que todos na Terra estão separados de cada um dos demais por só 6,6 pessoas em média. Como as mídias sociais nos aproximam cada vez mais, esse número pode ainda diminuir.

É minha esperança que a Six Degrees [um projeto filantrópico] [traga] consciência social às redes sociais.
Kevin Bacon

UMA PEQUENA VIBRAÇÃO PODE MUDAR TODO O COSMOS

O EFEITO BORBOLETA

O EFEITO BORBOLETA

EM CONTEXTO

FIGURA CENTRAL
Edward Lorenz (1917-2008)

CAMPO
Probabilidades

ANTES
1814 Pierre-Simon Laplace pondera as consequências de um universo determinista em que saber todas as condições presentes seja usado para prever o futuro por toda a eternidade.

1890 Henri Poincaré mostra que não há uma solução geral para o problema dos três corpos, que prevê o movimento de três corpos celestes ligados pela gravidade. Na maior parte, os corpos não se movem em padrões rítmicos, repetidos.

DEPOIS
1975 Benoit Mandelbrot usa gráficos de computador para criar fractais mais complexos (formas que repetem a si mesmas). O atrator de Lorenz, que revelou o efeito borboleta, é um fractal.

Em 1972, Edward Lorenz, meteorologista e matemático americano, deu uma palestra com o título "O bater de asas de uma borboleta no Brasil desencadeia um tornado no Texas?". Isso deu origem à expressão "efeito borboleta", que remete à ideia de que uma mudança minúscula nas condições atmosféricas (causada por qualquer coisa, não só uma borboleta) é suficiente para alterar padrões do tempo em outro lugar no futuro. Se a borboleta não tivesse dado sua pequena contribuição às

A ideia de que uma borboleta batendo as asas em uma parte do mundo poderia alterar as condições atmosféricas e acabar criando um tornado em outro lugar cativou a imaginação popular.

condições iniciais, o tornado ou outro evento climático não teria ocorrido, ou atingiria outro lugar em vez do Texas.

O título da palestra não foi escolhido pelo próprio Lorenz, mas pelo físico Philip Merilees, organizador da reunião anual da Associação Americana para o

Edward Lorenz

Nascido em 1917 em West Hartford, em Connecticut, Edward Lorenz estudou matemática no Dartford College e obteve o mestrado na Universidade Harvard em 1940. Após trabalhar com meteorologia, serviu na Força Aérea dos Estados Unidos na Segunda Guerra Mundial. Depois da guerra, estudou meteorologia no Instituto de Tecnologia de Massachusetts e começou a desenvolver modos de prever o comportamento da atmosfera. Na época, os meteorologistas usavam modelagem estatística linear na previsão do tempo, e falhavam

muito. Ao desenvolver modelos não lineares de atmosfera, Lorenz deparou com a área da teoria do caos, depois chamada efeito borboleta. Ele mostrou que mesmo os computadores mais poderosos não poderiam produzir previsões do tempo precisas de longo prazo. Lorenz continuou física e mentalmente ativo até pouco antes de morrer, em 2008.

Obra principal

1963 *Deterministic nonperiodic flow* [Fluxo não periódico determinista]

ERA MODERNA 297

Ver também: O problema dos máximos 142-143 ▪ Probabilidades 162-165 ▪ O cálculo 168-175 ▪ As leis do movimento de Newton 182-183 ▪ O demônio de Laplace 218-219 ▪ Topologia 256-259 ▪ Fractais 306-311

Uma borboleta bate as asas na floresta Amazônica e depois uma tempestade assola metade da Europa.
Terry Pratchett and Neil Gaiman
Escritores britânicos

O que é impressionante é que os sistemas caóticos nem sempre permanecem caóticos.
Connie Willis
Escritora americana

Progresso da Ciência, em Boston. Como Lorenz atrasou o envio de informações sobre a palestra, Merilees improvisou, baseando-se no que sabia sobre o trabalho de Lorenz e num comentário anterior de que "um bater de asas de uma gaivota" poderia ser suficiente para mudar a previsão do tempo.

Teoria do caos
O efeito borboleta é uma introdução popular à teoria do caos, a qual aborda o modo como sistemas complexos são altamente sensíveis a condições iniciais e, assim, muito imprevisíveis. A teoria do caos tem importância prática em áreas como dinâmica populacional, engenharia química e mercado financeiro, e é util no desenvolvimento de inteligência artificial.

Lorenz começou a estudar a modelagem do clima nos anos 1950.

Num atrator de Lorenz, pequenas mudanças nas condições iniciais resultam em enormes modificações nos caminhos que cada linha toma, mas as linhas ainda ficam dentro dos limites da mesma forma, fornecendo ordem dentro do caos.

No início dos anos 1960, chamou a atenção por resultados inesperados de um modelo climático de brinquedo ("brinquedo" no sentido de que era um modelo muito simples, feito para demonstrar processos de modo conciso). O modelo previa o modo com que a atmosfera evolui em termos de três pontos de dados, como pressão do ar, temperatura e velocidade do vento. Lorenz descobriu que os resultados eram caóticos. Ele comparou dois conjuntos de resultados, com conjuntos de dados iniciais quase idênticos, e notou que as condições atmosféricas evoluíam a princípio ao longo de linhas quase idênticas, mas depois mudavam de maneiras totalmente diversas. Ele também descobriu que, embora todos os pontos de início em seu modelo produzissem resultados únicos, eles estavam todos confinados em certos limites.

Um atrator estranho
O poder de computação de que Lorenz dispunha no início dos anos 1960 não permitia plotar as variáveis atmosféricas modeladas em espaço tridimensional, em que os valores nos eixos x, y e z representassem, por exemplo, temperatura do ar, pressão e umidade (ou tripletos de outros dados climáticos). Em 1963, quando isso ficou possível, a forma resultante ficou conhecida como atrator de Lorenz. Cada ponto inicial evolui numa linha em *loop* que vai de um quadrante do espaço para outro – indicando, por exemplo, uma mudança de tempo úmido e ventoso para seco e quente e todos »

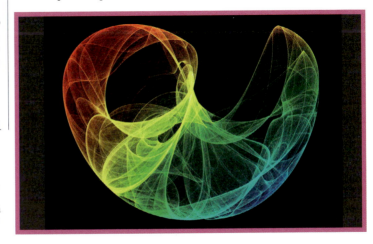

298 O EFEITO BORBOLETA

> Caos: quando o presente determina o futuro, mas o presente aproximado não determina aproximadamente o futuro.
> **Edward Lorenz**

Muitos **sistemas dinâmicos** da natureza parecem **deterministas** e seguir **leis** que **sempre** se aplicam.

Se conhecemos as condições **iniciais** com **muita precisão**, podemos **determinar** as condições **futuras exatamente**.

Porém o sistema é muito **sensível**. Uma pequena mudança nas condições iniciais **levará** a uma **grande diferença** nas condições **futuras**.

Se só conhecemos as condições iniciais **aproximadas**, nossas **previsões** serão **imprecisas**.

O **sistema** é **caótico**.

os estados intermediários. Cada ponto inicial leva a uma evolução única, mas todas as linhas, qualquer que seja o ponto de início, caem na mesma região do espaço. Depois de muitas iterações, rodadas por longos períodos, essa região se torna uma bela superfície em *loop*. A trajetória das linhas individuais dentro do atrator é muito instável; as que começam na mesma área com frequência se afastam muito depois, e linhas com pontos iniciais muito diversos podem se acompanhar de perto umas das outras por longos períodos. Porém o atrator mostra que, no geral, o sistema é estável. Não há um ponto de início possível dentro do atrator que possa levar a uma trajetória que escape dele. Essa aparente contradição está no cerne da teoria do caos.

Em busca do caminho certo

As raízes da teoria do caos estão nas primeiras tentativas de entender e prever o movimento, em especial de corpos celestes. Por exemplo, no século XVII, Galileu formulou leis sobre a oscilação de pêndulos e a queda de objetos, Johannes Kepler mostrou como os planetas varrem o espaço ao orbitar o Sol e Isaac Newton combinou esse conhecimento com leis da física sobre gravidade e movimento. Além de Gottfried Leibniz, atribui-se a Newton o desenvolvimento do cálculo, um sistema matemático destinado a analisar e prever o comportamento de sistemas mais complexos. Usando o cálculo, as relações entre variáveis complexas podem – em teoria – ser previstas resolvendo uma equação diferencial específica. Essas leis físicas e ferramentas analíticas podem demonstrar que o Universo é determinista – se a localização e a condição exatas de um objeto e todas as forças que atuam sobre ele são conhecidas, é possível determinar sua localização e condição futuras com perfeita precisão.

O problema dos três corpos

No entanto, Newton descobriu uma falha nessa visão determinista do Universo. Ele apontou dificuldades na análise dos movimentos de três corpos ligados pela gravidade – mesmo corpos aparentemente tão estáveis como Terra, Lua e Sol. Tentativas posteriores de analisar o movimento da Lua para melhorar a navegação foram abaladas por imprecisões. Em 1890, o matemático francês Henri Poincaré mostrou que não havia um modo generalizado e previsível em que três corpos se movem ao redor um do outro. Em uns poucos casos, em que os corpos começam em lugares muito específicos, o movimento é periódico – repete os mesmos caminhos vezes e vezes. Na maior parte, Poincaré afirmou, os três corpos não refazem os caminhos e seu movimento é chamado aperiódico.

Na esperança de resolver o problema dos três corpos, matemáticos o abstraíram, considerando corpos imaginários movendo-se ao redor de superfícies e espaços com curvatura específica. A curvatura de um corpo imaginário pode ser uma representação matemática das forças (como a gravidade) que atuam sobre ele. O caminho que o corpo imaginário toma em cada caso é chamado caminho geodésico (ver abaixo). Num caso simples, como o movimento de um pêndulo ou a órbita de um planeta ao redor de uma estrela, esse corpo imaginário oscila (move-se para trás e para diante) ao redor de um ponto fixo na superfície, seguindo um caminho repetido e criando o que é chamado ciclo limite. No caso de um pêndulo amortecido (que perde energia por fricção), o movimento oscilatório diminuirá até o corpo imaginário alcançar o ponto fixo – quando para de se mover.

Ao considerar o movimento de um corpo imaginário em relação a vários outros, o caminho geodésico se torna muito complicado. Se fosse possível determinar as condições de início com precisão, seria possível criar cada caminho concebível. Alguns seriam periódicos, repetindo um caminho de qualquer complexidade muitas vezes. Outros seriam a princípio instáveis mas acabariam se acomodando num ciclo limite. Um terceiro tipo escaparia para o infinito – talvez direto ou então após um período de aparente estabilidade.

Aproximações
Embora estudado por matemáticos e físicos, o problema dos três corpos é em grande parte teórico. Quando se trata de um sistema físico real, não há modo de ser totalmente preciso quanto às condições iniciais. Essa é a essência da teoria do caos. Embora o sistema seja determinista, cada medida dele é uma aproximação. Assim, qualquer modelo matemático baseado nessas medidas incertas se desenvolverá possivelmente de modo diferente do real. Mesmo uma pequena incerteza é suficiente para criar caos. ∎

O determinismo foi equiparado à previsibilidade antes de Lorenz. Depois dele, vimos que [...] a longo prazo, as coisas podiam ser imprevisíveis.
Stephen Strogatz
Matemático americano

O caminho geodésico de um planeta

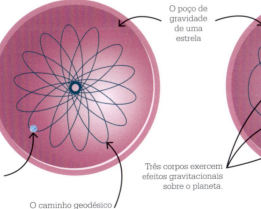

O caminho geodésico de um planeta que orbita uma estrela de modo previsível é apresentado na imagem da esquerda. A da direita mostra como a presença de três outros corpos celestes – talvez planetas próximos ou outras estrelas – complica o caminho do planeta, tornando-o imprevisível, ou caótico.

Um planeta sem corpos vizinhos

O caminho geodésico do planeta tem uma forma previsível.

O poço de gravidade de uma estrela

Três corpos exercem efeitos gravitacionais sobre o planeta.

O caminho geodésico do planeta é desorganizado pela proximidade dos três corpos.

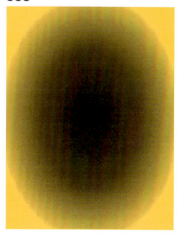

LOGICAMENTE AS COISAS SÓ PODEM SER VERDADEIRAS EM PARTE
LÓGICA DIFUSA

EM CONTEXTO

FIGURA CENTRAL
Lotfi Zadeh (1921-2017)

CAMPO
Lógica

ANTES
350 a.C. Aristóteles desenvolve um sistema de lógica que domina o raciocínio científico ocidental até o século XIX.

1847 George Boole inventa uma forma de álgebra em que as variáveis só podem ter um de dois valores (verdadeiro ou falso), preparando o caminho para a lógica matemática simbólica.

1930 Os lógicos poloneses Jan Łukasiewicz e Alfred Tarski definem uma lógica com infinitos valores verdadeiros.

DEPOIS
Anos 1980 Empresas eletrônicas japonesas usam sistemas de controle com lógica difusa em aparelhos industriais e domésticos.

A lógica binária de qualquer computador é clara: com *inputs* válidos, ele fornecerá *outputs* apropriados. Contudo, os sistemas binários de computador nem sempre são adequados para lidar com *inputs* do mundo real pouco claros ou ambíguos. No reconhecimento de caligrafia, por exemplo, um sistema binário poderia não ser sutil o bastante. Um sistema controlado por lógica difusa, porém, permite graus de verdade que podem analisar melhor fenômenos complexos, como ações humanas e processos de pensamento. A lógica difusa é um desdobramento da teoria dos conjuntos difusa desenvolvido em 1965 por Lotfi Zadeh, cientista da computação iraniano-americano. Zadeh disse que conforme um sistema fica mais complexo afirmações precisas sobre ele se tornam sem sentido; as únicas afirmações com sentido sobre ele são imprecisas. Tais situações exigem um sistema de raciocínio de muitos valores (difuso).

A teoria dos conjuntos padrão permite que um elemento ou pertença a um conjunto ou não, mas a teoria dos conjuntos difusa admite graus de pertinência ou um contínuo. De modo similar, a lógica difusa permite uma gama de valores verdadeiros para uma proposição – não só totalmente verdadeiro ou totalmente falso, os dois valores da lógica booliana. Valores de verdade difusos também requerem operadores lógicos difusos – por exemplo, a versão difusa do operador E da álgebra booliana é o operador MIN, que dá como *output* o mínimo dos dois *inputs*.

Criação de conjuntos difusos
Um programa de computador básico que imita a simples tarefa humana de preparar um ovo quente pode aplicar uma só regra: ferva o ovo por cinco minutos. Um programa mais sofisticado poderia, como um ser

As classes de objetos encontradas no mundo físico real não têm critérios precisamente definidos de pertinência.
Lotfi Zadeh

ERA MODERNA 301

Ver também: Lógica silogística 50-51 ▪ Números binários 176-177 ▪ Álgebra booliana 242-247 ▪ Diagramas de Venn 254 ▪ A lógica da matemática 272-273 ▪ A máquina de Turing 284-289

A lógica difusa reconhece um contínuo de valores verdadeiros em vez dos valores binários boolianos de "sim" (1) ou "não" (0). Esses valores difusos lembram probabilidades, mas são fundamentalmente bem distintos – indicam o grau em que uma proposição é verdadeira, não quanto ela é provável.

humano, levar em conta o peso do ovo. Ele pode dividir ovos em dois conjuntos – pequenos, de 50 g ou menos, e grandes, de mais de 50 g – e ferver os primeiros por quatro minutos e os últimos por seis. Os lógicos difusos chamam esses conjuntos de clássicos: cada ovo pertence ou não a um deles.

Para obter o ovo perfeito, porém, o tempo de fervura deve ser ajustado ao peso do ovo. Enquanto um algoritmo poderia usar a lógica tradicional para dividir um conjunto de ovos em faixas precisas de peso e assinalar tempos exatos de cozimento, a lógica difusa alcança esse resultado com uma abordagem mais geral. Primeiro, cria-se a difusão dos dados – cada ovo é visto como grande e pequeno, pertencendo a ambos os conjuntos em diferentes graus. Por exemplo, um ovo de 50 g teria um grau de pertinência de 0,5 a ambos os conjuntos, e um de 80 g seria "grande" com grau perto de 1 e também "pequeno" com grau perto de 0. Uma regra difusa é então aplicada, com os ovos grandes fervidos por seis minutos e os pequenos por quatro. Por meio do processo chamado inferência difusa, o algoritmo aplica a regra a cada ovo baseado em sua pertinência difusa ao conjunto. O sistema deduzirá que um ovo de 80 g deveria ser fervido tanto por quatro quanto por seis minutos (com graus de quase 0 e quase 1 respectivamente). A difusão desse *output* é então revertida, obtendo-se um *output* lógico clássico que pode ser usado pelo sistema de controle. Em resultado, o ovo de 80 g será fervido por quase seis minutos.

A lógica difusa é hoje parte onipresente dos sistemas controlados por computador. Tem muitas aplicações, da previsão do tempo à negociação de ações, e desempenha papel vital na programação de sistemas de inteligência artificial. ▪

Inteligência artificial

Sistemas de controle difuso podem funcionar de modo eficaz com incertezas do dia a dia do mundo real, e assim são usados em sistemas de inteligência artificial (IA). A característica difusa da IA ajuda a dar a ilusão de inteligência autodirigida, mas na verdade a lógica difusa processa dados para atenuar a incerteza. Portanto, a IA é totalmente o produto de um conjunto pré-programado de regras.

Técnicas como aprendizado de máquina, em que IAs programam a si mesmas por tentativa e erro, e sistemas especialistas, em que a IA recorre a um banco de dados de conhecimento fornecido por programadores humanos, ampliaram as habilidades de IA. Apesar disso, a maioria das IAs são "estreitas", pois se destinam a fazer uma tarefa muito bem, melhor que um humano, mas não aprendem a fazer nada além e não têm consciência do que não sabem. Uma IA geral que possa dirigir o próprio aprendizado do mesmo modo que uma inteligência evoluída (como a humana) é o próximo objetivo da ciência da computação.

Um robô humanoide com IA trabalha na recepção do hotel Henn-na, em Tóquio, que alega ser o primeiro do mundo com pessoal robótico.

UMA GRANDE TEORIA UNIFICADORA DA MATEMÁTICA
O PROGRAMA LANGLANDS

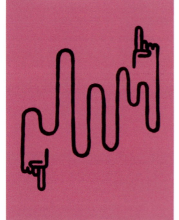

EM CONTEXTO

FIGURA CENTRAL
Robert Langlands (1936-)

CAMPO
Teoria dos números

ANTES
1796 Carl Gauss prova o teorema da reciprocidade quadrática, relacionando a solubilidade de equações quadráticas a números primos.

1880-1884 Henri Poincaré desenvolve o conceito de formas automórficas, ferramentas que nos permitem fazer acompanhamento de grupos complicados.

1927 O matemático austríaco Emil Artin estende o teorema da reciprocidade a grupos.

DEPOIS
1994 Andrew Wiles usa um caso especial das conjecturas de Langlands para traduzir o último teorema de Fermat de um problema da teoria dos números em um de geometria, o que lhe permite resolvê-lo.

Em 1967, o jovem matemático canadense-americano Robert Langlands propôs um conjunto de conexões profundas entre duas áreas da matemática importantes e aparentemente não relacionadas – a teoria dos números e a análise harmônica. A teoria dos números é a matemática dos números inteiros, em particular os primos. A análise harmônica (em que Langlands se especializou) é o estudo matemático de formas de ondas, que investiga como podem ser decompostas em ondas senoidais. Esses campos parecem fundamentalmente diferentes: enquanto as ondas senoidais são contínuas, os números inteiros são discretos.

A carta de Langlands
Em 1917, numa carta de dezessete páginas para o teórico dos números André Weil, Langlands apresentou várias conjecturas ligando a teoria dos números e a análise harmônica. Notando sua importância, Weil mandou datilografar a carta e circulou-a entre teóricos dos números no fim dos anos 1960 e nos anos 1970. Uma vez públicas, as

A **teoria dos números** lida com **propriedades de** números inteiros e **relações entre** eles.

A análise harmônica **analisa funções complicadas**, quebrando-as em grupos de **ondas senoidais**.

O programa Langlands **junta** esses **ramos** da matemática aparentemente **díspares**.

O programa pode ser descrito como uma grande teoria unificadora da matemática.

ERA MODERNA 303

Ver também: Análise de Fourier 216-217 ▪ Funções elípticas 226-227 ▪ A teoria dos grupos 230-233 ▪ O teorema dos números primos 260-261 ▪ Emmy Noether e a álgebra abstrata 280-281 ▪ A prova do último teorema de Fermat 320-323

conjecturas de Langlands se tornaram influentes na matemática, e continuam a dar forma à pesquisa cinquenta anos depois.

Descoberta de ligações

As ideias de Langlands envolvem matemática altamente técnica. Em termos básicos, suas áreas de interesse são os grupos de Galois e funções chamadas formas automórficas. Os grupos de Galois surgiram na teoria dos números e são uma generalização dos grupos que Évariste Galois usou para estudar raízes de polinômios.

As conjecturas de Langlands são importantes porque permitem reformular problemas da teoria dos números na linguagem da análise harmônica. O programa Langlands foi descrito como uma Pedra de Roseta matemática, facilitando traduzir ideias de uma área da matemática a outra. O próprio Langlands ajudou a desenvolver os meios de trabalhar em seu programa, inclusive generalizar functorialidade – um modo de comparar as estruturas de grupos diferentes.

A aritmética modular ("de relógio") envolve sistemas numéricos com conjuntos finitos de números. Num relógio de 12 horas, por exemplo, se você contar 4 horas a partir das 10, chegará às 2 horas; 10 + 4 = 2, porque o resto de 14 ÷ 12 é 2. No programa de Langlands, os números em geral são manipulados por aritmética modular.

A união de análise harmônica e teoria dos números feita por Langlands poderia levar a uma riqueza de novas ferramentas, como a unificação de eletricidade e magnetismo no eletromagnetismo, no século XIX, criou uma nova compreensão do mundo físico. Ao descobrir novas ligações entre campos matemáticos que parecem profundamente diversos, o programa revelou algumas das estruturas no cerne da matemática. Nos anos 1980, o matemático ucraniano Vladimir Drinfeld ampliou o alcance do programa, mostrando que pode haver uma conexão de tipo Langlands entre tópicos específicos da análise harmônica e outros da geometria. Em 1994, Andrew Wiles usou uma das conjecturas de Langlands para ajudar a resolver o último teorema de Fermat. ▪

Robert Langlands

Nascido perto de Vancouver, no Canadá, em 1936, Robert Langlands não planejava ir para a universidade até que um professor tomou uma hora da aula para lhe implorar que usasse seus talentos. Também era um linguista de talento, mas aos dezesseis anos se inscreveu na Universidade da Colúmbia Britânica, no Canadá, para estudar matemática. Depois foi para os Estados Unidos, onde obteve o doutorado em Yale em 1960. Lecionou em Princeton, Berkeley e Yale antes de ir para o Instituto de Estudos Avançados de Princeton, onde ocupa a sala de Einstein. Langlands começou a estudar a relação entre números inteiros e funções periódicas como parte da pesquisa sobre padrões de números primos. Recebeu o Prêmio Abel em 2018 por seu programa visionário.

Obras principais

1967 *Euler products* [Produtos de Euler]
1967 *Carta a André Weil*
1976 *On the functional equations satisfied by Eisenstein series* [Sobre as equações funcionais satisfeitas pelas séries de Eisenstein]
2004 *Beyond endoscopy* [Além da endoscopia]

OUTRA CASA, OUTRA PROVA
MATEMÁTICA SOCIAL

EM CONTEXTO

FIGURA CENTRAL
Paul Erdős (1913-1996)

CAMPO
Teoria dos números

ANTES
1929 O escritor húngaro Frigyes Karinthy postula o conceito de seis graus de separação no conto *Láncszemek* [Cadeias].

1967 O psicólogo social americano Stanley Milgram realiza experimentos sobre interconectividade de redes sociais.

DEPOIS
1996 O número de Bacon é apresentado num programa de TV americano. Ele indica os graus de separação que qualquer ator tem do ator americano Kevin Bacon.

2008 A Microsoft faz o primeiro estudo experimental sobre os efeitos das mídias sociais na conectividade.

O matemático húngaro Paul Erdős escreveu e coescreveu cerca de 1.500 artigos acadêmicos. Ele trabalhou com mais de quinhentas pessoas da comunidade matemática global de diferentes ramos, como a teoria dos números (estudo dos números inteiros) e a combinatória – campo da matemática que se ocupa do número de permutações possíveis numa coleção de objetos. Seu lema, "Outra casa, outra prova", alude ao hábito de se hospedar com colegas matemáticos para colaborarem por um período.

O número de Erdős, usado primeiro em 1971, indica a distância de um matemático a Erdős em termos de obra publicada. Para se qualificar para um número de Erdős a pessoa deve ter escrito um artigo matemático – um coautor de artigo de Erdős teria o número de Erdős 1. Alguém que tenha trabalhado com um coautor (mas não direto com Erdős) teria um número de Erdős 2, e assim por diante. Albert Einstein tem um número de Erdős 2; o número de Paul Erdős é 0.

A Universidade de Oakland gerencia o Projeto Número de Erdős, que analisa a colaboração entre pesquisadores matemáticos. O número de Erdős médio é por volta de 5. A raridade de números de Erdős maiores que 10 evidencia o grau de colaboração na comunidade matemática. ■

Erdős tem a habilidade impressionante de combinar problemas e pessoas. É por isso que tantos matemáticos se beneficiam de sua presença.
Béla Bollobás
Matemático húngaro-britânico

Ver também: Equações diofantinas 80-81 ▪ O número de Euler 186-191 ▪ Seis graus de separação 292-293 ▪ A prova do último teorema de Fermat 320-323

PENTÁGONOS SÃO BONITOS DE VER
O MOSAICO DE PENROSE

EM CONTEXTO

FIGURA CENTRAL
Roger Penrose (1931-)

CAMPO
Geometria aplicada

ANTES
4000 a.C. As construções sumérias incorporam tesselações em decorações de paredes.

1619 Johannes Kepler realiza o primeiro estudo documentado de tesselações.

1891 O cristalógrafo russo Evgraf Fiodorov prova que só há dezessete grupos possíveis para formar ladrilhamentos periódicos num plano.

DEPOIS
1981 O matemático holandês Nicolaas Govert de Bruijn explica como construir os mosaicos de Penrose a partir de cinco famílias de linhas paralelas.

1982 O engenheiro israelense Dan Shechtman descobre quase-cristais cuja estrutura é similar a mosaicos de Penrose.

Padrões de ladrilhos são há milênios atributos da arte e da construção, em especial no mundo muçulmano. A necessidade de preencher um espaço bidimensional com a maior eficiência possível levou ao estudo das tesselações – o ajuste de polígonos sem intervalos nem sobreposições. Algumas estruturas naturais, como o favo de mel, são tesselações.

Há três formas regulares que formam tesselações sozinhas, sem necessidade de outras: o quadrado, o triângulo equilátero e o hexágono regular. Porém muitas formas irregulares também formam tesselações, e tesselações semirregulares envolvem mais de uma forma regular. O padrão de tais tesselações em geral se repete. Isso se chama "tesselação periódica".

As tesselações não periódicas, em que o padrão não se repete, são difíceis de achar, embora algumas formas regulares possam se combinar para criá-las. O matemático britânico Roger Penrose investigou se alguns polígonos só poderiam levar a tesselações não periódicas.

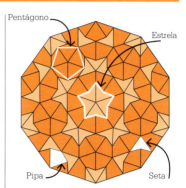

O mosaico de Penrose consiste em pipas e setas que criam uma tesselação não periódica. Também podem ser identificadas formas com simetria quíntupla, como pentágonos e estrelas.

Em 1974, ele trabalhou com formas de pipas e setas. As pipas e as setas devem ter exatamente a forma das mostradas acima; a razão entre a área da pipa e a da seta se expressa na proporção áurea. Embora nenhuma parte do ladrilhamento combine exatamente com outra, o padrão se repete em escala maior de modo similar a um fractal. ∎

Ver também: A proporção áurea 118-123 ▪ O problema dos máximos 142-143 ▪ Fractais 306-311

VARIEDADE INFINITA E COMPLICAÇÃO SEM LIMITES

FRACTAIS

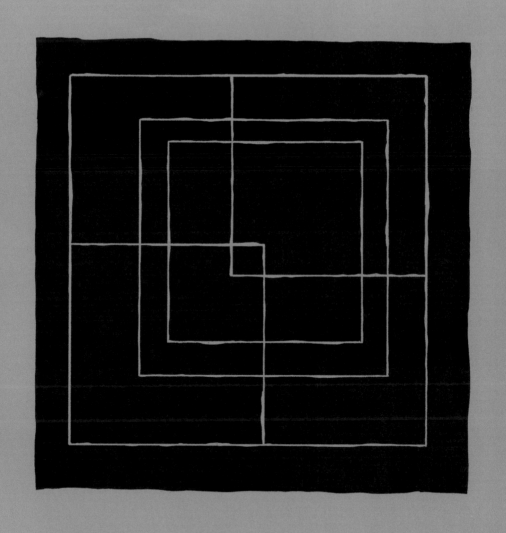

FRACTAIS

EM CONTEXTO

FIGURA CENTRAL
Benoit Mandelbrot (1924-2010)

CAMPOS
Geometria, topologia

ANTES
c. século iv a.C. Euclides estabelece os fundamentos da geometria em *Os elementos*.

DEPOIS
1999 O estudo da "escala alométrica" aplica o crescimento fractal a processos metabólicos de sistemas biológicos, levando a valiosas aplicações médicas.

2012 Na Austrália, o maior mapa 3D do céu indica que o Universo é fractal até um ponto, com aglomerados de matéria dentro de aglomerados maiores, mas no fim a matéria se distribui de maneira uniforme.

2015 A análise fractal é aplicada a redes de força elétrica, levando à modelagem da frequência de quedas de energia.

Existe agora uma geometria capaz de incluir montanhas e nuvens [...] Como tudo em ciência, essa nova geometria tem raízes longas e muito, muito profundas.
Benoit Mandelbrot

Depois de Euclides, pensadores e matemáticos modelaram o mundo em termos de geometria simples: curvas e linhas retas; círculo, elipse e polígonos; e os cinco sólidos platônicos – cubo, tetraedro, octaedro, dodecaedro e icosaedro. Na maior parte dos últimos 2 mil anos, prevaleceu a hipótese de que a maioria dos objetos naturais – montanhas, árvores e assim por diante – podiam ser decompostos em combinações dessas formas, para determinar seu tamanho. Porém, em 1975, o matemático nascido na Polônia Benoit Mandelbrot chamou a atenção para os fractais – formas não uniformes que repetem formas maiores e menores numa estrutura como um cume de montanha recortado. Os fractais, palavra derivada do latim *fractus*, "quebrado", acabariam levando ao tópico da geometria fractal.

Uma nova geometria

Mandelbrot chamou a atenção do mundo para os fractais, mas

Esta imagem de computador mostra um padrão fractal derivado de um conjunto de Mandelbrot. De uma beleza hipnótica, os desenhos produzidos por programas de geração de fractais são populares protetores de tela.

baseou-se em matemáticos anteriores. Em 1872, o matemático alemão Karl Weierstrass tinha formalizado o conceito matemático de "função contínua", segundo o qual mudanças de *input* resultam em mudanças aproximadamente iguais no *output*. Composta totalmente de quinas, a função de Weierstrass não é suave em parte nenhuma, por mais que se amplie. Isso foi visto na época como uma anormalidade matemática que, ao contrário das formas sensatas de Euclides, não tinha relevância no mundo real.

Em 1883, outro matemático alemão, Georg Cantor, baseou-se no trabalho do britânico Henry Smith para demonstrar como criar uma linha que não é contínua em nenhum lugar e tem zero de comprimento. Para isso desenhou

Ver também: Os sólidos platônicos 48-49 ▪ *Os elementos*, de Euclides 52-57 ▪ O plano complexo 214-215 ▪ Geometrias não euclidianas 228-229 ▪ Topologia 256-259

uma linha reta, removeu um terço no meio (deixando duas linhas com um intervalo) e repetiu então o processo ao infinito. O resultado é uma linha composta só de pontos desconectados. Como a função de Weierstrass, esse conjunto de Cantor foi considerado perturbador pela comunidade matemática, que rotulava essas formas novas de "patológicas" – com o sentido de que "careciam das propriedades usuais".

Em 1904, o matemático sueco Helge von Koch construiu a forma conhecida como curva de Koch ou "floco de neve de Koch", que repetia um motivo triangular em tamanho cada vez menor. A isso se seguiu em 1916 o triângulo de Sierpinski, ou junta de Sierpinski, composto apenas de buracos triangulares.

Todas essas formas têm autossimilaridade, uma propriedade central da geometria fractal. Isso significa que ampliar uma porção da forma revela réplicas menores com detalhes iguais. Os matemáticos perceberam que essa era uma propriedade do crescimento natural – a repetição de um padrão em muitas escalas, do macro ao micro.

Em 1918, o matemático alemão Felix Hausdorff propôs a existência de dimensões fractais. Enquanto linha, plano e sólido ocupam uma, duas e três dimensões respectivamente, poderiam ser atribuídas a essas novas formas dimensões com números não inteiros. Por exemplo, a costa britânica poderia, em teoria, ser medida com uma corda unidimensional, mas braços de mar exigiriam barbante, e fendas estreitas uma linha. Isso implica que a costa não pode ser medida em uma dimensão. A costa britânica tem uma dimensão de Hausdorff de 1,26, como a curva de Koch.

Autossimilaridades dinâmicas

O matemático francês Henri Poincaré descobriu que sistemas dinâmicos (os que mudam com o tempo) também têm propriedades fractais de autossimilaridade. Por sua natureza, estados dinâmicos são não deterministas: dois sistemas quase idênticos podem levar a comportamentos muito diversos

Benoit Mandelbrot

Nascido em Varsóvia em 1924, de família judia, Benoit Mandelbrot deixou a Polônia em 1936, fugindo dos nazistas. Foi com os pais para Paris e depois para o sul da França. Após a Segunda Guerra Mundial, Mandelbrot estudou como bolsista na França e nos Estados Unidos, e por fim voltou a Paris, onde obteve o doutorado em ciências matemáticas em 1952. Em 1958, Mandelbrot entrou na IBM em Nova York, onde o posto de pesquisador lhe deu espaço e recursos para desenvolver novas ideias. Em 1975 cunhou o termo "fractal" e em 1980 apresentou o conjunto de Mandelbrot, estrutura que se tornou sinônima da nova ciência da geometria fractal. O tema ganhou apelo popular em 1982 com a publicação de seu livro *The fractal geometry of nature* [A geometria fractal da natureza]. Mandelbrot recebeu muitas honrarias e prêmios por seu trabalho, como a Légion d'Honneur da França em 1989. Ele morreu em 2010.

Obra principal

1982 *The fractal geometry of nature* [A geometria fractal da natureza]

O **conjunto de Mandelbrot** tem **estrutura** extraordinariamente **elaborada**.

Seu traçado é **altamente complexo** e **infinitamente recortado**.

Ampliar **qualquer parte** dele, por menor que seja, revela uma **réplica do próprio conjunto**.

Ninguém pode ter plena compreensão da variedade sem fim e da ilimitada complicação do conjunto.

FRACTAIS

Linha do tempo dos fractais

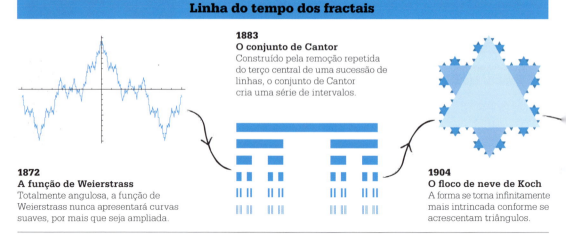

1872
A função de Weierstrass
Totalmente angulosa, a função de Weierstrass nunca apresentará curvas suaves, por mais que seja ampliada.

1883
O conjunto de Cantor
Construído pela remoção repetida do terço central de uma sucessão de linhas, o conjunto de Cantor cria uma série de intervalos.

1904
O floco de neve de Koch
A forma se torna infinitamente mais intrincada conforme se acrescentam triângulos.

mesmo quando as condições iniciais são também quase idênticas. Esse fenômeno é popularmente conhecido como efeito borboleta, a partir do famoso exemplo do enorme efeito que a pequena perturbação de uma borboleta batendo as asas pode teoricamente ter sobre um sistema climático. As equações diferenciais criadas por Poincaré para provar sua teoria implicavam a existência de estados dinâmicos que possuem autossimilaridade, à semelhança das estruturas fractais. Sistemas climáticos de grande escala, como grandes fluxos ciclônicos, por exemplo, se repetem em escalas muito menores, até lufadas de vento.

Em 1918, o matemático francês Gaston Julia, ex-aluno de Poincaré, explorou o conceito de autossimilaridade quando começou a mapear o plano complexo (sistema de coordenadas baseado nos números complexos) por um processo chamado iteração – introduzir um valor numa função, obtendo um *output*, que é conectado então de volta na função. Com George Fatou, que realizou uma pesquisa similar de modo independente, Julia descobriu que ao tomar um número complexo, elevá-lo ao quadrado e somar uma constante (um número fixo ou uma letra que representa um número fixo), e então repetir o processo, alguns valores iniciais divergiriam ao infinito, enquanto outros convergiriam para um valor finito. Julia e Fatou mapearam esses valores diferentes num plano complexo, observando quais convergiam e quais divergiam. As fronteiras entre essas regiões eram autorreplicantes, ou fractais. Com o poder computacional limitado da época, Julia e Fatou não puderam ver o real significado de sua descoberta, mas encontraram o que se chamaria conjunto de Julia.

O conjunto de Mandelbrot

No fim dos anos 1970, Benoit Mandelbrot usou o termo "fractal" pela primeira vez. Mandelbrot interessou-se pelo trabalho de Julia e Fatou quando trabalhava na companhia de TI IBM. Com as facilidades de computação disponíveis na IBM, pôde analisar o conjunto de Julia em grande detalhe, notando que alguns valores da constante (c) davam conjuntos conectados, em que cada ponto se liga a outro, e outros eram desconectados. Mandelbrot mapeou cada valor de c no plano complexo, aplicando cores diferentes aos conjuntos conectados e desconectados. Isso levou, em 1980,

A complexidade infinita é evocada pelas autossimilaridades de uma couve-romanesca. O mundo natural é cheio de fractais, de samambaias e girassóis a amonites e conchas.

ERA MODERNA

1916
Triângulo de Sierpinski
Adicionar repetidamente triângulos dentro de triângulos cria um padrão infinitamente rendado.

1980
O conjunto de Mandelbrot
Infinitamente recortado, quanto mais ampliado, mais elaborado o conjunto de Mandelbrot parece.

1918
O conjunto de Julia
O conjunto de Julia, que estudou sistemas dinâmicos, apresenta iterações regulares e caóticas.

à criação do conjunto de Mandelbrot. Belamente complexo, o conjunto de Mandelbrot apresenta autossimilaridade em todas as escalas: a ampliação revela réplicas menores do próprio conjunto de Mandelbrot. Em 1991, o matemático japonês Mitsuhiro Shishikura provou que a fronteira do conjunto de Mandelbrot tem uma dimensão de Hausdorff de 2.

Aplicações dos fractais

A geometria fractal permite aos matemáticos descrever a irregularidade do mundo real. Muitos objetos naturais exibem autossimilaridade, como montanhas, rios, litorais, nuvens, sistemas climáticos, sistemas de circulação do sangue e até couves-flor. Ser capaz de modelar esses fenômenos diversos usando geometria fractal nos permite entender melhor sua evolução e seu comportamento, mesmo que este não seja inteiramente determinista.

Os fractais têm aplicações em pesquisa médica, para entender a ação de vírus e a evolução de tumores. Também na engenharia, em especial no desenvolvimento de polímeros e materiais cerâmicos. A estrutura e a evolução do Universo também podem ser modeladas com fractais, bem como as flutuações de mercados econômicos. Com o aumento do número de aplicações, além da capacidade computacional sempre crescente, os fractais estão se tornando essenciais para entender o mundo aparentemente caótico em que vivemos. ∎

Os fractais e as artes

A grande onda de Kanagawa, do artista japonês Katsushika Hokusai (1760-1849) usa a autossimilaridade com efeito impressionante.

A autossimilaridade em escalas infinitas é explorada na filosofia e nas artes, criando muitas vezes um efeito meditativo. É o princípio central das mandalas (símbolos rituais do Universo), da meditação budista e também usada para evocar a natureza infinita de Deus na decoração islâmica, como nos azulejos. A autossimilaridade é até indicada na expressão "Ver o mundo num grão de areia", no início do poema "Augúrios de inocência", de William Blake, poeta britânico do século XIX.

A obra do artista japonês Katsushika Hokusai, com motivos sinuosos repetidos, é considerada um caso do uso de fractais em arte, assim como a arquitetura do artista catalão Antoni Gaudí. A cena *rave* musical dos Estados Unidos e Reino Unido no fim dos anos 1980 e no início dos 1990 se ligava à onda de interesse pela arte fractal. Hoje há programas de computador para geração de fractais, tornando possível a qualquer pessoa criá-las.

QUATRO CORES, NÃO MAIS
O TEOREMA DAS QUATRO CORES

EM CONTEXTO

FIGURAS CENTRAIS
Kenneth Appel (1932-2013),
Wolfgang Haken (1928-)

CAMPO
Topologia

ANTES
1852 O estudante de direito sul-africano Francis Guthrie afirma que é preciso quatro cores para colorir um mapa sem que áreas adjacentes tenham a mesma cor.

1890 O matemático britânico Percy Heawood prova que cinco cores são suficientes para colorir qualquer mapa.

DEPOIS
1997 Nos Estados Unidos, Neil Robertson, Daniel P. Sanders, Robin Thomas e Paul Seymour comprovam o teorema das quatro cores.

2005 O pesquisador da Microsoft Georges Gonthier prova o teorema das quatro cores com um programa de prova de teoremas de finalidade geral.

Quantas cores é preciso para **colorir um mapa** de modo que nunca dois países com fronteira comum tenham a mesma cor?

Isso **não pode ser feito** só com **duas ou três** cores.

Em 1890, provou-se que qualquer mapa pode ser colorido com **cinco cores**. → Em 1976, um computador foi usado para provar que não é preciso mais que **quatro cores**.

Quatro cores são suficientes para colorir um mapa.

Há muito que os cartógrafos sabem que qualquer mapa, por mais complicado que seja, pode ser colorido com apenas quatro cores, de modo que nunca duas nações ou regiões limítrofes tenham a mesma cor. Embora possa parecer que são necessárias cinco cores, sempre há um modo de recolorir o mapa só com quatro. Os matemáticos buscaram uma prova desse teorema ilusoriamente simples por mais de 120 anos, o que fez dele um dos mais duradouros teoremas não resolvidos da matemática.

Acredita-se que a primeira pessoa a formular o teorema das

ERA MODERNA 313

Ver também: O número de Euler 186-191 ▪ A teoria dos grafos 194-195 ▪ O plano complexo 214-215 ▪ A prova do último teorema de Fermat 320-323

Qualquer combinação de formas num plano, por mais complexo que seja o padrão, pode ser colorida só com quatro cores, sem que formas adjacentes tenham a mesma cor.

quatro cores foi Francis Guthrie, sul-africano estudante de direito. Ele tinha colorido um mapa dos condados ingleses só com quatro cores e pensou que o mesmo poderia ser feito com qualquer mapa, por mais complexo que fosse. Em 1852, ele perguntou a seu irmão Frederick, aluno do matemático Augustus De Morgan em Londres, se sua teoria poderia ser provada. Admitindo que não poderia provar o teorema, De Morgan o compartilhou com o matemático irlandês William Hamilton, que continuou tentando prová-lo, sem êxito.

Falso início

Em 1879, o matemático britânico Alfred Kempe alegou ter provado o teorema das quatro cores na revista científica *Nature*. Kempe recebeu aplausos por seu trabalho e dois anos depois ingressou na Real Sociedade, em parte devido à força de sua prova. Porém, em 1890, um colega matemático britânico, Percy Heawood, descobriu uma falha na prova de Kempe, que reconheceu ter cometido um erro que não podia corrigir. Heawood provou então de modo correto não ser preciso mais que cinco cores para colorir qualquer mapa.

Os matemáticos continuaram a trabalhar no problema, com progresso gradual. Em 1922, Philip Franklin provou ser possível colorir qualquer mapa com 25 regiões ou menos com quatro cores. O número de 25 foi aos poucos aumentado; os matemáticos Oystein Ore, norueguês, e Joel Stemple, americano, chegaram juntos a 39 em 1970, e o francês Jean Mayer alcançou 95 em 1976.

Uma nova esperança

A introdução dos supercomputadores nos anos 1970, capazes de trabalhar com enormes quantidades de dados, reacendeu o interesse pela solução do teorema das quatro cores. Embora o matemático alemão Heinrich Heesch tenha sugerido um método para isso, não teve acesso suficiente a um supercomputador para testá-lo. Wolfgang Haken, ex-aluno de Heesch, ficou interessado e começou a fazer progressos, após conhecer o programador de computadores Kenneth Appel na Universidade de Illinois, Estados Unidos. A dupla acabou resolvendo o problema em 1977. Baseando-se só no poder dos computadores – a primeira prova na história da matemática a fazer isso –, eles examinaram cerca de 2 mil casos, envolvendo bilhões de cálculos e usando 1.200 horas de tempo de computação. ∎

Provas por computador

Quando Appel e Haken provaram o teorema das quatro cores em 1977, foi a primeira vez que se usou um computador para provar um teorema matemático. Isso era polêmico entre os matemáticos, acostumados a apresentar soluções de problemas por lógica que podiam ser checadas pelos pares. Appel e Haken tinham usado o computador para realizar uma prova por exaustão – todas as possibilidades foram verificadas meticulosamente, o que seria impossível fazer à mão. A questão era se um cálculo longo que não pudesse ser checado por humanos, seguido pelo simples veredicto "sim, o teorema foi provado", podia ser aceito. Muitos matemáticos afirmaram que não. A prova por computador continua controversa, mas avanços em tecnologia aumentaram a convicção em sua confiabilidade.

O computador IBM System/370, de c. 1970, foi um dos primeiros a usar memória virtual, um sistema de trabalho que permitiu processar grandes quantidades de dados.

SEGURANÇA DE DADOS COM CÁLCULO DE MÃO ÚNICA

CRIPTOGRAFIA

EM CONTEXTO

FIGURAS CENTRAIS
Ron Rivest (1947-), **Adi Shamir** (1952-), **Leonard Adleman** (1945-)

CAMPO
Ciência da computação

ANTES
Século IX d.C. Al-Kindi cria a análise de frequência.

1640 Pierre de Fermat expõe seu "pequeno teorema" (sobre primalidade), usado como teste ao buscar números primos para uso em chaves públicas de encriptação.

DEPOIS
2004 Curvas elípticas são adotadas pela primeira vez em criptografia; elas usam chaves menores, mas têm a mesma segurança do algoritmo RSA.

2009 Um cientista da computação anônimo garimpa o primeiro bitcoin, criptomoeda sem banco central. Todas as transações são encriptadas, mas públicas.

A criptografia é o desenvolvimento de meios de comunicação secreta. Ela se tornou onipresente na vida moderna, com quase todas as conexões entre um aparelho digital e outro começando com um "aperto de mãos" em que os instrumentos concordam sobre um modo de dar segurança à conexão. Esse aperto de mãos é com frequência o resultado do trabalho de três matemáticos: Ron Rivest, Adi Shamir e Leonard Adleman. Em 1977, eles desenvolveram o algoritmo RSA (suas iniciais), um procedimento de encriptação que lhes valeu o Prêmio Turing em 2002.

ERA MODERNA 315

Ver também: A teoria dos grupos 230-233 ▪ A hipótese de Riemann 250-251 ▪ A máquina de Turing 284-289 ▪ A teoria da informação 291 ▪ A prova do último teorema de Fermat 320-323

> O trabalho na verdade não exige matemáticos, mas eles tendem a ser bons nisso.
> **Joan Clarke**
> Criptanalista britânica

Dados podem conter **informações sensíveis** que precisam ser mantidas **em segurança** ao serem enviadas.

Cálculos **computacionais** levaram à **criação** de **códigos** mais **avançados**.

Os **códigos** são usados há **séculos**, mas alguns eram **fáceis** de **quebrar**.

Esses códigos são quase **irreversíveis** sem a **"chave"** certa para quebrá-los.

A criptografia permite que os dados sejam transmitidos com segurança.

O algoritmo RSA é especial porque assegura que qualquer terceira parte que monitore a conexão seja totalmente incapaz de descobrir quaisquer detalhes privados.

Uma das principais razões para criptografar as comunicações é assegurar que transações financeiras ocorram sem que informação bancária caia em mãos erradas. Porém encriptação é usada contra todos os tipos de terceiras partes adversárias – uma companhia rival, uma potência inimiga ou um serviço de segurança. A criptografia é uma prática antiga. As tabuinhas de argila mesopotâmias de c. 1500 a.C. muitas vezes eram encriptadas para proteger receitas de esmaltes cerâmicos e outras informações de valor comercial.

Cifra e chave
O termo "criptografia" vem do grego para "estudo de escrita oculta". Por muito tempo, ela foi usada para dar segurança a mensagens escritas. Uma mensagem sem criptografia é conhecida como texto puro, e a versão encriptada é o texto cifrado. Por exemplo, "HELLO" pode se tornar "IFMMP". Passar do texto puro ao cifrado exige uma cifra e uma chave. A cifra é um algoritmo (um método sistemático e repetível) – neste caso, substituir cada letra por uma em outra posição do alfabeto. A chave é +1, porque cada uma das letras do texto puro foi substituída pela letra +1 ao longo do alfabeto. Se a chave fosse –6, a cifra tornaria o mesmo texto puro "HELLO" em "BZFFI". Esse sistema simples de substituição é chamado cifra de César (ou troca de César), do nome do ditador romano Júlio César, que o usou no século I a.C. A cifra de César é um exemplo de encriptação simétrica, pois as mesmas cifra e chave são usadas (revertidas) para decifrar a mensagem.

Processos de decifração
Com bastante papel e tempo, é mais ou menos fácil descobrir uma cifra de César testando cada substituição possível. Em termos modernos isso é conhecido como técnica da força bruta. Cifras e chaves mais complexas tornam a força bruta mais demorada – e na verdade impraticável, antes dos computadores, para mensagens longas o bastante para conter grandes quantidades de informação. »

Rodas de cifras, como este exemplo britânico de 1802, aceleravam a decifração de cifras de César. Revelada a cifra, as duas rodas individuais podiam ser ajustadas de acordo com ela.

As mensagens mais longas eram vulneráveis a outra estratégia, a análise de frequência. Desenvolvida pelo matemático árabe Al-Kindi no século IX, essa técnica fazia uso da frequência de cada letra do alfabeto numa língua em especial. A letra mais comum da língua inglesa é "e", então um criptanalista buscaria a letra mais comum do texto cifrado e a designaria como "e". A segunda letra mais comum é "t", depois "a", e assim por diante. Grupos comuns de letras nessa língua, como "th" e "ion" também podem ajudar a revelar a cifra. Com um texto cifrado grande o bastante, esse sistema funciona para qualquer cifra de substituição, por mais elaborada que seja.

Há dois modos de combater a análise de frequência. O primeiro é encobrir o texto puro usando um "código". A criptografia adota uma definição específica desse termo. Um código muda uma palavra ou uma frase inteira do texto puro antes da encriptação. Um texto puro codificado poderia ser lido como "compre limões na quinta", onde "comprar" é o código de "matar" e "limões" o de um alvo particular numa lista – talvez com todos os alvos codificados como frutas. Sem a lista de palavras do código, decifrar o significado completo da mensagem é impossível.

O código Enigma

Outro método para aumentar a segurança da encriptação é usar uma cifra polialfabética, em que uma letra do texto puro pode ser substituída por várias letras diferentes no texto cifrado, removendo assim a possibilidade da análise de frequência. Tais cifras foram desenvolvidas primeiro no século XIV, mas a mais famosa foi a encriptação das máquinas Enigma, usada pelas forças do Eixo na Segunda Guerra Mundial.

A máquina Enigma era um instrumento fantástico de encriptação. Em essência, era uma bateria ligada a 26 lâmpadas – uma para cada letra do alfabeto. Quando o operador apertava uma letra no teclado, uma letra correspondente se acendia na plataforma das lâmpadas. Se apertasse a mesma letra de novo uma lâmpada diferente se acenderia (nunca a mesma letra que a tecla), porque as conexões entre a bateria e a placa das lâmpadas eram alteradas por três rotores que mudavam de posição a cada pressão de tecla. Complexidade maior era introduzida pela placa dos plugues, que trocava dez pares de letras, misturando ainda mais a mensagem. Para encriptar e desencriptar uma mensagem Enigma, ambas as máquinas precisavam ser ajustadas de modo certo. Isso implicava que os três rotores corretos precisavam ser inseridos e ajustados em posições

A máquina Enigma foi usada pela espionagem alemã entre 1923 e 1945. As três rodas dos rotores estão atrás da placa das lâmpadas, e a placa dos plugues fica na frente.

A tecnologia dos computadores está prestes a dar [às pessoas] a capacidade de se comunicar e interagir de maneira totalmente anônima.
Peter Ludlow
Filósofo americano

iniciais precisas, e os dez plugues ser conectados de modo certo ao teclado. Os ajustes eram a chave da encriptação. Uma Enigma de três rotores tinha mais de 158.962.555.217 bilhões de ajustes possíveis, que eram mudados diariamente.

A falha do Enigma é que não podia encriptar uma letra como ela mesma. Isso permitiu aos decodificadores Aliados testar frases muito usadas, como "Heil, Hitler" e "previsão do tempo" para tentar descobrir a chave de cada dia. Um texto cifrado sem nenhuma das letras dessas palavras era um texto cifrado potencial com elas. Os decodificadores Aliados usaram a Bombe de Turing, aparelho eletromecânico que imitava as máquinas Enigma, para quebrar a encriptação por força bruta, usando atalhos desenvolvidos por Alan Turing e outros matemáticos britânicos. A máquina de encriptação britânica, Typex, era uma versão modificada da Enigma que podia codificar uma letra como si própria. Os nazistas desistiram de tentar quebrar seu código.

Encriptação assimétrica

Com a encriptação simétrica, as mensagens só são tão seguras quanto a chave. Esta precisa ser

ERA MODERNA

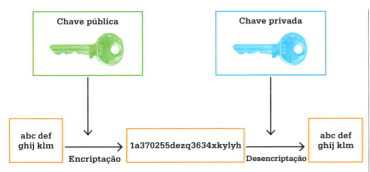

A encriptação de chave pública mistura os dados com uma chave de encriptação disponível a todos. Os dados só podem ser desmisturados com uma chave privada, conhecida apenas pelo possuidor. Esse método é eficaz para pequenas quantidades de dados, mas muito demorada para grandes quantidades.

trocada por meios físicos – escrita num livro de códigos militar ou sussurrada no ouvido de um espião num encontro escondido. Se uma chave cai em mãos erradas, a encriptação fracassa. O surgimento das redes de computadores permitiu às pessoas comunicar-se a grandes distâncias facilmente. Porém a rede mais usada, a internet, é pública, então qualquer chave simétrica compartilhada numa conexão ficaria disponível para partes não desejadas, tornando-se inútil. O algoritmo RSA foi um dos primeiros avanços na elaboração de encriptação assimétrica, em que o emissor e o receptor usam duas chaves: uma privada e a outra pública. Se duas pessoas, Alice e João, querem se comunicar em segredo, Alice pode mandar a João sua chave pública. Ela é feita de dois números, n e a. Ela mantém uma chave privada, z, para si própria. João usa n e a para encriptar uma mensagem de texto puro (M), que é uma cadeia de números (ou letras cifradas em números). Cada número do texto puro é elevado à potência a, e então dividido por n. A divisão é uma operação módulo (abreviada para mod_n), o que significa que a resposta é só o resto. Assim, por exemplo, se n for 10 e M^a for 12, teremos a resposta 2. Se M^a for 2, também teremos a resposta 2, porque 10 cabe em 2 zero vezes, com resto 2. A resposta a M^a mod_n é o texto cifrado (C), que neste exemplo é 2. Um espião poderia saber a chave pública, n e a, mas não teria ideia se M é 2, 12 ou 1.002 (todos divisíveis por 10 com resto 2). Só Alice pode descobrir, usando sua chave privada, z, porque $C^z \, mod_n = M$.

O número crucial nesse algoritmo é n, que é formado multiplicando dois números primos: p e q. Então a e z são calculados a partir de p e q usando uma fórmula que garante que os cálculos módulo funcionam. O único modo de quebrar o código é descobrir o que são p e q e calcular então z. Para isso, o decodificador deve encontrar os fatores primos de n, mas os algoritmos de RSA usam valores de n hoje com seiscentos dígitos ou mais. Um supercomputador levaria milhares de anos para descobrir p e q por tentativa e erro, tornando os protocolos RSA e similares praticamente inquebráveis. ∎

Busca de números primos por métodos aleatórios

Lâmpadas de lava podem ser acopladas a computadores para gerar uma seleção de números aleatórios baseados em seus movimentos.

O algoritmo RSA e outros sistemas de encriptação de chave pública exigem uma grande coleção de números primos para funcionar como p e q. Se um sistema depende bastante de muito poucos primos, invasores podem descobrir alguns dos valores de p e q usados em encriptação do dia a dia. A solução é um suprimento de novos números primos. Estes são obtidos com números aleatórios e testando sua primalidade com o pequeno teorema de Pierre de Fermat: se um número (p) é primo, quando outro número (n) é elevado à potência p e n é subtraído do resultado, a resposta é um múltiplo de p. Não é fácil programar computadores para criar sequências realmente aleatórias de números, então as empresas usam fenômenos físicos para gerá-los. Os computadores são programados para seguir os movimentos de lâmpadas de lava, medir decaimento radiativo ou ouvir a estática de transmissões de rádio, transformando esse *input* em números aleatórios para uso em encriptação.

JOIAS LIGADAS POR UM FIO ATÉ ENTÃO INVISÍVEL
GRUPOS SIMPLES FINITOS

EM CONTEXTO

FIGURA CENTRAL
Daniel Gorenstein (1923-1992)

CAMPO
Teoria dos números

ANTES
1832 Évariste Galois define o conceito de grupo simples.

1869-1889 O matemático francês Camille Jordan e o alemão Otto Hölder provam que todos os grupos finitos podem ser construídos a partir de grupos simples finitos.

1976 O matemático croata Swonimir Janko apresenta o grupo simples esporádico Grupo 4 de Janko, o último grupo simples finito a ser descoberto.

DEPOIS
2004 Os matemáticos americanos Michael Aschbacher e Stephen D. Smith concluem a classificação de grupos simples finitos iniciada por Daniel Gorenstein.

Os grupos simples são descritos como os átomos da álgebra. O teorema de Jordan-Hölder, provado por volta de 1889, afirma que, assim como todos os números inteiros positivos podem ser construídos a partir de números primos, todos os grupos finitos podem ser construídos a partir de grupos simples finitos. Em matemática, um grupo não é apenas uma reunião de coisas, mas a especificação de como o grupo de membros pode ser usado para gerar mais membros, por exemplo, por multiplicação, subtração ou adição. No início dos anos 1960, o matemático americano Daniel Gorenstein começou a classificar grupos e lançou uma classificação completa de grupos simples finitos em 1979. Há similaridades entre grupos simples e simetria em geometria. Assim como um cubo que gira 90° parece o mesmo de antes de rodar, as transformações

---

Um **grupo** é um **conjunto de elementos** (números, letras ou formas) combinados com outros elementos do mesmo grupo por uma **operação** (por exemplo, adição, subtração ou multiplicação)

↓ ↓

Um grupo é **finito** se tem um **número finito de elementos**.

Um grupo é **simples** se **não pode ser quebrado** em grupos menores.

↓

Grupos simples finitos são os elementos básicos de todos os grupos finitos.

Ver também: Os sólidos platônicos 48-49 ▪ A álgebra 92-99 ▪ Geometria projetiva 154-155 ▪ A teoria dos grupos 230-233 ▪ Criptografia 314-317 ▪ A prova do último teorema de Fermat 320-323

Grupos finitos e infinitos

Alguns grupos são infinitos, como o de todos os números inteiros com a adição, que é infinito porque os números podem ser somados infinitamente. Já os números -1, 0 e 1 com a operação de multiplicação formam um grupo finito; multiplicar quaisquer membros do grupo só produz -1, 0 e 1. Todos os membros de um grupo e as regras para gerá-lo podem ser visualizados usando um grafo de Cayley (ver à dir.).

Um grupo é simples se não pode ser quebrado em grupos menores. Embora o número de grupos simples seja infinito, o número de tipos de grupos simples não é – pelo menos não quando os grupos simples de tamanho finito são considerados. Em 1963, o matemático americano John G. Thompson provou que, com exceção dos grupos triviais (por exemplo, $0 + 0 = 0$ ou $1 \times 1 = 1$), todos os grupos simples têm número par de elementos. Isso levou Daniel Gorenstein a propor uma tarefa mais difícil: a classificação de todos os grupos simples finitos.

O Monstro

Há descrições precisas de dezoito famílias de grupos simples finitos, com cada família relacionada a simetrias de certos tipos de estrutura geométrica. Há também 26 grupos individuais, os grupos esporádicos, o maior dos quais é chamado Monstro, com 196.883 dimensões e cerca de 8×10^{53} elementos. Todo grupo simples finito pertence a uma das dezoito famílias ou é um dos 26 grupos esporádicos. ■

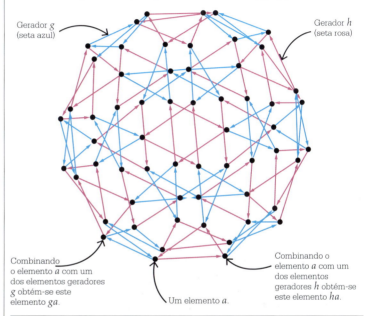

Este grafo de Cayley mostra todos os sessenta elementos (com diferentes orientações) do grupo A5 (o grupo de simetrias rotacionais de um icosaedro regular, uma forma tridimensional com vinte faces) e como se relacionam entre si. Como A5 tem um número finito de elementos, é um grupo finito. A5 também é um grupo simples. Ele tem dois geradores (elementos que podem ser combinados para obter quaisquer outros elementos do grupo).

Gerador g (seta azul)

Gerador h (seta rosa)

Combinando o elemento a com um dos elementos geradores g obtém-se este elemento ga.

Um elemento a.

Combinando o elemento a com um dos elementos geradores h obtém-se este elemento ha.

Daniel Gorenstein

Nascido em Boston, Massachusetts, em 1923, Daniel Gorenstein aprendeu cálculo sozinho aos doze anos e depois frequentou a Universidade de Harvard. Lá conheceu os grupos finitos, que se tornariam o trabalho de sua vida. Após graduar-se, em 1943, ficou em Harvard por vários anos, primeiro para ensinar matemática aos militares durante a Segunda Guerra Mundial, depois para obter o PhD, orientado por Oscar Zariski. Em 1960-1961, frequentou um programa de nove meses sobre teoria dos grupos na Universidade de Chicago, que o inspirou a propor uma classificação dos grupos simples finitos. Ele seguiu nesse projeto até a morte, em 1992.

Obras principais

1968 *Finite groups* (Grupos finitos)
1979 "The classification of finite simple groups" (Classificação de grupos simples finitos)
1982 *Finite simple groups* (Grupos simples finitos)
1986 "Classifying the finite simple groups" (Classificando os grupos simples finitos)

UMA PROVA REALMENTE MARAVILHOSA

A PROVA DO ÚLTIMO TEOREMA DE FERMAT

EM CONTEXTO

FIGURA CENTRAL
Andrew Wiles (1953-)

CAMPO
Teoria dos números

ANTES
1637 Pierre de Fermat afirma que não há conjuntos de números inteiros positivos x, y e z que satisfaçam a equação $x^n + y^n = z^n$, em que n é maior que 2. Porém não fornece a prova.

1770 O matemático suíço Leonhard Euler mostra que o último teorema de Fermat é verdadeiro quando $n = 3$.

1955 No Japão, Yutaka Taniyama e Goro Shimura propõem que toda curva elíptica tem forma modular.

DEPOIS
2001 A conjectura de Taniyama-Shimura é estabelecida e se torna conhecida como teorema da modularidade.

Ao morrer, em 1665, o matemático francês Pierre de Fermat deixou um exemplar bem-manuseado e com anotações nas margens do livro *Aritmética*, do matemático grego Diofanto, do século III d.C. Todas as questões propostas nos rabiscos marginais de Fermat acabaram resolvidas, exceto uma. Ele deixou uma anotação desafiadora na margem: "Descobri uma prova realmente maravilhosa, que esta margem é pequena demais para conter". A nota de Fermat se referia à discussão de Diofanto do teorema de Pitágoras – que num triângulo retângulo o quadrado da hipotenusa

ERA MODERNA

Ver também: Pitágoras 36-43 ▪ Equações diofantinas 80-81 ▪ Probabilidades 162-165 ▪ Funções elípticas 226-227 ▪ A conjectura de Catalan 236-237 ▪ 23 problemas para o século xx 266-267 ▪ Grupos simples finitos 318-319

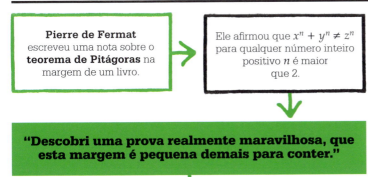

Pierre de Fermat escreveu uma nota sobre o **teorema de Pitágoras** na margem de um livro.

Ele afirmou que $x^n + y^n \neq z^n$ para qualquer número inteiro positivo n é maior que 2.

"Descobri uma prova realmente maravilhosa, que esta margem é pequena demais para conter."

Por mais de três séculos, os matemáticos tentaram sem sucesso provar o **último teorema de Fermat**. Ele só foi **resolvido em 1994**.

(o lado oposto ao ângulo reto) é igual à soma dos quadrados dos dois outros lados, ou $x^2 + y^2 = z^2$. Fermat sabia que essa equação tinha uma infinidade de soluções inteiras para x, y e z, como 3, 4 e 5 (9 + 16 = 25) e 5, 12 e 13 (25 + 144 = 169), chamadas triplas pitagóricas. Ele então se perguntou se outras triplas poderiam ser achadas para a potência 3, 4 ou qualquer número inteiro maior que 2. Sua conclusão foi que nenhum inteiro maior que 2 poderia representar n. Fermat escreveu: "É impossível um número ao cubo ser a soma de dois números ao cubo, um número à potência de 4 ser a soma de dois números à potência de 4 ou em geral a qualquer número que esteja a uma potência maior que a segunda ser a soma de dois números à mesma potência". Fermat nunca revelou a prova que afirmou ter para sua teoria e, assim, ela permaneceu não resolvida, tornando-se conhecida como o último teorema de Fermat.

Muitos matemáticos tentaram reconstruir a alegada prova de Fermat após sua morte, ou encontrar uma própria. Mas, apesar da aparente simplicidade do problema, ninguém conseguiu, embora um século depois Leonhard Euler tenha provado a teoria para $n = 3$.

A busca de uma solução

O último teorema de Fermat continuou a ser um dos grandes problemas não resolvidos da matemática por mais de trezentos anos, até ser provado pelo matemático britânico Andrew Wiles em 1994. Wiles leu pela primeira vez esse desafio aos dez anos. Ele ficou admirado por entender seu sentido, mesmo garoto, e as melhores mentes matemáticas do mundo ainda não terem conseguido prová-lo. Isso o estimulou a estudar matemática na Universidade de Oxford e a obter o doutorado em Cambridge. Lá, escolheu as curvas elípticas como área de estudo para sua tese – tema que parecia ter pouco a ver com seu interesse por Fermat. No entanto, foi esse ramo da matemática que depois lhe permitiu provar o último teorema de Fermat.

Em meados dos anos 1950, os matemáticos japoneses Yutaka Taniyama e Goro Shimura tinham dado um passo ousado ao ligar dois ramos da matemática à primeira vista sem relação. Eles afirmaram que toda curva elíptica (uma estrutura algébrica) podia ser associada a uma forma modular única, uma de uma classe de estruturas muito simétricas que pertencem à teoria dos números.

A importância potencial da conjectura deles foi aos poucos entendida nas três décadas seguintes e ela se tornou parte de um programa contínuo para ligar diferentes disciplinas matemáticas. Porém ninguém tinha ideia de como prová-la.

Em 1985, o matemático alemão Gerhard Frey fez uma ligação entre a conjectura e o último teorema de »

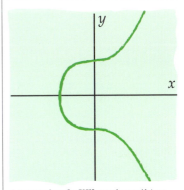

A pesquisa de Wiles sobre o último teorema de Fermat começou com o estudo de curvas elípticas, que são descritas pela equação $y^2 = x^3 + Ax + B$, onde A e B são constantes (fixos).

A PROVA DO ÚLTIMO TEOREMA DE FERMAT

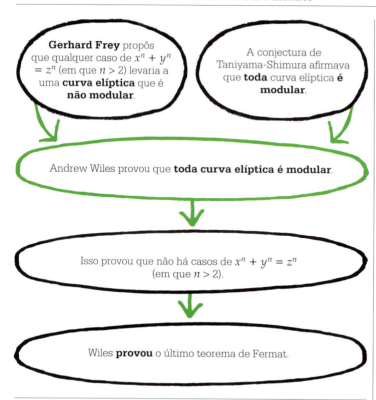

Fermat. Trabalhando com uma solução hipotética para a equação de Fermat, ele construiu uma curva elíptica curiosa que parecia não ser modular. Frey afirmou que tal curva só poderia existir se a conjectura de Taniyama-Shimura fosse falsa, e nesse caso o último teorema de Fermat também seria falso. Por outro lado, se a conjectura de Taniyama-Shimura fosse verdadeira, o último teorema de Fermat também seria. Em 1986, Ken Ribet, professor da Universidade Princeton, em Nova Jersey, conseguiu provar a ligação conjecturada por Frey.

Provar o que não se pode

A prova de Ribet eletrizou Wiles. Ali estava a chance que esperava – se pudesse provar a conjectura aparentemente impossível de Taniyama-Shimura, provaria também o último teorema de Fermat. Diversamente da maioria dos matemáticos, que gostam de trabalhar em colaboração, Wiles decidiu buscar esse objetivo sozinho, só contando isso à sua mulher. Ele sentia que se falasse abertamente do estudo sobre Fermat despertaria interesse na comunidade matemática e talvez levasse a indesejada competição. Porém, quando a prova atingiu os estágios finais, no sétimo ano de trabalho, Wiles percebeu que precisava de ajuda.

Na época, ele trabalhava no Instituto de Estudos Avançados de Princeton (IAS, na sigla em inglês), onde estavam alguns dos melhores matemáticos do mundo. Seus colegas ficaram abismados quando Wiles contou que trabalhava sobre Fermat enquanto desempenhava as tarefas diárias, dando aulas e palestras e escrevendo.

Wiles recrutou a ajuda dos colegas para a etapa final de compilação de sua prova. Ele recorreu ao matemático americano Nick Katz para checar seus raciocínios. Katz não encontrou erros, então Wiles decidiu torná-los públicos. Em junho de 1993, em conferência na Universidade de Cambridge, apresentou seus resultados. A tensão aumentou enquanto ele empilhava os resultados um sobre o outro, com um só fim em vista. Wiles pronunciou a fala final, "O que prova o último teorema de Fermat", sorriu e acrescentou: "Acho que fico por aqui".

Correção de um erro

No dia seguinte, a imprensa mundial estava cheia de notícias sobre o fato, tornando Wiles o matemático mais famoso do mundo. Todos queriam saber como o problema tinha afinal sido resolvido. Wiles ficou deliciado, mas ocorreu então uma reviravolta: havia um problema em sua prova.

Os resultados tinham de ser

Alguns problemas matemáticos parecem simples. Não há razão para que não sejam fáceis, mas eles se revelam extremamente intrincados.
Andrew Wiles

ERA MODERNA 323

Eu tive o raro privilégio de ser capaz de perseguir na vida adulta o meu sonho de infância.
Andrew Wiles

verificados para ser publicados – e a prova de Wiles ocupava muitas páginas. Entre os revisores estava Nick Katz, amigo de Wiles. Por todo um verão Katz examinou a prova linha a linha, fazendo perguntas e consultas até o sentido ficar claro. Um dia, ele pensou ter visto um buraco na argumentação. Mandou um e-mail a Wiles, que respondeu, mas sem satisfazer Katz. Mais e-mails se seguiram, antes de a verdade emergir – Katz achara uma falha no âmago do trabalho de Wiles. Um ponto vital da prova continha um erro que solapava o método de Wiles.

De repente, a abordagem de Wiles foi questionada. Se tivesse trabalhado com outros, o erro poderia ter sido identificado antes. O mundo acreditava que Wiles tinha resolvido o último teorema de Fermat e aguardava a publicação da prova ser concluída. Wiles estava sob imensa pressão. Suas conquistas matemáticas até ali eram impressionantes, mas sua reputação estava em jogo. Dia após dia, Wiles tentou diversas abordagens do problema, que se mostraram inúteis – como disse Peter Sarnak, seu colega matemático no IAS: "Era como prender um carpete num canto da sala só para ele se soltar na outra". Por fim, Wiles recorreu a um amigo, o especialista em álgebra britânico Richard Taylor, e os dois trabalharam juntos na prova nos nove meses seguintes.

Wiles esteve perto de admitir que a apresentação da prova fora prematura. Então, em setembro de 1994, teve uma revelação. Se ele tomasse seu método atual de solução do problema e acrescentasse seus pontos fortes a uma abordagem sua anterior, um poderia consertar o outro, permitindo-lhe resolver o problema. Parecia uma ideia despretensiosa, mas fez toda a diferença. Em semanas, Wiles e Taylor fecharam a lacuna na prova. Nick Katz e a comunidade matemática mais ampla estavam agora convencidos de que não havia erros, e Wiles emergiu pela segunda vez como o conquistador do último teorema de Fermat – desta vez sobre chão firme.

Após o teorema

Fermat foi incrivelmente perspicaz em sua conjectura original, mas é improvável que a "prova maravilhosa" que afirmou ter achado existisse. A ideia de que todos os matemáticos desde o século XVII não tenham descoberto uma prova que um matemático da época de Fermat pudesse encontrar é inconcebível. Além disso, Wiles resolveu o teorema usando ferramentas matemáticas avançadas e ideias inventadas muito depois de Fermat. Em todo caso, o importante não foi provar o último teorema de Fermat, mas as provas usadas por Wiles. Um problema aparentemente insolúvel sobre números inteiros foi resolvido casando a teoria dos números à geometria algébrica, usando técnicas novas e preexistentes. Isso, por sua vez, abriu novas abordagens para buscar provar muitas outras conjecturas matemáticas. ■

Andrew Wiles

Filho de um professor universitário de teologia, Wiles nasceu em Cambridge em 1953 e desde criança teve paixão por resolver problemas matemáticos. Ele se graduou em matemática no Merton College, em Oxford, obteve o doutorado no Clare College, em Cambridge, e assumiu um posto no Instituto de Estudos Avançados de Princeton em 1981, onde foi nomeado professor no ano seguinte.

Nos Estados Unidos, Wiles fez contribuições em alguns dos mais ardilosos problemas de seu campo, como a conjectura de Taniyama-Shimura. Ele começou também sua longa tentativa solo de provar o último teorema de Fermat. O êxito ao fim levou-o a receber o Prêmio Abel – a mais alta honraria em matemática – em 2016.

Wiles também deu aulas em Bonn, em Paris, e na Universidade de Oxford, onde foi nomeado Regius Professor de matemática em 2018. Seu nome foi dado a um novo prédio da área de matemática em Oxford – e a um asteroide (9999 Wiles).

NÃO É PRECISO OUTRO RECONHECIMENTO
A PROVA DA CONJECTURA DE POINCARÉ

EM CONTEXTO

FIGURA CENTRAL
Grigori Perelman (1966-)

CAMPOS
Geometria, topologia

ANTES
1904 Henri Poincaré expõe a conjectura da equivalência de formas em espaço 4D.

1934 O matemático britânico Henry Whitehead chama atenção para a conjectura de Poincaré publicando uma prova errônea.

1960 O matemático americano Stephen Smale prova que a conjectura é verdadeira para cinco ou mais dimensões.

1982 A conjectura de Poincaré é provada para quatro dimensões pelo matemático americano Michael Freedman.

DEPOIS
2010 Quando Perelman rejeita o Prêmio Clay do Milênio, o valor de 1 milhão de libras é usado para criar a Cátedra Poincaré, para jovens talentos matemáticos.

A **3-esfera** é uma superfície esférica 3D que **existe dentro de 4 dimensões**.

Poincaré afirmou que **qualquer forma 3D** sem buracos pode ser **distorcida para formar** a 3-esfera.

Sua conjectura pode ser **estendida** a **qualquer número** de **dimensões**.

A prova de Perelman da conjectura de Poincaré foi confirmada em 2006.

Em 2000, o Clay Mathematics Institute, nos Estados Unidos, celebrou o milênio com prêmios para solução de sete problemas. Entre eles estava a conjectura de Poincaré, que desafiava os matemáticos havia quase um século. Em poucos anos, ela foi resolvida – pelo pouco conhecido matemático russo Grigori Perelman.

A conjectura de Poincaré, concebida pelo matemático francês em 1904, foi assim proposta: "Toda 3-variedade conectada simplesmente, fechada, é homeomorfa à 3-esfera". Em topologia (campo que estuda propriedades geométricas, estrutura e relações espaciais das formas), considera-se que uma esfera (um objeto 3D em geometria) é uma 2-variedade com superfície 2D que existe em espaço 3D – uma bola sólida, por exemplo. Uma 3-variedade, como a 3-esfera, é um conceito puramente teórico: tem superfície 3D e existe em espaço 4D. A descrição "conectada simplesmente" significa que a figura não tem buracos, à diferença de uma rosquinha ou argola (toro), e "fechada" quer dizer que a forma é limitada por fronteiras, diversamente da infinitude aberta de um plano infinito. Em topologia, duas

ERA MODERNA 325

Ver também: Os sólidos platônicos 48-49 ▪ A teoria dos grafos 194-195 ▪ Topologia 256-259 ▪ O espaço de Minkowski 274-275 ▪ Fractais 306-311

Uma 3-esfera é o equivalente 3D de uma superfície esférica, ou seja, uma superfície bidimensional, ou 2-esfera, como a bola mostrada aqui. Para que a forma da bola seja apreciada, tem de ser vista num espaço 3D. Ver uma 3-esfera exige um espaço 4D.

figuras são homeomorfas se podem ser distorcidas ou esticadas para criar a mesma forma. Embora a questão de se toda 3-variedade fechada pode ser deformada para assumir a forma de uma 3-esfera seja hipotética, Perelman afirmou que ela tinha a chave para a compreensão da forma do Universo.

Em busca de uma prova sólida

De início, mostrou-se mais fácil provar a conjectura para variedades de quarta, quinta ou mais altas dimensões que para 3-variedades. Em 1982, Richard Hamilton tentou provar a conjectura usando o fluxo de Ricci, processo matemático que pode permitir que qualquer forma 4D seja distorcida em uma versão cada vez mais suavizada e por fim numa 3-esfera. Porém o fluxo falhou em tratar de "singularidades" semelhantes a picos – deformidades como "charutos" e "pescoços" infinitamente densos.

Perelman, que aprendeu muito com Hamilton como bolsista por dois anos em Berkeley no início dos anos 1990, continuou a estudar o fluxo de Ricci e sua aplicação à conjectura de Poincaré quando voltou à Rússia. Ele superou com maestria as limitações que Hamilton encontrara com a técnica chamada cirurgia, na verdade extirpando as singularidades, e foi capaz de provar a conjectura.

Surpresa para o mundo matemático

Perelman obteve êxito em silêncio. De modo não convencional, em 2002 colocou online seu primeiro artigo de 39 páginas sobre o assunto, enviando o sumário por e-mail a doze matemáticos dos Estados Unidos. Publicou mais duas partes um ano depois. Outros reconstruíram seus resultados e os explicaram no *Asian Journal of Mathematics*. Sua prova foi plenamente aceita pela comunidade matemática em 2006.

Desde então, Perelman tem sido muito estudado, impulsionando novas descobertas em topologia, como uma versão mais poderosa da técnica dele e de Hamilton de usar o fluxo de Ricci para suavizar singularidades. ∎

A prova de Perelman [...] resolveu um problema que por mais de um século foi uma semente indigesta no cerne da topologia.
Dana Mackenzie
Escritora científica americana

Grigori Perelman

Nascido em 1966 em São Petersburgo, Grigori Perelman herdou a paixão pela matemática da mãe, professora da disciplina. Aos dezesseis anos, ganhou a medalha de ouro da Olimpíada Internacional de Matemática, em Budapeste, com nota máxima. Uma carreira acadêmica de sucesso se seguiu, com um período em vários institutos de pesquisa nos Estados Unidos, onde resolveu um importante problema de geometria chamado conjectura da alma. Lá conheceu Richard Hamilton, cujo trabalho influenciou sua prova da conjectura de Poincaré. Recluso, Perelman não gostou da fama que sua prova lhe trouxe. Recusou as duas maiores honrarias para um matemático: a Medalha Fields em 2006 e o prêmio do Clay Mathematics Institute (e um milhão de dólares) em 2010, dizendo que pertencia igualmente a Hamilton.

Obras principais

2002 "A fórmula de entropia para o fluxo de Ricci e suas aplicações geométricas"
2003 "Tempo de extinção finita para as soluções do fluxo de Ricci sobre certas 3-variedades"

OUTROS,
MATEMÁ

TICOS

OUTROS MATEMÁTICOS

Além dos abordados até aqui neste livro, muitos outros homens e mulheres tiveram impacto no avanço da matemática. Dos egípcios, babilônios e gregos antigos aos estudiosos medievais da Pérsia, da Índia e da China e aos regentes das cidades-Estado da Europa renascentista, todos os que buscaram construir, negociar, guerrear e manipular dinheiro perceberam que era crucial medir e calcular. Nos séculos XIX e XX, a matemática se tornou uma disciplina global, com seus praticantes envolvidos em todas as ciências. Ela continua central no século XXI, em que a exploração espacial, as inovações médicas, a inteligência artificial e a revolução digital não param de avançar e mais segredos sobre o Universo são revelados.

TALES DE MILETO
c. 624-c. 545 a.C.

Tales viveu em Mileto, cidade grega antiga (na atual Turquia). Estudioso da matemática e da astronomia, ele rompeu com a tradição de explicar o mundo pela mitologia. Tales usou a geometria para calcular a altura das pirâmides e a distância de navios à costa. O teorema que leva seu nome afirma que, se o lado maior de um triângulo contido num círculo for igual ao diâmetro desse círculo, o triângulo será retângulo. As descobertas astronômicas atribuídas a Tales incluem a previsão de um eclipse solar em 585 a.C.
Ver também: Pitágoras 36-43 ▪ *Os elementos*, de Euclides 52-57 ▪ Trigonometria 70-75

HIPÓCRATES DE QUIOS
c. 470-c. 410 a.C.

Mercador da ilha grega de Quios, Hipócrates mudou-se para Atenas, onde estudou e depois praticou a matemática. Referências de estudiosos posteriores levam a crer que ele tenha sido responsável pela primeira compilação de conhecimento geométrico. Ele era capaz de calcular a área de figuras em forma de crescente contidas na interseção de círculos (lúnulas). A lúnula de Hipócrates, como foi depois chamada, é limitada pelos arcos de dois círculos, o menor dos quais tem como diâmetro uma corda que se estende por um ângulo reto no círculo maior.
Ver também: Pitágoras 36-43 ▪ *Os elementos*, de Euclides 52-57 ▪ Trigonometria 70-75

EUDOXO DE CNIDO
c. 390-c. 337 a.C.

Eudoxo viveu na cidade grega de Cnido (hoje na Turquia). Ele desenvolveu o método da exaustão para provar afirmações sobre áreas e volumes por aproximações sucessivas. Ele conseguiu, por exemplo, mostrar que as áreas dos círculos se relacionam segundo o quadrado de seus raios; que os volumes das esferas se relacionam segundo o cubo de seus raios; e que o volume de um cone é um terço do de um cilindro da mesma altura.
Ver também: O Papiro de Rhind 32-33 ▪ *Os elementos*, de Euclides 52-57 ▪ O cálculo de pi 60-65

HERON DE ALEXANDRIA
c. 10-c. 75 d.C.

Nativo de Alexandria, na província romana do Egito, Heron foi engenheiro, inventor e matemático. Publicou descrições de um aparelho movido a vapor chamado eolípila, uma roda de vento que podia operar um órgão e uma máquina de vender que fornecia água "santa". Entre suas realizações matemáticas se inclui a descrição de um método de cálculo de raízes quadradas e cúbicas. Também criou uma fórmula para obter a área de um triângulo a partir do comprimento dos lados.
Ver também: *Os elementos*, de Euclides 52-57 ▪ Trigonometria 70-75 ▪ Equações cúbicas 102-105

BHASKARA I
c. 600-c. 680

Pouco se sabe sobre Bhaskara I, mas é possível que tenha nascido na região de Saurastra, na costa oeste da Índia. Foi um dos estudiosos mais importantes da escola de astronomia fundada por Aryabhata e redigiu um comentário, *Aryabhatiyabhasya*, sobre o tratado escrito por ele. Bhaskara I foi o primeiro a escrever os números no sistema decimal indo-árabe, com um círculo para o zero. Em 629, descobriu também uma aproximação da função de seno com notável precisão.
Ver também: Trigonometria 70-75 ▪ O zero 88-91

IBN AL-HAYTHAM
c. 965-c. 1040

Também conhecido como Alhazen, o astrônomo e matemático árabe Ibn

OUTROS MATEMÁTICOS 329

al-Haytham nasceu em Basra, hoje no Iraque, e trabalhou na corte do califado fatímida no Cairo. Pioneiro do método científico, ele defendia que as hipóteses fossem testadas por experimentos e não simplesmente assumidas como verdadeiras. Entre suas realizações, estabeleceu o início de um vínculo entre álgebra e geometria, com base na obra de Euclides e tentando completar o oitavo volume, perdido, de *Cônicas*, de Apolônio de Perga.
Ver também: Os elementos, de Euclides 52-57 ▪ Seções cônicas 68-69

BHASKARA II
1114-1185

Um dos maiores matemáticos medievais indianos, Bhaskara II nasceu em Vijayapura, em Karnataka, e acredita-se que foi diretor do observatório astronômico de Ujjain, em Madhya Pradesh. Introduziu alguns conceitos preliminares do cálculo; estabeleceu que dividir por zero resulta em infinito; encontrou soluções para equações quadráticas, cúbicas e do quarto grau (com soluções negativas e irracionais) e sugeriu modos de elucidar as equações diofantinas de segunda ordem (com potência 2), só resolvidas na Europa no século XVIII.
Ver também: Equações quadráticas 28-31 ▪ Equações diofantinas 80-81 ▪ Equações cúbicas 102-105

NASIR AL-DIN AL-TUSI
1201-1274

Nascido em Tus, o matemático persa Al-Tusi dedicou a vida ao estudo muito jovem, após perder o pai. Ele se tornou um dos grandes estudiosos da época, fazendo importantes descobertas em matemática e astronomia. Estabeleceu a trigonometria como disciplina, e em *Tahrir al-Majisti* [Comentário ao Almagesto] – uma introdução à trigonometria – descreveu métodos para calcular tábuas de seno. Preso pelos invasores mongóis em 1255, Al-Tusi foi designado conselheiro científico por seus captores e mais tarde estabeleceu um observatório astronômico em Maragheh, capital mongol hoje no Irã.
Ver também: Trigonometria 70-75

KAMAL AL-DIN AL-FARISI
c. 1260-c. 1320

Al-Farisi nasceu em Tabriz, na Pérsia (atual Irã). Foi discípulo do polímata Qutb al-Din al-Shirazi, ele próprio aluno de Nasir-Al-Din al-Tusi, e, como eles, integrou a escola de matemáticos-astrônomos de Maragheh. Suas investigações sobre teoria dos números incluíram os números amigos e a fatoração. Também aplicou a teoria das seções cônicas (círculos, elipses, parábolas e hipérboles) à solução de problemas de óptica e explicou que as diferentes cores do arco-íris são criadas pela refração da luz.
Ver também: Seções cônicas 68-69 ▪ O teorema binomial 100-101

NICOLE D'ORESME
c. 1320-1382

Nascido na Normandia, na França, provavelmente de família camponesa, Oresme estudou no Colégio de Navarra, onde alunos de origem pobre eram financiados pelo poder real, e depois se tornou deão da catedral de Rouen. Oresme criou um sistema de coordenadas com dois eixos para representar a mudança de uma qualidade em relação a outra – por exemplo, como a temperatura muda com a distância. Ele estudou expoentes fracionários e séries infinitas e foi o primeiro a provar a divergência de séries harmônicas, mas seu trabalho se perdeu e a teoria só foi provada de novo no século XVII. Também afirmou que a Terra poderia estar rodando no espaço, em vez da visão aprovada pela Igreja de que os corpos celestes giravam ao redor da Terra.
Ver também: A álgebra 92-99 ▪ Coordenadas 144-151 ▪ O cálculo 168-175

NICCOLÒ FONTANA TARTAGLIA
1499-1557

Tartaglia foi atacado na infância por soldados franceses que invadiram Veneza. Sobreviveu, mas com sérios ferimentos na face e um defeito de fala, que lhe valeu o apelido Tartaglia, ou gago. Basicamente autodidata, tornou-se engenheiro civil, planejando fortificações. Tartaglia percebeu que entender a trajetória de balas de canhão era crucial para seus projetos, o que o levou a ser pioneiro no estudo da balística. Sua produção publicada incluiu uma fórmula para resolver equações cúbicas, uma obra enciclopédica de matemática – *General trattato di numeri et misure* [Tratado sobre números e medidas] – e traduções de Euclides e Arquimedes.
Ver também: Os sólidos platônicos 48-49 ▪ Trigonometria 70-75 ▪ Equações cúbicas 102-105 ▪ O plano complexo 214-215

GEROLAMO CARDANO
1501-1576

Contemporâneo de Niccolò Tartaglia, Cardano nasceu na Lombardia e se tornou médico, astrônomo e biólogo extraordinário, além de matemático. Estudou nas universidades de Pavia e Pádua, na atual Itália, obteve o doutorado em medicina e trabalhou como médico antes se tornar professor de matemática. Publicou uma solução de equações cúbicas e do quarto grau, reconheceu a existência de números imaginários (baseados na raiz quadrada de −1) e consta que previu a data exata da própria morte.
Ver também: A álgebra 92-99 ▪ Equações cúbicas 102-105 ▪ Números imaginários e complexos 128-131

JOHN WALLIS
1616-1703

Wallis estudou medicina na Universidade de Cambridge e depois foi ordenado sacerdote, mas manteve o interesse por aritmética adquirido quando ainda era um escolar em Kent. Partidário da causa parlamentarista, Wallis decifrou os despachos realistas na Guerra Civil inglesa. Em 1644, foi nomeado professor de geometria na Universidade de Oxford e se tornou defensor da álgebra aritmética. Suas contribuições à elaboração do cálculo incluem a ideia da reta numérica, a

OUTROS MATEMÁTICOS

introdução do símbolo de infinito e o desenvolvimento da notação padrão de potências. Ele participou do pequeno grupo de estudiosos cujas reuniões levaram à criação da Real Sociedade de Londres em 1662.

Ver também: Seções cônicas 68-69 ▪ A álgebra 92-99 ▪ O teorema binomial 100-101 ▪ O cálculo 168-175

GUILLAUME DE L'HÔPITAL
1661-1704

Nascido em Paris, L'Hôpital desde cedo interessou-se por matemática e em 1693 foi eleito para a Academia Francesa de Ciências. Três anos depois, publicou o primeiro compêndio de cálculo infinitesimal: *Analyse des infiniment petits pour l'intelligence des lignes courbes* [Análise dos infinitesimalmente pequenos para a compreensão das linhas curvas]. Embora fosse matemático completo, muitas de suas ideias não eram originais. Em 1694, ofereceu ao matemático suíço Johann Bernoulli 300 *livres* ao ano por informações sobre suas últimas descobertas e um compromisso de que não as partilharia com outros matemáticos. Muitas dessas ideias foram publicadas por L'Hôpital em *Cálculo infinitesimal*.

Ver também: O cálculo 168-175

JEAN LE ROND D'ALEMBERT
1717-1783

Filho ilegítimo de uma célebre anfitriã parisiense, D'Alembert foi criado pela mulher de um vidraceiro. Financiado pelo pai biológico, estudou direito e medicina e depois se voltou para a matemática. Em 1743, declarou que a terceira lei do movimento de Newton é verdadeira tanto para corpos que se movem livremente quanto para corpos fixos (princípio de D'Alembert). Desenvolveu também equações diferenciais parciais, explicou as variações nas órbitas da Terra e outros planetas e pesquisou o cálculo integral. Como outros *philosophes* franceses, entre eles Voltaire e Jean-Jacques Rousseau, D'Alembert acreditava na supremacia da razão humana sobre a religião.

Ver também: O cálculo 168-175 ▪ As leis do movimento de Newton 182-183 ▪ A solução algébrica de equações 200-201

MARIA GAETANA AGNESI
1718-1799

Nascida em Milão, então sob domínio austríaco dos Habsburgos, Agnesi foi criança-prodígio e, na adolescência, ensinava aos amigos do pai uma vasta gama de temas científicos. Em 1748, tornou-se a primeira mulher a escrever um compêndio matemático, *Instituzioni analitiche* [Instituições analíticas], em dois volumes, sobre aritmética, álgebra, trigonometria e cálculo. Dois anos depois, em consideração a esse feito, o papa Bento XIV lhe concedeu a cátedra de matemática e filosofia natural da Universidade de Bolonha, tornando-a a primeira professora de matemática em uma universidade. A equação que descreve a curva particular em forma de sino chamada "bruxa de Agnesi" tem esse nome em sua honra, embora "bruxa" seja um erro de tradução da palavra italiana para "curva".

Ver também: Trigonometria 70-75 ▪ A álgebra 92-99 ▪ O cálculo 168-175

JOHANN LAMBERT
1728-1777

Lambert foi um polímata suíço-alemão nascido em Mulhouse (hoje na França), que aprendeu sozinho matemática, filosofia e línguas asiáticas. Trabalhou como tutor antes de entrar na Academia de Munique, em 1759, e na de Berlim, cinco anos depois. Entre suas realizações matemáticas, forneceu uma prova rigorosa de que pi é um número irracional e introduziu funções hiperbólicas na trigonometria. Ele apresentou teoremas sobre seções cônicas, simplificou o cálculo de órbitas de cometas e criou várias projeções novas de mapas. Lambert também inventou o primeiro higrômetro prático, usado para medir a umidade do ar.

Ver também: O cálculo de pi 60-65 ▪ Seções cônicas 68-69 ▪ Trigonometria 70-75

GASPARD MONGE
1746-1818

Filho de comerciante, aos dezessete anos Monge ensinava física em Lyon, na França. Mais tarde trabalhou como desenhista na École Royale, em Mézières, e em 1780 entrou na Academia de Ciências. Monge teve vida pública ativa, abraçando os ideais da Revolução Francesa. Foi nomeado ministro da Marinha em 1792 e também trabalhou na reforma do sistema de educação francês, ajudando a fundar a École Polytechnique de Paris em 1794 e contribuindo para a instituição do sistema métrico de medidas em 1795. Considerado pai do desenho de engenharia, Monge inventou a geometria descritiva, a base matemática do desenho técnico e a projeção ortográfica.

Ver também: Os decimais 132-137 ▪ Geometria projetiva 154-155 ▪ O triângulo de Pascal 156-161

ADRIEN-MARIE LEGENDRE
1752-1833

Legendre ensinou física e matemática na École Militaire de Paris de 1775 a 1780. Nesse período, trabalhou também na Pesquisa Anglo-Francesa, usando trigonometria para calcular a distância entre o Observatório de Paris e o Observatório Real de Greenwich, em Londres. Durante a Revolução Francesa perdeu sua fortuna, mas em 1794 publicou *Eléments de géometrie* [Elementos de geometria], que se manteve um compêndio fundamental no século seguinte, e foi nomeado examinador de matemática na École Polytechnique. Na teoria dos números, conjecturou a lei da reciprocidade quadrática e o teorema dos números primos. Também produziu o método dos mínimos quadrados para estimar uma quantidade com base na consideração de erros de medida e deu seu nome a três formas de integrais elípticas – transformada, transformação e polinômios de Legendre.

Ver também: O cálculo 168-175 ▪ O teorema fundamental da álgebra 204-209 ▪ Funções elípticas 226-227

OUTROS MATEMÁTICOS 331

SOPHIE GERMAIN
1776-1831

No caos da Revolução Francesa, Sophie Germain, aos treze anos, ficou confinada na casa de seu rico pai em Paris e começou a estudar livros de matemática da biblioteca dele. Como mulher, não poderia estudar na École Polytechnique, mas conseguiu anotações de aulas e se correspondeu com o matemático Joseph-Louis Lagrange. Em seu trabalho sobre a teoria dos números, também se correspondeu com Adrien-Marie Legendre (ver acima) e Carl Gauss. Suas ideias sobre o último teorema de Fermat ajudaram Legendre a provar o teorema em que n = 5. Em 1816, foi a primeira mulher a ganhar um prêmio da Academia de Ciências de Paris, por um artigo sobre a elasticidade de placas de metal.
Ver também: O teorema fundamental da álgebra 204-209 ▪ A prova do último teorema de Fermat 320-323

NIELS ABEL
1802-1829

O matemático norueguês Abel morreu tragicamente jovem. Após se graduar na Universidade de Christiana (hoje Oslo) em 1822, viajou muito pela Europa, visitando os principais matemáticos. Voltou à Noruega em 1828, mas morreu de tuberculose no ano seguinte, aos 26 anos, dias antes de chegar a carta com a oferta de um prestigioso cargo de professor na Universidade de Berlim. Sua principal contribuição matemática foi a prova de que não há fórmula algébrica geral para resolver todas as equações do quinto grau. Para tanto, Abel inventou um tipo de teoria dos grupos em que a ordem dos elementos num grupo é imaterial. Isso hoje é chamado grupo abeliano. O Prêmio Abel de matemática, anual, é conferido em sua honra.
Ver também: O teorema fundamental da álgebra 204-209 ▪ Funções elípticas 226-227 ▪ A teoria dos grupos 230-233

JOSEPH LIOUVILLE
1809-1882

Nascido no norte da França, Liouville se graduou em 1827 na École Polytechnique de Paris, onde assumiu o cargo de professor em 1838. Seu trabalho acadêmico abrangeu teoria dos números, geometria diferencial, física matemática e astronomia, e em 1844 ele foi o primeiro a provar a existência dos números transcendentes. Liouville escreveu mais de quatrocentos artigos e em 1836 fundou o *Journal de Mathématiques Pures et Appliquées*, o segundo periódico mais antigo de matemática, publicado ainda hoje a cada mês.
Ver também: O cálculo 168-175 ▪ O teorema fundamental da álgebra 204-209 ▪ Geometrias não euclidianas 228-229

KARL WEIERSTRASS
1815-1897

Nascido na Vestfália, na Alemanha, Weierstrass desde cedo se interessou por matemática. Seus pais queriam que se tornasse administrador, e ele foi estudar direito e economia na universidade, mas abandonou-a sem se graduar. Trabalhou então como professor e por fim assumiu uma cadeira de matemática na Universidade Humboldt de Berlim. Weierstrass foi dos primeiros a desenvolver a análise matemática e a teoria das funções moderna e reformulou rigorosamente o cálculo. Professor influente, teve aulas para a jovem emigrada russa e matemática pioneira Sofia Kovalevskaia (ver p. 332).
Ver também: O cálculo 168-175 ▪ O teorema fundamental da álgebra 204-209

FLORENCE NIGHTINGALE
1820-1910

Florence, cujo nome veio da cidade italiana onde nasceu, foi uma reformadora social britânica e pioneira da enfermagem moderna que baseou muito de seu trabalho no uso de estatística. Em 1854, após a eclosão da Guerra da Crimeia, foi dar assistência a soldados feridos no Hospital de Caserna em Scutari, na Turquia. Lá, defendeu sem descanso melhor higiene, o que lhe valeu o apelido de Dama da Lâmpada. De volta à Grã-Bretanha, usou gráficos para mostrar dados estatísticos de modo inovador. Desenvolveu o gráfico Coxcomb, variação do gráfico de pizza, usando segmentos de círculo de tamanhos diferentes para mostrar variações em dados, como as causas de mortalidade entre soldados. Suas ações ajudaram a criar uma comissão real de saúde no Exército em 1856. Em 1907, foi a primeira mulher a receber a Ordem do Mérito, a mais alta honraria civil britânica.
Ver também: Nascimento da estatística moderna 268-271

ARTHUR CAYLEY
1821-1895

Nascido em Richmond, no Surrey, Cayley talvez seja o principal matemático puro britânico do século XIX. Graduado no Trinity College, em Cambridge, ele iniciou carreira como advogado notarial. Em 1860, porém, desistiu da lucrativa prática legal para assumir o cargo de professor de matemática pura em Cambridge, com salário bem mais modesto. Cayley foi um pioneiro da teoria dos grupos e da álgebra matricial, criou as teorias dos invariantes e singularidades mais altas, trabalhou com geometria de dimensões mais altas e estendeu os quatérnios de William Hamilton, criando octônios.
Ver também: Geometrias não euclidianas 228-229 ▪ A teoria dos grupos 230-233 ▪ Quatérnios 234-235 ▪ Matrizes 238-241

RICHARD DEDEKIND
1831-1916

Dedekind foi um dos alunos de Carl Gauss na Universidade de Göttingen, na Alemanha. Após graduar-se, foi palestrante não remunerado antes de ensinar na Politécnica de Zurique, na Suíça. De volta à Alemanha, em 1862 começou a trabalhar na Escola Técnica de Braunschweig, onde ficou o resto da vida. Ele propôs o corte de Dedekind, hoje uma definição padrão dos números

reais, e definiu conceitos da teoria dos grupos como conjuntos similares e conjuntos infinitos.
Ver também: O teorema fundamental da álgebra 204-209 ▪ A teoria dos grupos 230-233 ▪ Álgebra booliana 242-247

MARY EVEREST BOOLE
1832-1916

O amor de Mary Everest pela matemática se iniciou cedo, quando estudava os livros do escritório do pai, clérigo que tinha como amigo o polímata Charles Babbage, inventor da máquina diferencial. Aos dezoito anos, ela conheceu o famoso matemático George Boole (que, como ela, era autodidata) na Irlanda. Casaram-se cinco anos depois, mas George morreu logo após nascer a quinta filha deles. Em 1864, com cinco meninas para criar e sem apoio financeiro, Mary voltou a Londres, onde trabalhou como bibliotecária no Queen's College, uma escola feminina, e depois tornou-se eminente professora infantil. Ela também escreveu livros que tornavam a matemática mais acessível a jovens estudantes, como *Philosophy and fun of algebra* (Filosofia e alegria da álgebra, 1909).
Ver também: A álgebra 92-99 ▪ O teorema fundamental da álgebra 204-209

GOTTLOB FREGE
1848-1925

Filho do diretor de uma escola de meninas em Wismar, no norte alemão, Frege estudou matemática, física, química e filosofia nas universidades de Jena e Göttingen. Depois passou toda a carreira ensinando matemática em Jena. Deu aulas em todas as áreas da matéria, especializando-se em cálculo, mas escreveu mais sobre a filosofia do tema, juntando as duas disciplinas até quase inventar sozinho a moderna lógica matemática. Certa vez disse que "todo bom matemático é pelo menos meio filósofo, e todo bom filósofo é pelo menos meio matemático". Frege se misturava pouco com estudantes ou colegas e foi pouco reconhecido em vida, embora tenha sido influência importante na obra de Bertrand Russell, Ludwig Wittgenstein e outros lógicos matemáticos.
Ver também: A lógica da matemática 272-273 ▪ Lógica difusa 300-301

SOFIA KOVALEVSKAIA
1850-1891

Nascida em Moscou, Kovalevskaia foi a primeira mulher da Europa a obter doutorado em matemática, a participar do corpo editorial de uma revista científica e a ser nomeada professora de matemática. Tudo isso apesar de ter sido barrada na universidade, na Rússia natal, devido a seu sexo. Aos dezessete anos, Sofia fugiu com o paleontologista Vladimir Kovalevski para a Alemanha, onde estudou na Universidade de Heidelberg e depois em Berlim, recebendo aulas do matemático alemão Karl Weierstrass (ver p. 331). Seu doutorado foi obtido com três artigos, o mais importante deles sobre equações diferenciais parciais. Sofia terminou a carreira de professora de matemática na Universidade de Estocolmo, onde morreu de gripe com exatos 41 anos.
Ver também: O cálculo 168-175 ▪ As leis do movimento de Newton 182-183

GIUSEPPE PEANO
1858-1932

Criado num fazenda do Piemonte, no norte italiano, Peano estudou na Universidade de Turim, onde obteve o doutorado em matemática em 1880. Quase a seguir, começou a ensinar cálculo infinitesimal na mesma instituição, onde foi nomeado professor pleno em 1889. O primeiro compêndio de Peano, sobre cálculo, foi publicado em 1884, e em 1891 ele começou a trabalhar no *Formulario mathematico* [Forma matemática], em cinco volumes, que contém os teoremas fundamentais da matemática numa linguagem simbólica largamente desenvolvida por ele. Muitos dos símbolos e abreviações continuam em uso hoje. Ele criou axiomas para números naturais (axiomas de Peano), desenvolveu a lógica natural e a notação da teoria dos conjuntos e contribuiu para o método moderno de indução matemática, usado como técnica de prova.
Ver também: A lógica da matemática 272-273 ▪ Lógica difusa 300-301
Ver também: O cálculo 168-175 ▪ Geometrias não euclidianas 228-229 ▪ A lógica da matemática 272-273

NIELS VON KOCH
1870-1924

Nascido em Estocolmo, na Suécia, Koch estudou nas universidades de Estocolmo e Uppsala, e foi depois professor de matemática em Estocolmo. É mais conhecido pelo fractal – a curva floco de neve de Koch – que descreveu num artigo em 1906. Esse fractal é criado a partir de um triângulo equilátero em que o terço central de cada lado é substituído pela base de outro triângulo equilátero, com o processo continuando indefinidamente. Se todos os triângulos forem voltados para fora, a curva resultante fica parecida com um floco de neve.
Ver também: Fractais 306-311

ALBERT EINSTEIN
1879-1955

Einstein foi um físico e matemático de talento excepcional. Nascido na Alemanha, mudou-se para a Itália na juventude e estudou na Suíça. Em 1905, obteve o doutorado na Universidade de Zurique e publicou artigos revolucionários sobre o movimento browniano, o efeito fotoelétrico, a relatividade especial e geral e a equivalência de matéria e energia. Em 1921, recebeu o Prêmio Nobel por sua contribuição à física, e nos anos seguintes desenvolveu o conhecimento sobre mecânica quântica. Devido à origem judaica, não voltou à Alemanha após a ascensão de Hitler ao poder em 1933, fixou-se nos Estados Unidos e tornou-se cidadão americano em 1940.
Ver também: As leis do movimento de Newton 182-183 ▪ Geometrias não euclidianas 228-229 ▪ Topologia 256-259 ▪ O espaço de Minkowski 274-275

L. E. J. BROUWER
1881-1966

Luitzen Egbertus Jan Brouwer (conhecido pelos amigos como Bertus)

OUTROS MATEMÁTICOS 333

nasceu em Overschie, nos Países Baixos. Graduou-se em matemática em 1904, na Universidade de Amsterdam, onde também lecionou de 1909 a 1951. Brouwer criticou os fundamentos lógicos da matemática defendidos por David Hilbert e Bertrand Russell e ajudou a criar o intuicionismo matemático, baseado na noção de que a matemática é regida por leis autoevidentes. Ele também transformou o estudo da topologia associando-a a estruturas algébricas, no teorema do ponto fixo.

Ver também: Topologia 256-259 ▪ 23 problemas para o século xx 266-267 ▪ A lógica da matemática 272-273

EUPHEMIA LOFTON HAYNES
1890-1980

Nascida em Washington, Lofton Haynes foi a primeira mulher afro-americana a obter o doutorado em matemática. Tendo se graduado em 1914 no Smith College, em Massachusetts, iniciou a carreira como professora e em 1930 criou o departamento de matemática do Miner Teachers College, que depois se fundiu à Universidade do Distrito de Colúmbia. Seu doutorado foi realizado na Universidade Católica da América em 1943, com uma dissertação sobre teoria dos conjuntos. Em 1959, recebeu a medalha papal por suas contribuições à educação e ao ativismo comunitário, e em 1966 foi a primeira mulher a chefiar o Conselho Estadual de Educação do Distrito de Colúmbia.

Ver também: A lógica da matemática 272-273

MARY CARTWRIGHT
1900-1998

Filha de um vigário rural inglês, Cartwright foi uma das primeiras matemáticas a investigar o que depois seria chamada teoria do caos. Graduou-se em matemática na Universidade de Oxford em 1923. Sete anos depois, sua tese de doutorado foi examinada pelo matemático John E. Littlewood, com quem teria extensa colaboração acadêmica, em especial sobre o estudo de funções e equações diferenciais. Em 1947, Cartwright se tornou a primeira matemática a integrar a Real Sociedade de Londres. De 1930 a 1968 esteve ligada ao Girton College, de Cambridge, onde ensinou, fez pesquisa e trabalhou como diretora.

Ver também: O efeito borboleta 294-299

JOHN VON NEUMANN
1903-1957

Nascido numa família de judeus ricos de Budapeste, na Hungria, Von Neumann foi criança-prodígio, capaz de dividir números de oito dígitos de cabeça aos seis anos. Publicou importantes artigos matemáticos na juventude e aos 24 anos ensinava matemática na Universidade de Berlim. Em 1933, foi para os Estados Unidos, onde assumiu um posto no Instituto de Estudos Avançados de Princeton, em Nova Jersey, e tornou-se cidadão americano em 1937. Durante uma vida de estudos, Von Neumann contribuiu em praticamente todas as áreas da matemática. Foi pioneiro da teoria dos jogos, baseado no "jogo de duas pessoas e soma zero", em que um lado ganha o que o outro perde. A teoria forneceu *insights* sobre sistemas complexos da vida diária, como os econômicos, computacionais e militares. Também criou um modelo de *design* para a arquitetura do computador moderno e trabalhou em física quântica e nuclear, contribuindo para a bomba atômica na Segunda Guerra Mundial.

Ver também: A lógica da matemática 272-273 ▪ A máquina de Turing 284-289

GRACE HOPPER
1906-1992

Nascida Grace Murray em Nova York, Hopper foi pioneira na programação de computadores. Após se doutorar na Universidade de Yale em 1934, lecionou por vários anos antes da Segunda Guerra Mundial. Como seu pedido de alistamento na Marinha Americana foi recusado, entrou na Reserva Naval e começou a transição para a ciência da computação. Após a guerra, empregada como matemática sênior numa empresa de computação, desenvolveu a Common Business-Oriented Language (Cobol – Linguagem Comum Orientada para Negócios), que se tornou a linguagem de programação mais usada. Hopper deixou a Reserva Naval em 1966, mas foi chamada de volta ao serviço ativo no ano seguinte, só se aposentando em 1986, com a patente de contra-almirante. Ela cunhou o termo *"bug"* (usado para vários tipos de inseto) para um erro de computador depois que uma mariposa voou para dentro dos circuitos em que estava trabalhando.

Ver também: O computador mecânico 222-225 ▪ A máquina de Turing 284-289

MARJORIE LEE BROWNE
1914-1979

A terceira afro-americana a obter PhD em matemática, Browne nasceu no Tennessee numa época em que era difícil para as mulheres negras seguir carreira acadêmica. Com o apoio do pai, ferroviário, graduou-se na Universidade Howard, em Washington, em 1935, e depois de ensinar brevemente em Nova Orleans continuou os estudos na Universidade de Michigan, obtendo o doutorado em 1949. Dois anos depois, foi nomeada chefe do departamento de matemática da Universidade Central da Carolina do Norte. Marjorie ganhou renome como professora e por sua pesquisa, em especial em topologia.

Ver também: Topologia 256-259

JOAN CLARKE
1917-1996

Nascida em Londres, Joan conquistou dois primeiros lugares em matemática na Universidade de Cambridge às vésperas da Segunda Guerra Mundial, mas não obteve graduação plena devido a seu sexo. Porém seu talento matemático foi reconhecido, e ela foi recrutada ao ser criado o projeto Bletcheley Park para decifrar o código Enigma alemão. Em Bletchley, tornou-se uma das principais criptanalistas, trabalhando estreitamente com Alan Turing, de quem foi noiva por um breve período. Embora fizessem o mesmo trabalho dos colegas decifradores, ela e outras mulheres de Bletchley recebiam menos. A operação Bletchley Park foi um enorme sucesso, abreviando a guerra e salvando incontáveis vidas.

Após a guerra, Clarke trabalhou para o centro de inteligência do governo britânico. Como muito do que fez era secreto, a extensão total de suas realizações ainda é desconhecida.
Ver também: A máquina de Turing 284-289 ▪ Criptografia 314-317

KATHERINE JOHNSON
1918-

Menina-prodígio em matemática, Katherine Johnson (nascida Coleman) foi uma pioneira da computação e do programa espacial. Seus cálculos de trajetórias de voo foram cruciais para que Alan Shepard se tornasse o primeiro americano no espaço (1961) e John Glenn, o primeiro americano a orbitar a Terra (1962), que a *Apollo 11* pousasse na Lua (1969) e que o programa do ônibus espacial fosse lançado (1981). Ela se graduou em 1937 no West Virginia State College e foi uma das primeiras afro-americanas a se inscrever na pós-graduação na Universidade da Virgínia Ocidental. Trabalhou no Comitê do Conselho Nacional de Aeronáutica a partir de 1953, no grupo de matemáticas afro-americanas conhecidas como Computadoras da Área Oeste, que inspiraram depois o filme *Estrelas além do tempo* (2016). A partir de 1958, trabalhou na Nasa como parte do Grupo de Tarefas Espaciais. Em 2015, o presidente Obama concedeu a ela a Medalha Presidencial da Liberdade.
Ver também: O cálculo 168-175 ▪ As leis do movimento de Newton 182-183 ▪ Geometrias não euclidianas 228-229

JULIA BOWMAN ROBINSON
1919-1985

Nascida Julia Bowman, em Saint Louis, obteve o doutorado em matemática na Universidade da Califórnia em Berkeley, em 1948. Desenvolveu um teorema fundamental da teoria de jogos elementar (ver John von Neumann, p. 333) em 1951, mas é mais conhecida pelo trabalho na solução10 da lista de 23 problemas matemáticos de David Hilbert, criada em 1900 – se há um algoritmo que possa obter a solução para qualquer equação diofantina (com números inteiros e incógnitas finitas). Ela provou, com outros matemáticos, como Iuri Matiiasevitch (ver ao lado), que tal algoritmo não pode existir. Foi nomeada professora em Berkeley em 1975, e em 1976 tornou-se a primeira mulher eleita para a Academia Nacional Americana de Ciências.
Ver também: Equações diofantinas 80-81 ▪ 23 problemas para o século xx 266-267

MARY JACKSON
1921-2005

Engenheira aeroespacial, Mary Jackson (nascida Winston) trabalhou no programa espacial dos Estados Unidos e fez campanha por melhores oportunidades na engenharia para mulheres e pessoas negras. Após se graduar em matemática e ciências físicas na Universidade Hampton, na Virgínia, lecionou por um período, e em 1951 começou a trabalhar na Unidade de Computação da Área Oeste do Comitê do Conselho Nacional de Aeronáutica. A unidade, conhecida como Computadoras da Área Oeste, incluía matemáticas afro-americanas, como Katherine Johnson. De 1958 – quando se tornou a primeira engenheira negra da Nasa – a 1963, Jackson trabalhou no Projeto Mercury, o que colocou os primeiros americanos no espaço.
Ver também: O cálculo 168-175 ▪ As leis do movimento de Newton 182-183 ▪ Geometrias não euclidianas 228-229

ALEXANDER GROTHENDIECK
1928-2014

Considerado por muitos o maior matemático puro da segunda metade do século xx, Grothendieck foi heterodoxo em todos os aspectos. Nascido na Alemanha, de pais anarquistas, fugiu do regime nazista aos dez anos e refugiou-se na França, onde passou a maior parte da vida. Sua enorme produção – grande parte nunca publicada – incluiu avanços revolucionários em geometria algébrica, a criação da teoria dos esquemas e contribuições à topologia algébrica, teoria dos números e teoria das categorias. Suas atividades políticas radicais incluíram fazer palestras de matemática nos arredores de Hanói enquanto a cidade era bombardeada, na Guerra do Vietnã.
Ver também: Geometrias não euclidianas 228-229 ▪ Topologia 256-259

JOHN NASH
1928-2015

O matemático americano John Nash é mais conhecido por ter estabelecido os princípios matemáticos da teoria dos jogos (ver John von Neumann, p. 333). Após se graduar na Universidade Carnegie Mellon em 1948 e obter o doutorado em Princeton, em 1950, trabalhou no Instituto de Tecnologia de Massachusetts (MIT, na sigla em inglês), onde pesquisou equações diferenciais parciais e começou a pesquisa sobre teoria dos jogos que lhe valeu o Nobel de Economia em 1994. Durante grande parte da vida lutou contra a esquizofrenia paranoide, como dramatizado no filme *Uma mente brilhante* (2001).
Ver também: O cálculo 168-175 ▪ A lógica da matemática 272-273

PAUL COHEN
1934-2007

Nascido em Nova Jersey, Cohen recebeu a Medalha Fields (equivalente matemático do Prêmio Nobel) em 1966 por resolver o primeiro dos 23 problemas matemáticos não resolvidos de David Hilbert – que não há um conjunto cujo número de elementos esteja entre o dos números inteiros e o dos reais. Cohen se graduou e depois obteve o doutorado, em 1958, na Universidade de Chicago, antes de ir para o MIT, a Universidade de Princeton e por fim a Universidade de Stanford, onde se tornou professor emérito em 2004.
Ver também: 23 problemas para o século xx 266-267

CHRISTINE DARDEN
1942-

Com Katherine Johnson e Mary Jackson (ver p. 334), Darden é uma das mulheres afro-americanas cujo trabalho

OUTROS MATEMÁTICOS 335

matemático contribuiu de modo crucial para os programas espaciais da Nasa. Após graduar-se na Universidade Hampton, ela deu aulas na Universidade do Estado de Virgínia, e em 1967 foi para o Langley Research Center, da Nasa. Lá, granjeou reputação como engenheira aeronáutica, especializando-se em voos supersônicos. Em 1989, foi nomeada líder do Sonic Boom Team, trabalhando em projetos para reduzir a poluição sonora e outros efeitos negativos dos voos supersônicos.

Ver também: O cálculo 168-175 ▪ As leis do movimento de Newton 182-183 ▪ Geometrias não euclidianas 228-229

KAREN KESKULLA UHLENBECK
1942-

Em 2019, Uhlenbeck se tornou a primeira mulher a receber o Prêmio Abel de Matemática. Nascida em 1942 em Cleveland, em Ohio, obteve em 1968 o PhD em matemática na Universidade Brandeis, em Waltham, em Massachusetts, e a seguir fez notáveis realizações em física matemática, análise geométrica e topologia. Defensora da igualdade de gêneros na ciência e em matemática, em 1990 tornou-se a primeira mulher, desde Emmy Noether, a fazer um discurso no plenário do Congresso Internacional de Matemática. Em 1994, fundou o Programa Mulheres e Matemática do Instituto de Estudos Avançados de Princeton, em Nova Jersey.

Ver também: Topologia 256-259

EVELYN NELSON
1943-1987

O nome do Prêmio Krieger-Nelson, concedido pela Sociedade Matemática Canadense a pesquisas destacadas de mulheres matemáticas, homenageia Evelyn Nelson e sua colega canadense Cecilia Krieger. Nelson começou a carreira como professora e pesquisadora na Universidade McMaster após se doutorar nela em 1970. Publicou mais de quarenta artigos de pesquisa em vinte anos de carreira, prematuramente interrompida por um câncer. Suas principais contribuições se deram em álgebra universal (estudo de teorias algébricas e seus modelos) e lógica algébrica, aplicando-as ao campo da ciência da computação.

Ver também: O teorema fundamental da álgebra 204-209 ▪ A lógica da matemática 272-273

IURI MATIIASEVITCH
1947-

Enquanto estudava para o doutorado no Instituto de Matemática Steklov, em Leningrado (hoje São Petersburgo), Matiiasevitch ficou fascinado pelo desafio de resolver o décimo problema de David Hilbert. A ponto de desistir, leu o artigo "Unsolvable diophantine problems" [Problemas diofantinos não resolvidos] (1969), da matemática americana Julia Robinson (ver p. 334), e uma solução se encaixou. Em 1970, Matiiasevitch forneceu a prova final de que o décimo problema é insolúvel porque não há um método geral para determinar se as equações diofantinas têm solução. Em 1995, foi nomeado professor da Universidade de São Petersburgo, primeiro na cadeira de engenharia de software e depois na de álgebra e teoria dos números.

Ver também: Equações diofantinas 80-81 ▪ 23 problemas para o século XX 266-267

RADIA PERLMAN
1951-

Nascida na Virgínia, Perlman tem sido chamada Mãe da Internet. Quando estudava no Instituto de Tecnologia de Massachusetts (MIT, na sigla em inglês), participou de um programa que apresentava a programação de computadores a crianças de apenas três anos. Após obter o título de mestre em matemática em 1976, Perlman trabalhou para um fornecedor do governo que desenvolvia programas de computador. Em 1984, como funcionária da Digital Equipment Corporation (DEC), criou o protocolo STP (Spanning Tree Protocol), que garante que só haja um caminho ativo entre dois equipamentos de rede; isso depois se provaria crucial para o desenvolvimento da internet. Perlman deu aulas no MIT e nas universidades de Washington e Harvard, e continua a trabalhar com redes de computadores e protocolos de segurança.

Ver também: O computador mecânico 222-225 ▪ A máquina de Turing 284-289

MARYAM MIRZAKANI
1977-2017

Aos dezessete anos, Mirzakani se tornou a primeira iraniana a receber a medalha de ouro numa Olimpíada Internacional de Matemática. Ela se graduou na Universidade de Tecnologia Sharif, em Teerã, obteve o doutorado em Harvard em 2004 e tornou-se professora em Princeton. Dez anos depois, Mirzakani foi a primeira mulher e a primeira iraniana a receber a Medalha Fields – pela contribuição ao estudo de superfícies de Riemann. Trabalhava na Universidade de Stanford quando morreu de câncer de mama, aos quarenta anos.

Ver também: Geometrias não euclidianas 228-229 ▪ A hipótese de Riemann 250-251 ▪ Topologia 256-259

ARTUR ÁVILA CORDEIRO DE MELO
1979-

Matemático brasileiro, naturalizado francês, conhecido principalmente por ser o primeiro latino-americano a ganhar a medalha Fields (o equivalente ao Nobel na matemática) por suas contribuições nos campos de sistemas dinâmicos e teoria espectral. Criança prodígio, demonstrou seu talento para a matemática desde muito cedo. Aos 15 anos, conquistou medalha de ouro na Olimpíada Internacional de Matemática. Em seguida, iniciou o mestrado em matemática no Instituto Nacional de Matemática Pura e Aplicada (IMPA) junto com o ensino médio. Aos 21 anos, obteve o título de doutor também no IMPA sob orientação de Wellington de Melo. Sua ascenção meteórica culminou com a medalha Fields em 2014 aos 35 anos. Atualmente é professor na Universidade de Zurique, na Suíça.

GLOSSÁRIO

Neste glossário, termos definidos em outro verbete são identificados com *itálico*.

Álgebra Ramo da matemática que estuda símbolos matemáticos (como incógnitas) e as regras de manipulação (ou operações) desses símbolos.

Álgebra abstrata Ramo da *álgebra*, desenvolvido em especial no século XX, que investiga estruturas matemáticas abstratas como *grupos* e *anéis*.

Algébricos, números Todos os números *racionais* e aqueles *irracionais* que podem ser obtidos calculando *raízes* de um número racional. Um número irracional que não seja algébrico (como *pi* ou *e*) é chamado número *transcendente*.

Algoritmo Sequência definida de instruções ou regras matemáticas ou lógicas criadas para resolver uma classe de problemas. Os algoritmos são muito usados em matemática e ciência da computação para calcular, organizar dados e múltiplas outras tarefas.

Amigos, números Qualquer par de números *inteiros* em que a soma dos *fatores* de cada um resulta no outro. O menor par é 220 e 284.

Análise Ramo da matemática que estuda *limites* e lida com quantidades infinitamente grandes e pequenas, em especial para resolver problemas de *cálculo*.

Anel Estrutura matemática semelhante a um *grupo*, à diferença de que inclui duas *operações* em vez de uma. Por exemplo, o *conjunto* de todos os números *inteiros* forma um anel quando tomados com as operações de adição e multiplicação, porque essas operações em membros do conjunto produzem uma resposta que também é um membro do conjunto.

Ângulo agudo Ângulo com menos de 90°.

Ângulo obtuso Um ângulo entre 90° e 180°.

Ângulo reto Ângulo de 90° (um quarto de volta), como o ângulo entre as linhas vertical e horizontal.

Ápex O *vértice* mais distante da base numa forma 3D.

Arco Linha curva que é parte da *circunferência* de um círculo.

Área Quantidade de espaço dentro de uma forma 2D. A área é medida em unidades quadradas, como centímetros quadrados (cm^2).

Aritmética modular Também chamada de aritmética do relógio, forma de aritmética em que, depois de contar até certo ponto, chega-se ao zero e o processo se repete.

Associativa, propriedade Estabelece que, na adição de, por exemplo, 1 + 2 + 3, os números podem ser somados em qualquer ordem. Aplica-se à adição e à multiplicação comuns, mas não à subtração ou à divisão.

Axioma Regra, em especial a que é fundamental a uma área da matemática.

Base (1) Num *sistema numérico*, a base é o número ao redor do qual o sistema é organizado. O principal sistema numérico em uso hoje é o de base 10, ou decimal, em que se adotam os numerais 0 a 9, após os quais é escrito 10, indicando uma dezena e nenhuma unidade. Ver também *notação posicional*. (2) Em *logaritmos*, é usada uma base fixa (em geral 10 ou o número de Euler *e*); o logaritmo de qualquer número dado x é a *potência* à qual a base deve ser elevada para obter x.

Binômio *Expressão* que consiste em dois *termos* somados, por exemplo $x + y$. Quando uma expressão binomial é elevada a uma *potência*, por exemplo $(x + y)^3$, o resultado é (nesse caso) $x^3 + 3x^2y + 3xy^2 + y^3$. A isso se dá o nome *expansão* do binômio, e os números que multiplicam os termos (1, 3, 3, 1, no caso) são chamados *coeficientes* binomiais. O teorema binomial é uma regra para solucionar coeficientes binomiais em casos complexos. Ver também *polinômio*.

Cálculo Ramo da matemática que lida com quantidades que mudam continuamente. Inclui o cálculo diferencial, que se ocupa de taxas de mudança, e o cálculo integral, que calcula *áreas* e *volumes* sob linhas ou superfícies curvas.

Cardinais, números Números que denotam uma quantidade, como 1, 2, 3 (em contraste com números *ordinais*).

GLOSSÁRIO 337

Cifragem Qualquer método sistemático de codificação de mensagens de modo que não possam sem entendidas sem ser antes decifradas.

Cilindro Forma 3D como a de uma lata, com dois extremos circulares idênticos unidos por uma superfície curva.

Circunferência Medida da volta completa da borda externa de um círculo.

Coeficiente Número ou *expressão*, em geral uma *constante*, colocado antes de outro número (em especial uma *variável*) e que o multiplica. Por exemplo, nas expressões ax^2 e $3x$, a e 3 são coeficientes.

Coincidente Em *geometria*, duas ou mais linhas ou figuras que, ao ser sobrepostas uma à outra, compartilham todos os pontos e ocupam o mesmo espaço exato.

Combinatória Ramo da matemática que estuda os modos com que conjuntos de números, formas e outros objetos matemáticos podem ser combinados.

Complexo, número Número que é a combinação de um número *real* e um número *imaginário*.

Complexo, plano O *plano* infinito 2D em que números *complexos* podem ser plotados.

Composto, número Número *inteiro* que não é *primo*, ou seja, pode ser criado multiplicando números menores.

Comutativa, propriedade Propriedade segundo a qual $1 + 2 = 2 + 1$, por exemplo, e a ordem em que os números são apresentados não importa. É válida para adição e multiplicação comuns, mas não para subtração e divisão.

Cone Forma 3D de base circular e um lado que se estreita para cima, em direção a um ponto (*ápex*).

Congruente Que tem o mesmo tamanho e forma. (Usado ao comparar formas geométricas.)

Conjectura Afirmação ou asserção matemática que não foi ainda provada ou refutada. Uma conjectura pode se relacionar com outra de maneira fraca ou forte: se a conjectura forte for provada, a fraca também será provada, mas não vice-versa.

Conjunto Qualquer coleção de números ou estruturas matemáticas baseadas em números. Os conjuntos podem ser finitos ou *infinitos* (por exemplo, o conjunto de todos os números *inteiros*).

Constante Quantidade que não varia numa *expressão* matemática – com frequência simbolizada por uma letra como a, b ou c.

Convergência Propriedade de algumas *séries* matemáticas infinitas em que não só cada *termo* é menor que o anterior como os termos, somados, se aproximam de uma resposta finita. O valor de números como pi pode ser estimado usando séries convergentes.

Coordenadas Combinações de números que descrevem a posição de um ponto, linha ou forma num *gráfico* ou uma posição geográfica num mapa. Em contextos matemáticos, são escritas (para um caso 2D) sob a forma (x,y), em que x é a posição horizontal e y, a vertical.

Corda Linha reta que corta um círculo mas não passa por seu centro.

Cosseno (abreviação **cos**) *Função* em *trigonometria* similar ao *seno*, mas que é definida como a razão entre o comprimento do lado de um *triângulo retângulo* adjacente a um dado ângulo e o comprimento da *hipotenusa* do triângulo.

Côvado Medida de comprimento usada no mundo antigo, baseada no tamanho do antebraço humano.

Cúbica, equação *Equação* que contém ao menos uma *variável* multiplicada por si mesma duas vezes (por exemplo, $y \times y \times y$, também grafado y^3), mas sem variável multiplicada mais vezes que isso.

Cúbico, número Número obtido pelo produto de três números iguais – por exemplo 8, que é $2 \times 2 \times 2$ (2^3). Essa operação lembra o cálculo do volume de um *cubo* (largura × altura × profundidade).

Cubo Figura geométrica 3D cujas *faces* são seis quadrados idênticos.

Declive Ângulo de uma linha em relação à horizontal, ou ângulo de uma *tangente* a uma curva em relação à horizontal.

Dedução Processo pelo qual um problema é resolvido a partir de princípios matemáticos conhecidos ou assumidos. Ver também *indução*.

Denominador O número de baixo numa fração, como o 4 em $3/4$.

Derivada Ver *diferenciação*.

Diâmetro Reta que toca dois pontos na borda de um círculo e passa por seu centro.

GLOSSÁRIO

Diferenciação Em *cálculo*, processo de descobrir a taxa de mudança de uma dada *função* matemática. O resultado do cálculo é outra função chamada diferencial ou *derivada* da primeira função.

Diferencial, equação *Equação* que representa uma *função* que inclui a(s) *derivada(s)* de uma dada *variável*.

Diferencial parcial, equação *Equação diferencial* com diversas *variáveis* em que a *diferenciação* é aplicada apenas a uma das variáveis por vez.

Divergência Termo aplicado em especial a *séries* infinitas que não se aproximam cada vez mais de um número final. Ver também *convergência*.

Divisor Número ou quantidade pelo qual outro número ou quantidade é dividido.

Dízima periódica Algarismos decimais que, a partir de certo ponto, se repetem sem fim. Por exemplo, $1/3$ expresso em decimais é 0,333333... (também grafado $0,\dot{3}$). Outros exemplos são $0,3\overline{282828}$ e $1,342\overline{353535}$. O trecho que se repete chama-se "período".

Dodecaedro *Poliedro* formado por doze *faces* pentagonais (de cinco lados). Um dodecaedro regular é um dos cinco *sólidos platônicos*.

Eixo Linha de referência fixa, como o eixo vertical y e o horizontal x de um *gráfico*.

Elemento identidade Uma *operação* realizada num *conjunto* de números ou outros objetos matemáticos, como multiplicação ou adição, sempre tem um elemento identidade – número ou *expressão* que não altera os outros *termos* após a operação. O elemento identidade na multiplicação comum, por exemplo, é 1, pois $1 \times x = x$, e na adição dos *números reais* é 0, pois $0 + x = x$.

Elipse Forma assemelhada a um círculo, mas esticada simetricamente em uma direção.

Encriptação Processo de conversão de dados ou mensagens em forma codificada, segura.

Equação Afirmação de que duas *expressões* ou quantidades matemáticas são iguais. Uma equação é o modo comum de expressar uma *função* matemática. Quando uma equação é verdadeira para todos os valores de uma *variável* (por exemplo, a equação $y \times y \times y = y^3$), é chamada identidade.

Escalar Quantidade que tem uma magnitude (tamanho), mas não direção, em contraste com um *vetor*.

Espaço vetorial Estrutura abstrata matemática complexa que envolve a multiplicação de *vetores* por si mesmos e por *escalares*.

Estatística (1) Dados mensuráveis coletados de modo ordenado para qualquer propósito. (2) Ramo da matemática que desenvolve e aplica métodos para analisar e estudar tais dados.

Expansão Em *álgebra*, a expansão de uma *expressão* é o oposto de *fatoração*. Por exemplo, $(x + 2)(x + 3)$ pode ser expandido para $x^2 + 5x + 6$, multiplicando cada termo do primeiro parêntese por cada termo do segundo.

Expoente Número sobrescrito que indica a *potência* à qual um número ou quantidade foi elevado, como o 2 em x^2, ou seja, $x \times x$.

Exponencial, função *Função* matemática em que, conforme uma quantidade aumenta, sua taxa de expansão também fica mais rápida. O resultado é com frequência chamado crescimento exponencial.

Expressão Qualquer combinação significativa de símbolos matemáticos, como $2x + 5$.

Face Superfície plana de qualquer forma 3D.

Fator Número ou *expressão* que divide de modo exato outro número ou expressão. Por exemplo, 1, 2, 3, 4, 6 e 12 são todos fatores de 12.

Fatoração Expressar um número ou *expressão* matemática em termos dos *fatores* que, multiplicados, resultam no número ou expressão original.

Fatorial *Produto* de qualquer número *inteiro* positivo e todos os inteiros positivos menores que ele. Por exemplo, 5 fatorial, também grafado 5! (com um ponto de exclamação), é $5 \times 4 \times 3 \times 2 \times 1 = 120$.

Fórmula Regra matemática que descreve uma relação entre quantidades.

Fractais Curvas ou formas autossimilares e de tamanhos diferentes que formam padrões complexos com a mesma aparência geral em qualquer ampliação. Muitos fenômenos naturais, como nuvens e formações de rochas, se aproximam dos fractais.

Função Relação matemática em que o valor de uma *variável* é obtido apenas a partir do valor de outros

GLOSSÁRIO 339

números, usando uma regra particular. Por exemplo, na função $y = x^2 + 3$, o valor de y é calculado levando x ao quadrado e adicionando 3. A mesma função também pode ser escrita como $f(x) = x^2 + 3$, em que $f(x)$ representa "função de x".

Geometria Ramo da matemática que estuda formas, linhas, pontos e suas relações. Ver também *geometrias não euclidianas*.

Geometria algébrica Ramo da matemática que estuda propriedades de linhas e curvas. Essas curvas são pontos que são solução de sistemas de equações polinomiais.

Geometria analítica Ver *geometria algébrica*.

Geometria plana A *geometria* de figuras 2D numa superfície plana.

Geometrias não euclidianas Um *postulado* central da geometria tradicional, como Euclides o descreveu na Antiguidade, é que linhas *paralelas* nunca se encontram (com frequência isso é expresso como "encontram-se no infinito"). As geometrias em que esse e outros postulados euclidianos não são válidos são chamadas não euclidianas.

Gradiente O *declive* de uma linha.

Gráfico Diagrama em que dados são plotados usando, por exemplo, linhas, pontos, curvas ou barras.

Grafo Na *teoria dos grafos*, um grafo é uma coleção de pontos, chamados *vértices*, e linhas, chamadas arestas, que pode ser usada para modelar redes, relações e processos teóricos e reais em diversos campos científicos e sociais.

Grau (1) Medida de ângulo, em *geometria*: rotacionar um círculo completo significa girar 360°. (2) O grau ou *ordem* de um *polinômio* é o termo de maior *potência* nele; por exemplo, um polinômio é "do terceiro grau" ou "de terceira ordem" se um termo ao cubo, como x^3, for sua potência mais alta. De modo similar, em equações *diferenciais*, o termo que foi diferenciado mais vezes numa dada equação determina seu grau ou ordem.

Grupo *Conjunto* matemático com uma *operação* que, realizada em seus membros, resulta numa resposta que ainda é um membro do conjunto. Por exemplo, o conjunto dos números *inteiros* forma um grupo quando a operação é uma adição. Grupos podem ser finitos ou *infinitos*, e seu estudo é chamado teoria dos grupos.

Hipérbole Curva matemática que se parece um pouco com uma *parábola*, mas na qual as duas extensões da curva se aproximam de duas retas imaginárias em ângulo uma com a outra, sem nunca as tocarem nem cruzarem.

Hipotenusa O lado mais longo de um *triângulo retângulo*, localizado no lado oposto ao *ângulo reto*.

Icosaedro *Poliedro* formado por vinte *faces* triangulares. Um icosaedro regular é um dos cinco *sólidos platônicos*.

Ideal Em *álgebra abstrata*, um *anel* matemático que é componente de um anel maior.

Imaginário, número Qualquer número múltiplo de $\sqrt{-1}$ que não exista como número *real*. Ele é representado pelo símbolo i.

Incógnita Grandeza ou quantidade desconhecida, a ser determinada.

Incomensurável Algo que não pode ser medido de modo exato em termos de alguma outra coisa.

Índice Sinal usado para diferenciar incógnitas ou grandezas análogas em um mesmo cálculo (por exemplo n1, n2, n3, n4... nn).

Indução Modo de obter uma conclusão geral em matemática estabelecendo que, se uma afirmação é verdadeira para uma etapa de um processo, também é verdadeira para a próxima etapa desse processo e todas as seguintes. Ver também *dedução*.

Infinita, série Série matemática com um número infinito de *termos*. Ver *série*.

Infinitesimal, cálculo Outro nome do *cálculo*, usado em geral no passado, quando era visto como algo que envolvia somar infinitesimais (quantidades infinitamente pequenas, mas não iguais a zero).

Infinito Indefinidamente grande e sem limites. Em matemática, há tipos diferentes de infinito: o *conjunto* dos números *naturais*, por exemplo, é contavelmente infinito (contável um a um, embora o fim nunca seja atingido), enquanto os números *reais* são incontavelmente infinitos.

Input ou entrada Qualquer *variável* que, combinada a uma *função*, produz um *output* (ou saída).

Integração Processo de realizar um *cálculo integral*. Ver *cálculo*.

Integral *Expressão* matemática usada no *cálculo* integral, ou o

340 GLOSSÁRIO

resultado de uma *integração*. Ver *cálculo*.

Inteiro, número Qualquer número de contagem, negativo ou positivo. Por exemplo, –1, 0, 19, 55 etc. (Frações não são números inteiros.)

Inverso *Expressão* ou *operação* matemática que é o oposto de outra e a cancela. Por exemplo, a divisão é o inverso da multiplicação. Um número é o inverso de outro se o resultado da multiplicação de ambos é 1. Por exemplo, o inverso de 3 é $1/3$. O mesmo que *recíproco*.

Irracional, número Qualquer número que não pode ser expresso como um número *inteiro* dividido por outro e não é um número *imaginário*.

Iteração Realizar a mesma *operação* repetidas vezes para obter um resultado desejado.

Limite O número final do qual se chega cada vez mais perto conforme certos cálculos são iterados ao infinito.

Linear, equação *Equação* que não contém *variável* multiplicada por si mesma (como x^2 ou x^3). Equações lineares plotadas em *gráficos* resultam em retas.

Linear, transformação Também chamada de mapeamento linear, um *mapeamento* entre *espaços vetoriais*.

Logaritmo O logaritmo de um número é a *potência* à qual um outro número (chamado *base* – em geral 10 ou o número de Euler *e*) deve ser elevado para resultar no número original. Por exemplo, $10^{0,0301} = 2$, e assim 0,0301 é o logaritmo (na base 10) de 2. Um logaritmo de base *e* (2,71828...) é chamado *logaritmo*

natural e indicado pelo prefixo ln ou log_e. A vantagem dos logaritmos é que quando se precisa multiplicar números o cálculo pode ser simplificado somando os logaritmos.

Logaritmo natural Ver *logaritmo*.

Lógica O estudo do raciocínio, ou seja, como conclusões podem ser deduzidas de modo correto de informações iniciais dadas (premissas) seguindo regras válidas.

Losango Quadrilátero cujos quatro lados têm o mesmo comprimento. O quadrado é um tipo especial de losango, com todos os ângulos de 90°.

Mapeamento Estabelecimento de uma relação entre membros de um *conjunto* matemático e outro. Em geral, mas não sempre, usado para designar um mapeamento um a um, em que cada membro de um conjunto é associado a um membro do outro conjunto, e vice-versa.

Marcador de posição Numeral, em geral zero, usado na *notação posicional* para diferenciar, por exemplo, 1 de 100, mas que não necessariamente implica uma medida exata, como na frase "cerca de 100 Km distante".

Matemática aplicada Uso da matemática para resolver problemas de ciência e tecnologia. Inclui técnicas para resolver tipos particulares de *equações*.

Matemática pura Tópicos de matemática estudados sem aplicação prática, apenas pelo estudo. Ver também *matemática aplicada*.

Matriz Arranjo quadrado ou retangular de números ou outras quantidades matemáticas que pode ser tratado como um só objeto em

cálculos. As matrizes têm regras especiais para adição e multiplicação. Seus muitos usos incluem a solução simultânea de várias *equações*, a descrição de *vetores*, o cálculo de *transformações* na forma e na posição de figuras geométricas e a representação de dados do mundo real.

Média O valor típico ou médio de um conjunto de dados. Para diferentes tipos de médias, ver *média aritmética*, *mediana* e *moda*.

Média aritmética Uma *média* obtida somando os valores de um conjunto de dados e dividindo o resultado pelo número de valores. Por exemplo, a média aritmética dos quatro números 1, 4, 6 e 13 é $1 + 4 + 6 + 13 = 24$ dividido por 4 = 6.

Mediana O valor do meio de um conjunto de dados, quando os valores são colocados em ordem, do menor para o maior.

Meridiano Linha imaginária na superfície da Terra que liga o polo Norte ao polo Sul passando por qualquer localidade dada. Linhas de longitude são meridianos.

Moda O valor que ocorre com maior frequência num conjunto de dados.

Natural, número Qualquer um dos números *inteiros* positivos. Ver também *inteiro, número*.

Notação binária Grafia de números do sistema binário em que só se usam os numerais 0 e 1. Por exemplo, o número 6 é grafado 110 no sistema binário. Nele, o 1 da esquerda tem valor de 4 (2×2), o 1 do meio significa 2 e o zero representa ausência de unidades: $4 + 2 + 0 = 6$.

GLOSSÁRIO

Notação posicional O sistema padrão de escrita de números, em que o valor de um dígito depende de seu lugar num número maior. O 2 de 120, por exemplo, tem valor posicional de 20, mas em 210 representa 200.

Numerador O número de cima numa fração, como o 3 em $^3/_4$.

Número posicional Numeral individual cujo valor depende de sua posição num número maior. Ver *notação posicional*.

Octaedro *Poliedro* formado por oito *faces* triangulares. O octaedro regular é um dos cinco *sólidos platônicos*.

Operação Qualquer procedimento matemático padrão, como adição ou multiplicação. Os símbolos usados para tais operações são chamados operadores.

Ordem Ver *grau*.

Ordinais, números Números que denotam uma posição, como 1º, 2º ou 3º. Ver também *cardinais, números*.

Origem O ponto em que os eixos x e y de um *gráfico* se encontram.

Oscilação Movimento regular de vaivém entre uma posição ou valor para outro e de volta.

***Output* ou saída** O resultado quando um *input* ou entrada é combinado a uma *função*.

Parábola Curva similar a um extremo de uma *elipse*, com a diferença de que os braços da parábola divergem.

Parabólico Relativo a parábola ou a *função* baseada nela, como uma função quadrática, que produz um *gráfico* com forma de parábola.

Paralela Linha que vai exatamente na mesma direção de outra linha.

Paralelogramo *Quadrilátero* em que cada lado tem o mesmo comprimento que o lado oposto e esses dois lados também são paralelos. O quadrado, o retângulo e o *losango* são tipos de paralelogramos.

Periódica, função *Função* cujo valor se repete periodicamente, como no *gráfico* de uma função de *seno*, que tem a forma de uma série de ondas repetidas.

Perpendicular Em *ângulo reto* com algo.

Pi (π) Relação entre a *circunferência* de um círculo e seu *diâmetro*, de cerca de $^{22}/_7$, ou 3,14159. É um número *transcendente* fundamental, que aparece em muitos ramos da matemática.

Plano Uma superfície bidimensional.

Poliedro Qualquer forma 3D cujas faces são *polígonos*.

Polígono Qualquer forma plana com três ou mais lados retos, como triângulo ou pentágono.

Polinômio *Expressão* matemática formada por dois ou mais *termos* somados. Uma expressão polinomial em geral inclui diferentes *potências* de uma *variável*, além de *constantes*, por exemplo, $x^3 + 2x + 4$.

Postulado Em matemática, afirmação que se assume ser verdadeira ou que se considera óbvia, mas que não é sustentada por uma *prova*.

Potência O número de vezes que uma quantidade ou número é multiplicado por si mesmo. Por exemplo, quatro ys multiplicados ($y \times y \times y \times y$) são chamados "$y$ elevado à quarta potência" e grafados y^4.

Potências, série de *Série* matemática em que cada *termo* tem uma *potência* maior que o anterior, como $x + x^2 + x^3 + x^4 + ...$

Primo, número Número *natural* que só pode ser dividido de modo exato por si mesmo e por 1.

Probabilidades Ramo da matemática que estuda a possibilidade de ocorrência de diferentes resultados no futuro.

Produto Resultado de um número ou quantidade multiplicado por outro.

Proporção Tamanho relativo de uma coisa comparada a outra. Por exemplo, se duas quantidades têm proporção inversa, quanto maior uma fica, menor a outra se torna; assim, se uma quantidade for multiplicada por 3, a outra será dividida por 3.

Prova Qualquer método que demonstre sem dúvida que uma afirmação ou resultado matemático é verdadeiro. Há diferentes tipos, como a prova por *indução* e *provas de existência*.

Prova de existência Uma *prova* matemática de que algo existe, obtida seja construindo um exemplo seja por *dedução* geral.

Quadrado, número Número *inteiro* que pode ser formado multiplicando um número inteiro menor por si mesmo uma vez. Por exemplo, 25 é um número quadrado, pois é 5×5 (5^2).

Quadrática, equação Equação com ao menos uma *variável* multiplicada por si mesma uma vez (por exemplo, $y \times y$, também grafado y^2), mas sem variáveis elevadas a *potências* mais altas.

Quadrilátero Qualquer forma plana com quatro lados retos.

Quarto grau *Equações* ou *expressões* do quarto *grau* são aquelas em que a *potência* mais alta contida é 4; por exemplo, x^4.

Quatérnio Objeto matemático que é um desenvolvimento da ideia de um número *complexo*, mas usa quatro componentes somados, em vez de só dois.

Quinto grau *Equações* ou *expressões* do quinto *grau* são aquelas em que a *potência* mais alta contida é 5, por exemplo, x^5.

Quociente Resultado obtido quando um número é dividido por outro.

Racional, número Número que pode ser expresso como fração de um número *inteiro* sobre outro. Ver também *irracional, número*.

Radiano Medida de ângulo alternativa a *grau* e que se baseia no comprimento do *raio* e *circunferência* de um círculo. Rodar $2 \times pi$ (2π) radianos é o mesmo que rodar 360° (ou seja, um círculo completo).

Raio Qualquer reta que vá do centro de um círculo ou esfera até sua *circunferência*.

Raiz (1) A raiz de um número é outro número que, multiplicado por si mesmo certo número de vezes, dá o número original. Por exemplo, 4 e 8 são raízes de 64, com 8 sendo a raiz quadrada ($8 \times 8 = 64$) e 4 a raiz cúbica ($4 \times 4 \times 4 = 64$). (2) A raiz de uma *equação* é sua solução.

Real, número Qualquer número que seja um número *racional* ou um número *irracional*. Os números reais incluem frações e números negativos, mas não números *complexos* ou *imaginários*.

Recíproco Ver *inverso*.

Reta numérica Linha horizontal com números inscritos, usada para contar e calcular. Os números menores ficam na esquerda, os maiores na direita. Todos os números *reais* podem ser colocados numa reta numérica.

Segmento (1) Parte de uma linha, com extremidades definidas. (2) Num círculo, a área entre uma *corda* e a borda externa (*circunferência*).

Seno (abreviação **sen**) *Função* importante em *trigonometria*, definida como a razão entre o comprimento do lado oposto a um dado ângulo de um *triângulo retângulo* e o comprimento da *hipotenusa* desse triângulo. Essa razão começa em 0 e varia com o tamanho do ângulo, repetindo seu padrão após 360°. O *gráfico* da função do seno também é a forma de muitas ondas, como as ondas de luz.

Sequência Arranjo de números ou *termos* matemáticos dispostos um após o outro e em geral seguindo um padrão determinado.

Série Lista de *termos* matemáticos somados. As séries em geral seguem uma regra matemática, e mesmo se uma série for *infinita* pode resultar num número finito. Ver também *sequência*.

Série harmônica A *série* matemática $1 + 1/2 + 1/3 + 1/4 + 1/5 +$ ... Os termos individuais da série definem os modos diferentes com que uma corda esticada, por exemplo, ou ar num tubo, podem vibrar, produzindo som. A série de tons musicais resultante é a base da escala musical.

Sexagesimal *Sistema numérico* dos antigos babilônios baseado no número 60 e ainda hoje usado de forma modificada para tempo, ângulos e *coordenadas* geográficas.

Sistema de equações Conjunto de várias *equações* que inclui as mesmas quantidades desconhecidas, como x, y e z. Em geral as equações devem ser calculadas juntas para descobrir o valor das *incógnitas*.

Sistema numérico Qualquer sistema de escrita e expressão de números. O sistema indo-árabe usado hoje se baseia nos dez numerais de 0 a 9; quando se chega a 10, o 1 é escrito de novo, mas com um 0 depois dele. Esse sistema é ao mesmo tempo uma *notação posicional* e um sistema de *base* 10 ou decimal.

Sólido platônico Um dos cinco *poliedros* que constituem formas totalmente regulares e simétricas: cada *face* é um *polígono* idêntico e todos os ângulos entre as faces são iguais. Os cinco sólidos platônicos são: *tetraedro*, *cubo*, *octaedro*, *dodecaedro* e *icosaedro*.

Superfície, área de *Área* de uma superfície plana ou curva ou do lado exterior de um objeto 3D.

Tangente (1) Linha que entra em contato com a parte exterior de uma curva, tocando-a somente num ponto. (2) Em *trigonometria*, a *função*

GLOSSÁRIO 343

tangente, abreviada como tan, é definida como a razão entre o comprimento do lado oposto a um dado ângulo (cateto oposto) e o comprimento do lado adjacente a esse ângulo (cateto adjacente), num *triângulo retângulo*.

Teorema Resultado significativo comprovado sobre um tópico matemático, em especial não autoevidente. Uma afirmação não provada é chamada *conjectura*.

Teoria dos conjuntos A teoria dos *conjuntos* é um ramo da matemática que forma hoje a base subjacente a muitos outros ramos da matemática. Ver *conjunto*.

Teoria dos grafos Ramo da matemática que estuda como *grafos* feitos de pontos e linhas se conectam. Ver *grafo*.

Teoria dos números Ramo da matemática que estuda as propriedades dos números (em especial números *inteiros*), seus padrões e relações. Inclui o estudo dos números *primos*.

Termo Numa expressão *algébrica*, um ou mais números ou *variáveis*, em geral separados por um sinal de mais (+) ou menos (−), ou, numa *sequência*, por uma vírgula. Em $x + 4y - 2$, por exemplo, x, $4y$ e 2 são todos termos.

Tesselação Padrão formado numa superfície plana por cópias repetidas de uma ou mais formas geométricas regulares que cobrem a superfície sem nenhum intervalo entre si. Também é chamada ladrilhamento.

Tesserato Forma 4D com quatro arestas em cada *vértice*, enquanto um *cubo* tem três arestas em cada vértice e um quadrado tem duas.

Tetraedro *Poliedro* formado por quatro *faces* triangulares. O tetraedro regular é um dos cinco *sólidos platônicos*.

Topologia Ramo da matemática que estuda superfícies e objetos examinando como suas partes se conectam e não de acordo com suas formas geométricas exatas. Por exemplo, uma rosquinha e uma xícara são topologicamente similares porque ambas são formas com um buraco que as transpassa (por dentro da asa, no caso da xícara).

Transcendente, número Qualquer número *irracional* que não seja um número *algébrico*. O número pi (π) e o número de Euler e são ambos números transcendentes.

Transfinito, número Outro nome para um número *infinito*. É usado em especial quando infinitos de diferentes tamanhos ou coleções infinitas de objetos são comparados.

Transformação Conversão de uma forma ou *expressão* matemática dada em outra relacionada, usando uma regra particular.

Translação *Função* que move um objeto certa distância numa direção sem afetar sua forma, tamanho ou orientação.

Triângulo equilátero Triângulo cujos três lados têm o mesmo comprimento e todos os ângulos são iguais.

Triângulo escaleno Um triângulo em que nenhum dos lados e nenhum dos ângulos têm o mesmo tamanho.

Triângulo isósceles Triângulo com dois lados de mesmo comprimento e dois ângulos iguais.

Triângulo retângulo Triângulo em que um dos ângulos é reto.

Trigonometria Originalmente, o estudo do modo como as razões entre diferentes lados de um *triângulo retângulo* mudam quando os outros ângulos do triângulo se alteram, mais tarde estendido a todos os triângulos. O modo como as razões mudam é descrito por *funções* trigonométricas hoje fundamentais a muitos ramos da matemática.

Variável Quantidade matemática que pode tomar diferentes valores, muitas vezes simbolizada por uma letra como x ou y.

Variedade Tipo de espaço matemático abstrato em que qualquer pequena região particular parece um espaço 3D comum. É um conceito da *topologia*.

Venn, diagrama de Um diagrama que mostra conjuntos de dados como círculos sobrepostos. A sobreposição evidencia o que os conjuntos têm em comum.

Vértice Canto ou ângulo em que duas ou mais linhas, curvas ou arestas se encontram.

Vetor Quantidade matemática ou física que tem magnitude e direção. Em diagramas, os vetores muitas vezes são representados por setas.

Volume Quantidade de espaço dentro de um objeto 3D.

ÍNDICE

Os números de página em **negrito** se referem a entradas principais; em *itálico*, a ilustrações ou legendas.

A

ábaco 24, 26-27, **58-59**, *59*, 87
abax, prancha de contagem *89*
Abel, Niels Henrik 102, 200, 226-227
Abel, Prêmio 323
Abu Kamil Shuja ibn Aslam 28, 30, 96-97
Adelardo de Bath 64
adição 14
　símbolo de 79, 126-127
adivinhação 34-35, 177
Adleman, Leonard 314
Aglaonice da Tessália 82
Agnesi, Maria 82
Al-Battani (Albatenius) 74, 172
Alberti, Leon Battista 121, 154-155
Aleksandrov, Pavel 256
Alembert, Jean d' 191, 206, 208, *208*, 279
álgebra 15-16
　álgebra abstrata 16, 98, 213, 264, **280-281**
　álgebra booliana 176, 213, **242-247**, 286, 291, 300-301
　álgebra simbólica 21, 94, 99
　grupo de Bourbaki 264, **282-283**
　matrizes **238-241**
　notação **126-127**, 146
　origens da **92-99**
　soluções algébricas *ver* equações
　teorema binomial 87, **100-101**, 203
　teorema fundamental da álgebra 200-201, **204-209**, 215
　teoria dos grupos 200-201, 213, **230-233**, 240
algoritmos 62-63, 77, 89, 225, 286, 288-289, 315
　algoritmo RSA 314-315, 317
　algoritmos iterativos 83
　peneira de Eratóstenes **66-67**, 286-287
　problema da parada 288
　transformada rápida de Fourier 216
Al-Hasib 74
Al-Karaji 98, 100-101
Al-Khwarizmi 30, 64, 78, 87, 91, 94-96, 99-100
Al-Kindi 134, 314, 316
alma, conjectura da 325
Al-Qalasadi 97
Al-Samaw'al 98-99
altura e frequência 216-217, *216*
Al-Tusi 99, 229
análise harmônica 302, 303
analítico, cálculo 151
Anaximandro 39
Anderson, Jesse 278
anéis 233, 280-281
Apolônio de Perga 68-69, 82, 95, 146, 150, 154

Appel, Kenneth 313
Arbuthnot, John 192
arco tangente, série do 62, 65
Argand, diagramas de 128, 215, *215*
Argand, Jean-Robert 128, 146, 206, 209, 214-215, 234
Aristóteles 21, 46, 47, 50-51, *51*, 172, 182, 216, 244, 278, 300
aritmética 15, 20
　ver também adição; divisão; multiplicação; sistemas numéricos; teoria dos números; subtração
Aritmética de Treviso 91, *91*, 126
aritmética modular ("de relógio") 303
Arquimedes 62-63, *63*, 69, 83, 99, 102, 104, 112, 142, 152-153, 170-171
arte
　arte fractal 311, *311*
　matemáticos artistas 229, 249
　proporção áurea na 120, *122*-123
Artin, Emil 302
Aryabhata 64, 73-74
Aschbacher, Michael 318
astecas 59
astrolábios *73*
astronomia 73, 74-75, 87, 89, *90*, 143, 219, 221, 226
　ver também planetas
Atiyah, Michael 251
automórficas, formas 302-303
autossimilaridade 309-310, *310*, 311, *311*
axiomas 51, 55, 57, 68, 231-233, 286

B

Babbage, Charles 213, 222-224, *223*, 225, 286
babilônia, matemática 20, 24-26, 29-30, 39, 44, 58, 59, 62, 66, 72-73, 88, 89, 94, 102, 134, 170, 200
Bacon, Francis 177
Bacon, Kevin 293, 304
Barr, Mark 120
Barrow, Isaac 171, 173
Baudhayana 80
Bayes, teorema de **198-199**
Bayes, Thomas 181, 184, 199
beleza, proporção da 123, *123*
Bell, Eric Temple 233
Beltrami, Eugenio 229
Benford, Frank 290
Benford, lei de **290**
Berlim, Papiro de 28-29, *29*, 32
Bernoulli, Daniel 216, 219, 221
Bernoulli, ensaio de 192
Bernoulli, Jacob 122, 158, 165, 167, 174, 180, 185, *185*, 188-190, 192, 198
Bernoulli, Johann 174, 180, 185, 188, 190

Bessel, Friedrich Wilhelm 221
Bessel, funções de **221**
Bhaskara II 74
binário, sistema 27, **176-177**, 265, 289, 291, 300
Binet, Jacques 241
binomiais, coeficientes 98, 101, *101*, 159-160
binomial, distribuição 192-193
binomial, teorema 87, **100-101**, 203
bitcoin 314
Black Sabbath 293
Blake, William 311
Boécio *59*
Bollobás, Béla 304
Boltzmann, Ludwig 218-219, 291
Bolyai, János 54, 212, 229
Bolyai, Wolfgang 229
Bombe 287, *289*, 316
Bombelli, Rafael 75, 105, 117, 128-129, 130-131, 207, 234
Bombieri, Enrico 251
Boole, George 50, 244-247, *245*, 265
Boole, Mary Everest 244
booliana, álgebra 176, 213, **242-247**, 286, 291, 300-301
boolianos, comandos 247
borboleta, efeito 296-297, 310
Borel, Émile 278-279, *279*
Bortkiewicz, Ladislaus 220
Bourbaki, Nicolas *ver* grupo de Bourbaki
Bouyer, Martin 65
Bovelles, Charles de 152-153, 167
Boyer, Carl Benjamin 74
Brahmagupta 24, 28, 30, 64, 74, 76, 78, 86, 88, 89, 90-91, 95, 99, 200
　fórmula de 74
braquistócrona, problema da 167
Bravais, Auguste 269
Breakthrough Prize *196*
Briggs, Henry 140-141
Browne, Sir Thomas 41
Brunelleschi, Fillipo 155
Buffon, experimento da agulha de **202-203**
Buffon, Georges-Louis Leclerc, conde de 181, 202-203, *203*
buracos negros *274*

C

cabtaxi, números 277
CAD (*computer aided design* – desenho assistido por computador) 155, 241
caixeiro-viajante, problema do 195
calculadoras mecânicas 58, 177
cálculo 16, 47, 63, 100, 117, 143, **168-175**, 180-181, 185, 218, 272, 298
　analítico 151
　diferencial 16, 82, 173-174

ÍNDICE 345

infinitesimal 47, 126
integral 16, 82, 170, 173
leibniziano 117, 142, 143, 174, 185
newtoniano 100, 117, 126, 143, 171, 173-174, 185, 199, 218, 298
notação 175
teorema fundamental 170, 173, 175
calendário
  babilônio 25
  maia 27
  persa/jalali 103, 105
Cantor, conjunto de 309, *310*
Cantor, Georg 16, 213, 252-253, *253*, 266-267, 282, 308-309
caos, teoria do 16, 257, 265, 283, **296-299**, 310
cara ou coroa 185, *185*, 192, 198, 199, 279
carbono, datação por *191*
Cardano, Gerolamo 8, 28, 30, 91, 105, 117, 128, 130, 158, 162, 165, 184, 200, 202, *206*, 207, 214-215, 238
Cartan, Henri 283, *283*
cartesianas, coordenadas 117, **144-151**, 195, 258, 282
cartografia 67, 75, 155
  teorema das quatro cores **312-313**
Cassels, J. W. S. 237
Catalan, conjectura de **236-237**
Catalan, Eugène 213, 236-237, *237*
catenárias 190
catenoides 190
Cauchy, Augustin-Louis 40, 170, 173-175, 230, 241, 272
Cavalieri, Bonaventura 152, 172-173
Cayley, Arthur 230, 238, 239, 241, 280
Cayley, gráfico de 319, *319*
celestes, coordenadas 151
CERN, acelerador *233*
Ceulen, Ludolph van 65
Chevalley, Claude 283
chinesa, matemática 21, 24, 26, 34, 39, 76-77, 83, 239
  ver também matemáticos específicos
Chudnovsky, David e Gregory 65
Chuquet, Nicholas 127, 138-139
Cícero 278
cíclicos, quadriláteros 74
cicloides **152-153**, 167
cifra de César 315
cifras *ver* encriptação
cilíndrica, projeção de mapa 155
circuitos de computador 247, 286
círculo 33, 68, 69, 149, 170-171, 226-227, 254
  de nove pontos 166
  ver também pi (π)
círculos de classificação 254
Clarke, R. D. 220
classificação, teoremas de 55
Clay do Milênio, Prêmio 265-267, 324, 325
clima, modelagem do 296-298, 310
Códice de Dresden *27*
Cohen, Paul 267
Colburn, Zerah 235
colinearidade 155
Colossus, computador 222
combinatória 158, 237, 304
completar o quadrado 30, 97, *97*
complexa, análise 131, 209, 261

complexas, funções 214, 251, 279
complexos, logaritmos 197
complexos, números 75, 105, **128-131**, 150, 193, 197, 200, 207, 209, 233-234
  diagramas de Argand 128, 215, *215*
  plano complexo 209, **214-215**, 234, 235, 310
  quatérnios 146, 151, 212, 214, **234-235**
  ver também imaginários, números
compostos, números 66-67
compressão de arquivos digitais 217
computação quântica 289
computação, ciência da 17, 247, 265
  arquitetura de Von Neumann 289
  computação quântica 289
  computador mecânico **222-225**
  encriptação 241, 265, **314-317**
  máquina de Turing **284-289**
  mecanismos de busca 241, 247
  primeiro computador programável 225, 289
  prova por computador 313
  sistema binário **176-177**
  teoria da informação 289, **291**
comutativas, anéis 281
cônicas, seções 55, **68-69**, 103-104, 154-155, 226
conjuntos, teoria dos 45, 213, 252-254, 267, 282-283, 300
  teoria dos conjuntos difusa 300
  teoria ingênua dos conjuntos 264, 273
conservação, leis da 233, 280
contínua, função 308
contínuo, hipótese do 266-267
controle, teoria do 241
Cook, Stephen 286
Cooley, James 216
coordenadas geográficas 151
coordenadas polares 150, *150*, 151
correlação 270-271
Cotes, Roger 197
Cournot, Antoine Augustin 278-279
Cournot, princípio de 279
Cramer, Gabriel 241
Cramer, regra de 241
criptografia de chave pública 67, 227, 233, 317, *317*
criptografia *ver* encriptação
criptomoeda 314
cúbicas, equações 78, 87, 91, 98-99, **102-105**, 117, 129-130, 200, 207, 215
cubos 48-49, *49*, 234
Cuming, Alexander 192
cuneiformes, caracteres 20, 25, 38
curva de sino 184, 192-193, *192*, 198-199, 268-269

D

Dalí, Salvador 123
Debussy, Claude 111
decimais finitos 137, 190
decimal, moeda 137
decimal, separador 24, 27, 116, 136
decimal, sistema 24, 26-27, 32, 89, 96, **132-137**
  notação 135-137, *135*

ver também indo-árabe, numeração
decimal, sistema de tempo 137
Dedekind, Richard 280
dedutivo, raciocínio 21, 51
Dehn, Max 267
de La Vallée Poussin, Charles-Jean 260
Deligne, Pierre 276
delimitadores 136-137
Delsarte, Jean 283
De Morgan, Augustus 78, 244, 313
Desargues, Girard 116, 154-155
desarranjos 191
Descartes, René 69, 78, 99, 105, 117, 122, 127, *146*, 153, 165, 173, 214, 282, 283
  ver também cartesianas, coordenadas
de Sola Pool, Ithiel 292
desvio padrão 270-271
determinantes 240-241
determinismo 212, 218-219, 296, 298, 299
Devlin, Keith 123, 215
dialético, método 47, 50
Dieudonné, Jean 283
diferenciação 170, 173, 175
difusa, lógica 265, **300-301**
dinâmicos, sistemas 298, 309-310
Diofanto 21, 80-82, 94-95, 100, 126, 130, 196, 206, 320
diofantinas, equações **80-81**
distribuição normal 181, 188, **192-193**, 199
Divina comédia (Dante) *43*
divina, proporção *ver* proporção áurea
divisão 14, 137
  símbolo de 126-127
  zero e 91
dízimas periódicas 137
DNA 259
dodecaedro 41, 48-49, *49*, 235
Dreyfus, Alfred 261
Drinfeld, Vladimir 303
du Sautoy, Marcus 27
Durand-Kerner, método de 209
Dürer, Albrecht *35*

E

e ver Euler, número de
Eddington, Arthur 233, 278
egípcios antigos 20, 24, 29, 32-33, 39, 73, 94, 134, 170, 176
Einstein, Albert 30, 120, 175, 182, 228, 251, 273-275, 280, 304
Einstein, anel de *209*
eixo de perspectiva *154*
eleática, escola de filosofia 46-47
elementos, Os (Euclides) 21, 48, 50, **52-57**, 66, 68, 82, 87, 94, 120, 121, 154, 166, 229, 272, 308
  noções comuns 55-56
  postulados 55, *56*, 56-57, 98, 103, 228
  proposições 56-57
elipses 68-69, *69*, 104, 154, 226
elípticas, curvas 226, 314, 320-321, *321*, 322
elípticas, funções **226-227**
encriptação 177, 226, 241, 265, **314-317**

criptografia de chave pública 67, 227, 233, 317, *317*
encriptação assimétrica 317
encriptação simétrica 315-317
Enigma, máquinas 316, *316*
entropia 218, 291
equações
   cúbicas 78, 87, 91, 98-99, **102-105**, 117, 200, 207, 215
   diofantinas **80-81**
   do quarto grau 105, 117, 200-201, 233
   do quinto grau 200-201
   estrutura das 30-31
   indeterminadas 97
   lineares 77-78, 94, 96, 102
   polinomiais 80, 131, 190, 200, 201, 206-207, 215, 230, 233
   quadráticas **28-31**, 77, 78, 81, 87, 91, 96-97, 102, 200, 207
   raízes de uma equação 206-207, *207*, 208
   sistema de 29, 239
   solução algébrica de **200-201**
equiláteros, triângulos 56, *56*, 166, *166*, 231-232, *232*
Eratóstenes 67, *67*, 124, 286-287
Erdős, número de 293, 304
Erdős, Paul 260, 293, 304
Erdős-Bacon-Sabbath, número de 293
escala alométrica 308
escalas musicais 42-43
Escher, M. C. 229, 249
esférica, geometria 57
esférica, trigonometria 74, *74*
espaço-tempo 151, 264, 274-275
espectro harmônico 217
espiral áurea 111, 122-*123*
esquadro de pedreiro 14-15
estádio, paradoxo do 46-47
estatística **268-271**
   diagramas de Venn 244, 246, *246*, **254**
   distribuição de Poisson 213, **220**
   distribuição normal 181, 188, **192-193**, 199
   lei dos grandes números 165, 180, **184-185**
   teste de qui-quadrado 271
Euclides 16, 38, *54*, 69, 95, 112, 124, 260, 274, 286
   ver também *elementos, Os*
Eudoxo de Cnido 44, 54, 73, 171
Euler, círculos de 254
Euler, fórmula poliédrica de 48-49, 257-258, *257*
Euler, identidade de 75, 181, **197**
Euler, Leonhard 34-35, 48-49, 65-67, 75, 96, 124, 128, 131, 141, 170, 174-175, 180-181, 181, 188, 188-*189*, 194-197, 200-201, 207, 215, 221, 236, 250, 256-258, 276, 320-321
Euler, número de 174, 180, **186-191**, 194, 197
euleriano, caminho 195
Euler-Lagrange, equação de 175
exaustão, método da 170-171
exaustão, prova por 313
expoentes, leis dos 99
exponencial, crescimento **112-113**, 141, 190, 195
exponencial, função 141, 174, *190*

F

falácia do jogador 185
Fatou, George 310
Fauvel, John 55
Fermat, pequeno teorema de 314, 317
Fermat, Pierre de 40, 67, 69, 80-81, 117, 142, 150, 153, 162, *163*, 165, 170, 173, 184, 196, 314
Fermat, último teorema de 117, 227, 236, 283, 302-303, **320-323**
Ferrari, Lodovico 105, 128
Ferro, Scipione del 105, 128-130
Feuerbach, Karl Wilhelm 166
Fewster, Rachel 290
Fibonacci (Leonardo de Pisa) 27, 58, 64, 87-88, 91, *108*, 134-135
Fibonacci, razões de 110-111
Fibonacci, sequência de 87, **106-111**, 120-123, 160, 161-*161*, 196, 290
Fídias 120
Fields, Medalha 82, *196*, 276, 325
filosofia e matemática 15, 17, 41, 49-50, 218, 244
Fiodorov, Evgraf 305
Fior, Antonio 128-130
física quântica 219, 241
fluxions 153, 173-174
Fontana, Niccolò 215
formas modulares, teoria das 276
Fourier, análise de **216-217**
Fourier, Joseph 75, 188, 216-217, *217*
Fourier, série trigonométrica de 75
frações 32, 44, 134
   decimais 135, 137
   sistema de notação de 135
fractais 296, **306-311**
   programas de computador para gerar 311
fractal, análise 265, 308
Franklin, Benjamin 35
Franklin, Philip 313
fraudes, detecção de 290
Frechet, Maurice 259
Frederico, o Grande, da Prússia 191
Freedman, Michael 324
Frege, Gottlob 17, 50, 246, 273
Frenicle de Bessy, Bernard 276
frequência, análise de 314, 316
frequência relativa 163, 164
Frey, Gerhard 321-322
Friedman, Harvey 272
Frisius, Gemma 75
Fuller, R. Buckminster 258
functorialidade 303

G

Galileu Galilei 75, 153, 162, 166, 182, 216, 298
Galois, corpos de 233
Galois, Évariste 201, 213, 230-231, *231*, 233, 318
Galois, grupos de 233, 303
Galois, teoria de 231, 233
Galton, Francis 193, 268-270

Galton, tabuleiro de 193, *269*
Gates, Bill 91
Gaudí, Antoni 311
Gauss, Carl Friedrich 54, 66, 67, 126-127, 181, 193, 199-200, 206, *208*, 208-209, 212, 215, 226, 228, 229, 238-240, 251, 268, 269, 280, 302
gaussiana, curva 192, 193
Gelfond, Alexander 197
geodésico, caminho 299, *299*
geometria 14, 16, 20, 95
   conjectura de Poincaré 256, 258-259, 265, 274, **324-325**
   coordenadas cartesianas 117, **144-151**, 195, 258, 282
   coordenadas polares *150*, 150-151
   curva tautocrônica **167**, 302
   elementos, Os, de Euclides 21, 48, 50, **52-57**, 66, 68, 82, 87, 94, 120-121, 154, 166, 228-229, 272, 308
   espaço-tempo quadridimensional **274-275**
   fractais 296, **306-311**
   funções elípticas **226-227**
   geometria algébrica 283, 323
   geometria analítica 69, 117, 148-149
   geometria esférica 57
   geometria hiperbólica 54, 69, *69*, 212, *228*, 229
   geometria plana 54
   geometria projetiva 116, **154-155**
   geometria sintética 155
   geometrias não euclidianas 54-57, 151, 212, **228-229**, 274
   máximos e mínimos **142-143**, 173-174
   pi (π) 33, 41, 45, **60-65**, 69, **83**
   seções cônicas 55, **68-69**, 82, 103-104, 154-155, 226
   sólidos platônicos 21, 38, 41, **48-49**, 54-55, 121, 308
   teorema do triângulo **166**
   topologia 16, 212, 248, **256-259**, 264, 283
   trigonometria 16, **70-75**, 116, 140, 226
   23 problemas não resolvidos 264, **266-267**
   ver também geometria aplicada
geometria aplicada **36-43**
   cicloides **152-153**, 167
   faixa de Moebius 212, **248-249**, 258
   funções de Bessel **221**
   geometria projetiva 116, **154-155**
   mosaico de Penrose **305**
   proporção áurea 110-111, 116, **118-123**
"geometria da folha de borracha" *ver* topologia
geometrias não euclidianas 54, 57, 151, 212, **228-229**, 274
geométrica, série 113
Gersônides (Levi ben Gershon) 236
Girard, Albert 206-207
Godel, Kurt 267, 273, 286
Goldbach, Christian 181, 196
Goldbach, conjectura de 181, **196**
Goldie, Alfred 280
Gonthier, Georges 312
Gorenstein, Daniel 318-319
Govert de Bruijn, Nicolaas 305
grafos, teoria dos 99, **194-195**
   coordenadas e eixos 104, 147-149, *149*, 195
   grafo de Cayley 319, *319*
   grafos pesados 195
   linhas de rumo **125**

ÍNDICE 347

matrizes 241
grandes números, lei dos 165, 180, **184-185**
Graunt, John 220
gravidade 182-183, 228, 274, 298
grega, matemática 20-21, 63, 73, 78, 89, 95, 103, 152, 200
 ver também matemáticos específicos
Gregory, James 62, 65, 171, *173*
Griggs, Jerrold 254
grupo de Bourbaki 264, **282-283**
grupos abelianos 233
grupos simples finitos **318-319**
grupos simples
 grupos simples finitos **318-319**
 o Monstro 319
Guillaud, Jean 65
Gurevitch, Michael 292-293
Guthrie, Francis 312-313

H

Hadamard, Jacques 131, 260-261, *261*
Haken, Wolfgang 313
Halayudha 158
Haldane, J. B. S. 98
Halley, Edmond 182
Hamilton, Richard 325
Hamilton, William 146, 212, 214, 234-235, *235*, 313
Hardy, G. H. 26, 276-277
Harmonia 42
Harriot, Thomas 76, 127, 176-177
Harrison, John 167
Hartley, Ralph 291
Hausdorff, Felix 309
Heath, Sir Thomas L. 63, 72
Heawood, Percy 312-313
Heesch, Heinrich 313
Henderson, David W. 229, 254
heptadecágono 208
Hermite, Charles 188, 190
Heron de Alexandria 166
Hewlett Packard 58
hexaedro 48
hexágonos *63*, 68
hexagramas 34, 155, 177
hieróglifos 33
Higgs, bóson de 233
Hilbert, David 81, 229, 250, 259, 264, 266-267, *267*, 272, 280, 286
Hill, Ted 290
Hinton, Charles 234, 274
Hipácia de Alexandria 81, **82**, *82*
Hiparco 73, *73*
Hipaso 41, 44-45, *45*, 121, 206
Hipócrates de Quios 54-55
Hire, Philippe de la 154
Hobson, E. W. 221
Hofstadter, Douglas 131
Hokusai, Katsushika 311, *311*
Hölder, Otto 318
Homem Vitruviano 122-123
Hooke, Robert 182-183
Huygens, Christiaan 152, 162, 165, 167, 190

I

I ching [Livro das mutações] 34, 177, *177*
icosaedro 48-49, *49*
icosiano, jogo 235
ideais, números 280
igual, sinal de 126-127
Iluminismo 180-181
imaginários, números 30, 75, 117, **128-131**, 151, 197, 207, 214-215
 ver também complexos, números
incompletude, teorema da 273, 286
indiana, matemática 21, 27, 34-35, 81, 86, 90
 ver também matemáticos específicos
indo-árabe, numeração 24, 26-27, 45, 58, 86-87, 91, 94, 96, 116
indução matemática 98
indutivo, raciocínio 21
infinitesimais 47, 142-143, 170-171, 174-175
infinitesimal, cálculo 47, 126
infinito 21, 91, 170, 252, 267, 272, 278
infinito-dimensional, topologia 259
informação, teoria da 289, **291**
ingênua dos conjuntos, teoria 264, 273
integração 170, *172*, 173-175
inteiros, números 41, 44, 66, 80-81, 124, 131, 196, 280, 304
 anel dos inteiros 280
 ver também teoria dos números
inteligência artificial (AI) 113, 297, 301
 aprendizado de máquina 301
 teste de Turing 265, 289
internet, segurança na 67, 317
invariantes, teoria dos 280
irracionais, números 15, 21, 28, 30, 41, **44-45**, 54, 62, 96, 97, 120, 131, 137
islâmica/muçulmana, matemática 16, 35, 45, 72, 86-87, 95-99
 ver também matemáticos específicos
isósceles, triângulos 57

J

Jacobi, Carl 213, 227, *227*
Jacobson, Nathan 131
Jacquard, Joseph-Marie 222, 224
Janko, Swonimir 318
japonesa, matemática 26-27
Jefferson, Thomas 137
Jia Xian 158, 160
jogos de azar 117, 159, 163-165, 184-185, 192, 271
Jones, William 62
Jordan, Camille 318
Jordan-Hölder, teorema de 318
Julia, conjunto de 310, *311*
Julia, Gaston 310
juros compostos 185, 188-190

K

Kanigel, Robert 62
Karinthy, Frigyes 292-293, 304
Katahiro, Takebe 83
Katz, Nick 322-323
Kempe, Alfred 313
Kepler, Johannes 48-49, 108, 120, 122, 141-143, *143*, 172, 182, 221, 227, 298, 305
Khavinson, Dmitry 209
Khayyam, Omar 68, 98-99, 102-105, *105*, 129, 158, 160
Killian, Charles 254
Klein, Felix 229, 230, 248, 258
Klein, garrafa de 248, 258
Knauf, Andreas 124
Kneser, Hellmuth 206
Koch, curva/floco de neve de 309, *310*
Koch, Helge von 250, 309
Kochen, Manfred 292
Kovalevskaia, Sofia 82
Kummer, Ernst 280
Kurzweil, Ray 113

L

Lagrange, Joseph-Louis 167, 175, 181, 201, *201*, 280
Lambert, Johann Heinrich 45
lâmpadas de lava 317, *317*
Landau, Edmund 260
Landauer, Rolf 291
Langlands, programa **302-303**
Langlands, Robert 302-303, *303*
Laplace, demônio de **218-219**
Laplace, Pierre-Simon 141, 162-163, 165, 175, 193, 195, 198, 208, 212, 218-219, *219*, 268, 296
Lebesgue, Henri 137
Legendre, Adrien-Marie 66, 227, 260
Leibniz, Gottfried 50, 62, 65, 116-117, 142-143, 174, *175*, 177, 185, 190, 207, 223, 244, 254, 291
leis do movimento **182-183**, 218
lenteamento gravitacional 209
Leonardo da Vinci 64, 120-122, *122*
L'Huilier, Simon 258
Lie, grupos de 233
Lie, Sophus 233
limite central, teorema do 184
linear, perspectiva 154, *154*, 155
lineares, equações 77-78, 94, 96, 102
linha de universo 275, *275*
linhas de rumo **125**
Liouville, Joseph 230, 237, 252
Listing, Johann 248, 256, 258
Liu Hui 21, 64, 83
Livio, Mario 122
Llull, Ramon 254
Lobatchevski, Nikolai Ivanovitch 14, 54, 212, 229
logarítmicas, escalas 140, *141*
logaritmos 58, 75, 99, 116, **138-141**, 188
logaritmos naturais 141, 188
lógica 16, 21
 lógica booliana 176, 213, **242-247**, 286, 291,

300-301
  lógica difusa 265, **300-301**
  lógica silogística **50-51**, 244
  paradoxo de Russell **272-273**
  paradoxos de Zenão **46-47**, 117, 170-171
  23 problemas não resolvidos 264, **266-267**
longitude, problema da 167
Lorentz, Henrik 275
Lorenz, atrator de 218, 296-297, *297*
Lorenz, Edward 218, 265, 296-298, *296*
Lovelace, Ada 213, 223-225, *225*
loxodromia 125, *125*
Lucas, Édouard 108, 124, 255
Ludlow, Peter 316
Łukasiewicz, Jan 300

M

macaco infinito, teorema do 252, **278-279**
Maclaurin, Colin 174
Madhava de Kerala 138
maia, matemática 26-27, 89, 238-239
maior que, símbolo de 127
mais e menos, símbolos de 30, 79, 126-127
Malthus, Thomas 112, 190
Mandelbrot, Benoit 265, 296, 308-309, *309*, 310
Mandelbrot, conjunto de *308*, 309-311, *311*
Manhattan, Projeto 202
máquina analítica 222-225, 286
máquina de computação automática (ACE) 287
máquina diferencial 213, 222-223, *224*, 225
marcas entalhadas 14, 20
Markowsky, George 123
Marquardt, Stephen 123
Masjid-i Kabud (Mesquita Azul) *105*
matemática aplicada 264, 280
  análise de Fourier **216-217**
  leis do movimento **182-183**, 218
matemática moderna, movimento da 282
matemática pura 15
matemática recreativa
  quadrados mágicos **34-35**
  Torre de Hanói **255**
matemática reversa 272
matemática social **304**
Matiiasevitch, Iuri 81
matrizes **238-241**
matrizes de transformação 241
matrizes estocásticas 241
matrizes quadradas *239*, 240-241
máximos e mínimos **142-143**, 173-174
Maxwell, James Clerk 275
Mayer, Jean 313
mecânica clássica 218-219
mecânica estatística 218-219
mecânica matricial 241
mecânica quântica 16, 75, 131, 175, 227, 235
mecanismos de busca 241, 247
Melville, Herman 167
Menabrea, Luigi 225
Menelau de Alexandria 57
Mengoli, Pietro 141
menor que, símbolo de 127
mensuração 33

mercados de ações 192, *279*, 301
Mercator, Gerardus 125, 155
Mercator, Nicholas 138, 141
Méré, Cavaleiro de (Antoine Gombaud) 159, 163-164
Merilees, Philip 296-297
Mersenne, Marin 67, 117, 124, 153, 164-165
Mersenne, primos de **124**, 161, 255
metempsicose 41-42
métrico, espaço 259
métrico, sistema 134, 137
Mihăilescu, Preda 236, 237
Milgram, Stanley 292-293, 304
mínimos quadrados, método dos 269
Minkowski, Hermann 264, 274-275, *275*
Mirzakhani, Maryam 82
modularidade, teorema da 320-322
Moebius, August 194, 212, 248-249, *249*
Moebius, faixa de 212, **248-249**, 258
Moebius, fórmula de inversão de 249
Moebius, função de 249
Moebius, plano de 249
Moebius, rede de 249
Moebius, transformações 249
Moivre, Abraham de 75, 162, 181, 184, 188,
  192-193, *193*, 197-199, 202, 220
montanhas-russas *149*, 249
Monte Carlo, métodos de 202-203
Moore, Gordon 112
Morse, código 177
Moscou, Papiro de 32-33, 62
movimento, paradoxos do 46-47
mulheres matemáticas 82
  ver também matemáticas específicas
multiplicação 14, 137-139
  multiplicação de matrizes 239-240, *240*, 241
  símbolo de 126-127
  zero e 91
mundo pequeno, teoria do 292-293
música e matemática 42-43, 111

N

Nadi Yali, iantra *90*
não orientáveis, superfícies 249
Napier, John 74-75, 116, 139-141, *139*, 177, 188, 222
Napier, ossos de 139
naturais, números 124, 131, 213, 236
Nave, Annibale della 129
negativos, números 26, 28, 30, 69, **76-79**, 89, 91,
  104-105, 129-130, 200, 206-207, 214-215
Neumann, Genevra 209
Neumann, John von 288-289
Newcomb, Simon 290
Newman, Max 222
Newton, Isaac 83, 100, 117, 126, 142-143, 171,
  173-174, 182-183, *183*, 185, 199, 218, 227, 298
Newton, leis do movimento de **182-183**, 218
newtoniano, cálculo 100, 117, 126, 143, 171,
  173-174, 185, 199, 218, 298
Noether, Emmy 233, 264, 280-281, *281*
Noether, teorema de 280
notação posicional *ver* posicionais, números
numerais de varetas 26, 76-77, *77*
Nunes, Pedro 125

O

octaedro 48, 49, *49*
octógono *63*
Ohm, Martin 120
olho de Hórus *32*
olmecas 59
onda, análise de 217, 221, 302
Ore, Oystein 313
Oresme, Nicole d' 146, 150, 171-172
Ostrowski, Alexander 206, 209
Oughtred, William 58, 116, 127, 138
Oxford, calculadores de 172

P

Pacioli, Luca 35, 116, 120-121, *121*, 158, 164
parábolas 31, *31*, 69, *69*, 104, *104*, 153-154, 190
parabólicos, objetos 31, *31*
paradoxo da dicotomia 46
paradoxo da flecha 46
paradoxo de Aquiles e a tartaruga 46-47, *47*
paradoxo do barbeiro 252, 272-273
paralelas, postulado das (PP) 103, 212, 228-229, *228*
Parmênides 46-47
Partenon 120
Pascal, Blaise 68, 117, 153, 155-156, 158-161,
  159, 162, 164-165, 167, 184, 222-223
Pascal, triângulo de 100, **156-161**
Peano, Giuseppe 272, 273
Pearson, Karl 192, 268-271, *271*
Peirce, Charles Sanders 244, 246
pêndulos 152, 167, 221, 298-299
peneira de Eratóstenes **66-67**, 286-287
Penrose, mosaico de *305*
Penrose, Roger 123, 305
pentágonos 41, *44*, *63*
pentagramas 41, 121
Percy, David 197
Perelman, Grigori 256, 265, 324-325
perfeitos, números 40-41
permutação, grupos de 230, 233
permutações 191, 201
perspectiva 116, 154-155, *154*
pi (π) 33, 41, 45, **60-65**, 69, **83**
piano, teclado de *111*
Pingala 108, 111
pirâmides 33, 62, *65*, 73, 121
Pitágoras 15, 21, **36-43**, *41*, *43*, 44, 48, 50, *59*, 81, 216
Pitágoras, teorema de 38-39, *39*, 40, 44, 63, 72,
  149, 320-321
pitagórica, comunidade 21, 40-41, 43, 82, 121
plana, geometria 54
planetas
  leis do movimento 141-142, 172, *172*,
    182-183, 221
  órbitas 49, 65, 142, 172, 221, 227, 257
Platão 21, 38, 41-42, 48, 49, *49*, 55-56, 121
Plimpton 322, tabuinha 38, 72
Poincaré, conjectura de 256, 258 259, 265, 274,
  324-325

ÍNDICE 349

Poincaré, Henri 194, 229, 257, *257*, 259, 264, 265, 282-283, 296, 298-299, 302, 309-310
Poisson, distribuição de 213, **220**
Poisson, Siméon 185, 213, 220, *220*
polialfabética, cifra 316
poliedro 38, 41, 48-49, 266-267
   fórmula poliédrica de Euler 48-49, 257-258, *257*
poligonais, números 40
polígonos 42, 48, 63, *63*, 64, 83, 170-171, 232, 237, 305
   construção 208
polinomiais, equações 80, 131, 190, 200, 201, 206-207, 215, 230, 233
polinômios 98-99, 99, 101, 181, 206-209
polinômios harmônicos 209
Poncelet, Jean-Victor 154-155
pontos de fuga *154*, 155
portas lógicas 247, *247*
posição falsa, método da 29, 32-33
posição falsa dupla 77
posicionais, números **22-27**, 58
   sistema de base 2 (binário) 176
   sistema de base 10 (decimal) 20, 24-25, 27, 116, 176
   sistema de base 20 (vigesimal) 26, 27, 59
   sistema de base 60 (sexagesimal) 24-26, *26*, 73
   zero 27, 86, **88-91**, 89-91, 105, 240
   ver também binário, sistema; decimal, sistema
Possel, René de 283
possibilidade única, lei da 279
potências 127, *139*, 140, 197, 215, 236
Price, Richard 198
primos, números 15, 66, 117, 196, 277, 302
   hipóteses de Riemann 213, **250-251**, 261, 267
   peneira de Eratóstenes **66-67**
   primos de Mersenne **124**, 161, 255
   teorema dos números primos **260-261**
probabilidade inversa 198, 199
probabilidades, teoria das 117, **162-165**, 180, 181, 219, 291
   distribuição de Poisson 213, **220**
   distribuição normal 181, 188, **192-193**, 199
   experimento da agulha de Buffon **202-203**
   lei da probabilidade única 279
   lei dos grandes números 165, 180, **184-185**
   probabilidade inversa 198-199
   teorema de Bayes **198-199**
   teorema do limite central 184
   teorema do macaco infinito **278-279**
   teoria do caos 16, 257, 265, 283, **294-299**, 310
   triângulo de Pascal 100, **156-161**
Proclo 54-55, 228-229
projétil, voo de 31, *31*, 75
proporção áurea 110-111, 116, **118-123**
Ptolomeu 64, 73, 82, 89, 125
P versus NP, problema 286

Q

quadrados geomágicos 34
quadrados latinos 35
quadrados mágicos **34-35**

quadráticas, equações **28-31**, 77, 78, 81, 87, 91, 96-97, 102, 200, 207
   completar o quadrado 30, 96, *97*
   fórmula quadrática 30
   função quadrática 31, *31*
   teorema da reciprocidade quadrática 302
quadratura do círculo 63-64, *64*
quadridimensional, espaço **274-275**, 324-325
quântica, teoria 251
quarto grau, equações do 105, 117, 200-201, 233
quatérnios 146, 151, 212, 214, **234-235**
quatro cores, teorema das **312-313**
Quetelet, Adolphe 268-269
Quetelet, Índice (IMC) 269
quincunx 193, *269*
quinto grau, equações do 200-201
qui-quadrado, teste de 268, 271

R

racionais, números 44-45, 80-81, 96, 131
Rahn, Johann 127
Ramanujan, Srinivasa 276-277, *277*
randômica, variação 193
reais, números 45, 105, 128-129, 131, 141, 151, 190, 197, 207, 209, 214
realidade virtual, jogos de *235*
reconhecimento de voz, programas de 216-217
Recorde, Robert 126, *127*
redes sociais 195, **292-293**, 304
Regiomontanus (Johannes Müller von Königsberg) 75
Regius, Hudalrichus 124
regressão à média *270*, 270-271
régua de cálculo 58, 116, 138, *141*
relatividade, teorias da 175, 182, 251, 264, 274-275, 280
relatividade especial 175, 275
relatividade geral 175, 274-275, 280
Renascimento 87, 116-117, 120-122
revolução científica 87, 116, 180
Rhind, Papiro de **32-33**, *33*, 62, 72-73, 83, 94, 170
Ribet, Ken 322
Ricci, fluxo de 325
Riemann, Bernhard 66, 175, 212-213, 214, 228-229, 250-251, *251*, 258, 260-261
Riemann, função zeta de 131, 213, 251
Riemann, hipótese de 213, **250-251**, 261, 267
Rivest, Ron 314
Robert de Chester 87
Robertson, Neil 312
Roberval, Gilles Personne de 152-153
robôs *259*, 301
rodas de cifras *315*
roleta *164*
romana, matemática 21, 59, 134
romanos, numerais 26, 87, 134
Roomen, Adriaan van (Romanus) 64-65
RSA, algoritmo 314-315, 317
Rubik, cubo de *232*
Ruffini, Paolo 102, 200-201, 230
Russell, Bertrand 17, 46, 252, 264, 272-273, *273*
Russell, paradoxo de **272-273**
Rutherford, William 65

S

Saccheri, Giovanni 228-229
Salamina, Tábua de 58
Sallows, Lee 34
Sanders, Daniel P. 312
Sarnak, Peter 323
Sauveur, Joseph 216
Savage, Carla 254
Schooten, Frans van 150
Schröder, Ernst 246-247
Schrödinger, equação de onda de 175
seis graus de separação **292-293**, 304
Selberg, Atle 260
seno, cosseno e tangente 74-75
seno, ondas de *216*, 217, 302
sete pontes de Königsberg 180, **194-195**, *195*
Seymour, Paul 312
Shamir, Adi 314
Shanks, Daniel 65
Shannon, Claude 176, 244, 247, 286, 289, 291, *291*
Shechtman, Dan 305
Sheil-Small, Terrence 209
Shimura, Goro 320-321
Shishikura, Mitsuhiro 311
Sierpinski, triângulos de 158, *160*, 161, 309, *311*
Sierpinski, Waclaw 158, 161
silogística, lógica **50-51**, 244
simetrias 231-233, 241, 280, 319
singularidades 113, 325
Sissa ben Dahir **112-113**
sistemas de equações 29, 239
sistemas numéricos
   ábaco 26-27, **58-59**, *59*, 87
   logaritmos 58, 75, 99, 116, **138-141**, 188
   notação **126-127**
   numerais de varetas 26, 76-77, *77*
   números irracionais 15, 21, 28, 30, 41, **44-45**, 54, 62, 96-97, 120, 131, 137
   números negativos 26, 28, 30, 69, **76-79**, 89, 91, 104-105, 129-130, 200, 206-207, 214-215
   números posicionais **22-27**, 58-59
   quatérnios 146, 151, 212, 214, **234-235**
   sistema decimal 24, 26-27, 32, 89, 96, **132-137**
   sistema indo-árabe 24, 26-27, 45, 58, 86-87, 91, 94, 96, 116
Smale, Stephen 267, 324
Smith, Henry 308
Smith, Stephen D. 318
Snell, Willebrord 125
sobrescritos 127
Sócrates 47, 49-50
sólidos platônicos 21, 38, 41, **48-49**, 54-55, 121, 308
Somayagi, Nilakantha 83
somatório 170
soroban 26-27, *27*, 58-59
Steiner, Jakob 166
Stemple, Joel 313
Stevin, Simon 116, *134*, 134-135, 137, 172
Stewart, Ian 245
Strogatz, Steven 292-293, 299
Struik, Dirk 151
suanpan 59, *59*
subtração 14

símbolo de 79, 126-127
sudoku 34-35
sumérios 20, 24, 88
Sun Hong Rhie 209
Sun Tzu 77
Sylvester, James Joseph 239, *239*

T

Ta(n) 24, **276-277**
Taimina, Daina 229
Takakaze, Seki 240
Tales de Mileto 32, 38-40, 54-55
Taniyama, Yutaka 320-321
Taniyama-Shimura, conjectura de 320-322
Tao, Terence *196*
Tarski, Alfred 300
Tartaglia (Niccolò Fontana) 105, 128, 129-130, 158, 164, 215
tautocrônica, curva **167**, 302
taxicab, números **276-277**
Taylor, Richard 323
Tchebichev, Pafnuti 250
Teeteto 48, 54
Teodoro de Cirene 44
Teodósio da Bitínia 57
teorema fundamental da álgebra (TFA) 200-201, **204-209**, 215
teoria dos conjuntos difusa 300
teoria dos grupos 200-201, 213, **230-233**, 240
   grupos simples **318-319**
teoria dos números
   conjectura de Catalan **236-237**
   conjectura de Goldbach 181, **196**
   crescimento exponencial **112-113**, 141, 190, 195
   estatística **269-271**
   funções elípticas **226-227**
   grupo de Bourbaki **282-283**
   grupos simples finitos **318-319**
   hipótese de Riemann 213, **250-251**, 261, 267
   identidade de Euler 75, 181, **197**
   lei de Benford **290**
   matemática social **304**
   matrizes **238-241**
   número de Euler 174, 180, **186-191**, 194, 197
   números binários 27, **176-177**, 265, 289, 291, 300
   números complexos *ver* complexos, números
   números taxicab **276-277**
   números transfinitos **252-253**
   peneira de Eratóstenes **66-67**, 286-287
   pi (n) 33, 41, 45, **60-65**, 69, **83**
   primos de Mersenne **124**, 161
   programa Langlands **302-303**
   quadrados mágicos **34-35**
   seis graus de separação **292-293**, 304
   sequência de Fibonacci 87, **106-111**, 120-123, 160-161, *161*, 196, 290
   teorema binomial 87, **100-101**
   teorema dos números primos **260-261**
   teoria dos grafos 99, **194-195**, 241
   teoria dos grupos 200-201, 213, **230-233**, 240
Torre de Hanói **255**
triângulo de Pascal 100, **158-161**

último teorema de Fermat 117, 227, 236, 283, 302-303, **320-323**
zero 27, 86, **88-91**, 105, 240, 250-251
termodinâmica 217-219
tesselações 305, *305*
tesserato 234, 274
tetraedro 48-49, *49*, *160*, 161
texto cifrado 315-317
texto puro 315-317
Thiele, Rüdiger 267
Thomas, Robin 312
Thompson, John G. 319
Thurston, William 229
Tijdeman, Robert 236-237
tipos, teoria dos 273
topologia 16, 212, 248, **256-259**, 264, 283
   fractais 296, **306-311**
   Poincaré, conjectura de 256, 258-259, 265, 274, 324-325
   teorema das quatro cores **312-313**
   teoria dos grafos 99, **194-195**, 241
   topologia algébrica *259*, 282
   topologia infinito-dimensional 259
Torre de Hanói **255**
Torricelli, Evangelista 173
transcendentes, números 62, 190, 252-253, *253*
transfinitos, números **252-253**
transformações geométricas lineares 240, *241*
transformada rápida de Fourier 216
três corpos, problema dos 221, 296, 298-299
triangulação, postos de (marcos geodésicos) 75
triângulos 57, 65
   de Sierpinski 158, *160*, 161, 309, *311*
   equiláteros 56, *56*, 166, *166*, 231-232, *232*
   isósceles 57
   postulado do triângulo 38
   retângulos 21, 38-39, 44, 63, 72, *75*, 111, 138
   teorema do triângulo *166*
   ver também trigonometria
triângulos retângulos 21, 38-39, 44, 63, 72, *75*, 111, 138
   ver também Pitágoras, teorema; triplas pitagóricas; trigonometria
tridimensional, espaço 102, 147-148, 234-235, 249, 258-259, 274, 297, 324
trigonometria 16, **70-75**, 116, 140, 226
   tábuas trigonométricas 72-73, 104
   trigonometria esférica 74, *74*
   trigonometria plana *74*
trigo num tabuleiro de xadrez, problema do **112-113**
trigramas 34
triplas pitagóricas *38*, 38-39, 72, 111, 321
Trueb, Peter 62, 65
Tukey, John 216
Turing, Alan 265, 272, 287-289, *287*, 316
Turing, máquina de **284-289**
Typex 316

U,V

Ulam, Stanislaw 203
Última Ceia, A (Leonardo da Vinci) 122, *122*
Varian, Hal 290

Varignon, Pierre 122
velocidade da luz 274-275
Venn, diagramas de 244, 246, *246*, **254**
Venn, John 244, 246, 254
vetores 151
vibrações de cordas 216-217
Viète, François 64, 75, 80, 94, 99, 105, 127, 146, 150, 172
Vinogradov, Ivan 196
Virahanka 108
Virgílio 111
Vitrúvio 123
Viviani, Vincenzo 166
Vogel, Kurt 81
Voltaire 24

W

Waerden, Bartel Leendert van der 280
Wallis, John 79, 91, 226-227
Wang Fau 64
Wang Xiaotong 102
Watson, George 221
Watts, Duncan J. 292-293
Watts-Strogatz, modelo de grafo aleatório de 292
Weïerstrass, função de 308, *310*
Weierstrass, Karl 209, 226, 227, 308
Weil, André 264, 283, *283*, 302
Wessel, Casper 215
Whitehead, Alfred North 69, 134, 273
Whitehead, Henry 324
Widman, Johannes 126-127
Wilder, Raymond Louis 259
Wiles, Andrew 81, 282-283, 302-303, 321-323, *323*
Wilmshurst, Alan 209
Wolpert, David 218
World Wide Web 265
Wren, Christopher 153
Wrench, John 65
Wright, Edward 277

Y, Z

Yang Hui 160
Z3 289
Zadeh, Lotfi 265, 300
Zagier, Don 261
Zeising, Adolf 123
Zenão, paradoxos de **46-47**, 117, 170-171
Zenão de Eleia 21, 46-47, *47*, 252
Zermelo, Ernst 272
zero 27, 86, **88-91**, 105, 240
   zeros não triviais 250-251
Zhao, Ke 237
Zhu Shijie 160
Zu, razão de 83
Zu Chongzhi 62, 64, **83**
Zuse, Konrad 225, 289

CRÉDITOS DAS CITAÇÕES

As citações seguintes são atribuídas a pessoas que não são a figura central do tópico em destaque.

IDADE ANTIGA E PERÍODO CLÁSSICO

60 **Explorar pi é como explorar o Universo**
David Chudnovsky, matemático ucraniano-americano

70 **A arte de medir triângulos**
Samuel Johnson, escritor inglês

80 **A legítima flor da aritmética**
Regiomontanus, matemático e astrônomo alemão

82 **Uma estrela incomparável no céu da sabedoria**
Martin Cohen, filósofo britânico

IDADE MÉDIA

92 **A álgebra é uma arte científica**
Omar Khayyam, matemático e poeta persa

106 **A música onipresente das esferas**
Guy Murchie, escritor americano

112 **O poder da duplicação**
Ibn Khallikan, erudito e biógrafo muçulmano

RENASCIMENTO

118 **A geometria da arte e da vida**
Matila Ghyka, romancista e matemático romeno

124 **Como um grande diamante**
Chris Caldwell, matemático americano

152 **Um recurso de maravilhosa invenção**
Evangelista Torricelli, físico e matemático italiano

162 **O acaso é restringido e regido pela lei**
Boécio, senador romano

168 **Com cálculo posso prever o futuro**
Steven Strogatz, matemático americano

ILUMINISMO

186 **Um desses números estranhos que são criaturas singulares**
Ian Stewart, matemático britânico

197 **A mais bela equação**
Keith Devlin, matemático britânico

198 **Nenhuma teoria é perfeita**
Nate Silver, estatístico americano

200 **Uma simples questão de álgebra**
Robert Simpson Woodward, engenheiro, físico e matemático americano

204 **A álgebra muitas vezes dá mais do que lhe pedem**
Jean d'Alembert, matemático e filósofo francês

SÉCULO XIX

218 **O diabrete que conhece a posição de cada partícula do Universo**
Steven Pinker, psicólogo canadense

221 **Uma ferramenta indispensável em matemática aplicada**
Walter Fricke, astrônomo e matemático alemão

226 **Um novo tipo de função**
W. W. Rouse Ball, matemático e advogado britânico

234 **Como um mapa de bolso**
Atribuída a Peter Tait, físico e matemático britânico, por Silvanus Phillips Thompson, físico e engenheiro britânico

238 **A matriz está em todo lugar**
Do filme *Matrix*

250 **A música dos números primos**
Marcus du Sautoy, matemático e escritor britânico

252 **Alguns infinitos são maiores que outros**
John Green, escritor americano

260 **Perdido naquele espaço silencioso e medido**
Paolo Giordano, escritor italiano

NOVA MATEMÁTICA

268 **A estatística é a gramática da ciência**
Karl Pearson, matemático e estatístico britânico

276 **Um número bem sem graça**
G. H. Hardy, matemático inglês

278 **Um milhão de macacos martelando num milhão de máquinas de escrever**
Robert Wilensky, cientista da computação americano

280 **Ela mudou a face da álgebra**
Hermann Weyl, matemático alemão

291 **Um plano para a era digital**
Robert Gallagher, engenheiro americano

294 **Uma pequena vibração pode mudar todo o cosmos**
Amit Ray, escritor indiano

302 **Uma grande teoria unificadora da matemática**
Edward Frenkel, matemático russo-americano

306 **Variedade infinita e complicada sem limites**
Roger Penrose, matemático britânico

318 **Joias ligadas por um fio até então invisível**
Ronald Solomon, matemático americano

320 **Uma prova realmente maravilhosa**
Pierre de Fermat, advogado e matemático francês

AGRADECIMENTOS

A Dorling Kindersley gostaria de agradecer a Gadi Farfour, Meenal Goel, Debjyoti Mukherjee, Sonali Rawat e Garima Agarwal pela assistência de design, a Rose Blackett-Ord, Daniel Byrne, Kathryn Hennessy, Mark Silas e Shreya Iyengar pela assistência editorial, e a Gillian Reid, Amy Knight, Jacqueline Street-Elkayam e Anita Yadav pela assistência de produção.

CRÉDITOS DAS IMAGENS

A editora gostaria de agradecer às seguintes pessoas e instituições pela gentil permissão de reproduzir suas fotos: (abreviaturas: a: em cima; b: embaixo; c: no centro; d: na direita; e: na esquerda; t: no topo)

25 Getty Images: Universal History Archive / Universal Images Group (cdb). **Science Photo Library:** New York Public Library (be). **27 Alamy Stock Photo:** Artokoloro Quint Lox Limited (td); NMUIM (ceb). **29 Alamy Stock Photo:** Historic Images (cda). **31 SuperStock:** Stocktrek Images (cdb). **32 Getty Images:** Werner Forman / Universal Images Group (cb). **33 Getty Images:** DEA PICTURE LIBRARY / De Agostini (cdb). **35 Getty Images:** Print Collector / Hulton Archive (cea). **38 Alamy Stock Photo:** World History Archive (td). **41 Alamy Stock Photo:** Peter Horree (bd). **42 Getty Images:** DEA Picture Library / De Agostini (bd). **43 Alamy Stock Photo:** World History Archive (te). **SuperStock:** Album / Oronoz (cd). **45 Alamy Stock Photo:** The History Collection (td). **47 Rijksmuseum, Amsterdam:** doação de J. de Jong Hanedoes, Amsterdam (be). **49 Dreamstime.com:** Vladimir Korostyshevskiy (be). **51 Dreamstime.com:** Mohamed Osama (td). **54 Wellcome Collection http://creativecommons.org/licenses/by/4.0/:** (be). **55 Science Photo Library:** Royal Astronomical Society (cda). **59 Alamy Stock Photo:** Science History Images (bd). **63 Wellcome Collection http://creativecommons.org/licenses/by/4.0/:** (cd). **65 Alamy Stock Photo:** National Geographic Image Collection (te). **Nasa:** imagens por cortesia da Nasa / JPL-Caltech / Instituto de Ciência Espacial (cb). **67 Alamy Stock Photo:** Ancient Art and Architecture (td). **73 Alamy Stock Photo:** Science History Images (be, cda). **75 Dreamstime.com:** Gavin Haskell (td). **77 Getty Images:** Steve Gettle / Minden Pictures (cdb). **79 Alamy Stock Photo:** Granger Historical Picture Archive (b). **81 Alamy Stock Photo:** The History Collection (cda). **82 Alamy Stock Photo:** Art Collection 2 (cd). **89 Alamy Stock Photo:** The History Collection (be). **90 Alamy Stock Photo:** Ian Robinson (ceb). **91 SuperStock:** fototeca gilardi / Marka (cdb). **94 SuperStock:** Melvyn Longhurst (be). **98 Getty Images:** DEA PICTURE LIBRARY / De Agostini (t). **99 Getty Images:** DEA / M. SEEMULLER / De Agostini (bd). **103 Bridgeman Images:** Pictures from History (cda). **105 Alamy Stock Photo:** Idealink Photography (cda). **108 Alamy Stock Photo:** David Lyons (be). **110 Alamy Stock Photo:** Acorn 1 (bc). **111 Alamy Stock Photo:** Flhc 80 (ceb); RayArt Graphics (td). **112 Getty Images:** Smith Collection / Gado / Archive Photos (bc). **121 Alamy Stock Photo:** Art Collection 3 (be). **122 Alamy Stock Photo:**

Painting (t). **123 Dreamstime. com:** Millafedotova (cdb). **126 Alamy Stock Photo:** James Davies (bc). **127 Getty Images:** David Williams / Photographer's Choice RF (td). **131 Science Photo Library:** Science Source (b). **134 iStockphoto.com:** sigurcamp (b). **136 Alamy Stock Photo:** George Oze (bd). **137 Alamy Stock Photo:** Hemis (te). **139 Alamy Stock Photo:** Classic Image (td). **140 Science Photo Library:** Oona Stern (cb). **141 Alamy Stock Photo:** Pictorial Press Ltd (b). **142 Getty Images:** Keystone Features / Stringer / Hulton Archive (bc). **143 Wellcome Collection http://creativecommons.org/licenses/by/4.0/:** (td). **146 Alamy Stock Photo:** IanDagnall Computing (be). **147 Science Photo Library:** Royal Astronomical Society (bd). **150 Getty Images:** Etienne DE MALGLAIVE / Gamma-Rapho (td). **159 Rijksmuseum, Amsterdam:** (be). **160 Alamy Stock Photo:** James Nesterwitz (ceb). **Gwen Fisher:** Bat country foi escolhido em 2013 como projeto artístico honorário do evento Burning Man. (te). **163 123RF.com:** Antonio Abrignani (b). **Alamy Stock Photo:** Chris Pearsall (ceb, cb, cb/azul). **164 Alamy Stock Photo:** i creative (bd). **171 Alamy Stock Photo:** Stefano Ravera (ca). **172 Getty Images:** DE AGOSTINI PICTURE LIBRARY (be). **173 Alamy Stock Photo:** Granger Historical Picture Archive (bd). **174 Alamy Stock Photo:** World History Archive (tc). **175 Alamy Stock Photo:** INTERFOTO (td). **177 Alamy Stock Photo:** Chronicle (cb). **182 Getty Images:** Science Photo Library (be). **183 Library of Congress, Washington:** LC-USZ62-10191 (negativo de foto pb) (be). **185 Alamy Stock Photo:** Interfoto (td). **Getty Images:** Xavier Laine / Getty Images Sport (bc). **188 Wellcome Collection http://creativecommons.org/licenses/by/4.0/:** (be). **190 Alamy Stock Photo:** Peter Horree (cdb). **191 Alamy Stock Photo:** James King-Holmes (td). **193 Alamy Stock Photo:** Heritage Image Partnership Ltd (be). **196 Getty Images:** Steve Jennings / Stringer / Getty Images Entertainment (td). **201 Alamy Stock Photo:** Classic Image (be). **203 Wellcome Collection http://creativecommons.org/licenses/by/4.0/:** (td). **206 Alamy Stock Photo:** Science History Images (td). **208 Alamy Stock Photo:** Science History Images (td). **Getty Images:** Bettmann (b). **209 Alamy Stock Photo:** Nasa Image Collection (ceb). **217 Getty Images:** AFP Contributor (bd). **Wellcome Collection http://creativecommons.org/licenses/by/4.0/:** (cea). **218 Getty Images:** Jamie Cooper / SSPL (bc). **219 Getty Images:** Mondadori Portfolio / Hulton Fine Art Collection (td). **220 Alamy Stock Photo:** The Picture Art Collection (cdb). **223 Alamy Stock Photo:** Chronicle (cea). **224 Dorling Kindersley:** The Science Museum (b). **Getty Images:** Science & Society Picture Library (bc). **225 The New York Public Library:** (td). **227 Getty Images:** Stocktrek Images (cb). **Superstock:** Fine Art Images / A. Burkatovski (b). **229 Daina Taimina:** do livro de Daina Taimina Crocheting Adventures with Hyperbolic Planes (cb); Tom Wynne (td). **231 Getty Images:** Bettmann (b). **232 Getty Images:** Boston Globe / Cubo de Rubik® usado sob permissão de Rubik's Brand Ltd www.rubiks.com (bc). **233 Alamy Stock Photo:** Massimo Dallaglio (te). **235 Alamy Stock Photo:** The History Collection (td); Jochen Tack (cea). **237 Alamy Stock Photo:** Painters (td). **239**

Alamy Stock Photo: Beth Dixson (be). **Wellcome Collection http://creativecommons.org/licenses/by/4.0/:** (td). **245 Wellcome Collection http://creativecommons.org/licenses/by/4.0/:** (be). **247 Alamy Stock Photo:** sciencephotos (te). **249 Alamy Stock Photo:** Chronicle (td); Peter Horree (cea). **251 Alamy Stock Photo:** The History Collection (td). **Science Photo Library:** Dr. Mitsuo Ohtsuki (cb). **253 Alamy Stock Photo:** INTERFOTO (be). **255 Dreamstime.com:** Antonio De Azevedo Negrão (cd). **257 Alamy Stock Photo:** Science History Images (td). **259 Alamy Stock Photo:** Wenn Rights Ltd (td). **261 Getty Images:** ullstein bild Dtl. (td). **267 Alamy Stock Photo:** History and Art Collection (td). **270 Alamy Stock Photo:** Chronicle (te). **271 Science Photo Library:** (be). **273 Getty Images:** John Pratt / Stringer / Hulton Archive (cea). **274 Nasa:** Centro de Voos Espaciais Goddard da Nasa (bd). **275 Getty Images:** Keystone / Stringer / Hulton Archive (td). **277 Alamy Stock Photo:** Granger Historical Picture Archive (td). **279 Getty Images:** Eduardo Munoz Alvarez / Stringer / Getty Images News (cda); ullstein bild Dtl. (be). **281 Alamy Stock Photo:** FLHC 61 (cda). **283 Bridgeman Images:** coleção particular / Archives Charmet (cea). **287 Alamy Stock Photo:** Granger Historical Picture Archive (td). **Getty Images:** Bletchley Park Trust / SSPL (be). **289 Alamy Stock Photo:** Ian Dagnall (te). **291 Alamy Stock Photo:** Science History Images (cd). **296 Alamy Stock Photo:** Jessica Moore (td). **Science Photo Library:** Emilio Segre Visual Archives / Instituto Americano de Física (be). **297 Alamy Stock Photo:** Science Photo Library (bd). **301 Alamy Stock Photo:** Aflo Co. Ltd. (ceb). **303 Dorling Kindersley:** H. Samuel Ltd (cda). Instituto de Estudos Avançados, Princeton: Randall Hagadorn (be). **308 Getty Images:** PASIEKA / Science Photo Library (td). **309 Science Photo Library:** Emilio Segre Visual Archives / Instituto Americano de Física (cd). **310 Alamy Stock Photo:** Steve Taylor ARPS (bc). **311 Getty Images:** Fine Art / Corbis Historical (cea). **313 Getty Images:** f8 Imaging / Hulton Archive (cdb). **315 Dorling Kindersley:** Royal Signals Museum, Blandford Camp, Dorset (bc). **316 Alamy Stock Photo:** Interfoto (be). **317 Getty Images:** Matt Cardy / Stringer / Getty Images News (cd). **323 Science Photo Library:** Frederic Woirgard / Look at Sciences (be). **325 Avalon:** Frances M. Roberts (td)

Todas as outras imagens © Dorling Kindersley
Para mais informações ver: **www.dkimages.com**

Conheça todos os títulos da série:

 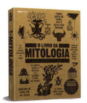   

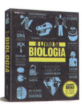